D1211088

LE DERNIER PARRAIN

Du même auteur

Le Parrain, Laffont, 1970.

Mamma Lucia, Laffont, 1971.

C'est idiot de mourir, Laffont, 1979.

Le Sicilien, Laffont, 1985.

Le Quatrième K, Laffont, 1991.

Mario Puzo

LE DERNIER PARRAIN

Traduit de l'américain
par Dominique Defert

JC Lattès

Titre original :

The Last Don
publié par
Random House, Inc., New York

à Virginia Altman
et Domenick Cleri.

PROLOGUE

Quogue

1965

Le dimanche des Rameaux, un an après la grande guerre contre les Santadio, Don Domenico Clericuzio fêtait le baptême de deux jeunes fruits de son sang et était sur le point de prendre la plus grande décision de sa vie. Il avait invité les chefs des plus grandes familles des États-Unis, ainsi qu'Alfred Gronevelt, propriétaire de l'hôtel Xanadu à Las Vegas, et David Redfellow, bâtisseur d'un vaste empire de la drogue sur le continent nord-américain — tous des partenaires des Clericuzio, à un degré ou à un autre.

Ce jour-là, Don Clericuzio, le parrain le plus puissant des États-Unis, s'apprêtait à lâcher les rênes du pouvoir — du moins en surface. Le temps était venu de jouer d'autres cartes, la puissance ostentatoire étant devenue trop dangereuse à son goût. Mais ce changement de main recelait également des dangers. Il devait faire montre d'une bienveillance habile, d'une bonne volonté à toute épreuve, et réaliser l'opération selon ses propres arrangements.

La propriété des Clericuzio à Quogue s'étendait sur près de dix hectares, clos d'un mur de brique haut de trois mètres, bardé de fils barbelés et de cellules électriques. Outre la demeure du maître, le domaine abritait les maisons de ses trois fils et vingt pavillons d'amis pour les fidèles de la famille.

Avant l'arrivée des invités, Don Clericuzio et ses fils étaient installés autour d'une table blanche en fer forgé, à l'ombre d'une tonnelle derrière la maison. Giorgio, l'aîné, était grand avec un corps maigre et longiligne de gentleman anglais. Il portait des vêtements sur mesure et une petite moustache nerveuse sur la lèvre supérieure. Il avait vingt-sept ans. C'était un homme taciturne, avec une intelligence redoutable et un visage fermé à double tour. Don Clericuzio lui annonça qu'il irait à la Wharton School of Business. Il apprendrait là-bas les infinies manières d'extorquer de l'argent en toute légalité.

Giorgio ne posa aucune question. Il s'agissait davantage d'un édit royal que d'une incitation à la discussion. Il acquiesça en silence.

Don Clericuzio se tourna alors vers son neveu, Joseph De Lena (dit Pippi). Il l'aimait autant que ses propres fils. Outre les liens du sang qui l'unissaient à lui (Pippi était le fils de sa sœur défunte) il avait été le grand général de la guerre contre les féroces Santadio.

— Tu vas aller vivre à Las Vegas, déclara le patriarche. Tu veilleras sur nos intérêts à l'hôtel Xanadu. Maintenant que la famille se retire des affaires, il n'y aura plus grand-chose à faire ici. Mais tu resteras le *martello* de la famille.

Voyant la grise mine de Pippi, Don Clericuzio se sentit obligé d'expliciter les raisons de son choix.

— Ta femme, Nalene, ne s'est pas acclimatée à la famille, ni à la vie dans l'enclave du Bronx. Elle est trop différente. Elle ne pourra jamais trouver sa place. Il faut que tu fasses ta vie ailleurs, loin d'ici, loin de la famille.

Tout cela était véridique, certes, mais Don Clericuzio avait une autre raison en tête. Pippi était le grand héros de guerre de la famille et s'il continuait à être le « maire » de l'enclave, les fils Clericuzio n'auraient plus aucune autorité sur lui après la mort du patriarche.

— Tu seras mon *bruglione* dans l'Ouest, expliqua-t-il. Tu seras riche. Mais le travail là-bas est important et délicat.

Il tendit à Pippi l'acte de propriété d'une maison à Las Vegas ainsi que celui d'une société prospère de recouvrement de dettes. Don Clericuzio se tourna ensuite vers Vincent, son fils benjamin âgé de vingt-cinq ans. C'était le plus petit de ses trois fils, mais il était fort et solide comme un roc — et sous ses dehors d'ours se cachait un cœur tendre. Il avait appris, accroché aux jupons de sa mère, tous les plats traditionnels d'Italie et avait versé toutes les larmes de son corps lorsqu'elle était morte.

— Je vais donc décider de ta destinée, annonça le père en lui lançant un sourire, et t'aiguiller sur la voie qui est la tienne. Tu vas ouvrir un grand restaurant à New York. Le meilleur. N'épargne ni tes efforts, ni l'argent. Je veux que tu montres aux Français ce qu'est la grande cuisine.

Pippi et les deux autres fils se mirent à rire. Même Vincent sourit.

— Tu iras pendant un an dans la meilleure école de cuisine d'Europe.

— Je ne vois pas ce qu'ils pourraient m'apprendre, grommela Vincent, malgré sa joie évidente.

Le père lui lança un regard sévère.

— Tes pâtisseries laissent encore à désirer. Mais l'important, c'est de savoir gérer ce genre d'établissement. Qui sait, un jour peut-être, tu auras ta propre chaîne de restaurants. Giorgio te donnera l'argent dont tu auras besoin.

Don Clericuzio se tourna enfin vers Petie, le cadet — le plus affable de ses fils. Il avait à peine vingt-six ans mais on voyait déjà poindre en lui les caractères ataviques des anciens Clericuzio de Sicile.

— Petie, puisque Pippi s'en va dans l'Ouest, tu seras le maire de l'enclave du Bronx. En outre, je t'ai acheté une entreprise de travaux publics, une grosse. Tu répareras les gratte-ciel de New York, tu construiras des locaux pour la police, tu paveras les rues. C'est une affaire qui tourne, mais j'attends que tu en fasses une grande société. Tes hommes pourront avoir un emploi officiel et tu gagneras beaucoup d'argent. Dans un premier temps, tu devras faire tes classes sous les ordres du propriétaire actuel. Mais souviens-toi : ton premier souci devra être de subvenir aux besoins des hommes qui servent notre famille.

Don Clericuzio se tourna de nouveau vers l'aîné.

— Giorgio, tu seras mon successeur. Toi et Vinnie vous n'aurez bientôt plus à vous occuper de ces affaires délicates qui recèlent tant de dangers — sauf, bien sûr, lorsque cela sera réellement indispensable. Il est temps de nous tourner vers l'avenir. Vos enfants, mes propres enfants, et les petits Dante et Croccifixio ne doivent plus vivre dans ce monde. Nous sommes riches, nous n'avons plus besoin de risquer nos vies pour gagner notre pain quotidien. La famille jouera le rôle de conseiller financier pour les autres familles. Nous serons un soutien politique, un médiateur pour régler leurs querelles. Mais pour assumer ce rôle, nous avons besoin d'atouts dans notre jeu. Il nous faut une armée. Nous devons être en mesure de protéger l'argent de tous ceux qui nous laisseront saucer le plat.

Le patriarche marqua un moment de silence.

— Dans vingt ou trente ans, nous nous fondrons dans le monde des lois et de la légalité et nous profiterons de notre richesse en toute impunité. Ces deux bébés dont nous célébrons le baptême aujourd'hui n'auront jamais à commettre nos péchés ni à courir les mêmes risques que nous.

— Pourquoi, dans ce cas, conserver l'enclave du Bronx ? demanda Giorgio.

— Nous aspirons tous à être des saints un jour, répondit le père, mais pas à jouer les martyrs.

Une heure plus tard, Don Clericuzio se tenait au balcon de la maison et contemplait les festivités dans le jardin.

L'immense pelouse était décorée de tables de buffet, chapeautées de grands parasols verts, où se pressaient deux cents invités — des *soldats* de l'enclave du Bronx pour la plupart. Les baptêmes étaient toujours prétextes à de grandes fêtes et celle-ci était la plus somptueuse de toutes.

La victoire sur le clan Santiado avait coûté le prix fort aux Clericuzio. Le père avait perdu Silvio, son fils préféré, et sa fille, Rose Marie, avait perdu son mari.

Le père regardait la foule aller et venir entre les longues tables croulant sous les carafes de vin rouge, les soupières blanches débordantes de gaspacho, les jarres de pâtes multicolores, les plats de charcuteries et de fromage, et les corbeilles de pains de toutes formes et de toutes tailles. Il se laissa bercer un moment par la musique qu'un petit orchestre jouait en sourdine dans le fond du jardin.

Juste au milieu du cercle que dessinaient les tables du buffet, il aperçut les deux landaus avec leurs petits plaids bleus. Les deux bébés s'étaient montrés déjà pleins de courage ; ils n'avaient pas bronché lorsqu'ils avaient été aspergés d'eau bénite. A côté des poussettes se tenaient leurs mères, Rose Marie, et Nalene — la femme de Pippi De Lena. Don Clericuzio distinguait les visages roses des bambins, encore préservés des intempéries de la vie. Dante Clericuzio et Croccifixio De Lena. C'était à lui de s'assurer que ces deux enfants n'aient jamais à souffrir pour gagner leur vie. S'il réussissait dans cette tâche, Dante et Croccifixio se mouleraient dans la société légale. A ce titre, il était curieux, songea le vieil homme, que personne ne vienne rendre hommage aux deux bébés.

Vincent, le visage, comme à son habitude, sévère comme du granit, distribuait des hot dogs à des gamins, planté derrière une carriole qu'il avait construite de ses mains pour l'occasion. La carriole ressemblait à celles qui sillonnaient les rues de New York, mis à part le fait que celle-ci était plus grande, qu'elle était surmontée d'un parasol flambant neuf, et que la nourriture qui en sortait était bien meilleure. Vincent avait noué un tablier blanc à sa taille et farcissait généreusement ses hot dogs de chou, de moutarde, d'oignons rouges et de sauce piquante. Chaque enfant devait lui donner un bisou pour avoir le sien. Vincent était le plus tendre et doux de ses fils, sous ses airs de brute.

Il aperçut Petie qui jouait à la pétanque avec Pippi De Lena, Virginio Ballazzo et Alfred Gronevelt. Petie ne cessait de faire des plaisanteries — regrettable manie, au goût du père, qui pouvait toujours se révéler dangereuse. Même aujourd'hui, ses farces ne cessaient de troubler la partie : certaines boules, sabotées par ses soins, volaient en morceaux au premier carreau.

Virginio Ballazzo était le bras droit de Don Clericuzio, il s'occupait des affaires de la famille. De caractère bonhomme et enjoué, Ballazzo, feignant la colère, courait après Petie qui se sauvait en poussant des cris d'effraie. Le père savait que Petie était un tueur né ; et que le facétieux Virginio Ballazzo s'était taillé lui aussi une belle réputation en ce domaine.

Mais aucun des deux ne pouvait rivaliser avec Pippi en la matière.

Toutes les femmes le regardaient d'ailleurs — à l'exception des deux mamans, Rose Marie et Nalene. Son charme était évident. Aussi grand que Don Clericuzio, il possédait un corps robuste et puissant, un visage ténébreux, comme sculpté au burin. La plupart des hommes l'observaient également — des soldats de son armée de l'enclave pour certains — tous sensibles à l'autorité naturelle qui émanait de sa personne, à la souplesse de ses gestes et de son corps en mouvement, et à sa réputation légendaire de *martello* numéro un des Clericuzio, le plus redoutable des « hommes qualifiés ».

David Redfellow qui, malgré son teint et ses airs d'adolescent prépubère, était le plus grand trafiquant de drogues d'Amérique, pinçait gentiment les joues des deux bébés dans leurs landaus, tandis qu'Alfred Gronevelt, toujours en costume cravate, faisait de son mieux pour jouer à ce jeu de boule exotique, visiblement de plus en plus mal à l'aise. Gronevelt avait le même âge que Don Clericuzio, près de soixante ans.

Ce jour-là, Don Clericuzio s'apprêtait à bouleverser leur existence à tous — pour le meilleur et non pour le pire, espérait-il.

Giorgio vint chercher son père pour qu'il préside la première réunion de la journée. Les dix chefs de la Mafia s'étaient rassemblés dans le cabinet de travail de la maison. Giorgio leur avait déjà exposé les propositions de Don Clericuzio — le baptême était un excellent prétexte pour la rencontre, mais n'ayant aucun lien de sang avec la famille, les chefs de clan voulaient prendre congé le plus rapidement possible.

Le cabinet de travail des Clericuzio était une pièce sans fenêtre, équipée de gros meubles et d'un bar. Les dix hommes patientaient autour de la grande table de réunion en marbre noir, l'air grave. Chacun salua, tour à tour, Don Clericuzio, et se rassit, impatient d'entendre ce qu'il avait à leur dire.

Le père fit appeler ses deux autres fils, Vincent et Petie, ainsi que Ballazzo, son bras droit, et Pippi De Lena. Giorgio, froid et sardonique comme à son habitude, prononça quelques mots d'introduction.

Don Clericuzio observait les visages des hommes devant lui — ils étaient les piliers d'une société illégale dont le but était de répondre aux besoins fondamentaux des citoyens.

— Mon fils, Giorgio, vous a expliqué comment tout cela va fonctionner. Ma proposition est la suivante : je me retire des affaires, à l'exception des jeux. Je cède mes activités de New York à mon vieil ami Virginio Ballazzo. Il fondera sa propre famille et sera indépendant des Clericuzio. Pour le reste du pays, je cède à vos familles mes parts dans les syndicats, les sociétés de transports, l'alcool, le tabac et les drogues. Avec tous mes appuis politiques et juridiques, en prime. Tout ce que je demande, en retour, c'est de me laisser m'occuper de vos bénéfices. Ils seront gardés en lieu sûr, et disponibles à tout moment. Vous n'aurez pas à vous inquiéter des enquêtes de la brigade de répression des fraudes. Pour ce service, je vous demande seulement une commission de 5 p. 100.

Pour les dix hommes, c'était une offre de rêve. Ils n'en espéraient pas tant. Le simple fait que Don Clericuzio se retire des affaires alors qu'il avait les moyens d'accroître sa puissance et de détruire leurs empires était déjà, en soi, une heureuse nouvelle.

Vincent fit le tour de la table et versa à chacun un verre de vin. Toutes les mains se levèrent de concert pour trinquer à la retraite du parrain.

Une fois que les chefs de la Mafia eurent fait cérémonieusement leurs adieux, David Redfellow fut conduit dans le cabinet de travail par Petie. Il s'assit dans le fauteuil de cuir, face à Don Clericuzio, et Vincent lui servit un verre de vin. Redfellow ne ressemblait pas aux autres membres de la famille ; non seulement il avait les cheveux blonds, mais il portait aussi un diamant à l'oreille, et était vêtu de jeans de la tête aux pieds. Il avait du sang scandinave dans les veines, des yeux bleu acier, un air toujours guilleret et pétulant.

Don Clericuzio tenait Redfellow en grande estime. C'est lui qui avait montré à la famille comment on pouvait corrompre les autorités légales, même en matière de stupéfiants.

— David, commença Don Clericuzio, tu vas abandonner le domaine de la drogue. J'ai quelque chose de mieux pour toi.

Redfellow ne chercha pas à discuter.

— Pourquoi, maintenant ? demanda-t-il simplement.

— Parce que le gouvernement consacre trop de temps et d'énergie à nous causer des soucis dans ce secteur, répondit Don Clericuzio. Tu ne vas pas vivre dans l'angoisse jusqu'à la fin de tes jours. Et pire encore, cela devient trop dangereux pour tout le monde. Mon fils Petie et ses hommes ont joué les gardes du corps pour toi. Mais cela ne peut plus durer. Les Colombiens sont trop fous, trop violents. Laissons-leur le marché. Tu vas aller en Europe. Je veillerai à ta sécurité là-bas. Tu pourras t'offrir une banque pour t'occuper et tu vivras à Rome. Il y a de belles affaires à y mener.

— Magnifique ! lança Redfellow. Je ne parle pas italien et ne connais rien à la banque !

— Tu apprendras. Tu seras heureux à Rome. Tu peux rester ici, si tu veux, mais tu n'auras plus mon soutien. Petie ne pourra plus assurer ta sécurité. Le choix est entre tes mains.

— Je pourrais vendre mes parts ? Qui va s'occuper de mes affaires ?

— Les Colombiens s'en occuperont. On ne peut pas les en empêcher, c'est le destin. Mais le gouvernement va leur rendre la vie impossible. Alors, c'est oui ou non ?

Redfellow réfléchit un instant puis éclata de rire.

— Dis-moi au moins comment on va s'y prendre !

— Giorgio t'emmènera à Rome et te présentera à mes gens là-bas. Pendant les premières années, ils te conseilleront. — Don Clericuzio le serra dans ses bras — Je suis heureux que tu suives mon conseil. Nous resterons des partenaires en Europe et crois-moi, ce sera la belle vie pour toi.

Lorsque David Redfellow s'en alla, Don Clericuzio fit appeler Alfred Gronevelt. En tant que propriétaire de l'hôtel Xanadu à Las Vegas, Gronevelt se trouvait sous la tutelle de feu la famille Santiado.

— Mr. Gronevelt, annonça le patriarche, vous continuerez à diriger l'hôtel sous ma protection. Vous n'aurez rien à craindre, ni pour vous-même, ni pour votre bien. Vous conserverez 51 p. 100 des parts de l'hôtel. Je prendrai les 49 p. 100 qu'avaient auparavant les Santiado et serai représenté par la même entité légale. Cela vous convient-il ?

Il émanait de Gronevelt une sorte de dignité naturelle et malgré son âge, son physique avait quelque chose qui imposait le respect.

— Si je reste à l'hôtel, répondit-il avec circonspection, je veux avoir la même liberté de décision qu'auparavant. Sinon, je préfère vous vendre mes parts.

— Vendre une mine d'or ? rétorqua Don Clericuzio avec incrédulité. Non, rassurez-vous, loin de moi cette pensée ! Je suis un homme d'affaires avant tout. Si les Santiado s'étaient montrés plus modérés, toutes ces horreurs ne se seraient jamais produites. Mais les Santiado ne sont plus aujourd'hui. Et vous et moi sommes des hommes de raison. Mes représentants détiennent désormais les parts des Santiado et Joseph De Lena, par son mérite, a toute ma considération. Il sera mon *bruglione* dans l'Ouest, pour un salaire de cent mille dollars par an, payable par votre hôtel selon tout moyen à votre convenance. Si vous rencontrez le moindre problème, de quelque nature que ce soit, vous vous en remettrez à lui — et je sais que dans votre secteur, les problèmes sont légion.

Gronevelt, guère expansif de nature, semblait assez serein.

— Pourquoi me faire une telle faveur ? Vous avez d'autres possibilités, bien plus avantageuses pour vous.

— Parce que vous êtes un génie en votre domaine, répondit Don Domenico Clericuzio avec solennité. Tout le monde le reconnaît à Las Vegas. Et pour vous montrer l'estime que je vous porte, je vais vous faire un petit cadeau.

Gronevelt esquissa un sourire.

— Vous m'avez déjà donné mon hôtel. Je ne vois pas comment vous pourriez faire plus...

Don Clericuzio le regarda d'un air malicieux ; bien qu'il fût d'un naturel sérieux, il aimait prendre les gens de court par l'étendue de son pouvoir.

— A vous de choisir le prochain membre de la Nevada Gaming Commission[1], annonça Don Clericuzio. Il y a un siège à pourvoir.

Il en fallait beaucoup pour surprendre Gronevelt, et encore plus pour l'impressionner. Il n'en croyait pas ses oreilles. Un avenir glorieux dépassant tout entendement s'ouvrait soudain devant lui.

---

1. Commission fondée dans les années 50 gérant les jeux et les casinos au Nevada (afin d'éviter la mainmise de la Mafia dans ce secteur). *(N.d.T.)*

— Si vous pouvez faire ça, articula Gronevelt, nous serons richissimes tous les deux dans les prochaines années.

— C'est déjà fait, répondit Don Clericuzio. Voilà. Vous pouvez maintenant aller rejoindre les autres et profiter de la fête.

— Je préfère rentrer à Las Vegas. Il est plus sage, je crois, que l'on ne me voie pas trop avec vos invités.

Don Clericuzio hocha la tête.

— Petie, tu reconduiras Mr. Gronevelt à New York.

Don Clericuzio se retrouva seul avec ses fils, Pippi De Lena et Virginio Ballazzo. Tous avaient l'air un peu abasourdi. A l'exception de Giorgio qui avait reçu les confidences du patriarche, personne ne connaissait jusqu'alors les intentions du chef de famille.

Ballazzo était un jeune *bruglione*, à peine plus âgé que Pippi. Il avait le contrôle des syndicats, des circuits de distribution des ateliers de confection et de certains réseaux de drogues. Don Clericuzio lui annonça qu'à partir d'aujourd'hui, il serait indépendant de la famille. Il devrait simplement lui verser une commission de 10 p. 100. Autrement, il aurait la pleine autorité sur ces affaires.

Virginio Ballazzo ne savait que dire devant ces largesses. D'ordinaire, c'était quelqu'un d'extraverti, qui exprimait sa joie ou ses regrets avec exubérance, mais le choc était tel cette fois-ci qu'il resta muet et serra respectueusement Don Clericuzio dans ses bras.

— Sur ces 10 p. cent, 5 seront mis de côté par mes soins pour tes vieux jours ou pour les coups durs, poursuivit le patriarche. Ne prends pas mal ce que je vais te dire, mais les gens changent et ont la mémoire courte, la gratitude s'estompe avec le temps. Alors je te demande d'être scrupuleux sur tes versements. — Don Clericuzio marqua un silence — Souviens-toi que je ne suis pas le percepteur ; je ne peux te demander des intérêts ou te faire payer des majorations.

Ballazzo comprit le message. Avec Don Clericuzio, la punition était rapide et sans appel. Il n'y aurait pas la moindre lettre de relance. Et la sentence était la mort. Voilà comment on traitait les ennemis et les traîtres dans la famille; il n'y avait pas d'alternative.

Ballazzo prit congé. Au moment où Pippi De Lena s'apprêtait à quitter la pièce à son tour, Don Clericuzio l'arrêta et l'attira à lui.

— Souviens-toi, lui murmura-t-il à l'oreille après un moment de silence. Toi et moi, on a un secret. Et un secret se garde toute la vie — ce n'est pas moi qui ai donné l'ordre.

Sur la pelouse, Rose Marie Clericuzio attendait l'occasion de parler à Pippi De Lena. Elle était une jeune et très jolie veuve, mais le noir ne lui allait pas. La douleur d'avoir perdu un mari et un frère avait ôté à son visage son éclat naturel. Ses grands yeux noisette s'étaient éteints, sa mine verdâtre avait quelque chose de cireux. Seul Dante, son bébé, dans sa layette bleue de baptême et endormi dans ses bras, égayait sa silhouette d'une tache de couleur. Durant toute la journée, elle avait gardé une certaine distance vis-à-vis de son père et de ses trois frères, Giorgio, Vincent et Petie. Pour l'instant, elle voulait avoir une explication avec Pippi De Lena.

Ils étaient cousins. Pippi était de dix ans son aîné et, adolescente, elle avait été très amoureuse de lui. Mais Pippi s'était toujours montré froid et distant envers elle, avec un petit côté paternel. Pippi avait pourtant un faible pour les jolies femmes, mais il était bien trop prudent pour se laisser aller aux faiblesses de la chair avec la fille de son patron et protecteur.

— Bonjour Pippi, dit-elle. Félicitations.

Pippi esquissa un sourire donnant un charme nouveau à son visage anguleux. Il se pencha pour embrasser le front du bébé. Les cheveux de l'enfant étaient d'une épaisseur étonnante et gardaient encore l'odeur d'encens de l'église.

— Dante Clericuzio, articula-t-il. Voilà un beau nom.

Ce n'était pas un compliment innocent. Rose Marie avait repris son nom de jeune fille pour elle et son enfant sans père. Don Clericuzio lui avait certes conseillé de le faire, en avançant des raisons d'une logique implacable, mais elle en ressentait toutefois une certaine culpabilité.

— Comment as-tu réussi à convaincre ta femme, lança Rose Marie pour dissiper son malaise, d'accepter cette cérémonie catholique et ce prénom si peu laïque?

Pippi lui sourit de nouveau.

— Ma femme m'adore et tient toujours à me faire plaisir.

C'était la vérité. Nalene l'aimait — mais elle ne connaissait pas Pippi, songea Rose Marie. Moi, je suis la seule à le connaître réellement et à l'avoir aimé.

— Croccifixio, tu parles d'un nom! s'exclama Rose Marie. Tu aurais pu au moins lui donner un prénom américain; Nalene aurait été contente.

— C'était le prénom de ton grand-père, et ça faisait plaisir à ton père.

— Oui, c'est le lot de tout un chacun ici, faire plaisir à mon père, admit-elle en masquant son amertume par son habituel sourire.

Rose Marie avait un visage fait pour sourire. Quoi qu'elle pût dire, la douceur de ce sourire venait toujours atténuer la dureté de ses paroles.

— Merci de m'avoir épargnée, ajouta-t-elle après un moment d'hésitation.

Pippi la regarda sans rien dire, surpris, un peu inquiet de ce qui allait suivre.

— Tu n'as jamais été en danger, répondit-il finalement, en passant son bras autour de ses épaules. Crois-moi. Ne pense plus à tout ça. Il faut oublier. Une vie pleine de joie et de bonheur nous attend. Il faut tirer un trait sur le passé.

Rose Marie se pencha pour embrasser l'enfant, préférant fuir le regard de Pippi.

— J'ai fait mon travail de deuil, soupira-t-elle, sachant que ces paroles seraient répétées à son père et à ses frères. J'ai retrouvé la paix. C'est une affaire réglée, à présent.

Elle tenait à ce que tous sachent qu'elle les aimait toujours, qu'elle était heureuse que son bébé soit accueilli dans la famille, son âme sanctifiée par l'eau bénite et sauvée des enfers.

A ce moment, Virginio Ballazzo vint les chercher et rassembla tout le monde au centre de la pelouse. Don Domenico Clericuzio sortit alors de la maison, suivi de ses trois fils.

Les hommes en costume, les femmes en longues robes, les enfants enrubannés de satin — la famille Clericuzio au grand complet — se placèrent en demi-cercle devant le photographe. La foule applaudit et lança des vivats, et l'instant fut figé à jamais : instant de paix, de gloire et d'amour.

Plus tard, la photo agrandie sous cadre trôna dans le bureau de Don Clericuzio, à côté du dernier portrait de son fils Silvio, tué au cours de la guerre contre les Santadio.

Le patriarche regarda la suite des festivités depuis le balcon de sa chambre.

Rose Marie poussant l'enfant dans son landau s'approcha des joueurs de boules et Nalene, la femme de Pippi, grande, fine, élégante, se dirigea vers elle, portant Croccifixio dans ses bras. Elle déposa l'enfant à côté de Dante et les deux femmes contemplèrent leur progéniture avec amour.

Don Clericuzio sentit une bouffée de bonheur l'envahir à l'idée que ces deux enfants grandiraient dans le confort et la sécurité, et ne connaîtraient jamais le prix qu'il aura fallu payer pour leur assurer cette vie bienheureuse.

Petie posa un biberon de lait dans la poussette et tout le monde se mit à rire en voyant les bébés se battre pour l'attraper. Rose Marie prit son fils Dante dans ses bras et Don Clericuzio songea à la jeune fille qu'elle était à peine quelques années plus tôt. Il poussa un soupir. Rien n'était plus beau qu'une femme amoureuse, rien n'était plus triste que d'en avoir fait une veuve, songea-t-il avec regret.

Rose Marie avait été son enfant préférée; elle était si joyeuse, si débordante de vie. Mais Rose Marie avait changé. La perte de son frère et de son mari était trop lourde à porter. Domenico Clericuzio savait toutefois que ceux qui ont connu une fois le véritable amour aimeront de nouveau et que les veuves, un jour, se lassent de porter le deuil. Et elle avait un enfant à chérir désormais.

Don Clericuzio songea au long chemin qu'il avait parcouru et s'émerveilla, une fois de plus, de toutes les joies que la vie lui avait apportées. Certes, il avait dû parfois prendre des décisions terribles pour acquérir ce pouvoir et ces richesses, mais il n'en éprouvait aucun remords. Tout ce qu'il avait fait s'était révélé juste et nécessaire. Si les autres voulaient se ronger les sangs toute leur vie au souvenir de leurs péchés, grand bien leur fasse, songeait le père. Lui, il acceptait ses fautes et savait que Dieu, le moment venu, les lui pardonnerait.

Pippi jouait à présent aux boules avec trois soldats du Bronx — des hommes plus âgés que lui, qui avaient de bonnes affaires dans l'enclave, mais qui redoutaient néanmoins Pippi. Avec sa verve et son adresse habituelles, Pippi était le centre d'attention. Une légende vivante — il avait même joué à la pétanque contre les Santadio.

Pippi était exubérant, poussant des cris de joie à chaque fois que sa boule chassait la boule adverse du cochonnet. Quel personnage ! songea Don Clericuzio. Un soldat fidèle et loyal, un compagnon chaleureux. Fort et rapide, intelligent et réservé tout à la fois.

Son ami Virginio Ballazzo avait fait son entrée sur la piste de boules, le seul homme à pouvoir rivaliser d'adresse avec Pippi. Ballazzo lançait sa boule avec force gestes et postures et de grands hourras montait de l'assistance à chaque fois qu'il faisait un carreau. Ballazzo levait alors les mains en signe de triomphe, se tournait vers le balcon et Don Clericuzio applaudissait. Le patriarche était fier de voir de telles personnes s'épanouir et prospérer sous sa coupe ; c'était le cas de tous ces gens qu'il avait invités ce dimanche des Rameaux à Quogue. Sa sagesse et sa clairvoyance sauraient les protéger des périls de la vie pour les années futures.

Mais Don Clericuzio ne pouvait savoir que le mal était déjà semé dans l'esprit innocent de deux enfants.

PREMIÈRE PARTIE

Hollywood
Las Vegas
1990

I

La chevelure rousse de Boz Skannet semblait s'embraser sous les rayons jaune citron du soleil de Californie, son long corps musclé prêt à livrer bataille. Le fait que son geste allait être vu par plus d'un milliard de personnes sur la planète le transportait de bonheur.

Dans la ceinture élastique de son survêtement, il avait glissé un petit pistolet, caché par sa veste à fermeture éclair tirée sur son bas-ventre — une veste blanche, striée de bandes rouge fluo en forme d'éclairs. Un bandana rouge à pois bleus ceignait ses cheveux épais.

Dans sa main droite, il tenait une grosse bouteille d'Évian. Boz Skannet semblait déjà appartenir à ce monde du show-biz dont il était sur le point de percer les défenses.

Une foule s'était massée devant le Dorothy Chandler Pavilion à Los Angeles, attendant l'arrivée des stars de cinéma venant assister à la soirée des Oscars. Des tribunes avaient été spécialement installées pour contenir le public, la rue était noire de caméras et de journalistes, impatients d'essaimer à travers le monde leur moisson d'images iconiques. Ce soir, les gens allaient voir leurs vedettes en chair et en os, dépouillées de leurs oripeaux mythiques, sujettes comme le commun des mortels aux joies et déconvenues de la vie.

Des gardes en uniforme, armés de matraques brunes et luisantes, bien en évidence dans leur fourreau, formaient un cordon de sécurité pour tenir le public à distance.

Leur présence n'inquiétait pas le moins du monde Boz Skannet. Il était plus grand, plus rapide et plus fort que n'importe lequel d'entre eux, et l'élément de surprise allait jouer en sa faveur. Il était davantage préoccupé, en revanche, par la présence des journalistes et des cameramen qui n'hésitaient pas à enfoncer les lignes de défense pour aller arracher quelques mots à une célébrité. Mais ils seraient, sans doute, plus occupés à filmer qu'à s'interposer.

Une limousine blanche se gara devant l'entrée du palais. Athena Aquitane, sacrée « la plus belle femme du monde » par divers magazines, sortit du véhicule sous les hurlements de la foule pressée contre les barrières et s'avança vers les portes dans un essaim de caméras tourbillonnant, avides de propager sa beauté aux quatre coins du monde. Chemin faisant, elle lançait des petits signes au public.

Boz Skannet enjamba les grilles de la tribune et se fraya un passage entre les barrières, apercevant du coin de l'œil les chemises brunes des gardes qui se mettaient à converger vers lui. Le schéma classique. Ils étaient mal placés et il put leur filer entre les doigts, aussi facilement qu'il se défaisait autrefois, sur un stade de football, des stoppeurs de l'équipe adverse. Il atteignit sa cible pile au bon moment. Athena Aquitane disait quelques mots dans un microphone, la tête inclinée pour présenter son meilleur profil aux caméras. Trois hommes se tenaient à côté d'elle. Skannet s'assura qu'il était bien dans le champ des objectifs avant d'asperger le visage de la vedette avec le liquide contenu dans sa bouteille.

— C'est de l'acide ! cria-t-il. Ça t'apprendra, salope !

Puis il se tourna vers les caméras, le visage calme, composé et digne.

— C'est tout ce qu'elle mérite, siffla-t-il avant d'être submergé par une masse de chemises brunes, hérissée de matraques.

Athena Aquitane avait aperçu le visage de son assaillant au dernier moment. En l'entendant hurler, elle avait détourné la tête et le liquide s'était répandu sur sa joue et son oreille.

Un milliard de personnes avaient tout vu : le beau visage d'Athena penché de côté, le liquide aux reflets argentés ruisselant sur la joue, la surprise et l'horreur, puis la lueur dans les yeux de la victime, reconnaissant son agresseur, une terreur absolue détruisant dans l'instant le parfait ordonnancement de sa beauté.

Le même milliard de personnes vit la police emmener

Boz Skannet. Telle une star de cinéma, il levait les bras en signe de triomphe, menottes aux poings, jusqu'à ce qu'un policier irrité, découvrant son pistolet glissé dans son pantalon, lui assène un grand coup de matraque dans les reins.

Athena Aquitane, toujours sous le choc, essuya sa joue par réflexe. Elle ne ressentait aucune brûlure. Les gouttes de liquide sur sa main commençaient à s'évaporer. Les gens se pressaient autour d'elle, voulant la protéger, l'emporter à l'abri.

— Ce n'est que de l'eau, annonça-t-elle d'une voix calme en se dégageant de leur étreinte. — Elle lécha les gouttes sur sa paume pour s'en assurer — C'est encore une mauvaise plaisanterie de mon mari, ajouta-t-elle en essayant de sourire.

Athena, témoignant de ce grand courage qui avait fait sa légende, entra rapidement dans le palais des cérémonies. Lorsqu'elle gagna l'Oscar de la meilleure actrice, le public se leva et l'acclama à n'en plus finir.

Dans la grande suite climatisée du dernier étage, le propriétaire du casino-hôtel Xanadu à Las Vegas agonisait, à l'âge de quatre-vingt-cinq ans. Mais en ce jour de printemps, il croyait entendre, seize étages plus bas, le tintement des billes d'ivoire rebondissant dans les loges rouges et noires des roulettes, la rumeur étouffée des lanceurs de dés implorant les bons auspices de la chance, le cliquetis de milliers de machines à sous avalant leur ration quotidienne de piécettes.

Alfred Gronevelt était un homme heureux, du moins autant qu'il était possible de l'être au moment de franchir les portes de la mort. En près de quatre-vingt-dix ans, il avait été, tour à tour, traficoteur, proxénète dilettante, joueur de casino, complice de meurtres, acheteur de silence dans les diverses sphères politiques, et enfin, le grand patron, sévère mais juste, de l'hôtel Xanadu. Craignant d'être trahi, il ne s'était jamais aventuré à aimer véritablement quelqu'un, mais il s'était montré affable et attentionné avec beaucoup. Il ne ressentait aucun regret et se contentait de savourer les derniers menus plaisirs que lui octroyait l'existence, tel que pouvoir faire sa petite promenade l'après-midi entre les tables de son casino.

Croccifixio De Lena (Cross, pour les intimes) qui était son bras droit depuis les cinq dernières années entra dans la chambre.

— Prêt Alfred?

Gronevelt sourit et hocha la tête.

Cross le souleva et l'installa dans son fauteuil roulant, l'infirmière l'emmitoufla dans une couverture et un serviteur se plaça derrière le fauteuil; l'infirmière lui tendit une boîte de pilules et ouvrit la porte. Elle attendrait leur retour dans la suite. Gronevelt ne supportait pas de la sentir derrière lui lorsqu'il faisait le tour de son domaine.

Le fauteuil roula sans bruit sur la pelouse synthétique de la terrasse et disparut dans l'ascenseur privé qui menait au casino, seize étages plus bas.

Gronevelt était assis bien droit dans son siège, regardant de droite à gauche. Il jubilait. Voir tous ces hommes et ces femmes parier contre lui alors que les probabilités étaient toujours de son côté le mettait en joie. Le fauteuil roulant se faufilait avec nonchalance entre les roulettes, les tables de black jack, de baccara, la myriade de pistes de crap. Les joueurs remarquaient à peine la présence du vieil infirme, qui les observait avec des yeux pétillants, un sourire béat fendant son visage de squelette. Les joueurs paraplégiques ne manquaient pas à Las Vegas — ceux-ci semblant sans doute considérer qu'ils avaient une revanche à prendre sur le destin.

Finalement, le fauteuil roulant gagna la salle du bar-restaurant. Le serviteur les conduisit jusqu'à une alcôve qui leur était réservée et alla s'asseoir à une autre table à l'écart, attendant qu'on l'appelle pour le trajet retour.

Gronevelt distinguait derrière la grande baie vitrée l'eau bleue de la piscine, chauffée par le soleil du Nevada, des jeunes femmes et des enfants piquetant sa surface de points colorés comme autant de petits jouets flottant dans une baignoire. A l'idée que tout cela était son œuvre, il sentit une onde de bonheur le traverser.

— Alfred, mange au moins quelque chose, lança Cross.

Gronevelt esquissa un sourire. Le garçon avait un tel charme qu'il arrivait à séduire hommes et femmes confondus. Il était en outre l'une des très rares personnes en qui Gronevelt au cours de sa vie eut une confiance presque sans réserve.

— J'adore cet hôtel, s'exclama Gronevelt. Et c'est toi, Cross, qui hériteras de mes parts. Je sais que tu dois travailler aussi avec nos partenaires à New York, mais ne quitte jamais le Xanadu, je te le demande.

Cross tapota la main du vieil homme — tous les os affleuraient sous sa peau.

— C'est promis.

Gronevelt sentait la chaleur du soleil filtrer à travers les baies et lui réchauffer le sang.

— Cross, dit-il, je t'ai appris tout ce que je savais. Nous avons connu des moments pénibles, tous les deux, très pénibles. Mais ne regarde jamais en arrière. Tu sais que le jeu des pourcentages peut se révéler bénéfique de multiples manières. Conclus autant d'accords que tu peux. Ça aussi, ça rapporte. Mais ne tombe jamais amoureux, ni ne sombre dans la haine. Les sentiments sont toujours mauvais payeurs, crois-moi.

Ils burent leur café. Gronevelt grignota un seul petit four. Cross avala un verre de jus d'orange.

— Une chose encore, ajouta Gronevelt. N'offre une villa qu'à ceux qui peuvent laisser un million de dollars sur les tables. N'oublie jamais ça. Les villas doivent rester un objet de légende. Elles sont le fer de lance du Xanadu.

Cross tapota de nouveau la main de Gronevelt, puis la serra un moment. Son affection était sincère. D'une certaine manière, il était plus proche de Gronevelt que de son père.

— Ne te fais pas de soucis, répondit-il, les villas resteront sacrées. Autre chose ?

Les yeux de Gronevelt étaient translucides, la cataracte en avait pâli l'éclat.

— Sois prudent, murmura-t-il. Agis toujours avec prudence.

— J'y veillerai, assura Cross avant de changer de sujet, pour faire momentanément oublier au vieil homme sa mort imminente : Alors, quand vas-tu me raconter cette fameuse guerre contre les Santadio ? Tu travaillais avec eux à l'époque. C'est le silence radio à ce sujet. Personne ne veut en parler.

Gronevelt poussa un faible soupir, à peine un souffle.

— Je sais que mon heure approche, mais je ne peux encore rien te dire. Va donc demander à ton père.

— Je lui ai déjà posé la question, mais il a fait la sourde oreille, répondit Cross.

— Le passé est le passé. Ne regarde jamais en arrière. Ni pour chercher des explications, ni pour trouver le bonheur. On ne change ni le monde, ni les hommes.

Une fois Gronevelt revenu de sa promenade digestive, l'infirmière lui donna son bain et lui prit le pouls et la tension.

— Ce ne sont que des chiffres, grogna-t-il en voyant l'infirmière froncer les sourcils. D'autres pourcentages encore...

Cette nuit-là, Gronevelt eut un sommeil agité. Lorsque l'aube pâlit dans le ciel, il demanda à l'infirmière de l'emmener jusqu'au balcon. Elle l'installa dans un grand fauteuil et l'enveloppa de couvertures. Puis elle s'assit à côté de lui et lui prit le poignet pour vérifier son pouls. Lorsqu'elle voulut retirer sa main, Gronevelt l'en empêcha. Elle se laissa faire et, main dans la main, ils regardèrent tous les deux le soleil se lever sur le désert.

L'astre était une boule rouge qui faisait virer l'azur du bleu nuit à l'indigo. Gronevelt apercevait en contrebas les courts de tennis, le parcours de golf, la piscine, les sept villas scintillant comme des palais de Versailles miniatures et la colonne de drapeaux du Xanadu faseyant au vent; plus loin, les jardins verdoyants, peuplés de colombes blanches. Et au-delà, le sable infini du désert.

C'est moi qui ai créé tout ça, songea Gronevelt. J'ai fait surgir une oasis de plaisir du néant. Et j'ai eu la vie la plus heureuse qui soit. Tout ça, en partant de rien. J'ai essayé d'être aussi juste et bon que possible. N'ai-je pas mérité mon billet pour le Paradis? Des souvenirs d'enfance remontèrent à sa mémoire; il se revit jeune, en compagnie de ses camarades de chambrée, parlant de Dieu et de valeurs morales, philosophant du haut de leurs quatorze ans comme tous les garçons de cet âge.

— Si tu pouvais gagner un million de dollars en appuyant sur un simple bouton, mais qu'en appuyant sur ce bouton tu réduises en charpie un million de Chinois, qu'est-ce que tu ferais? avait lancé l'un de ses camarades d'un air triomphal comme s'il posait là le plus grand problème philosophique du siècle.

Après une longue discussion tous s'étaient accordés pour dire qu'ils abandonneraient le million de dollars. Tous, sauf Gronevelt.

Et avec le recul, aujourd'hui, il se disait qu'il avait vu juste. Non pas parce qu'il avait fait fortune, mais parce que cette grande question philosophique ne se posait même plus. Il n'y avait plus de dilemme. Le problème s'était déplacé et se posait désormais en ces termes :

« Est-ce que pour mille dollars, tu serais prêt à occire dix millions de Chinois — ou autres. » Voilà la vraie question, aujourd'hui.

Le monde avait viré au pourpre sous les rayons du soleil et Gronevelt étreignit la main de l'infirmière pour garder son équilibre. Il pouvait fixer le soleil des yeux, sa cataracte jouant le rôle de filtre solaire. Il songea confusément aux femmes qu'il avait connues, à certaines actions qu'il avait menées, aux hommes qu'il avait écrasés sans pitié, et à la clémence dont il avait fait montre en maintes occasions. Il pensa à Cross avec un amour paternel, se sentant bientôt gagné par une onde de compassion pour ce fils spirituel, pour tous les Santadio et les Clericuzio du monde. Il était heureux de laisser tout ça derrière lui. Qu'est-ce qui était le plus important au fond? Avoir eu une vie heureuse ou une vie vertueuse? Fallait-il être Chinois pour connaître la réponse?

Cette dernière interrogation eut raison de son esprit chancelant. L'infirmière sentit la main de Gronevelt dans la sienne se refroidir, les muscles se durcir. Elle se pencha sur lui et tâta son pouls. Pas de doute possible; Gronevelt n'était plus.

⁂

Cross De Lena, son successeur et légataire, se chargea d'organiser les funérailles officielles de Gronevelt. Les notables de Las Vegas, les grands joueurs, les anciennes maîtresses de Gronevelt et tout le personnel de l'hôtel avaient été dûment invités. Car Alfred Gronevelt était le grand et bon génie du jeu à Las Vegas.

Il avait lancé et financé la construction d'églises de toutes obédiences ; il avait d'ailleurs coutume de dire : « Les gens qui croient en Dieu et aux jeux de hasard méritent bien quelques attentions en récompense de leur foi. » Il avait mené campagne contre les taudis, et fait construire de grands hôpitaux et des écoles de premier ordre — toujours sans le moindre altruisme avoué, revendiquant seulement son intérêt personnel dans l'affaire. Il haïssait Atlantic City où l'État empochait tout l'argent et ne développait pas la moindre infrastructure sociale dans la région.

Gronevelt avait réussi à convaincre l'opinion publique que le jeu n'était pas un vice sordide, mais une source de distractions pour la classe moyenne, au même titre que le golf ou le base-ball. Il avait fait des jeux de hasard une industrie respectable en Amérique. Tout le monde à Las Vegas tenait donc à lui rendre hommage.

Cross refoula son émotion. Il s'ouvrait en lui un terrible sentiment de perte ; une affection authentique avait uni ces deux hommes. Et voilà que Cross détenait 51 p. 100 des parts de l'hôtel Xanadu — soit, au bas mot, cinq cents millions de dollars.

Sa vie allait être fatalement bouleversée. Avec un tel pouvoir et une telle richesse, de nouvelles menaces n'allaient pas manquer de se manifester. Ses relations avec Don Clericuzio et sa famille deviendraient plus délicates, puisqu'il était désormais leur partenaire obligé dans cette importante affaire.

Son premier coup de téléphone fut pour Quogue. Il annonça la nouvelle à Giorgio qui lui donna en retour certaines instructions : aucun membre de la famille n'assisterait aux funérailles, à l'exception de Pippi. Dante serait également du voyage — mais il venait uniquement accomplir la mission dont ils avaient déjà discuté, et n'assisterait pas à l'enterrement. Le fait que Cross possédait désormais la moitié de l'hôtel ne fut pas abordé.

Il eut un message de sa sœur, Claudia, mais lorsque Cross la rappela, il tomba sur son répondeur. Il y avait également un mot d'Ernest Vail. Cross aimait bien l'écrivain ; il avait un crédit de cinquante mille dollars au casino, mais ça pouvait attendre la fin des funérailles.

Il y avait aussi un appel de son père, Pippi, un ami de longue date de Gronevelt. Cross avait besoin de ses conseils sur la façon de mener cette nouvelle vie qui l'attendait. Comment son père allait-il réagir devant le nouveau statut de son fils, devant sa nouvelle richesse ? La situation semblait également délicate pour les Clericuzio, qui allaient devoir gérer le fait que leur *bruglione* dans l'Ouest était devenu soudainement très riche et puissant.

Certes Don Clericuzio se montrerait juste et impartial, et Cross savait que le soutien de son père lui était pratiquement acquis. Restait à savoir la réaction des fils, Giorgio, Vincent et Petie, et surtout du petit-fils, Dante. Cross et Dante avaient été des frères ennemis depuis leur baptême dans la chapelle privée des Clericuzio. C'était un vieux sujet de plaisanterie dans la famille.

Mais voilà que Dante arrivait à Las Vegas pour le contrat sur Big Tim l'Embrouille. Cross éprouvait une sorte de sympathie perverse pour Big Tim. Mais son destin avait été scellé par Don Clericuzio en personne, et Cross se demandait avec appréhension comment Dante allait s'acquitter de sa mission.

Les funérailles d'Alfred Gronevelt furent les plus somptueuses que l'on ait jamais vues à Las Vegas — un hommage digne d'un héros national. Son corps reposait dans le temple protestant édifié avec ses propres deniers — l'architecte avait réussi à inscrire dans ses grands murs bruns et obliques qui donnaient au temple des airs de tipi indien un peu de la magnificence des cathédrales européennes. Et pour ne pas rompre avec le pragmatisme d'airain de Las Vegas, un gigantesque parking avait été installé à proximité, décoré de figures indiennes en lieu et place des traditionnelles statues de saints.

Le chœur qui chantait les louanges de Dieu et recommandait au Ciel l'âme de Gronevelt était composé d'étudiants provenant de l'université où le bienfaiteur finançait trois chaires du département de Lettres classiques.

Des centaines de gens parmi l'assistance avaient pu poursuivre leurs études grâce aux bourses de Gronevelt et semblaient authentiquement pleurer la perte du vieil homme. D'autres étaient de grands joueurs; ils avaient perdu des fortunes sur les roulettes de l'hôtel et savouraient secrètement le fait que pour une fois le sort n'avait pas été du côté de Gronevelt. Des femmes, frôlant la cinquantaine pour certaines, pleuraient en silence dans leur coin. Divers représentants des églises juives et catholiques, ayant bénéficié des largesses du défunt, avaient répondu présent à l'appel.

Il aurait été contraire à toutes les convictions de Gronevelt de fermer le casino pour la cérémonie, mais on apercevait dans le cortège des croupiers et des cadres de l'hôtel qui n'étaient pas en service. Certains hôtes des villas avaient même fait le déplacement et montraient une déférence toute particulière envers Cross et Pippi.

Le gouverneur du Nevada, Walter Wavven, assistait à la cérémonie funèbre, en compagnie du maire. Toute l'avenue du Strip était interdite à la circulation afin que la longue procession de limousines noires et la foule endeuillée puissent suivre le corbillard argenté jusqu'au cimetière et qu'Alfred Gronevelt pût contempler une dernière fois le monde qu'il avait bâti de ses mains.

Le soir, les joueurs de Las Vegas rendirent à Gronevelt un dernier hommage qui aurait fait les délices du défunt. Ils s'adonnèrent avec une telle frénésie aux jeux que le casino enregistra un nouveau record de recettes, égalant le score des nuits de réveillon du jour de l'an.

Cette journée marquait pour Cross De Lena le début de sa nouvelle existence.

***

Ce même soir, seule dans sa maison de Malibu Colony, Athena Aquitane essayait de trouver une solution à son problème. La brise océane filtrait par les portes ouvertes, la faisant frissonner, tandis qu'elle était pelotonnée sur le canapé, l'esprit en effervescence...

Lorsqu'elle était enfant, personne n'aurait pu soupçonner qu'Athena Aquitane deviendrait une star de cinéma mondiale. Personne ne pouvait imaginer quelle femme sortirait de sa chrysalide. Les vedettes de cinéma exercent un tel charisme sur le public que l'on a peine à croire qu'elles ne sont pas venues au monde déjà dotées de leur image adulte de héros ou de beauté fatale — des êtres complets et achevés dès la naissance, sortis tout droit de la cuisse de Jupiter, qui n'avaient jamais fait pipi au lit, jamais eu de l'acné, jamais pu être laids, ni connaître la timidité et la maladresse de l'adolescence, la masturbation, le manque d'amour ou les revers du destin. Même Athena Aquitane n'échappait pas à cette illusion et avait du mal à se souvenir de celle qu'elle était jadis.

Athena s'était toujours cru née sous une bonne étoile. Tout lui était donné. Elle avait un père merveilleux et une mère qui savait reconnaître et développer les talents de son enfant. La beauté de leur fille les faisait littéralement fondre, mais ils veillaient à cultiver également son esprit. Son père était son précepteur en sport, sa mère en arts et littérature. Athena ne gardait de son enfance que des souvenirs heureux. Ce bonheur dura jusqu'à ses dix-sept ans, date à laquelle elle tomba amoureuse.

L'objet de son dévolu se nommait Boz Skannet. De quatre ans son aîné et déjà une petite star de football à l'université, sa famille dirigeait la plus grande banque du Texas. Boz était presque aussi séduisant qu'Athena ; il était drôle de surcroît, charmant et fou amoureux. Leurs deux corps parfaits s'attiraient comme des aimants, leurs sens électrisés, leur peau douce comme de la soie blanche. Un paradis personnel s'ouvrait à eux, et afin d'en assurer la pérénité, ils décidèrent de se marier.

Au bout de quelques mois, Athena fut enceinte — et pour ne pas faillir à sa perfection corporelle, elle prit très peu de poids, ne souffrit d'aucune nausée et eut une grossesse heureuse et épanouie. Elle continua à suivre ses cours à l'université, à étudier l'art dramatique, et à jouer au tennis et au golf — Boz la battant sur les courts et Athena lui rendant la monnaie de sa pièce sur les greens.

Boz commença à travailler dans la banque de son père. Après la naissance du bébé, une petite fille baptisée Bethany, Athena reprit ses cours puisque Boz avait assez d'argent pour s'offrir une nourrice et une femme de ménage. Le mariage ne fit qu'exciter la soif de connaissance d'Athena. Elle dévorait livre sur livre, en particulier des pièces de théâtre. Pirandello la ravissait, Strindberg l'épouvantait, et Tennessee Williams la faisait fondre en larmes. Ses sens ne cessèrent de s'affiner, son intelligence donnant à sa beauté une aura particulière. Il n'était donc pas surprenant que bon nombre d'hommes, jeunes et moins jeunes, tombassent amoureux d'elle. Les amis de Boz Skannet pâlissaient d'envie. Athena s'enorgueillissait alors de sa perfection, mais elle avait découvert ces dernières années, que cette même qualité irritait bon nombre de gens, amants et amis confondus.

Boz Skannet disait, pour plaisanter, qu'il vivait un enfer; c'était comme avoir une Rolls Royce, raillait-il, que l'on devait laisser garée toutes les nuits dans la rue. Il avait d'ailleurs vite compris que sa femme était destinée à de plus grandes choses dans la vie, qu'elle était un être réellement d'exception. Il savait qu'il la perdrait, tôt ou tard, comme il avait déjà perdu ses propres rêves. C'était écrit. Nulle guerre ne lui offrait une scène où montrer son courage, alors qu'il se savait sans peur et presque sans reproche. Il connaissait son charme, son pouvoir de séduction, mais n'avait aucun don particulier, ni même l'envie d'amasser une immense fortune.

Il était toutefois jaloux des talents d'Athena, de la voir si convaincue d'avoir un rôle à jouer sur cette terre.

Boz Skannet décida donc de précipiter le destin. Il se mit à boire, à séduire les femmes de ses collègues, et à réaliser des transactions louches par l'entremise de la banque paternelle. Il devint fier de sa ruse et de sa fourberie comme tout individu se découvrant de nouveaux talents, et s'en servit comme écran pour dissimuler la haine grandissante qu'il vouait à son épouse. Haïr une femme aussi belle et parfaite qu'Athena était devenu son grand œuvre, l'acte héroïque suprême.

Boz Skannet avait une belle santé malgré sa vie dissolue. C'était sa bouée de sauvetage. Il faisait de la musculation, prenait des leçons de boxe. Il adorait la force brutale du ring — écraser son poing sur un visage humain, masquer un crochet, feinter du gauche et rester de marbre quand on recevait un coup. Il était fan de chasse aussi, ce théâtre de la vie et de la mort, et aimait les femmes naïves, leur petit jeu de la séduction, leur romantisme éculé.

C'est alors que Skannet, se découvrant des dons de stratège, crut entrevoir la solution; il ferait plein d'enfants à Athena. Quatre, cinq, six. Elle serait enchaînée à lui, pour la vie, les ailes brisées — fini les rêves de liberté. Mais Athena vit clair dans son jeu et refusa tout net. Elle alla même plus loin :

— Si tu veux d'autres gosses, annonça-t-elle, va donc les faire à l'une de tes poules.

Skannet fut surpris par la crudité des paroles d'Athena, mais nullement par le fait qu'elle fût au courant de ses infidélités, puisqu'il n'avait jamais cherché à les dissimuler — au contraire. Ça faisait aussi partie de son plan — ce serait lui qui la pousserait à partir, et non pas elle qui le quitterait.

Athena remarquait bien que Boz changeait, mais elle était trop jeune, trop occupée à faire sa vie pour y porter l'attention nécessaire. Ce ne fut que lorsque Boz devint réellement cruel et méchant, qu'Athena, alors âgée de vingt ans, découvrit une pierre insécable dans sa personnalité, une ligne de non-retour — elle pouvait supporter bien des choses, mais pas la stupidité.

Boz Skannet se mit alors à jouer à des petits jeux pervers comme tous les hommes lorsqu'ils ont des comptes à régler avec les femmes. Et Athena eut l'impression que son mari devenait réellement fou.

Il avait l'habitude de passer au pressing récupérer leurs vêtements avant de rentrer à la maison.

— C'est normal chérie, susurrait-il, ton temps est bien plus précieux que le mien. Tu as tes cours de musique et de théâtre, en plus de tes examens de fac... — pensant qu'elle n'entendrait pas son aigreur dissimulée sous son ton faussement léger.

Un jour, alors qu'Athena était dans son bain, Skannet rentra les bras chargés de robes toutes fraîches nettoyées. Il la considéra un moment, ses cheveux blonds et sa peau diaphane, ses seins ronds et ses fesses décorées de mousse.

— Et si je jetais toutes ces saloperies dans cette flotte où tu te prélasses, ça te dirait? avait-il lancé, la voix vibrante de colère.

Mais il n'en avait rien fait. Au lieu de cela, il avait soigneusement suspendu les robes dans l'armoire, l'avait aidée à sortir du bain et l'avait séchée avec de grandes serviettes roses. Puis, il lui avait fait l'amour. Quelques semaines plus tard la même scène se répéta, mais cette fois les robes finirent dans la baignoire.

Un soir, à dîner, il menaça de casser toutes les assiettes — mais ne passa pas à l'acte. En revanche, une semaine plus tard, il brisa toute la vaisselle dans la cuisine. Il se confondait toujours en excuses après coup, et voulait à chaque fois lui faire l'amour. Mais Athena se refusait à présent et ils en étaient arrivés à faire chambre à part.

— Ton visage est trop parfait, gronda-t-il un soir, en levant un poing menaçant. Je devrais peut-être te casser le nez, cela lui donnerait un peu plus de personnalité, comme Marlon Brando.

Athena s'enfuit dans la cuisine et Boz la poursuivit. Terrifiée, elle s'empara d'un couteau.

— Tu es incapable de faire ça, s'exclama-t-il en riant aux éclats.

Il avait raison.

— C'était seulement pour rire, ricana-t-il en lui prenant le couteau des mains... Ton seul défaut peut-être, c'est de ne pas avoir le moindre sens de l'humour.

A vingt ans, Athena aurait pu chercher refuge chez ses parents, mais elle n'en fit rien. Pas plus qu'elle ne confia ses malheurs à quelque amie que ce soit. Elle se mit, au contraire, à réfléchir, préférant se fier à son intelligence et à son bon sens. Il était évident qu'elle ne finirait jamais son cursus à l'université, la situation était devenue trop dangereuse. En outre, la police ne pouvait rien pour elle. Athena envisagea un instant la possibilité de lancer une grande opération de séduction pour conquérir à nouveau le cœur de Boz, mais elle éprouvait une telle aversion pour lui que la simple idée du contact de sa main sur sa peau la faisait frémir d'horreur; jamais elle ne pourrait être crédible dans le rôle de l'amoureuse épleurée, quoique ç'eût été une performance d'actrice intéressante à réaliser.

Mais Boz lui força la main; elle fut alors convaincue qu'elle devait partir tout de suite, non pas pour se protéger, elle, mais pour Bethany.

Souvent, pour jouer, il lançait en l'air leur petite fille

d'un an et faisait semblant de la laisser tomber avant de la rattraper in extremis. Une fois, il laissa tomber le bébé — accidentellement prétendait-il — sur le canapé. Mais finalement, un jour, il la laissa délibérément tomber par terre. Athena suffoqua d'horreur et se précipita pour ramasser son enfant et la consoler. Elle veilla toute la nuit à côté du berceau, rongée d'angoisse. Bethany s'en tira avec une grosse bosse sur la tête. Boz, en larmes, s'excusa et promit de ne plus jouer à ce jeu stupide. Mais Athena avait pris sa décision.

Le lendemain, elle passa à la banque récupérer l'argent sur son compte et prit de multiples réservations dans diverses agences de voyages pour que l'on ne puisse suivre sa trace. Deux jours après, Skannet rentra à la maison, Athena et le bébé s'étaient envolés.

Six mois plus tard, Athena refaisait surface à Los Angeles, sans bébé, et commençait sa carrière d'actrice. Elle obtint facilement les faveurs d'un agent artistique et travailla dans des petites troupes de théâtre. On la remarqua bientôt dans une pièce au Mark Taper Forum[1], ce qui lui ouvrit la porte pour des petits rôles dans des séries B, jusqu'au jour où elle fut engagée pour un second rôle dans un grand film. Dès son second film, elle se hissa au rang de vedette et Boz Skannet ressurgit dans sa vie.

Athena put le tenir à l'écart et s'acheter une relative tranquillité pendant les trois années suivantes, mais sa prestation à la soirée de remise des Oscars ne la surprenait pas. Un tour vieux comme le monde. Juste une petite blague... mais la prochaine fois ce n'est pas de l'eau qu'il y aurait dans la bouteille...

— C'est le grand ramdam au studio, expliqua Molly Flanders à Claudia De Lena ce matin-là. On a un problème avec Athena. A cause de cette agression aux Oscars ; le bruit court qu'elle ne veut pas continuer le film. Bantz demande à te voir. Ils veulent que tu ailles parler à Athena.

Claudia était dans le bureau de l'avocate en compagnie d'Ernest Vail.

---

1. Grand théâtre de Los Angeles. *(N.d.T.)*

— Je l'appellerai dès qu'on en aura fini, répondit Claudia. Ce ne peut être sérieux.

Molly Flanders était avocate spécialisée dans le spectacle ; dans cette ville peuplée de requins avides, elle était la juriste la plus redoutée de l'industrie du cinéma. Elle adorait les grandes joutes au tribunal et gagnait quasiment tous ses procès — parce qu'elle avait un don pour la comédie et une connaissance parfaite des lois.

Avant sa percée dans ce secteur, elle travaillait en Californie dans le domaine pénal et avait évité la chambre à gaz à une vingtaine de meurtriers. Les pires de ses clients, auteurs de meurtres et sévices de tout acabit, n'avaient écopé que de quelques années d'emprisonnement. Mais les nerfs de Molly Flanders avaient flanché et elle s'était reconvertie dans le droit du spectacle. « Il y a certes moins de sang mais les escrocs sont plus retors et pervers », disait-elle à ce propos.

Maintenant, elle défendait les intérêts des metteurs en scène de super-productions, du gratin des stars et des scénaristes. Le lendemain, donc, de la cérémonie des Oscars, l'une de ses clientes préférées, Claudia De Lena, se trouvait dans son bureau. Elle était venue avec son co-scénariste du moment, Ernest Vail, un romancier célèbre en son temps.

Claudia De Lena était une vieille amie, son amie la plus chère, quoiqu'une cliente de second plan pour le cabinet. C'est donc par amitié que Molly, à la requête de Claudia, avait accepté de rencontrer Ernest Vail. Maintenant, elle regrettait son geste. Vail était venu lui soumettre un problème qu'elle ne pouvait résoudre, malgré tout son talent. Molly Flanders, de ce fait, n'avait aucune sympathie particulière pour cet homme, pas la moindre trace de cette affection qu'elle portait d'ordinaire à ses clients, aussi noirs et vils qu'ils fussent. Elle se sentait donc un peu coupable au moment de lui annoncer de mauvaises nouvelles.

— Ernest, commença-t-elle, j'ai étudié tous les contrats, tous les documents juridiques. Il n'y a là aucune matière à poursuivre la LoddStone. La seule façon de pouvoir récupérer vos droits, c'est de casser votre pipe avant qu'expire votre copyright. C'est-à-dire dans les cinq années à venir.

Dix ans plus tôt, Ernest Vail était un écrivain célèbre aux États-Unis, loué par la critique, lu par un vaste public. Un personnage récurrent de ses romans avait intéressé l'industrie du cinéma. La LoddStone avait acheté les droits de toute la série où figurait ce personnage; le premier film qu'elle en avait tiré avait été un succès au box-office. Les deux suivants rapportèrent également une fortune. Dans les tiroirs du studio, quatre autres suites étaient déjà prêtes. Malheureusement pour Vail, son contrat de départ cédait au studio tous les droits du personnage et des romans où il apparaissait, et ce, pour toutes les planètes de l'univers, sous toutes formes et procédés de diffusion, connus ou inconnus. Le contrat type pour l'écrivain n'ayant pas encore été échaudé par le monde du cinéma.

Ernest Vail avait un air acide et revêche dont il ne se départissait plus — il avait certes de bonnes raisons; la critique encensait toujours ses livres, mais le public le boudait. Malgré tout son talent, sa vie allait à vau-l'eau. Sa femme était partie avec ses trois enfants. Pour son livre qui avait été porté à l'écran et avait fait un tabac au box-office, il avait touché une somme — rondelette, certes — mais définitive, alors que le studio allait empocher chaque année des centaines de millions de dollars.

— Vous trouvez ça normal? lança Vail.

— Les contrats sont en béton, répondit Molly Flanders. Le studio détient les droits sur votre personnage. Il n'y a qu'une seule échappatoire possible. La loi sur les copyrights stipule qu'à votre mort, tous les droits de vos œuvres devront revenir à vos héritiers.

Pour la première fois, Vail esquissa un sourire.

— Beau symbole de rédemption, railla-t-il.

— Ça irait chercher dans les combien? demanda Claudia De Lena.

— Une base honnête de départ pour un écrivain, répondit Molly Flanders, c'est 5 p. 100 des recettes brutes. Supposons qu'avec votre personnage, ils tirent encore cinq films qui ne soient pas des bides, et qu'ils fassent disons un milliard de dollars de recettes sur la planète, on frôle les trente ou quarante millions de dollars. — L'avocate marqua un temps de silence, avant d'ajouter avec un petit sourire sardonique — : Et si vous étiez mort, Ernest, je pourrais avoir bien mieux encore pour vos héritiers. Ils ont vraiment une épée de Damoclès au-dessus de leurs têtes, à la LoddStone.

— Très bien. Appelez le studio, pria Vail. Je veux un

rendez-vous. Voilà ce que je vais leur dire : soit j'ai ma part du gâteau, soit je me tue.

— Ils ne marcheront pas, répondit Molly Flanders.

— Alors je me tuerai, rétorqua Vail.

— Soyons sérieux, intervint Claudia De Lena. Tu n'as que cinquante-six ans, Ernest. C'est trop jeune pour mourir par calcul. Si c'est par principe, pour le salut de la patrie, par amour, d'accord. Mais pour de l'argent, c'est ridicule.

— Je dois penser à l'avenir de ma femme et de mes enfants, argumenta Vail.

— Votre ex-femme, précisa Molly. Et je vous rappelle que vous vous êtes marié deux fois depuis.

— Je parle de ma vraie femme, la mère de mes enfants, rétorqua Vail.

Molly Flanders comprit à cet instant pourquoi personne n'aimait Vail à Hollywood.

— La LoddStone ne cédera pas, insista-t-elle. Ils savent que vous ne passerez pas aux actes, et ils ne se laisseront pas bluffer par un écrivain. Si vous étiez une grande star, ou un metteur en scène de premier plan, je ne dis pas. Mais en tant qu'écrivain, vous n'avez pas la moindre chance. Vous n'êtes rien dans la machine — de la crotte. Désolée, Claudia, mais c'est la stricte vérité.

— Ernest et moi le savons très bien. Si les gens ici n'avaient pas une telle frousse devant une page blanche, ils nous renverraient illico aux oubliettes. Mais tu ne peux vraiment rien faire ?

Molly poussa un soupir et appela le studio, pour demander un rendez-vous avec Eli Marrion. Elle avait le bras assez long pour parler directement avec Bobby Bantz, le directeur de la LoddStone.

Après la réunion, Claudia et Vail prirent un verre ensemble au Polo Lounge.

— Une sacrée bonne femme, cette Molly, annonça Vail d'un air songeur. Les grosses sont plus faciles à séduire. Et elles sont bien plus gentilles au lit que les maigres. Tu n'as jamais remarqué ?

Une fois encore, Claudia se demanda comment elle arrivait à supporter un tel personnage. Peu de gens y parvenaient, en fait. Mais elle avait adoré ses romans dans sa jeunesse et les aimait aujourd'hui encore.

— Tu es irrécupérable, soupira-t-elle.

— Mais je t'assure, les grosses sont plus gentilles, insista-t-il. Elles t'apportent le petit déjeuner au lit, te font des petites douceurs. Des trucs de femmes.

Claudia haussa les épaules de dépit.

— Les grosses sont généreuses, de cœur et de poitrine. L'une d'entre elles est montée chez moi, une fois, après une soirée ; la malheureuse, visiblement bien embarrassée avec moi, s'est mise alors à contempler ma chambre de long en large, comme ma mère autrefois contemplait sa cuisine lorsqu'il n'y avait rien à manger et qu'elle cherchait une idée pour nous concocter un dîner. Elle était là, à se creuser les méninges et à se demander comment elle allait pouvoir nous offrir du bon temps avec ce qu'elle avait sous la main !

Ils vidèrent leurs verres, en silence. Une fois de plus, Claudia était touchée par le côté désarmant du personnage.

— Tu sais comment Molly et moi sommes devenues amies ? demanda Claudia au bout d'un moment. Elle devait assurer la défense d'un type qui avait assassiné sa petite amie et elle avait besoin de quelques répliques d'un dialogue avec lui bien senties pour faire impression au tribunal. C'est moi qui les ai écrites comme s'il s'agissait d'une scène de film, et son client a obtenu les circonstances atténuantes. J'ai ainsi rédigé les dialogues et les grandes lignes dramatiques de trois autres affaires avant que cesse notre collaboration.

— Je hais Hollywood, articula Vail.

— Tu hais Hollywood parce que la LoddStone t'a fait un enfant dans le dos.

— Pas uniquement. J'ai l'impression d'appartenir à l'une de ces vieilles civilisations perdues, comme les Aztèques, les dynasties chinoises, les Indiens, tous ces peuples qui ont été détruits par des gens ayant une technologie supérieure à la leur. Je suis un véritable écrivain, j'écris des romans pour l'esprit. Ce genre d'activité requiert une technologie tout à fait primitive. Nous ne sommes pas de taille pour rivaliser avec le cinéma. Vous avez des caméras, des plateaux, de la musique et tous ces beaux visages. Comment un écrivain pourrait-il lutter contre ça avec un simple stylo ? D'autant plus que les films opèrent sur un champ de bataille restreint. Ils ne cherchent pas à conquérir l'esprit, mais le cœur.

— Alors selon toi, je ne suis pas un écrivain ? rétorqua Claudia avec agacement. Les scénaristes ne sont que des gratte-papier, c'est ça ? Va te faire voir ! Tu dis ça parce que tu n'es pas doué pour le cinéma, c'est tout.

Vail lui tapota l'épaule.

— Je ne veux ni rabaisser ton travail, se défendit-il, ni même rabaisser le cinéma en tant qu'art. J'analyse des faits, voilà tout.

— Tu as de la chance que j'apprécie tes livres, lança Claudia. Pas étonnant que personne ne t'aime ici !

Vail esquissa un sourire amical.

— Ce n'est pas en ces termes que se pose le problème. Il n'y a ni sympathie, ni inimitié qui tienne. Simplement du mépris. Mais lorsque après ma mort les miens récupéreront mes droits, ils auront alors du respect pour moi, je te le garantis.

— Tu ne parles pas sérieusement !

— Détrompe-toi. Cette idée me semble au contraire très séduisante. Le suicide ne serait-il pas politiquement correct de nos jours... ?

— Allez Ernest, lança Claudia en passant son bras autour des épaules de son ami, le combat ne fait que commencer. Si je parviens à convaincre Athena de rester sur le film, je suis sûre qu'ils seront plus disposés à m'écouter lorsque je leur expliquerai ton cas. Tu me fais confiance ?

— Ne t'inquiète pas, répondit Vail dans un sourire, il me faudra bien six mois avant de trouver le moyen de me supprimer. Je hais la violence.

Claudia comprit qu'il était tout à fait sérieux. Une bouffée de panique l'envahit à l'idée de la mort de l'écrivain. Ce n'était pas un signe d'amour à son endroit — elle ne l'aimait pas, même s'ils avaient été amants quelque temps autrefois — ni même de simple tendresse. Ce qui l'effrayait, c'était de découvrir que les livres magnifiques que Vail avait écrits pouvaient avoir à ses yeux moins d'importance que l'argent, que son art pouvait être anéanti par un ennemi aussi vil et méprisable qu'un billet de banque.

— Si nous en sommes réduits à cette extrémité, lança-t-elle sous le choc, nous irons voir mon frère, Cross, à Las Vegas. Il t'aime bien. Il fera quelque chose pour toi.

— Il ne m'aime pas tant que ça, rétorqua Ernest Vail en riant.

— Il a bon cœur. Je connais mon frère.

— Non, tu ne le connais pas, conclut Vail.

Athena avait quitté le Dorothy Chandler Pavilion sitôt la remise des Oscars terminée, sans assister à la fête qui s'ensuivait et s'était aussitôt couchée. Pendant des heures, elle s'était retournée dans son lit sans pouvoir trouver le sommeil. Tous les muscles de son corps étaient tendus, chaque cellule de son cerveau était en éveil. Je ne le laisserai pas faire, songeait-elle. Pas cette fois. Je ne veux pas vivre de nouveau dans la terreur.

Elle se prépara une tasse de thé ; mais au moment de boire une gorgée, voyant sa main trembler, elle reposa sa tasse avec impatience et sortit sur le balcon pour sonder du regard le ciel nocturne. Pendant des heures, elle resta là à écouter les battements affolés de son cœur.

Elle s'habilla. Short blanc et tennis. Et partit courir sur la plage alors que le soleil rouge commençait à émerger de l'horizon. Elle forçait l'allure, allongeait ses enjambées, essayant de rester sur la frange de sable humide et suivre les ondulations du ressac, tandis que l'eau glacée fouettait ses chevilles. Besoin de faire le vide dans sa tête. Pas question de laisser Boz prendre l'ascendant. Athena avait travaillé trop dur, trop longtemps. Il allait la tuer, c'était une évidence — depuis toujours. Mais il voulait d'abord s'amuser avec elle, la tourmenter, et enfin la défigurer — s'imaginant qu'une fois rendue hideuse elle lui reviendrait. Sa rage battait dans sa gorge comme une cadence de tambour, le vent du matin lança sur son visage des embruns glacés. Non ! se jura-t-elle de nouveau. Non, je ne veux pas !

Elle songea au studio, ils allaient voir tout rouge à la LoddStone, lui faire des menaces. Mais c'était l'argent qui les intéressait, rien d'autre. Elle pensa à son amie Claudia ; ce film était peut-être la chance de sa vie, et une bouffée de tristesse envahit Athena en imaginant tous ceux à qui elle allait faire du tort. Mais elle ne pouvait s'offrir le luxe de céder à la compassion. Boz était fou et ceux qui étaient sains d'esprit voudraient tenter de lui faire entendre raison. Boz, avec ruse, leur donnerait l'illusion d'obtempérer, mais Athena le connaissait mieux que personne. Pas question de courir ce risque. Elle n'avait pas le choix...

Hors d'haleine, elle atteignit les gros rochers noirs qui terminaient l'extrémité nord de la plage. Elle s'assit au sol, tentant de reprendre son souffle. Relevant la tête, aux cris d'une bande de mouettes rasant la surface de l'eau, ses yeux brillaient de larmes, mais sa détermination était inébranlable. Elle déglutit pour réduire la boule d'angoisse qui encombrait sa gorge. Pour la première fois depuis bien longtemps, elle regretta que ses parents soient si loin. La petite fille qu'elle avait été vivait encore en elle, quelque part cachée dans son cerveau, voulant désespérément rentrer à l'abri à la maison, s'enfouir dans les bras de quelqu'un qui la consolerait et réglerait tout comme par magie. Athena esquissa un sourire à cette pensée, un sourire amer au souvenir d'un temps où elle croyait aux contes de fée. Tout le monde l'aimait aujourd'hui, tout le monde l'admirait, l'adulait... la belle affaire ! Elle était l'être le plus seul de la terre, abandonné de tous. Parfois, lorsqu'elle voyait passer une femme ordinaire, accompagnée de son mari et de ses enfants, une femme vivant une vie simple et normale, une vague de regret et d'envie l'envahissait. Ça suffit, reprends-toi ! se secoua-t-elle. Réfléchis. Tu dois te débrouiller toute seule. Trouve une solution et va au bout. Il n'y a pas que ta propre vie qui est en jeu...

La matinée était déjà bien avancée lorsqu'elle prit le chemin du retour. Elle marchait la tête droite, le regard loin devant elle. Sa décision était prise.

Boz Skannet resta en garde à vue jusqu'au lendemain matin. Son avocat organisa une conférence de presse pour la sortie de son client. Skannet expliqua aux journalistes qu'il était marié avec Athena Aquitane, bien qu'il ne l'eût pas vue depuis dix ans, et que son geste de la veille n'était qu'une petite plaisanterie sans danger. La bouteille ne contenait que de l'eau. Il prédit qu'Athena ne porterait pas plainte, laissant entendre qu'il connaissait un terrible secret sur elle qu'elle ne voulait pas voir exhumé. Sa prédiction se réalisa. Aucune plainte ne fut déposée.

Le jour même, Athena Aquitane fit savoir à la LoddStone, le studio qui avait mis en chantier le film le plus cher de l'histoire du cinéma, qu'elle ne reviendrait pas travailler sur le plateau — après l'agression dont elle avait été victime la veille, elle craignait pour sa vie.

Sans elle, le film, un grand péplum baptisé *Messalina*, ne pouvait être terminé. Les cinquante millions de dollars investis seraient une perte sèche pour le studio. Cela signifiait également qu'aucune major company ne prendrait plus jamais le risque d'engager Athena Aquitane sur un film.

La LoddStone diffusa un communiqué annonçant que sa vedette était épuisée mais que dans un mois, elle serait suffisamment rétablie pour reprendre le tournage.

II

La LoddStone était le plus puissant studio d'Hollywood, mais le caprice d'Athena Aquitane allait lui coûter une fortune. Il était rare qu'une simple « artiste » puisse assener un coup aussi dur à une grande compagnie, mais *Messalina* était la locomotive de Noël, la super-production qui porterait la sortie de tous les autres films-maison au cours du long et rigoureux hiver.

Le hasard voulut que, le dimanche suivant, se tint la fête annuelle de bienfaisance de Beverly Hills, organisée dans la propriété d'Eli Marrion, principal actionnaire et président-directeur général de la LoddStone.

Perchée sur les collines dominant Beverly Hills, la maison d'Eli Marrion était un palais de vingt pièces, qui, curieusement, n'offrait qu'une seule chambre à coucher. Eli Marrion détestait que des invités dorment sous son toit; il y avait, certes, des bungalows d'amis, ainsi que deux courts de tennis et une grande piscine. Dans la maison, six pièces étaient consacrées à l'exposition de ses tableaux de maîtres.

Cinq cents personnes, parmi le gratin d'Hollywood étaient invitées à cette fête de bienfaisance dont le prix d'entrée était de mille dollars. Des tentes abritant les buffets et des pistes de danse avaient été dressées un peu partout sur la pelouse, il y avait un orchestre et une kyrielle de bars. Mais la maison en elle-même était interdite aux invités. Des toilettes en préfabriqué avaient été installées et astucieusement dissimulées sous des tentes bariolées.

Les bungalows d'amis, les courts de tennis, la piscine étaient également fermés au public et un cordon de gardes armés en interdisait l'accès. La fête avait lieu strictement sur la grande pelouse centrale. Mais aucun des convives n'en prenait ombrage; Eli Marrion était un homme trop puissant pour que l'on puisse lui tenir rigueur de quoi que ce soit.

Tandis que les invités s'égaillaient sur les parterres, bavardant et dansant pendant ces trois heures de festivités obligatoires, Eli Marrion tenait une réunion de travail à l'intérieur en compagnie des principales personnes impliquées dans le projet *Messalina*.

Eli Marrion dominait la rencontre — son corps d'octogénaire, habilement déguisé, paraissait vingt ans plus jeune. Ses cheveux gris étaient méticuleusement coiffés et teints couleur argent, son costume noir élargissait ses épaules, donnait un semblant de chair sur ses os et dissimulait ses jambes malingres. De grosses chaussures de cuir acajou semblaient l'ancrer à la terre ferme. Une chemise blanche au pli impeccable, décorée d'une cravate rose atténuait la pâleur cadavérique de son visage. Mais il était encore le maître absolu et incontesté de la LoddStone, même si la plupart du temps, il préférait laisser les simples mortels exercer leur libre arbitre.

Le refus d'Athena Aquitane de terminer le tournage du

film en cours soulevait un problème si important qu'il exigeait l'auguste attention de Marrion. *Messalina*, une super-production de cent millions de dollars dont les droits étaient déjà vendus à l'étranger, que ce soit en vidéo, à la télévision, ou sur le câble, était un trésor sur le point de sombrer corps et âme comme un galion espagnol quittant le Nouveau Monde.

Et puis il y avait Athena. A l'âge de trente ans, la star avait déjà signé pour jouer dans une autre super-production de la LoddStone. Une grande artiste comme Athena était une perle rare pour un studio. Et Marrion aimait les objets rares.

Mais les artistes étaient également de la dynamite. Ils pouvaient toujours se révéler dangereux. Il fallait donc maîtriser leur impétuosité, faire montre d'amour et de force cajoleries de la façon la plus abjecte qui soit, les couvrir de bijoux, d'argent et de biens de ce monde, être leur père, leur mère, leur grand frère ou leur grande sœur, voire leur amant ou amante. Aucun sacrifice n'était trop grand pour le véritable talent. Mais lorsqu'on ne pouvait plus s'offrir le luxe de jouer les faibles, il fallait alors se montrer impitoyable.

C'est ce qu'aujourd'hui avait décidé Marrion, dans cette grande salle de réunion, entouré de gens qui allaient accomplir sa volonté. Les exécuteurs en présence étaient Bobby Bantz, Skippy Deere, Melo Stuart et Dita Tommey.

Eli Marrion, face à eux dans cette salle familière, décorée pour vingt millions de dollars de tableaux et dont l'ameublement — tables, fauteuils, tapis, coupes et vases de cristal — devait dépasser le demi-million de dollars, sentait ses frêles os craquer insidieusement à l'intérieur de sa vieille carcasse. Chaque jour, il lui devenait de plus en plus difficile de donner au monde cette image de puissance qu'il était censé représenter.

Se lever le matin, se raser, nouer sa cravate, fermer ses boutons de manchettes était un véritable calvaire. Mais surtout, la débilité mentale le guettait — souvent, il se surprenait à éprouver de la pitié pour les gens moins puissants que lui. Il se reposait donc de plus en plus sur Bobby Bantz, son directeur, et lui donnait sans cesse davantage de pouvoir. Après tout, l'homme était de trente ans son cadet et son ami le plus proche et le plus fidèle.

Directeur du studio depuis plus de trente ans, Bantz

avait d'abord été le bras droit d'Eli Marrion puis, au fil du temps, ils étaient devenus très proches, comme père et fils, et se complétaient à merveille. A quatre-vingts ans passés, Eli Marrion s'attendrissait avec l'âge et avait de plus en plus de mal à prendre certaines décisions, parfois cruelles, qui s'imposaient.

C'était Bantz qui modifiait le montage fait par les metteurs en scène pour que le film soit visible de tous les publics. C'était Bantz qui discutait à la baisse les pourcentages des réalisateurs, des acteurs et des scénaristes, les poussant même à lui intenter un procès qui se terminait le plus souvent au bénéfice du studio. C'était Bantz encore qui négociait les contrats avec les artistes. En particulier, avec les écrivains.

Bantz refusait de laisser aux écrivains les miettes du festin qu'on leur réservait d'ordinaire. Un scénario était certes indispensable pour mettre un film en chantier, mais Bantz croyait dur comme fer que c'était le casting qui avait le pouvoir de vie ou de mort sur l'œuvre. La loi des stars. Les réalisateurs avaient une certaine importance parce qu'ils pouvaient vous coûter une fortune en dépassement. Les producteurs, si voleurs soient-ils, étaient indispensables pour insuffler le vent de folie nécessaire au démarrage d'un film.

Mais les écrivains? Ils ne savaient rien faire d'autre qu'écrire la trame initiale sur une feuille blanche. Vous en embauchiez une douzaine pour boucler le tout et le producteur lançait la machine. Le metteur en scène faisait sa petite sauce et les vedettes arrivaient sur le plateau, avec quelques phrases de dialogues bien senties. Il y avait les créatifs du studio qui, par l'intermédiaire de mémos soigneusement pensés, donnaient des directives aux scénaristes, des idées d'intrigues et des listes de « souhaits ». Bantz avait vu nombre de scénarios, payés un million de dollars pièce, écrits par des scénaristes vedettes, dont il ne restait pas une seule ligne de dialogue ou de l'intrigue initiale à l'écran. Bien sûr, Eli avait une certaine tendresse pour les écrivains, mais parce que c'étaient des brebis sans défense qui se faisaient manger tout cru sur les contrats.

Marrion et Bantz avaient sillonné toute la planète pour placer leurs films dans les festivals et les marchés internationaux, de Londres à Cannes, de Tokyo à Singapour. Ils avaient décidé du destin d'une pléthore de jeunes artistes. L'empereur et son grand chef d'état-major avaient régné ensemble.

Eli Marrion et Bobby Bantz s'accordaient à dire que les artistes, ceux qui écrivaient, jouaient la comédie ou mettaient en scène, étaient les gens les plus ingrats de la terre. Gentils, reconnaissants et conciliants lorsqu'ils étaient dans le ruisseau, ils changeaient du tout au tout dès que la gloire arrivait. Le miel transformait la douce abeille en frelon agressif. Il n'y avait donc rien d'étonnant à ce que Marrion et Bantz entretiennent une équipe de vingt avocats pour les faire se tenir tranquilles.

Pourquoi fallait-il qu'il y ait toujours tant de problèmes ? Toujours des crises ? Il était pourtant évident que ceux qui recherchaient l'argent au lieu de l'art pur, jouissaient d'une carrière plus longue, avaient davantage de plaisirs dans la vie, et étaient des personnes plus utiles à la société que ces artistes qui tentaient d'insuffler l'étincelle divine au genre humain. Dommage que l'on ne puisse faire un film sur ce sujet. L'argent apportait plus de joie que l'art ou l'amour. Mais le public ne marcherait pas.

Bobby Bantz avait été chercher les autres participants parmi les convives de la fête de bienfaisance qui se déroulait dans les jardins de la maison. Le seul « artiste » présent était la réalisatrice de *Messalina*, Dita Tommey — une grande figure du cinéma réputée pour avoir un bon contact avec les actrices, ce qui, à Hollywood, ne signifiait plus comme autrefois qu'elle était homosexuelle, mais qu'elle était féministe. Le fait néanmoins qu'elle fût aussi lesbienne laissait indifférents les hommes présents à la réunion. L'important, c'était que Dita Tommey avait l'habitude de boucler ses films en dessous du budget et qu'elle avait les faveurs du public ; en outre, ses liaisons avec les femmes causaient bien moins de problèmes que celles qui se nouaient entre un metteur en scène et ses actrices. Les amantes des femmes célèbres étaient discrètes et dociles.

Eli Marrion s'installa au bout de la table de réunion et laissa Bantz ouvrir les débats.

— Dita, raconte-nous exactement ce qui se passe et dis-nous quelle solution tu imagines pour régler la situation — car, entre nous, je ne vois toujours pas où est véritablement le problème.

Dita Tommey était petite et solidement charpentée. Elle allait toujours à l'essentiel.

— Athena est terrifiée, répondit-elle. Elle ne veut pas revenir sur le plateau tant que vous autres génies n'aurez pas trouvé une solution pour ôter ses craintes. Si elle ne reprend pas le tournage, vous pouvez d'ores et déjà vous asseoir sur vos cinquante millions. Le film ne peut pas être fini sans Athena. — Dita Tommey marqua un moment de silence — J'ai tourné ce que je pouvais sans elle cette semaine, pour l'instant donc, nous avons limité les dégâts.

— Ce satané film ! grommela Bantz. Je n'ai jamais voulu le faire. J'ai toujours dit que je ne le sentais pas.

Ces paroles eurent le don d'irriter les autres membres de la réunion.

— Arrête tes conneries, Bobby ! lança Skippy Deere, le producteur.

— Ouais, ne commence pas ! renchérit Melo Stuart, l'agent d'Athena Aquitane.

En fait, *Messalina* avait été soutenu avec enthousiasme par tout le monde. Il avait reçu l'un des « feux verts » les plus faciles de l'histoire des grandes majors américaines.

Messalina narrait l'histoire de l'empire romain sous le règne de Claude, d'un point de vue féministe. La grande Histoire, écrite par des hommes, dépeignait l'impératrice Messaline comme une meurtrière et une femme corrompue, qui entraîna toute la population de Rome dans une nuit de débauche sexuelle. Mais le film, réalisé deux mille ans plus tard, la révélait comme une héroïne de tragédie antique, une sorte d'Antigone, une nouvelle Médée. Une femme qui, en utilisant les seules armes que la nature lui avait données, avait essayé de changer le monde dans lequel les hommes, régnant en maîtres absolus, maintenaient les femmes (soit la moitié de la population) à l'état d'esclaves.

C'était une belle idée. Des scènes d'amour effrénées en Cinémascope et un thème porteur et populaire qui avait besoin d'une belle brochette de talents pour être crédible.

D'abord Claudia De Lena écrivit un scénario intelligent et

brillant, avec une intrigue solide. Prendre Dita Tommey comme réalisatrice était un choix utile et politiquement correct. Elle avait un esprit acerbe et un réel don pour la direction d'acteur. Athena Aquitane était la Messaline idéale et crevait littéralement l'écran. Elle avait la beauté conjuguée du visage et du corps, une aura de sensualité et d'intelligence et le génie de rendre n'importe quelle situation crédible à l'écran. Mais plus important encore, c'était une valeur sûre au box-office mondial, l'une des trois plus grandes stars féminines de la planète. Claudia De Lena, avec le talent qu'on lui connaissait, lui avait même concocté une scène dans laquelle Messaline, séduite par les mythes chrétiens, arrachait toute seule des martyrs à une mort atroce dans les arènes de Rome. « Tu y vas un peu fort; il y a des limites », avait lancé Dita Tommey en lisant ce passage. « Non, pas au cinéma », avait répliqué Claudia avec un sourire malicieux.

Skippy Deere prit alors la parole :

— Nous devons interrompre le tournage jusqu'à ce qu'Athena revienne travailler. Cela va nous coûter cent cinquante mille dollars par jour. La situation est on ne peut plus claire : nous avons dépensé cinquante millions de dollars pour le moment. Nous sommes à mi-tournage; nous ne pouvons réécrire l'histoire en faisant sauter le personnage d'Athena, ni lui trouver une doublure. Donc, si elle ne revient pas sur le plateau, nous devons arrêter le film.

— Pas question! lança Bantz. L'assurance ne couvre pas les pertes lorsqu'une star refuse de travailler. Mais si tu la balances du haut d'un avion, là tu es couvert! Melo, c'est à toi de lui faire entendre raison. C'est toi le responsable.

— Je suis son agent, rétorqua Melo Stuart, mais je n'ai aucune influence sur elle. Je peux toutefois vous dire qu'elle a réellement les foies. Ce n'est pas une hystérique ou une hypocondriaque, comme on en connaît. Elle est terrifiée, et c'est une fille intelligente; elle doit donc avoir une bonne raison, j'imagine. C'est une situation très délicate, très dangereuse pour nous tous.

— Si elle torpille un film de cent millions de dollars, elle ne travaillera plus jamais de sa vie, gronda Bantz. Tu lui as dit ça?

— Elle le sait, répondit Melo Stuart.

— Qui pourrait donc lui faire entendre raison?

demanda Bantz. Tu as essayé Skippy et tu as fait chou blanc. Toi aussi, Melo. Tu as fait de ton mieux, Dita, sans succès ; moi aussi d'ailleurs.

— Toi, c'est normal, Bobby, rétorqua Dita Tommey. Elle te déteste, n'est-ce pas ?

— Je ne plais peut-être pas à tout le monde, répliqua Bantz d'un air pincé, mais je sais me faire écouter.

— Bobby, par principe aucun artiste ne t'aime, insista Tommey, sans animosité. Mais pour Athena, c'est différent. C'est toi, en tant que personne, qu'elle n'aime pas.

— Je lui ai donné le rôle qui a fait d'elle une star, grommela Bantz.

— Elle est née pour être une star, énonça calmement Melo Stuart. C'est toi qui as eu la chance de la trouver sur ton chemin.

— Dita, tu es son amie, insista Bantz. C'est à toi de la faire revenir sur le plateau.

— Athena n'est pas mon amie, précisa Dita Tommey. C'est une collègue qui me respecte parce que lorsque j'ai tenté ma chance avec elle et que je me suis ramassée, j'ai accepté ma défaite de bonne grâce et n'ai plus insisté — contrairement à toi Bobby. Ça fait des années que tu ne cesses de lui tourner autour.

— Nous ne sommes sans doute pas assez bien pour elle, ma pauvre Dita ! plaisanta Bantz avant de se tourner vers son patron. Eli, il faut la traîner en justice.

Tous les regards convergèrent vers le vieil homme qui paraissait pour l'instant s'ennuyer ferme. Eli Marrion était si maigre qu'un acteur célèbre avait dit un jour qu'il ressemblait à un crayon et qu'il ne lui manquait plus que la gomme sur la tête — mais c'était plus méchant que justifié. Car si Marrion avait, comparativement à son corps malingre, une grosse tête, un visage large et épais de gorille — un nez épaté, une grosse bouche — il y avait cependant quelque chose de doux dans ses traits, de gentil et de vulnérable. Certains parlaient même de charme. Mais ses yeux annulaient cette impression de douceur, leur éclat d'acier, rayonnants d'intelligence, laissaient entrevoir une détermination qui faisait froid dans le dos. C'était peut-être pour cette raison qu'il insistait pour que tout le monde l'appelle par son prénom.

Marrion parla d'un ton froid et efficace :

— Si Athena ne vous a pas écoutés, elle ne m'écoutera pas plus. Ma position et mon pouvoir ne l'impressionneront pas davantage. Ce qui est troublant, c'est qu'elle soit effrayée à ce point par cette plaisanterie stupide et parfaitement inoffensive. On ne peut donc pas acheter ce type ?

— On va essayer, répondit Bantz. Mais je crains que cela ne change pas grand-chose. Athena n'aura pas confiance.

— Nous avons déjà tenté l'intimidation, précisa Skippy Deere, le producteur. J'ai demandé à quelques amis au poste de police de lui faire peur, mais c'est un dur à cuire. Sa famille est très riche, il a des relations dans la classe politique et, par-dessus le marché, c'est un vrai dingue.

— Combien, au juste, risque de perdre le studio si le film est abandonné ? demanda Stuart. Je ferai mon possible pour que vous puissiez récupérer un peu de vos frais sur les prochains contrats.

Il était délicat de dire à Melo Stuart l'étendue exacte des dommages, ce serait donner un trop grand pouvoir à l'agent d'Athena. Marrion ne répondit pas et fit un signe de tête à l'intention de Bobby Bantz.

— La perte, pour l'instant, s'élève à cinquante millions, répondit Bantz à contrecœur. Très bien, nous pouvons combler ce trou. Mais il va falloir que nous remboursions les droits de vente à l'étranger, les parts des télévisions, et nous n'aurons plus de locomotive pour Noël. Cela risque de nous coûter encore... — il s'interrompit, ne voulant pas donner le chiffre exact — et si on ajoute le manque à gagner, on arrive en gros à deux cents millions de dollars. Tu risques de devoir nous faire un sacré rabais pendant un bon bout de temps, Melo.

Melo Stuart sourit, se disant qu'il lui suffirait d'augmenter son pourcentage sur Athena.

— Mais, pour l'instant, en argent pur, vous n'êtes dedans que de cinquante millions, dit-il.

— A ton avis, intervint Marrion d'une voix glaciale, combien cela nous coûterait-il de faire revenir ta cliente sur le plateau ?

La tactique était claire. Marrion avait décidé d'agir comme s'il s'agissait d'un coup monté de la part de l'agent.

Melo Stuart reçut le message cinq sur cinq. La véritable

question était : « combien comptes-tu nous extorquer avec ton petit chantage ». On mettait directement en cause son intégrité, mais Stuart préféra ne pas monter sur ses grands chevaux. Mieux valait ne pas jouer à ce petit jeu. Pas avec Marrion. Si c'était Bantz qui avait osé faire un tel sous-entendu, alors Stuart se serait levé d'un bond et aurait laissé éclater son courroux et son indignation.

Stuart était un homme puissant dans le monde du cinéma. Il n'avait pas besoin de cirer les bottes de qui que ce soit, même de Marrion. Il avait la mainmise sur cinq metteurs en scène de premier plan, peut-être pas des vedettes pour le grand public mais qui étaient très puissants dans le milieu, ainsi que sur deux acteurs phares et une star féminine du box-office — Athena. Autrement dit, il détenait trois personnes sur lesquelles on pouvait monter n'importe quel film. Il n'aurait pas été très intelligent, toutefois, de s'accrocher avec Marrion. Stuart avait acquis son pouvoir en évitant précisément ce genre d'écueils. Malgré les apparences, ce n'était pas le moment de tirer à boulets rouges. Les attaques de front étaient très rarement payantes en la matière.

Le meilleur atout de Melo Stuart était sa sincérité — il croyait réellement en ses acteurs. Il avait cru au talent d'Athena dix ans plus tôt, alors qu'elle était encore totalement inconnue et croyait toujours en elle. Mais s'il pouvait lui faire changer d'avis et la ramener devant les caméras, cela pouvait lui être bénéfique... cette possibilité ne devait donc pas être négligée.

— Ce n'est pas une question d'argent, répondit Melo Stuart avec d'une voix vibrante, ravi de laisser transparaître ainsi sa belle sincérité. Vous pouvez offrir à Athena un million de dollars de prime si ça vous chante, elle ne reviendra pas sur le plateau. Ce qu'il faut, c'est régler le cas de ce mari sorti tout droit des oubliettes.

Il plana un silence pesant. Tout le monde retenait son souffle. Une somme avait été avancée. Les enchères allaient-elles monter ?

— Elle ne prendra pas cet argent, intervint Skippy Deere.

Dita Tommey haussa les épaules. Elle n'en était pas si convaincue. Mais elle n'était pas à sa place. Bantz se contenta d'observer Stuart qui soutenait le regard de Marrion.

Le chef de la LoddStone médita un moment les paroles de Stuart et se rangea à son avis. Athena ne céderait pas pour de l'argent. Les artistes n'avaient pas cette intelligence. Il était temps de mettre un terme à cette réunion.

— Melo, annonça-t-il, explique bien à ta cliente que si elle ne revient pas sur le plateau d'ici un mois, le studio abandonne le film et assume les pertes. Nous la poursuivrons alors en justice et nous prendrons tout ce qu'elle possède pour nous rembourser. En outre, et cela tombe sous le sens, Hollywood, ce sera fini pour elle. — Marrion esquissa un sourire en jetant un regard circulaire sur l'assistance — Après tout, cinquante millions, ce n'est pas la mer à boire.

Tous surent que Marrion parlait sérieusement. Il paraissait réellement agacé. Dita Tommey eut une bouffée de panique. C'est elle qui avait le plus à perdre dans cette histoire. Ce film était son bébé. S'il avait du succès, elle entrerait dans le club fermé des grands réalisateurs. On pourrait désormais monter un projet sur son seul nom.

— Demandons à Claudia De Lena de parler à Athena, lança-t-elle, en dernier espoir. C'est l'une de ses amies les plus proches.

Les hommes à la table échangèrent des regards étonnés ; le nom d'une scénariste n'avait jamais été prononcé à un tel niveau décisionnel. Apprendre qu'une star internationale de l'envergure d'Athena pourrait éventuellement écouter une simple scénariste comme De Lena, quel que soit son talent en ce domaine, les sidérait.

— Je ne sais pas ce qui est le plus sordide pour une star, lâcha Bantz avec mépris : s'envoyer un machiniste, ou sympathiser avec un scénariste.

L'agacement de Marrion ne fit que croître.

— Bobby, épargne-nous s'il te plaît ce genre d'inepties ; on parle affaires ici. Très bien, demandons donc à Claudia d'aller lui parler. Il faut régler cette histoire d'une manière ou d'une autre. Ce n'est pas le seul film que nous avons en production.

Le lendemain, un chèque de cinq millions de dollars arriva à la LoddStone. Athena Aquitane avait retourné l'avance qu'elle avait touchée pour tourner *Messalina*.

L'affaire était désormais entre les mains des avocats.

En à peine quinze ans, Andrew Pollard avait fait de la Pacific Ocean Security Company la plus prestigieuse société de gardiennage et de surveillance de la côte Ouest. Après avoir commencé dans une chambre d'hôtel, il possédait aujourd'hui un bâtiment de quatre étages à Santa Monica, avec une équipe de cinquante permanents au siège central, plus de cinq cents enquêteurs et gardes en C.D.D., sans compter un bataillon de réserve qui travaillait pour lui une bonne partie de l'année.

La Pacific Ocean Security offrait ses services aux très riches et aux très célèbres. Elle protégeait les demeures des magnats du cinéma avec du personnel armé et des systèmes électroniques. Elle fournissait des gardes du corps pour les vedettes et les producteurs. Elle dépêchait des vigiles pour tenir les foules lors des grands événements médiatiques tels que la cérémonie de remise des Oscars. Elle menait des enquêtes dans des affaires délicates, faisant du contre-espionnage à l'encontre d'éventuels maîtres chanteurs.

C'est son souci du détail qui avait donné à Pollard ses lettres de noblesse. Il plantait sur les pelouses de ses riches clients des écriteaux « Danger — Gardes armés » qui perçaient la nuit d'éclairs rouges et des équipes en voiture patrouillaient au voisinage des propriétés dont il avait la charge. Andrew Pollard choisissait avec soin son personnel et rétribuait grassement ses employés pour s'assurer leur fidélité. Il pouvait se permettre de se montrer généreux. Ses clients étaient les plus grosses fortunes du pays et payaient en conséquence... Il avait également la sagesse de collaborer avec les services de police de Los Angeles, à tous les échelons. Il entretenait des contacts constants avec Jim Losey, le célèbre inspecteur qui faisait figure de héros national pour les hommes du rang. Mais le plus important, c'est qu'il avait le soutien des Clericuzio.

Quinze ans plus tôt, jeune policier, il s'était fait coincer par la brigade anti-corruption de la police de New York. Pour un pot-de-vin minime, presque impossible à éviter. Il avait tenu bon et avait refusé de donner à ses supérieurs les noms de ses contacts. Les Clericuzio voyant l'intégrité de Pollard menèrent une série d'actions juridiques qui débouchèrent sur un accord : Si Pollard démissionnait de la police de New York, l'État cessait ses poursuites.

Pollard émigra donc à Los Angeles, avec femme et enfants, et la famille lui donna l'argent pour l'aider au lancement de la Pacific Ocean Security Company. Les Clericuzio firent alors savoir dans le milieu qu'il était interdit de toucher aux clients de Pollard — ni à leur personne, ni à leurs biens — et que si, par mégarde, leurs bijoux étaient volés, ils devaient être restitués à leur propriétaire. C'était pour cette raison que les écriteaux lumineux, annonçant « danger — gardes armés », portaient ostensiblement le nom de la société.

Andrew Pollard jouissait donc d'une aura quasi magique ; jamais aucune des maisons placées sous sa protection n'avait été cambriolée. Ses gardes du corps étaient presque aussi bien entraînés que les agents du F.B.I., si bien que la Pacific Ocean Security n'avait jamais été poursuivie pour intrusion dans les affaires privées d'autrui, pour harcèlement sexuel ou pour violence à enfant, jamais la moindre affaire parmi la brochette de mésactions qui empoisonnait d'ordinaire l'univers des sociétés de gardiennage. Certes, il y avait eu quelques tentatives de chantage, et certains gardes avaient vendu des secrets d'alcôves à des journaux à scandale, mais ce genre de dérapages était inévitable. Globalement, Andrew Pollard dirigeait une société propre et efficace.

La Pacific Ocean avait accès à des informations confidentielles ayant trait à toutes sortes de personnalités. Il était donc tout naturel que les Clericuzio, lorsqu'ils avaient besoin de renseignements, fassent appel à lui. Pollard gagnait bien sa vie et était reconnaissant envers la famille de lui avoir mis le pied à l'étrier. D'autant plus que, de temps en temps, lorsqu'un travail un peu délicat ne pouvait être accompli par ses gardes, il allait demander au *bruglione* des Clericuzio de lui prêter main-forte.

Pour nombre de prédateurs sournois, Los Angeles et Hollywood étaient une jungle paradisiaque, grouillante de proies faciles. Il y avait le directeur de studio englué dans le piège délicieux que lui tendait un maître chanteur, la star virile et son homosexualité inavouée, le metteur en scène sadomasochiste, le producteur pédophile — tous avaient une peur bleue de voir étalés au grand jour leurs petits secrets. Andrew Pollard devait se charger de ces cas avec finesse et discrétion. Il négociait un paiement au meilleur prix et veillait à ce qu'il n'y ait pas d'autres exigences.

Bobby Bantz convoqua Andrew Pollard dans son bureau le lendemain de la cérémonie des Oscars.

— Je veux des infos sur ce Boz Skannet, expliqua-t-il à Pollard. Et tout sur le passé d'Athena Aquitane. Pour une super star, on sait finalement très peu de choses d'elle. Je veux aussi que vous négociiez avec Skannet. Nous avons besoin d'Athena pour les six mois à venir ; alors trouvez un terrain d'entente avec lui et débrouillez-vous pour qu'il lui fiche la paix jusque-là. Offrez-lui vingt mille dollars par mois, mais vous pouvez monter jusqu'à cent mille si nécessaire.

— Passé ce délai, il pourra lui faire ce qu'il veut ? s'enquit tranquillement Pollard.

— Après, ce sera l'affaire de la police. On marche sur des œufs. Ce type a une famille puissante derrière lui. Le studio ne doit pas être accusé d'avoir mené des tractations plus ou moins louches, cela pourrait fiche le film par terre et faire beaucoup de tort à notre image de marque. Bref, trouvez un accord avec lui. En attendant, c'est votre société qui assurera la sécurité d'Athena.

— Et si Skannet ne marche pas ?

— Alors il faudra surveiller Athena jour et nuit. Jusqu'à ce que le film soit dans la boîte, tout au moins.

— Et si je lui faisais un peu peur ? proposa Pollard. En toute légalité, bien entendu.

— Il a trop de relations, objecta Bantz. La police se méfie de lui. Même Jim Losey, le grand copain de Skippy Deere, n'a pas osé employer la manière forte. Sans compter la mauvaise publicité, le studio pourrait être condamné à payer des dommages et intérêts. Je ne vous dis pas de le traiter comme une fleur délicate mais...

Le message était clair : faire un peu d'esbroufe pour la forme mais lui donner ce qu'il voulait.

— J'aurai besoin de contrats, annonça Pollard.

Bantz sortit une enveloppe du tiroir de son bureau.

— Voilà. Il me signe ça en trois exemplaires et il y a, pour lui, à l'intérieur, un chèque de cinquante mille dollars comme acompte. La somme totale n'est pas inscrite sur le contrat. Vous remplirez la case au moment de l'accord.

Comme Pollard quittait le bureau, Bantz le rappela.

— Vos gars se sont fait avoir comme des bleus aux Oscars, lança-t-il. Qu'est-ce qu'ils fichaient ? Ils roupillaient ou quoi ?

Andrew Pollard ne se vexa pas. C'était du Bantz dans toute sa splendeur.

— Ils étaient simplement là pour contenir la foule, répondit-il. Ne vous faites pas de bile, je vais dépêcher mes meilleures équipes pour veiller sur votre miss Aquitane.

En vingt-quatre heures, les ordinateurs de la Pacific Ocean Security savaient tout de Boz Skannet. Il avait trente-quatre ans ; il avait fait ses études au Texas, avait été élu meilleur joueur du championnat universitaire de football, puis avait effectué une saison comme professionnel. Son père possédait une banque à Houston, mais plus important, son oncle était le responsable du parti démocrate au Texas et un ami intime du président. Bref, tout cela faisait beaucoup d'argent.

Boz Skannet était à lui tout seul tout un poème. En tant que vice-président de la banque de son père, il avait failli être condamné pour escroquerie dans une affaire de concessions pétrolières. Il avait été arrêté pour voies de faits à six reprises. Dans l'un des cas, il avait agressé deux policiers et les avait envoyés à l'hôpital. Skannet n'avait pas été poursuivi parce qu'il avait versé des dommages et intérêts aux deux victimes. Il y avait eu également une affaire de harcèlement sexuel portée en justice... Avant tous ces événements, il avait épousé Athena à vingt et un ans, et un enfant était né l'année suivante. Une petite fille nommée Bethany. La mère, âgée de vingt ans, s'était enfuie avec son bébé.

Tout cela donnait une idée assez précise du personnage. Boz Skannet était un sale gars — quelqu'un qui avait un compte à régler avec sa femme depuis dix ans et qui tabassait des policiers jusqu'à les envoyer à l'hôpital. Les chances de faire peur à un gars pareil étaient quasiment nulles. Il fallait lui graisser la patte, lui faire signer le contrat et se carapater.

Pollard appela Jim Losey qui s'était occupé de l'affaire Skannet. Pollard était impressionné par Losey ; il était le flic qu'il aurait aimé être. Des relations de travail liaient les deux hommes — Losey recevant à chaque Noël un joli cadeau de la Pacific Ocean Security. Pollard voulait savoir ce qu'avait la police sur son bonhomme.

— Jim, annonça Pollard, tu peux m'envoyer des infos sur Boz Skannet ? J'ai besoin de son adresse à L.A. et j'aimerais que tu me tuyautes un peu sur lui.

— Pas de problème, répondit Losey. Mais les charges contre lui ont été levées. En quoi il t'intéresse ?

— C'est pour le boulot. Sécurité rapprochée. Ce type est dangereux ?

— Il est complètement dingue ! Dis à tes gars de tirer à vue si jamais il pointe son nez.

— Tu me ferais arrêter, rétorqua Pollard en riant. C'est contraire à la loi, je te le rappelle.

— C'est vrai, soupira Losey. Je devrais t'arrêter. C'est vraiment le monde à l'envers !

Boz Skannet séjournait dans un petit hôtel sur Ocean Avenue à Santa Monica — ce qui n'était pas pour rassurer Andrew Pollard, puisque l'endroit se trouvait à un quart d'heure en voiture de Malibu Colony et de la maison d'Athena Aquitane. Il donna l'ordre à quatre hommes de garder la maison d'Athena, plaça deux autres gardes devant l'hôtel de Skannet et prit rendez-vous avec lui pour l'après-midi même.

Pollard se fit accompagner par ses trois plus gros gorilles. Avec un type comme Skannet, mieux valait se préparer au pire.

Skannet les fit entrer dans sa petite suite. Il était aimable et les accueillit avec le sourire, mais ne leur proposa aucun rafraîchissement. Curieusement, il les reçut en costume et cravate — peut-être pour leur montrer qu'il était toujours un banquier. Pollard fit les présentations. Ses trois garde du corps montrèrent leur carte d'accréditation de la société.

— Vous n'êtes pas des maigrichons, lança Skannet avec un air malicieux. Mais je vous parie cent dollars que je peux mettre la pâtée à n'importe lequel de vous trois, dans un combat à la loyale.

Les trois gorilles, habitués à ce genre de provocation, répondirent par des sourires affables, mais Pollard prit sciemment la mouche. Une indignation toute calculée.

— Nous sommes ici pour parler affaires, Mr. Skannet, commença-t-il, et non pour essuyer des menaces. La Lodd-Stone est prête à vous verser cinquante mille dollars, tout de suite, plus une rente de vingt mille dollars par mois pendant huit mois. Tout ce qu'ils veulent, c'est vous voir quitter Los Angeles.

Pollard sortit le contrat de sa mallette et exhiba le gros chèque vert et blanc.

Skannet étudia le document.

— C'est un contrat réduit à sa plus simple expression, remarqua-t-il. Inutile de déranger mon avocat pour ça. Mais l'argent proposé est aussi réduit à sa plus simple expression. Je pense que cent mille dollars d'acompte et cinquante mille par mois seraient plus raisonnables.

— C'est trop, répondit Pollard. Il y a une ordonnance du juge à votre encontre. Si vous vous approchez à moins de cent mètres du domicile d'Athena Aquitane, vous allez tout droit en prison. J'ai des hommes en faction devant chez elle vingt-quatre heures sur vingt-quatre. Et j'ai une équipe qui suit le moindre de vos faits et gestes. Alors, si j'étais vous, j'accepterais sans chipoter cet argent qui vous tombe du ciel.

— Si j'avais su, je serais venu plus tôt en Californie, ricana Skannet. Il pleut de l'or, ici. Pourquoi me proposez-vous de l'argent, d'abord ?

— Le studio veut rassurer miss Aquitane.

— C'est une vraie star, dites donc, fit Skannet d'un air songeur. Elle a toujours été unique en son genre. Quand je pense que je me l'envoyais cinq fois par jour. — Il lança aux trois gorilles un sourire narquois — Et pas idiote, en plus.

Pollard considéra l'homme, intrigué. Ce type avait le

charme viril du cow-boy de la pub Marlboro, mais avec un visage rougi par le soleil et l'alcool et un corps plus trapu. Il avait cet accent traînant du Sud, qui lui donnait un air à la fois comique et inquiétant. Bon nombre de femmes succombaient à ce genre d'homme. A New York, certains flics avaient cette allure-là et remportaient auprès de la gent féminine autant de succès que les bandits. On les envoyait enquêter sur un meurtre, et une semaine plus tard, on les retrouvait au lit, en train de consoler la veuve. Jim Losey était de cette race au fond et Pollard regrettait de ne pas avoir cette chance.

— Revenons-en à notre affaire, reprit-il.

Il voulait que Skannet signe ce contrat et prenne le chèque devant témoin — plus tard, le studio pourrait toujours se retourner, au besoin, contre Skannet et l'attaquer pour extorsion de fonds.

— Vous avez un stylo ? demanda Skannet en s'asseyant au bureau.

Pollard en sortit un de son attaché-case et inscrivit dans les cases vides la somme de vingt mille dollars par mois. Skannet le regarda faire.

— J'aurais donc pu obtenir plus ! lança-t-il en riant avant de signer les trois exemplaires. Quand est-ce que je dois quitter L.A. ?

— Ce soir même, répondit Pollard. Je vous conduirai à votre avion.

— Non merci. Je crois que je vais faire un saut en voiture jusqu'à Las Vegas et claquer cet argent dans les casinos.

— Je viendrai vérifier, avertit Pollard — il était temps de montrer un peu les dents — Je vous préviens, si vous remettez les pieds à L.A., je vous fais arrêter pour extorsion de fonds.

Le visage cramoisi de Skannet s'illumina de joie.

— Oh, j'adorerais ça ! Je serais aussi célèbre qu'Athena !

Le soir, l'équipe de surveillance rapporta que Boz Skannet avait quitté Santa Monica pour se rendre simplement au Beverly Hills Hotel et qu'il avait déposé le chèque de cinquante mille dollars sur un compte personnel de la Bank of

America. Ces informations étaient édifiantes aux yeux de Pollard. Un, Skannet avait le bras long puisqu'il avait pu obtenir une chambre au Beverly Hills ; deux, il se contrefichait du contrat qu'il venait de signer. Pollard annonça la nouvelle à Bobby Bantz et demanda ses instructions. Faire le mort, lui intima Bantz. Ils avaient montré le contrat à Athena pour la rassurer, en espérant la convaincre de reprendre le tournage. Ce que Bantz ne précisa pas, c'était qu'elle leur avait ri au nez.

— Vous pouvez faire opposition sur le chèque, suggéra Pollard.

— Non, répondit Bantz. Laissons-le l'encaisser et nous pourrons l'attaquer pour chantage ou extorsion, que sais-je. Tout ce que je veux, c'est qu'Athena croie qu'il n'est plus en ville.

— Je vais doubler le dispositif de sécurité autour d'elle. Mais s'il est vraiment dingue, s'il veut vraiment lui faire du mal, on ne pourra guère l'en empêcher.

— C'est du bluff, lâcha Bantz. S'il n'a pas été jusqu'au bout la première fois, je ne vois pas pourquoi il passerait aux actes maintenant.

— A votre place, je n'en serais pas aussi sûr, rétorqua Pollard. On a fait un petit tour dans sa chambre. Vous savez ce qu'on y a trouvé ? Un flacon d'acide concentré.

— Oh ! merde ! Vous avez prévenu les flics ? Jim Losey, par exemple ?

— Avoir de l'acide chez soi n'est pas un délit. Entrer chez quelqu'un par effraction en est un. Skannet pourrait me faire perdre ma licence pour ça.

— Très bien. Vous ne m'avez rien dit. Nous n'avons jamais eu cette conversation. Et vous oubliez tout ce que vous savez.

— Entendu, Mr. Bantz. Je ne vous enverrai même pas de facture pour l'information.

— C'est trop gentil de votre part, lança Bantz d'un ton sarcastique. On reste en contact.

Skippy Deere expliqua la situation à Claudia et lui donna ses instructions, comme il se doit entre un producteur et une scénariste.

— Tu te jettes à ses genoux, expliqua Skippy Deere, tu la supplies, tu pleures, tu piques une crise, tu joues la dépression nerveuse. Tu lui rappelles tout ce que tu as fait pour elle en tant qu'amie intime et collègue de travail — tout ce que tu voudras, mais il faut que tu fasses revenir Athena sur le film.

Claudia connaissait Skippy.

— Pourquoi moi ? demanda-t-elle d'un ton de glace. Tu es le producteur, Dita est la réalisatrice, Bantz le directeur du studio. C'est à vous d'aller lui faire de la lèche. Vous êtes bien plus rompus que moi à ce genre d'exercice.

— Je te rappelle qu'il s'agit de ton projet, répliqua Skippy Deere. C'est toi qui as eu l'idée de cette histoire et qui as écrit le scénario original, c'est toi qui es venue me chercher et qui es allée trouver Athena. Si le film capote, cet échec te suivra toute ta vie.

Une fois seule dans son bureau, Claudia reconnut que Deere avait raison. Du fond de son désespoir, elle songea à son frère, Cross ; il était le seul à pouvoir l'aider, à pouvoir faire disparaître le problème que posait Skannet. Elle détestait l'idée de faire du chantage au sentiment avec Athena ; celle-ci risquait, d'ailleurs, de l'envoyer paître, alors que Cross ne lui refusait jamais rien. Pas une seule fois, il n'avait refusé de lui faire plaisir.

Elle appela l'hôtel Xanadu à Las Vegas, mais on lui répondit que Cross était à Quogue pour quelques jours. Cette nouvelle raviva en elle ces souvenirs d'enfance qu'elle avait tenté d'effacer de sa mémoire. Jamais, elle n'appellerait son frère à Quogue. Jamais, elle n'aurait le moindre contact avec les Clericuzio. Elle voulait tirer un trait sur son passé, sur son père, et sur tous les Clericuzio de la terre.

DEUXIÈME PARTIE

Pippi De Lena
et
les Clericuzio

III

La famille s'était fait sa terrible réputation plus d'un siècle plus tôt, en Sicile. Les Clericuzio s'étaient battus pendant vingt ans avec une famille rivale pour un bout de forêt perdue dans la montagne. Le patriarche du clan adverse, Don Pietra Forlenza, se trouvait sur son lit de mort ; il avait survécu à quatre-vingt-cinq années de querelles de toutes sortes avant d'être terrassé par un infarctus qui, selon son médecin, lui laissait moins d'une semaine à vivre. Un membre de la famille Clericuzio pénétra dans la chambre du moribond pour lui donner un coup de couteau mortel, en criant que le vieux bandit ne méritait pas d'avoir une mort paisible.

Don Domenico Clericuzio racontait souvent cette histoire pour montrer à quel point les coutumes anciennes étaient stupides et que la férocité utilisée sans discernement n'était que *braggadocio*. La férocité était une arme bien trop précieuse pour être gaspillée, elle devait toujours servir un dessein important.

Car c'était cette même férocité qui avait conduit les Clericuzio à leur perte en Sicile. Lorsque Mussolini et ses fascistes prirent le pouvoir en Italie, ils comprirent rapidement qu'ils devaient se débarrasser de la Mafia. Pour ce faire, ils cessèrent les poursuites légales et firent parler les armes. La Mafia fut anéantie au prix de milliers de gens innocents jetés en prison ou chassés du pays.

Seuls, les Clericuzio eurent le courage de s'opposer aux décrets de Mussolini. Ils assassinèrent le préfet fasciste de la région, ils attaquèrent des garnisons de miliciens. Leur pire forfait fut de voler le chapeau melon et le parapluie de Mussolini (spécialement importés d'Angleterre) lors d'un discours qu'il était venu prononcer à Palerme. Par ce geste plein d'audace et d'humour paysan, Mussolini avait été la risée de toute la Sicile, et les Clericuzio avaient signé leur arrêt de mort. Il y eut une concentration massive de forces armées dans leur province. Cinq cents membres du clan Clericuzio furent abattus. Cinq cents autres furent exilés sur les îles arides de la Méditerranée, qui faisaient office de colonies pénitentiaires. Seul, le noyau dur des Clericuzio survécut, et la famille envoya, par bateau, le jeune Domenico en Amérique. Fidèle à la tradition familiale, Don Domenico bâtit son propre empire, avec bien plus de ruse et de diplomatie que ses aïeux de Sicile — mais avec tout autant de férocité. Don Clericuzio, toutefois, gardait à l'esprit qu'il n'était pas de pire ennemi qu'un pays sans loi. C'est pour cette raison qu'il aimait tant l'Amérique.

Très tôt, on lui avait raconté la célèbre maxime de la justice américaine : mieux valait cent coupables en liberté, qu'un seul innocent en prison. Il avait été abasourdi, presque sonné sur pied, par la beauté de cette idée et devint un ardent patriote. L'Amérique était son pays et il ne le quitterait jamais.

Fort de cette certitude, Don Domenico avait édifié un empire bien plus solide que celui de ses ancêtres siciliens. Il s'était assuré le soutien des hommes politiques et des institutions juridiques, à grand renfort de cadeaux et de pots-de-vin. Ne voulant pas dépendre d'une ou deux sources seulement de revenus, il diversifia ses activités, fidèle à la grande tradition américaine. Il avait des entreprises de travaux publics, des sociétés de ramassage d'ordures, des sociétés de transports en tout genre. Mais la plus grande source d'argent liquide provenait des jeux — son secteur d'activités préféré, à l'inverse de celui de la drogue, rentable certes, mais dont il se méfiait comme de la peste. Au bout de quelques années, l'industrie des jeux était le seul secteur dans lequel Don Domenico acceptait que la famille soit impliquée directement. Pour les autres, les Clericuzio se contentaient de prendre une commission de 5 p. 100 des revenus.

C'est ainsi qu'après vingt-cinq ans de cette politique avisée, le rêve de Don Clericuzio était devenu réalité. Le monde des jeux était désormais un secteur respectable, et plus important encore, il était en passe d'être totalement légalisé.

Sans cesse, l'État lançait de nouvelles loteries, grâce auxquelles le gouvernement se remplissait les poches sur le dos de ses citoyens. Les gros lots couraient sur vingt ans, ce qui permettait à l'État de garder les sommes en caisse et de ne verser que les intérêts. Sans compter qu'il en récupérait une bonne partie via les impôts. Bref, une vaste escroquerie. Don Domenico connaissait le système dans le menu puisque la famille possédait l'une des sociétés gérant les loteries à travers le pays, et ce, en l'échange d'honoraires tout à fait intéressants.

Mais le patriarche misait sur le jour où les jeux seraient légalisés dans tous les États du pays, comme c'était déjà le cas au Nevada. Il avait une vague idée des bénéfices possibles, au regard des sommes qu'il percevait sur les jeux illégaux. Si les paris sur le Super Bowl étaient autorisés, les profits avoisineraient le milliard de dollars, pour ce seul match. En base-ball, les World Series avec leurs sept matches rapporteraient autant d'argent. Les championnats universitaires de football, de basket-ball, de hockey, seraient autant de mannes tombées du ciel. On organiserait des loteries en tous genres à chaque événement sportif — des mines d'or à piller en toute impunité. Don Clericuzio ne vivrait pas assez vieux pour voir pâlir l'aube de ce jour magnifique, mais un paradis s'offrirait à ses enfants. La famille serait l'égale des princes de la Renaissance. Ils seraient les bienfaiteurs des arts, les conseillers et les maîtres à penser des gouvernements — des figures historiques dans les manuels scolaires. Un torrent d'or laverait la fange de leurs origines. Tous ses descendants, tous ses gens, tous ses amis fidèles, seraient en sécurité à jamais. Don Clericuzio voyait le monde comme un grand arbre abritant les hommes sous ses branches, et offrant ses fruits à leur ventre affamé. Mais dans les racines de cet arbre vénérable logeait le serpent immortel des Clericuzio, se repaissant des sucs nourriciers d'une source intarissable.

Si la maison Clericuzio était considérée comme la Sainte Église pour la plupart des empires mafieux des États-Unis, alors le patriarche, Don Domenico Clericuzio, faisait figure de pape, respecté non seulement pour sa sagesse mais aussi pour son pouvoir.

Le patriarche était également révéré pour le code moral d'airain qu'il avait su inculquer à sa famille. Tout homme, femme ou enfant, était responsable de ses actes, quelles que soient les circonstances, les difficultés du moment, ou les regrets après coup. C'était par ses actes que l'on jugeait un homme — les mots n'étaient que poussière semée au vent. Il n'avait que mépris pour les sciences humaines et la psychologie. Pour le catholique fervent qu'il était, on payait toujours ses fautes ici-bas, le pardon venant plus tard. Toute dette se devait d'être acquittée, et son jugement sur terre était strict et sans appel.

Il en était de même de ses fidélités. D'abord les gens de son sang, ensuite Dieu (n'avait-il pas sa propre chapelle privée ?) et en troisième, ses devoirs dans tous les domaines qui touchaient la famille.

Aucune considération relative à la société et au gouvernement, malgré tout son patriotisme, n'avait droit de cité dans l'ordonnancement de son monde. Don Clericuzio était né en Sicile, un pays où société et gouvernement étaient synonymes d'ennemis. La notion du libre arbitre humain se réduisait à une dualité lumineuse : soit l'homme, pour gagner son pain, devenait esclave et travaillait sans dignité ni espoir, soit il tenait les rênes du destin et se faisait respecter. La famille était ta société, ton Dieu ton bourreau, et tes gens tes défenseurs. Ton devoir était d'assurer aux tiens le pain quotidien, le respect du monde extérieur, et un refuge contre la loi des autres hommes.

Don Clericuzio n'avait pas édifié son empire pour que ses enfants ou ses petits-enfants se retrouvent un jour dans le caniveau, parmi tous les opprimés de la terre. Il n'avait eu de cesse d'affermir son pouvoir de sorte que le nom et la prospérité de la famille perdurent aussi longtemps que l'Église elle-même. Quel autre but pouvait poursuivre un homme que celui de gagner dignement sa pitance ici-bas et de se présenter là-haut devant un Dieu plein de miséricorde ? En regard de ça, le jugement des autres et de leur société clopinante n'était que du vent.

Don Domenico avait élevé son nom jusqu'aux plus hautes sphères du pouvoir. Il y était parvenu en faisant preuve d'une cruauté digne d'un Borgia et d'une ruse machiavélique, associée à un solide sens des affaires. Mais le ciment liant l'ensemble fut l'amour patriarcal qu'il portait à ses sujets. Les bonnes actions étaient récompensées, les affronts vengés et le gagne-pain garanti à vie.

Ainsi que l'avait prévu Don Domenico, la famille atteignit un tel degré d'influence qu'il lui devint inutile de prendre part à la moindre activité criminelle, sauf lorsque des circonstances particulièrement dramatiques l'exigeaient. Les autres familles mafieuses étaient le plus souvent les *bruglìones* — les barons — des Clericuzio ; lorsqu'il y avait des problèmes, elles venaient consulter, chapeau bas, l'avis du parrain. En italien *bruglione* voulait dire « baron », toutefois en patois de Sicile, le mot désignait quelqu'un d'empoté, incapable d'accomplir le travail le plus élémentaire. C'est par facétie que Don Domenico, agacé par les appels au secours continuels de ses barons, avait décidé de leur donner ce surnom. Les Clericuzio assuraient la paix entre eux, les sortaient de prison, dissimulaient leur argent illégal en Europe, leur trouvaient des moyens sûrs pour écouler leur stock de drogue dans le pays et faisaient pression sur les juges, les institutions fédérales et autres commissions d'État. Généralement, la famille ne s'abaissait pas à traiter avec les municipalités. Si un baron n'était pas fichu de tenir la mairie de la ville dans laquelle il vivait, c'est qu'il ne valait pas tripette.

Le génie de Giorgio Clericuzio — fils aîné de Don Domenico — dans le domaine économique et financier permit d'asseoir la puissance de la famille. Comme dans une grande machine à laver, Giorgio blanchissait les flots d'argent qu'une société moderne vomissait de ses entrailles. Il essayait toujours de mettre un frein à la férocité de son père. Son premier souci était de garder la famille dans l'ombre, à l'abri des regards. Ainsi, même pour les autorités, la famille était une espèce d'O.V.N.I. Il existait bien quelques témoignages épars, quelques rumeurs, certains leur prêtaient des horreurs, d'autres de grands sentiments œcuméniques. Leur nom apparaissait ici et là dans les dossiers du F.B.I. et de la police, mais pas le moindre article de journaux sur eux, pas même une ligne dans ces magazines à sensation qui se plaisaient à raconter les exploits de diverses familles mafieuses ayant, par imprudence et mégalomanie, connu des déboires.

Pourtant le clan Clericuzio n'avait rien d'un tigre édenté. Les deux frères cadets de Giorgio, Vincent et Petie, sans posséder l'intelligence de Giorgio, avaient hérité de la belle férocité du père. Ils dirigeaient un bataillon de soldats dans une enclave du Bronx, un fief de tout temps tenu par les Italiens. Cette enclave d'une vingtaine de kilomètres carrés aurait pu servir de décor pour un film sur la vieille Italie — pas de Juifs barbus hassidims, pas de Noirs, pas d'Asiatiques, ou de hippies égarés dans la population, pas le moindre établissement ou commerce autre qu'italien. Pas un seul restaurant chinois. Les Clericuzio possédaient tous les immeubles du secteur. Certes, quelques rejetons de familles italiennes portaient les cheveux longs, jouaient du rock et faisaient du roller, mais ils étaient rapidement envoyés chez des parents, en Californie. Tous les ans, des immigrants arrivaient de Sicile, incognito, pour repeupler le quartier. L'enclave du Bronx, cernée de tous côtés par des quartiers à taux de criminalité parmi les plus élevés de la planète, était un curieux havre de paix.

Pippi De Lena, ancien « maire » de l'enclave, avait été promu baron, ou *bruglione*, à Las Vegas pour le compte des Clericuzio. Il restait, toutefois, directement sous la tutelle de la famille, qui avait toujours besoin de ses talents particuliers.

Pippi était l'exemple même du *qualificato*, de « l'homme qualifié ». Il avait commencé tôt, se « faisant les mains » dès l'âge de dix-sept ans et, plus impressionnant encore, il avait effectué son premier contrat au garrot. Les jeunes, en Amérique, pour une question de fierté mal placée, méprisaient la corde. Pippi était effectivement très fort; il était de belle taille et avait une carrure impressionnante. Évidemment, c'était un expert aussi en armes et en explosifs. Hormis ces particularités, Pippi était un homme charmant, débordant de vie; sa bonne humeur mettait les hommes à l'aise et sa galanterie — un savant mélange entre la rusticité sicilienne et les clichés du cinéma américain — séduisait bien des femmes. Bien qu'il prît son travail très au sérieux, il considérait qu'il fallait savoir profiter des plaisirs de la vie.

Il avait évidemment ses petites faiblesses; il buvait, jouait beaucoup, et ne pouvait résister à la gent féminine. Il n'était pas aussi impitoyable que l'eût souhaité le féroce Don Clericuzio — peut-être parce qu'il aimait trop la vie et les gens. Mais tous ces défauts le rendaient d'une certaine manière encore plus dangereux. Ces petits vices lui permettaient de se laver le corps et l'esprit, d'évacuer les tensions.

Être le neveu de Don Clericuzio, évidemment, l'aida beaucoup dans sa carrière. Il était du même sang, et ce détail eut son importance lorsque Pippi rompit avec la tradition familiale.

Qui n'a pas commis d'erreur dans sa vie ? Pippi De Lena, à l'âge de vingt-huit ans, se maria *par amour*, et pour que l'erreur soit complète, l'élue en question était la pire épouse possible pour un *qualificato*.

Elle s'appelait Nalene Jessup ; elle dansait dans un spectacle à l'hôtel Xanadu. Pippi, avec fierté, insistait sur le fait qu'elle était à mille lieues des filles de revue qui se présentaient en rang d'oignons avec les seins et les fesses à l'air. C'était une *vraie* danseuse. Nalene était aussi une intellectuelle, du moins selon les critères de Las Vegas. Elle lisait, s'intéressait à la politique, et comme elle venait d'une famille particulièrement puritaine de Sacramento, elle avait des valeurs très traditionnelles.

Tout les opposait. Pippi n'avait aucun intérêt intellectuel, il lisait peu, allait rarement au concert, au cinéma ou au théâtre. Pippi était un taureau, Nalene une fleur délicate. Pippi était un extraverti, plein de charme et d'enthousiasme, mais il sourdait toujours de sa personne une menace latente... Nalene était si douce, si gentille, qu'aucune de ces camarades de revues n'avait réussi à se disputer avec elle, alors que c'était le passe-temps préféré en coulisses.

La seule chose que Pippi et Nalene avaient en commun, c'était la danse. Pippi De Lena, le terrible *martello* de la famille, était le plus doux des agneaux lorsqu'il montait sur la piste. Il semblait touché par la grâce, comme si la poésie qu'il ne pouvait pas lire, la galanterie chevaleresque, la tendresse, le raffinement des choses de l'amour et tout ce qui le dépassait trouvaient soudain un écho en lui.

Danser avec Pippi, c'était entrevoir son âme. Lorsqu'ils valsaient pendant des heures avant de faire l'amour, le sexe avait pour eux quelque chose de sacré, de mystique, la communion de deux esprits jumeaux. Que ce soit chez eux dans leur appartement, ou sur la piste des dancings de Las Vegas, il ne cessait de lui parler lorsqu'ils dansaient.

Il était un conteur né et avait toujours plus d'une histoire dans son sac. Il montrait l'adoration qu'il lui vouait de la façon la plus flatteuse qui soit. Il déposait à ses pieds ses armes et sa cuirasse d'homme, comme un esclave, et il l'écoutait des heures durant. Il adorait l'entendre parler de livres, de théâtre, des devoirs de la démocratie envers les déshérités, du droit des Noirs, de la fin de l'apartheid en Afrique du Sud, de l'aide humanitaire aux populations du Tiers-Monde. Pippi était envoûté par la litanie de ces sentiments, qui semblaient si exotiques à ses yeux.

Ils s'entendaient bien sexuellement et chacun était attiré par les différences de l'autre. Pour la pérénité de leur amour, il était nécessaire que Pippi connaisse la véritable Nalene, et que Nalene ignore le véritable Pippi. Tout ce qu'elle devait voir, c'était un homme qui lui vouait une adoration sans borne, qui la couvrait de cadeaux et prêtait une oreille à ses rêves.

Ils se marièrent une semaine après leur première rencontre. Nalene n'avait que dix-huit ans. Elle ne pouvait savoir. Pippi avait vingt-huit ans et il était fou amoureux. Lui aussi, avait été élevé selon des valeurs traditionnelles, d'un genre certes différent — mais tous deux croyaient aux vertus de la famille. Nalene était déjà orpheline et Pippi n'avait pas envie d'associer les Clericuzio à sa toute nouvelle histoire d'amour. Il était évident que la famille n'apprécierait guère cette union. Mieux valait les mettre devant le fait accompli et les travailler en douceur. Ils se marièrent donc dans une des multiples chapelles de Las Vegas.

Mais Pippi faisait une erreur de jugement. Don Clericuzio ne voyait aucun inconvénient à ce que Pippi se marie. Il avait coutume de dire : « le premier devoir d'un homme est de gagner son pain », mais à quoi bon s'il n'a ni femme, ni enfants à nourrir ? En revanche, Don Clericuzio prit ombrage de n'avoir pas été consulté, et que les noces n'aient pas célébrées dans la famille. Pippi avait, tout de même, du sang Clericuzio dans les veines.

— Qu'ils dansent jusqu'à la fin des temps, ces deux-là ! avait bougonné Don Domenico en apprenant la nouvelle.

Il leur avait fait néanmoins ses cadeaux de mariage : une maison à Las Vegas ainsi qu'une société de recouvrement de dettes qui rapportait cent mille dollars par an, un revenu princier pour l'époque — une véritable promotion. Pippi De

Lena continuerait de servir la famille, restant l'un des plus proches *brugliones* des Clericuzio dans l'Ouest, mais il devrait quitter l'enclave du Bronx — car jamais une femme telle que la sienne ne pourrait y vivre heureuse. Elle y serait aussi étrangère que les Arabes, les Noirs, les Juifs ou les Asiatiques qui en avaient été exclus. En d'autres termes, même si Pippi restait le *martello* des Clericuzio, même s'il restait un baron local, il avait perdu de son influence au palais de Quogue.

Le témoin à la petite cérémonie du mariage fut Alfred Gronevelt, le propriétaire du Xanadu. Il donna une soirée entre amis, où les deux jeunes époux dansèrent jusqu'au matin. Dans les années qui suivirent, Gronevelt et Pippi De Lena devinrent de véritables amis.

L'union dura suffisamment longtemps pour donner naissance à deux enfants — un garçon et une fille. L'aîné, Croccifixio, Cross pour tout le monde, était, à l'âge de dix ans, le portrait craché de sa mère — un corps gracieux et un beau visage aux traits presque féminins — mais il avait la force et l'adresse de son père. Claudia, la benjamine, à neuf ans, était plutôt le portrait de son père — des traits grossiers, sauvés in extremis de la laideur par la fraîcheur et l'innocence de l'enfance — sans toutefois avoir hérité des talents paternels. Mais elle adorait les livres, comme sa mère, la musique, le théâtre, et avait cette même gentillesse, cette même douceur innée. Rien d'étonnant, donc, à ce que Cross et Pippi soient proches l'un de l'autre, et que Claudia soit davantage complice avec sa mère, Nalene.

Pendant les onze ans que dura leur couple, la famille De Lena vécut heureuse, Pippi s'affermit comme *bruglione*, collecteur de fonds pour l'hôtel Xanadu, et resta le *martello* des Clericuzio — la force de frappe. Il fit fortune, mena la belle vie, quoique sans ostentation, suivant les conseils de Don Domenico. Il buvait, jouait, dansait avec sa femme, s'amusait avec ses enfants et tentait de préparer leur entrée dans l'âge adulte.

Pippi, à force de côtoyer le danger, avait appris à regarder loin devant lui. C'était l'une des clés de sa réussite. Très vite, il cessa de voir l'enfant en Cross, mais l'adulte en puissance, et il voulait que cet adulte soit plus tard son allié. Peut-être avait-il besoin d'avoir enfin dans sa vie un être humain en qui il pouvait avoir une confiance totale ?

Il se chargea donc de l'éducation de Cross ; il lui enseigna toutes les astuces des jeux, l'emmenait avec lui lors de ses dîners avec Gronevelt afin qu'il puisse apprendre toutes les façons possibles d'escroquer un casino. Gronevelt avait l'habitude d'ouvrir la conversation en disant : « Tous les soirs, des millions de gens dans leur lit se creusent les méninges pour trouver le moyen d'arnaquer le casino. »

Pippi emmenait Cross à la chasse, lui apprenait à dépecer un animal, à le vider de ses viscères ; il lui fit connaître l'odeur du sang, l'habitua à la vue de ses mains toutes rouges. Il lui fit prendre des cours de boxe afin qu'il sache ce qu'était la douleur, lui apprit l'usage et l'entretien des armes, mais s'interdit de lui enseigner la technique du garrot — utiliser cette méthode était finalement une coquetterie de sa part et ne présentait guère d'intérêt aujourd'hui. Sans compter qu'il ne voyait pas comment il aurait pu expliquer à la mère du garçon la présence de cette cordelette entre les mains de son fils.

Les Clericuzio possédaient une grande propriété de chasse dans les montagnes du Nevada et Pippi y passait souvent des vacances en famille. Il emmenait les enfants dans les bois tandis que Nalene se plongeait dans ses livres dans la tiédeur d'un feu de bois. Cross tuait des loups et des cerfs, même des pumas et des ours, ce qui prouvait qu'il était courageux, qu'il avait une bonne pratique des armes à feu ; il gardait toujours son sang-froid en cas de danger, sa main ne tremblait pas lorsqu'il devait plonger sa lame dans les entrailles sanguinolentes, les intestins visqueux. Découper les membres, couper les têtes, vider le gibier, ne le dégoûtait jamais.

Claudia, en revanche, ne montrait pas ce genre d'aptitudes. Elle tressaillait au moindre coup de feu et se mettait à vomir lorsque Cross ouvrait le ventre d'un cerf. Après quelques tentatives douloureuses, elle refusa de les accompagner à la chasse et préféra rester avec sa mère dans le chalet à lire ou à se promener le long d'un torrent. Claudia refusait même de pêcher — plonger l'hameçon d'acier dans le ventre mou d'un ver était au-dessus de ses forces.

Pippi concentra donc ses efforts sur son fils. Il lui enseigna les règles fondamentales : ne montre jamais ta colère, ne laisse rien savoir de toi. Fais-toi respecter par tes actes, non par tes paroles. Respecte les membres de ta famille. Les jeux sont un divertissement, et non un moyen de subsistance. Aime ton père, ta mère, ta sœur, mais garde-toi de tomber amoureux d'une autre femme que ton épouse. Elle sera la mère de tes enfants. Et une fois que tu seras père, ton premier devoir dans la vie sera de leur assurer de quoi manger.

Cross était un élève modèle et son père était ému par les aptitudes de son fils. C'était un bonheur pour lui de voir Cross ressembler autant à sa mère ; il avait sa grâce naturelle, sans avoir hérité de ce côté intellectuel qui ruinait aujourd'hui leur mariage.

Pippi n'avait jamais cru, contrairement au rêve de Don Clericuzio, que tous les enfants de la famille pourraient se fondre plus tard dans la légalité — il n'en voyait pas même l'utilité. Il avait du respect pour le génie de Don Clericuzio, mais à ses yeux, le patriarche était parfois victime de ses penchants romantiques. Au fond, tous les pères du monde voulaient que leurs fils travaillent avec eux, qu'ils soient comme eux — c'est le sang qui parlait, et ça ne risquait pas de changer aujourd'hui.

L'avenir donna raison à Pippi. Malgré tous ses efforts, Dante, le propre petit-fils de Don Domenico, refusa d'entrer dans le grand dessein du patriarche. Dante manifestait les atavismes de ses aïeux siciliens : une soif inextinguible de pouvoir, une volonté d'airain, et une effronterie totale à l'égard des lois des hommes et de Dieu.

A l'âge de sept ans, Cross, impétueux de nature, avait pris l'habitude de donner des coups de poing à sa sœur Claudia, âgée de six ans, même devant son père. Claudia hurlait et appelait au secours. Pippi, comme n'importe quel père, avait plusieurs moyens à sa disposition pour résoudre le problème. Il pouvait ordonner à Cross d'arrêter, et s'il faisait la sourde oreille, il pouvait le prendre par la peau du cou et le secouer comme un prunier — ce qui arrivait souvent. Il pouvait également ordonner à Claudia de se défendre. Ou encore ficher une raclée à Cross, ce qu'il lui était arrivé une ou deux fois. Mais, un jour, peut-être parce qu'il venait de dîner et qu'il n'avait pas envie de se lever, ou plus vraisemblablement parce qu'il ne voulait pas se disputer avec Nalene qui montait sur ses grands chevaux quand il levait la main sur les enfants, Pippi se contenta d'allumer calmement son cigare et d'annoncer : « A chaque fois que tu taperas ta sœur, je lui donnerai un dollar. » Cross continua à cogner sa sœur un certain temps, et une pluie de dollars tomba sur la fillette ravie. Frustré, Cross finit par perdre cette regrettable habitude.

Pippi couvrait sa femme de cadeaux, mais c'était des cadeaux d'un maître à son esclave, des artifices pour dissimuler les chaînes. Des cadeaux très chers — des bagues, des diamants, des manteaux de fourrure, des voyages en Europe. Il lui acheta une maison de vacances à Sacramento, parce qu'elle détestait Las Vegas ; il lui offrit une Bentley, qu'il lui livra pour l'occasion en tenue de chauffeur. Juste avant leur séparation, il lui donna une magnifique bague — une pièce de collection ayant appartenu aux Borgia. La seule chose que Pippi lui interdisait, c'était l'usage des cartes de crédit. Elle devait payer ses achats avec l'argent de poche qu'il lui donnait. Pippi n'utilisait jamais de cartes bancaires.

Il était un mari libéral en bien des manières. Nalene jouissait d'une liberté totale — Pippi n'avait rien de ces Italiens jaloux de caricature. Bien qu'il voyageât rarement à l'étranger, sauf pour affaires, il laissait Nalene partir avec ses amies, parce qu'elle mourait d'envie de visiter les musées de Londres, de voir des ballets à Paris, de l'opéra en Italie.

Parfois, au début, le manque de jalousie de son mari laissait Nalene songeuse, mais au fil des ans, elle se rendit compte qu'aucun homme parmi leur cercle de relations n'oserait jamais lui faire la cour.

« Croient-ils qu'ils pourront danser comme ça toute leur vie ? » avait lancé Don Clericuzio avec sarcasme, en apprenant la nouvelle de leur mariage.

La réponse était non. Nalene n'avait pas le niveau pour devenir une grande danseuse, ses jambes, paradoxalement, étaient trop longues, et elle était trop sérieuse pour jouer les entraîneuses au Xanadu. Tout ceci faisait d'elle la prétendante idéale au mariage. Et pendant les quatre premières années, elle fut heureuse. Elle s'occupait de ses enfants, suivait des cours à l'université de Las Vegas, dévorait livre sur livre.

Mais Pippi se contrefichait à présent de l'avenir de la planète et de l'environnement, des jérémiades des Noirs qui n'étaient pas fichus de voler sans se faire attraper, et du sort des Indiens — ils pouvaient tous aller au diable ! Parler littérature ou musique était à mille lieues de ses préoccupations. Et les récriminations de Nalene lorsqu'il voulait corriger les enfants, le laissaient interdit. Les jeunes enfants étaient comme des petits animaux, comment pouvait-on les dresser sans leur faire tâter un peu du fouet ? Il veillait, d'ailleurs, à ne jamais les blesser.

Finalement, au bout de quatre ans de mariage, Pippi commença à avoir des maîtresses. Une à Las Vegas, une à Los Angeles, une autre à New York. Nalene, pour compenser, se plongea dans les études et décrocha un diplôme d'enseignante.

Ils firent de leur mieux. Ils aimaient leurs enfants, menaient une existence agréable. Nalene passait de longues heures avec Claudia et Cross, à lire, chanter et danser. Lorsque arriva le divorce, la famille fut donc scindée en deux camps — Pippi avec Cross, Nalene avec Claudia. Le mariage avait tenu grâce à la bonne humeur de Pippi. Son enthousiasme et sa vitalité animale d'une certaine façon parvenaient à atténuer les problèmes du couple. Les deux enfants aimaient leur mère et admiraient leur père : parce que la mère était douce et gentille, belle, et débordante de tendresse, parce que le père était grand et fort.

Les deux parents étaient de très bons éducateurs. Par leur mère, les enfants apprenaient à vivre en société — les bonnes manières, la danse, l'élégance, l'hygiène et le soin de sa personne. Leur père leur enseignait la réalité du monde, comment se protéger et parer les coups, comment jouer aux cartes, parier, comment garder la forme. Ils ne tinrent jamais rigueur à leur père pour la rudesse de ses méthodes, parce qu'il ne les molestait jamais par colère, mais simplement par souci de se faire obéir, et qu'il n'y avait chez lui aucune rancune après coup.

Cross n'avait peur de rien, mais savait s'incliner lorsqu'il le fallait. Claudia n'avait pas la résistance physique de son frère, mais pouvait faire montre d'un certain entêtement. Aucun des deux, durant leur enfance, n'eut à souffrir du manque d'argent.

Au fil des ans, Nalene remarqua certains détails. Au début, des détails insignifiants : lorsqu'il apprenait aux enfants à jouer aux cartes, par exemple — poker, black jack, gin — il raflait toutes les mises et les plumait jusqu'au dernier sou de leur argent de poche, puis à la fin, contre toute attente, la chance leur souriait et les enfants pouvaient aller se coucher, tout émerveillés par leur victoire. Curieusement, Claudia, enfant, aimait bien davantage les jeux d'argent que son frère. Plus tard, Pippi leur montra comme il avait triché. Nalene était furieuse, il trompait ses enfants comme il l'avait trompée, elle. Cela faisait partie de leur éducation, soutenait Pippi. Mais pour Nalene, la tricherie ne comptait pas parmi les vertus à enseigner. Il voulait les préparer à la réalité de la vie, disait-il, alors qu'elle n'aspirait qu'à leur montrer ce qui était beau sur terre.

Pippi avait toujours trop d'argent dans son portefeuille, un détail aussi suspicieux pour sa femme que pour le percepteur. Certes, Pippi possédait une affaire prospère — sa société de recouvrement de dettes — mais il menait un train de vie bien trop élevé pour une petite entreprise comme celle-là.

Lorsqu'ils partaient en vacances sur la côte Est et côtoyaient la famille Clericuzio, Nalene ne pouvait manquer de remarquer le respect particulier dont Pippi était l'objet. Les hommes, à son égard, affichaient de la déférence, de la crainte même, et avaient avec lui de longs entretiens en privé.

Il y avait aussi deux ou trois petites choses étranges. Pippi devait voyager pour affaire au moins une fois par mois ; elle ne savait rien de la teneur de ces voyages, et Pippi ne racontait jamais rien à son retour. Il avait un permis de port d'arme, ce qui était compréhensible pour un homme devant collecter d'importantes sommes d'argent, mais il se montrait étrangement précautionneux ; Nalene et les enfants n'avaient jamais accès à l'arme, et il rangeait les balles dans des boîtes fermées à clé.

Pippi se mit à voyager de plus en plus souvent, et Nalene passait le plus clair de son temps seule, à la maison, avec ses enfants. Pippi et Nalene eurent de moins en moins de relations sexuelles et comme Pippi n'était jamais aussi tendre et gentil que lorsqu'il avait fait l'amour, le fossé entre eux ne fit que se creuser.

Un homme ne pouvait cacher sa véritable personnalité des années durant. Nalene s'aperçut bientôt que Pippi ne contenait pas ses pulsions et qu'il était violent par nature, même s'il parvenait à se maîtriser en sa présence. C'était un homme extrêmement secret, alors qu'il feignait d'être ouvert. Sous ses dehors aimables et débonnaires, il était dangereux.

Il avait, toutefois, quelques traits de caractère touchants. Pippi ne supportait pas, par exemple, que l'on ne partage pas les mêmes joies que lui. Un jour, il avait invité un couple dans un restaurant italien; le couple dîna en ne portant guère attention aux plats qu'on leur servait, ne mangeant pratiquement rien. Lorsque Pippi s'en aperçut, il ne put finir son repas.

Parfois, il parlait de son travail à la Collection Agency, sa société de recouvrement de dettes. Presque tous les grands hôtels de Las Vegas étaient ses clients; il allait chercher l'argent chez des joueurs récalcitrants qui refusaient de payer leur ardoise. Jamais la force n'était employée, précisait-il, mais un mode spécial de persuasion. Les gens devaient payer leurs dettes; c'était une question d'honneur. Tout le monde était responsable de ses actes, et voir des gens assis dans la vie ne pas honorer leurs obligations choquait Pippi. Des médecins, des avocats, des dirigeants d'entreprises, acceptaient les largesses dispensées par l'hôtel, mais reniaient leur part du contrat. Il était facile, toutefois, de les ramener dans le droit chemin. Il suffisait de se rendre à leurs bureaux et de faire un scandale de sorte que leurs clients et collègues ne perdent rien de la scène. Il fallait faire du bruit, ne jamais proférer de menaces, mais les traiter de voleurs, d'accrocs du jeu qui négligeaient leur métier pour assouvir leurs vices.

Les petits affairistes fauchés donnaient davantage de fil à retordre, et essayaient toujours de marchander. Il y avait aussi les filous qui vous refilaient des chèques en bois, et qui jouaient les étonnés lorsque la banque vous les renvoyait. Le coup classique, c'était de vous faire un chèque de dix mille dollars alors qu'ils n'avaient que huit mille dollars sur le compte. Mais Pippi avait accès aux fichiers des banques si bien qu'il lui suffisait de déposer deux mille dollars sur le compte du type en question avant de rafler le tout. Pippi riait comme un gamin lorsqu'il racontait ça à Nalene.

Mais l'aspect le plus important de son travail, expliquait-il, était de convaincre les gens non seulement de rembourser le casino, mais de continuer à jouer. Même un joueur criblé de dettes avait de la valeur. Il travaillait, gagnait de l'argent. Il suffisait donc de repousser le remboursement de sa dette, de l'inciter à jouer de nouveau en payant comptant, et de se rembourser à chaque fois qu'il gagnait.

Une nuit, Pippi raconta à Nalene une histoire qu'il trouvait irrésistible de drôlerie. Il travaillait à la Collection Agency, dont les locaux se trouvaient dans un petit centre commercial à proximité du Xanadu, lorsqu'il entendit une fusillade dans la rue. Il sortit juste à temps pour voir deux hommes armés et masqués s'échappant d'une bijouterie. Par réflexe, Pippi sortit son revolver et tira sur les fuyards qui sautèrent dans la voiture d'un compère et s'enfuirent.

Quelques minutes plus tard, la police arriva sur les lieux et après avoir interrogé tout le monde, ils arrêtèrent Pippi. Ils savaient bien sûr qu'il avait un permis de port d'arme, mais en faisant feu dans la rue il avait « porté atteinte à la sécurité publique ». Alfred Gronevelt avait dû se rendre au poste de police pour payer sa caution.

— Qu'est-ce qui m'a pris ? lança Pippi. Alfred a dit que c'était mon instinct de chasseur qui s'était exprimé. Mais ça me dépasse. Tu te rends compte ? Moi, en train de tirer sur des voleurs ! Moi, en train de protéger la société ! Et c'est à ce moment qu'ils m'arrêtent. Pile à ce moment-là !

Ces petites révélations étaient proférées sciemment, afin que Nalene puisse entrevoir certains traits de son personnage, sans en percer tout le secret. Mais la goutte qui fit déborder le vase, ce fut son arrestation pour meurtre...

⁂

Danny Fuberta dirigeait une agence de voyage à New

York; il s'était acheté cette affaire grâce aux bénéfices usuraires qu'il avait amassés sous la protection de feu la famille Santadio. Mais le gros de sa fortune lui venait des excursions qu'il organisait à Las Vegas.

Fuberta signait un contrat d'exclusivité avec un certain casino de Las Vegas pour convoyer jusqu'à ses tables une cargaison de joueurs. Il remplissait tous les mois un Boeing 747 avec deux cents personnes prêtes à aller perdre leur argent au Xanadu. Pour un forfait de mille dollars, le client avait droit au voyage New York-Las Vegas aller-retour, avec collation pendant le vol, et à une chambre au Xanadu pour la durée du séjour, repas et boissons compris. Danny Fuberta avait des listes d'attente interminables pour ces voyages tous frais payés, et il triait sur le volet les heureux élus. Les invités devaient avoir des emplois très rémunérateurs, légaux ou non, et étaient tenus de jouer un minimum de quatre heures par jour. Et, bien évidemment, ils devaient, dans la mesure du possible, ouvrir un compte client auprès du caissier du casino.

L'un des points forts de Fuberta, c'était les relations amicales qu'il entretenait avec des arnaqueurs, des braqueurs de banque, des dealers de drogue, des trafiquants de cigarettes, des contrebandiers de vêtements de confection et autres individus ayant fait fortune dans le cloaque de New York. C'était les meilleurs clients possibles. Ces gens vivaient constamment dans le stress, et avaient grand besoin de vacances et de détente. Ils gagnaient d'importantes sommes d'argent liquide, et tous adoraient les jeux.

Pour chaque 747 rempli avec ses deux cents passagers, Fuberta recevait un chèque de vingt mille dollars. Il touchait parfois un bonus lorsque certains clients perdaient gros au Xanadu. En plus de ces primes, il percevait un fixe mensuel tout à fait confortable. Malheureusement, Danny Fuberta avait le regrettable défaut d'être joueur lui-même. Et le jour arriva où son ardoise dépassa le niveau de ses revenus.

Fuberta, homme plein de ressources, trouva rapidement un moyen de se remettre à flot. L'un de ses devoirs, en tant qu'organisateur de ce type de séjour, était de se porter garant auprès du casino de la solvabilité de ses clients.

Il embaucha donc un groupe de quatre braqueurs professionnels ayant une solide expérience en la matière, et

Fuberta monta une arnaque (découverte en vingt-quatre heures par Gronevelt) pour extorquer un million de dollars au Xanadu.

Après avoir fourni aux quatre hommes des faux papiers, il les présenta comme de riches négociants dans la confection, dotés d'une énorme capacité de crédit — le type même de personne que Fuberta cherchait à recruter dans les fichiers de son agence de voyage. Grâce à ces faux papiers, il put leur donner une autorisation de crédit pour deux cent mille dollars chacun. Puis il les inscrivit pour la prochaine excursion à Las Vegas.

— Et ils ne se sont pas gênés pour faire la fiesta ! pesta plus tard Gronevelt.

Pendant leur séjour de quarante-huit heures, Fuberta et ses hommes menèrent effectivement la grande vie, invitèrent à leurs tables les plus belles filles de revues, achetèrent des cadeaux à tout va, mettant toutes les dépenses sur leurs notes. Mais il y avait pire : grâce à leur crédit, ils sortirent des plaques noires de la cage du caissier par centaines.

Ils se scindèrent, à la table de crap, en deux équipes. L'une pariait contre les dés, l'autre avec les dés. De cette manière, ils ne pouvaient tout perdre. L'une ou l'autre des équipes gagnait forcément. Ils faisaient mine d'être des joueurs passionnés, mais ils ne brassaient que du vent. A force de remuer de l'air, ils devinrent le centre d'attraction du casino. Ils jouaient la comédie, imploraient la chance, juraient lorsqu'ils perdaient, sautaient de joie lorsqu'ils gagnaient. A la fin de la journée, ils donnèrent leurs plaques à Fuberta pour qu'il aille les encaisser en liquide et ouvrirent un nouveau crédit pour obtenir de nouvelles plaques. Lorsque ce petit jeu prit fin deux jours plus tard, le groupe avait huit cent mille dollars en poche, avait consommé pour vingt mille autres dollars de douceurs en tous genres, et laissait une ardoise d'un million au casino.

Danny Fuberta, le « cerveau », prit quatre cent mille dollars, les quatre escrocs étaient ravis de leur part, d'autant plus que Fuberta leur promit qu'il y aurait d'autres coups de ce genre en perspective. C'était la belle vie — un long week-end dans un hôtel de luxe, nourriture et boisson à l'œil, de jolies filles, avec en prime, cent mille dollars à la clé. On ne connaissait pas meilleur boulot. C'était autre chose que de risquer sa vie à braquer des banques.

Gronevelt découvrit l'arnaque dès le lendemain matin. Les livres de compte montraient une ardoise un peu trop élevée, même pour des clients de Fuberta. Le « pot » à la table, l'argent laissé après une nuit de jeu, était dix fois trop faible par rapport aux sommes pariées. Gronevelt demanda à voir les enregistrements de Big Brother — la caméra de surveillance panoramique cachée dans les hauteurs du plafond. Il ne lui fallut pas plus de dix minutes pour comprendre la supercherie — le casino pouvait s'asseoir sur l'ardoise d'un million de dollars et les papiers d'identité des joueurs étaient bien évidemment faux.

Une bouffée d'agacement l'envahit. Il avait été l'objet d'arnaques innombrables, mais celle-ci était d'une rare bêtise. Sans compter qu'il aimait bien Fuberta — grâce à lui, une pluie de dollars se déversait régulièrement sur le casino. Il savait d'avance ce que Fuberta allait lui dire; il s'était fait abuser par les faux papiers; il était lui aussi une victime de l'escroquerie.

L'incompétence du personnel de son casino mettait Gronevelt en rage. Le croupier à la raclette et celui qui tenait la banque auraient dû voir leur petit manège et se rendre compte que les deux équipes étaient de mèche et faisaient des paris croisés. Mais la bonne vie amollit l'homme, et les employés de Las Vegas n'y faisaient pas exception. Il ficherait à la porte ces deux incapables, ou tout au moins il les renverrait au lancer des roulettes. Mais pour le reste, il n'avait pas le choix. Il était obligé d'annoncer l'arnaque de Fuberta aux Clericuzio.

Il convoqua d'abord Pippi De Lena à l'hôtel et lui montra les comptes et l'enregistrement de Big Brother. Pippi connaissait Fuberta, mais les quatre autres hommes lui étaient étrangers; Gronevelt fit donc procéder à des agrandissements de certains vidéogrammes où l'on distinguait les complices.

— Comment Danny a-t-il pu imaginer que ça passerait inaperçu? s'étonna Pippi en secouant la tête, tout en examinant les clichés. Je le croyais plus futé que ça.

— C'est un joueur, répondit Gronevelt. Il croit toujours avoir en main un jeu gagnant. — Il se tut un moment, puis reprit — : Danny essaiera par tous les moyens de te convaincre qu'il n'y est pour rien. C'est faux; son travail est de vérifier leur assise financière. Il va te dire qu'il s'est fait avoir par leurs faux papiers. Or un organisateur se doit de vérifier si ses clients sont bien ce qu'ils prétendent être. Il était forcément au courant.

Pippi esquissa un sourire et tapota l'épaule de Gronevelt.

— Ne te fais pas de soucis. Il ne m'embobinera pas.

Ils éclatèrent de rire. Peu importe que Danny Fuberta fût coupable ou non. Il était responsable, et cela suffisait amplement.

Pippi s'envola pour New York le lendemain, afin d'exposer l'affaire à la famille...

Après avoir franchi les portes flanquées de gardes, il remonta l'allée pavée qui traversait une immense pelouse, entourée de murs bardés de fils barbelés et de cellules photoélectriques. Il y avait un autre gardien à l'entrée de la maison — le dispositif minimum en temps de paix.

Giorgio vint l'accueillir et le conduisit jusqu'au jardin derrière la maison. On apercevait des rangs de tomates et des concombres, des laitues, même des melons, le tout encadré par des figuiers à larges feuilles. Don Clericuzio ne voyait pas l'utilité d'avoir des fleurs.

La famille était installée autour d'une table de bois, en train de déjeuner. Don Clericuzio rayonnait de santé, malgré ses soixante-dix ans, resplendissant dans l'air parfumé du jardin. Il nourrissait Dante, son petit-fils de dix ans. Le gamin était mignon, comme Cross, mais il avait un air curieusement arrogant pour un enfant de son âge — Pippi avait toujours l'envie de lui ficher une claque. Don Clericuzio, en revanche, était complètement gâteux devant lui ; il lui essuyait la bouche, lui murmurait des petits mots. Vincent et Petie faisaient grise mine. La réunion ne pourrait avoir lieu que lorsque le gamin aurait fini de manger et quitté la table avec sa mère, Rose Marie. Finalement, Don Domenico regarda son petit-fils s'éloigner d'un air attendri, puis se tourna vers Pippi.

— Alors, mon cher *martello*, commença-t-il. Que penses-tu donc de ce gredin de Fuberta ? Nous lui offrons la belle vie, et voilà qu'il veut s'enrichir à nos dépens.

— S'il rembourse, avança Giorgio dans une tentative de conciliation, il pourra encore nous faire gagner de l'argent.

C'était la seule plaidoirie possible dans son cas.

— Il s'agit d'une somme importante, rétorqua Don Domenico. Nous devons récupérer cet argent. Qu'en penses-tu Pippi ?

Pippi haussa les épaules.

— Je peux essayer. Mais ce n'est pas le genre de type à en avoir mis de côté pour l'hiver.

— Voyons ces photos, lança Vincent qui détestait les bavardages inutiles.

Pippi sortit les clichés ; Vincent et Petie examinèrent le visage des quatre malfrats.

— Petie et moi, on connaît ces types, annonça Vincent.

— Parfait, déclara Pippi. Alors vous pourrez vous occuper de ces quatre gugusses. — Il se tourna vers le patriarche — Qu'est-ce que je fais pour Fuberta ?

— Ils nous ont insultés. Pour qui ces gens nous prennent-ils donc ? Pour des pauvres hères qui ont besoin de la police pour se défendre ? Vincent, Petie, vous aiderez Pippi. Je veux la restitution de l'argent, et que ces *malscalziones* soient punis.

Le message était clair. Pippi avait la direction des opérations et la sentence à appliquer était la mort.

Don Domenico se leva de table pour aller faire sa promenade digestive dans le jardin.

— Papa est parfois trop dur, soupira Giorgio. Les choses ont changé. Le jeu n'en vaut pas la chandelle.

— Sauf si Vinnie et Petie s'occupent de nos quatre zigotos, répliqua Pippi. Cela semble possible, non ?

— Il faut que tu parles au pater, Giorgio, répondit Vincent. Ce ne sont pas ces quatre-là qui ont l'argent. Nous devons passer un marché avec eux. Si on les laisse libres, ils ont une chance de nous rembourser, si on les élimine, on ne verra jamais la couleur du moindre billet.

Vincent était un exécuteur pragmatique ; les solutions pratiques devaient toujours prévaloir à l'appel du sang.

— Ça peut se défendre, oui, admit Giorgio. Ce ne sont que des exécutants. Mais papa n'acceptera jamais d'épargner Fuberta.

— Les autres organisateurs de séjour doivent recevoir le message, ajouta Pippi.

— Cher cousin, reprit Giorgio dans un sourire. Quelle part financière escomptes-tu dans cette affaire ?

Pippi détestait que Giorgio l'appelle « cousin ». Vincent et Petie le nommaient ainsi par affection, mais Giorgio employait ce qualificatif uniquement lorsqu'il s'agissait de parler argent.

— C'est à moi de m'occuper de Fuberta, annonça Pippi. Vous m'avez donné la Collection Agency et je reçois un salaire du Xanadu pour ça. En revanche, récupérer l'argent sera une autre paire de manches ; j'aimerais donc avoir un pourcentage sur l'opération. Tout comme Vincent et Petie toucheront leur part s'ils récupèrent quelque chose des quatre gugusses.

— Cela me semble honnête, reconnut Giorgio. Mais il ne s'agit pas d'un recouvrement de dette. Tu ne peux espérer recevoir 50 p. 100.

— Non, bien sûr que non ! Laisse-moi juste saucer le plat.

Tous rirent en entendant cette vieille expression sicilienne.

— Giorgio, intervint Petie, ne sois pas mesquin. Ne commence pas à essayer de nous rouler, Vincent et moi.

Petie dirigeait à présent l'enclave du Bronx, c'était le chef de l'armée des Clericuzio, et il se battait pour que ses hommes de troupe soient mieux payés. Il partageait toujours ses gains avec ses soldats.

— Vous êtes de vrais rapaces, les gars, lança Giorgio en souriant. Mais je demanderai 20 p. 100 pour vous au vieux.

Cela voulait dire qu'ils auraient dix ou quinze pour cent. C'était toujours comme ça avec Giorgio.

— On fait pot commun ? demanda Vincent à Pippi.

Cela signifiait que les trois hommes se partageraient tout l'argent, quelle qu'en soit l'origine. C'était un geste purement amical, car il y avait plus de chances de récupérer de l'argent chez quelqu'un qui aurait la vie sauve que chez un mort en sursis.

— Avec plaisir, Vincent, répondit Pippi. C'est gentil de le proposer.

Il aperçut Dante et Don Domenico à l'autre bout du jardin.

— C'est fou comme Dante et mon père s'entendent bien,

grommela Giorgio. Papa n'a jamais été aussi proche avec moi. Ils passent leur temps à échanger des messes basses ! Le vieux renard va lui apprendre tout ce qu'il sait.

Le garçon regardait Don Domenico avec intensité. Ils avaient l'air de détenir un terrible secret tous les deux, quelque chose qui leur donnait un pouvoir particulier sur le monde. Pippi resta persuadé, jusqu'à la fin de ses jours, que cette pensée attira sur lui le mauvais œil, et précipita sa fin.

Pippi De Lena avait acquis sa réputation grâce au soin méthodique qu'il apportait à la réalisation de ses missions. Il n'était pas un gros gorille fou furieux, mais un technicien habile. Il croyait aux armes psychologiques pour faciliter l'exécution d'un travail physique. Avec Danny Fuberta, trois problèmes se posaient. Première priorité : récupérer l'argent. Ensuite, coordonner soigneusement son action avec Vincent et Petie — c'était la part la plus aisée de la mission. (Vincent et Petie furent très efficaces. En deux jours, ils retrouvèrent les quatre escrocs, leur arrachèrent des aveux et conclurent un accord pour le dédommagement.) Et pour finir, tuer Fuberta.

Pippi feignit de rencontrer par hasard Fuberta, et usa de son charme pour qu'il accepte une invitation à déjeuner dans un restaurant chinois d'East Side. Fuberta savait que Pippi était un collecteur pour le compte du Xanadu (ils avaient été évidemment amenés à travailler ensemble au fil des ans) mais Pippi semblait si content de tomber sur Fuberta dans une rue de New York qu'il ne pouvait décemment pas refuser l'invitation.

Pippi attendit qu'ils aient passé commande pour attaquer, tout en douceur :

— Gronevelt m'a parlé de l'arnaque. Tu sais que tu es responsable. C'est toi qui étais garant de leur assise financière.

Danny Fuberta jura tous ses grands dieux de son innocence. Pippi l'écouta avec un large sourire, puis lui donna une tape amicale dans le dos.

— Allez, Danny. Gronevelt a les cassettes et tes quatre potes ont déjà lâché le morceau. Tu t'es fourré dans un sacré pétrin, mais je peux t'arranger le coup si tu rends l'argent. Je peux même, avec un peu de chance, te faire garder ton boulot.

Pour étayer ses dires, Pippi sortit les photos des quatre compères.

— Ce sont tes gars, annonça-t-il. Ils se sont mis à table et t'ont tout mis sur le dos. Ils nous ont raconté le partage. Si tu te pointes avec les quatre cent mille dollars, tu es tiré d'affaire.

— Bien sûr que je connais ces types, répondit Fuberta. Et ce sont des durs à cuire. Jamais ils ne joueraient les balances.

— Sauf lorsque ce sont les Clericuzio qui posent les questions, précisa Pippi.

— Oh ! merde ! geignit Danny. Je ne savais pas que le Xanadu était à eux.

— Maintenant tu le sais. Si tu ne rends pas l'argent, tu vas avoir de sérieux problèmes.

— Je ferais mieux de me tirer d'ici.

— Non, non. Reste là. Le canard pékinois est une merveille. Écoute, tout ça peut encore s'arranger. Ce n'est pas la mer à boire. Tout le monde essaie un jour ou l'autre d'extorquer un peu de sous, c'est humain. Rends simplement le fric, et ils passeront l'éponge.

— Je n'ai pas un flèche, grogna Fuberta.

Pour la première fois, Pippi manifesta son impatience.

— Tu dois montrer un certain respect. Donne cent mille dollars et on t'ouvrira un crédit au casino sur les trois cents restants.

Fuberta réfléchit à la proposition tout en mâchonnant un beignet de crevette.

— Je peux te donner cinquante mille, maugréa-t-il.

— C'est bien. C'est très bien. Tu paieras le reste en nous organisant des voyages gratis. Cela te semble honnête ?

— Oui.

— Allez, ne te fais plus de bile, et régale-toi, lança Pippi.

Il roula un morceau de canard dans une feuille de pâte de riz, la trempa dans un ramequin de sauce aigre-douce et tendit le tout à Fuberta.

— Tu vas voir, c'est à tomber par terre, annonça-t-il. Allez, mange. Nous parlerons affaires après.

Ils commandèrent en dessert de la glace au chocolat et réglèrent les modalités de paiement ; Pippi passerait récupérer les cinquante mille dollars à l'agence de voyage après la fermeture. Pippi attrapa la note du repas et paya en liquide.

— Tu as remarqué, Danny, conclut-il d'un air songeur, comme la glace au chocolat dans les restos chinois est riche en cacao ? C'est là que l'on trouve les meilleures du pays. Tu sais pourquoi ? Je crois que le premier restaurant chinois à s'installer aux États-Unis s'est trompé dans la recette et que les autres qui ont suivi ont recopié la même recette erronée. Voilà pourquoi leurs glaces au chocolat sont aussi bonnes, encore aujourd'hui.

Mais Danny Fuberta n'avait pas traficoté pendant quarante-huit ans de sa vie pour ne pas savoir reconnaître certains signes. Sitôt après avoir quitté le restaurant, il avait disparu de la circulation, faisant savoir qu'il était parti en voyage pour récupérer l'argent qu'il devait au casino. Cela n'avait rien de surprenant. Danny Fuberta adoptait une tactique éculée dans ce genre de situation. Il disparaissait afin de pouvoir négocier en sécurité. Ce qui voulait dire que Fuberta n'avait pas un sou et que Pippi ne se mettrait rien dans la poche, sauf si Vincent et Petie recueillaient quelque chose de leur côté.

Pippi recruta quelques hommes de l'enclave afin d'écumer la ville. On fit passer le mot que Danny Fuberta était recherché par les Clericuzio. Une semaine s'écoula et Pippi commençait à voir tout rouge. Il aurait dû se douter que Fuberta paniquerait sitôt qu'il lui parlerait remboursement, et qu'il ne pourrait croire un seul instant qu'un acompte de cinquante mille dollars suffirait à calmer le jeu, si tant est qu'il eût cette somme.

Une autre semaine passa. Pippi était tellement sur les nerfs que lorsque la nouvelle tomba, il agit, contrairement à son habitude, avec un peu de précipitation.

Danny Fuberta avait refait surface dans un restaurant d'Upper West Side. Le patron, un soldat des Clericuzio, avait passé un coup de fil. Pippi arriva au moment même où Fuberta quittait la brasserie ; contre toute attente, celui-ci sortit un pistolet. Danny Fuberta était un joueur, il n'avait guère d'expérience en matière d'arme à feu. La balle manqua sa cible d'un bon mètre. Pippi, quant à lui, en logea cinq dans la poitrine du malheureux.

Mais la chance n'était pas du côté de Pippi, cette fois-ci. Un, il y avait des témoins à la scène. Deux, une voiture de police arriva sur les lieux avant que Pippi puisse s'enfuir. Trois, il n'avait préparé aucune explication plausible à propos de cette fusillade, puisqu'il avait prévu d'emmener Fuberta dans un endroit calme pour lui régler son compte. Quatre, quoique la légitime défense pût être naturellement invoquée, il se trouva quelques témoins pour dire que Pippi avait tiré le premier (fidèle une fois de plus à l'adage selon lequel il vaut mieux être coupable qu'innocent lorsqu'on a des démêlés avec la justice). Et pour couronner le tout, Pippi avait fixé un silencieux sur son arme.

Par chance, Pippi réagit parfaitement quand arriva la funeste voiture de police. Il n'essaya pas de s'enfuir en tirant tous azimuts, mais suivit au contraire les règles à la lettre. La consigne des Clericuzio était formelle : ne jamais faire feu sur un représentant de la loi. Pippi n'en fit donc rien. Il lâcha son arme et la poussa d'un coup de pied sous une voiture. Il se laissa passer les menottes sans résistance, tout en niant avoir le moindre rapport avec le cadavre de l'homme gisant à ses pieds.

De telles infortunes pouvaient toujours se produire. Malgré toutes les précautions possibles et imaginables, on ne pouvait rien faire contre le destin quand celui-ci avait décidé de vous mettre des bâtons dans les roues. Pippi était à présent emporté dans un cyclone infernal où tous les éléments se liguaient contre lui ; la seule chose à faire, c'était de rester calme et d'attendre que les Clericuzio lui lancent une bouée de sauvetage.

D'abord, une équipe de grands avocats lui obtiendrait la liberté conditionnelle, puis juges et procureurs seraient persuadés de la bonne foi de la défense, les témoins se mettraient à douter de leur mémoire et les jurés, ardents défenseurs de la liberté individuelle, seraient prêts, à la première sollicitation, à demander l'acquittement du prévenu dans le seul but de faire un pied de nez à l'autorité. Un soldat du clan Clericuzio n'avait donc pas à tirer comme un enragé sur tout ce qui bouge pour recouvrer la liberté.

Mais pour la première fois depuis toutes ces années de bons et loyaux services rendus à la famille, Pippi De Lena devait comparaître en justice. La défense, par tradition, voulait que épouse et enfants assistent au procès. Les jurés devaient savoir que le sort d'une famille innocente reposait entre leurs mains. Les douze hommes et femmes dans le box devaient faire preuve de fermeté pour rendre leur verdict, ne pas écouter leur cœur. Mais « l'absence de preuves suffisantes » était un don du ciel pour un juré soudain pris de compassion.

Durant le procès, les policiers annoncèrent qu'ils n'avaient pas vu Pippi ayant le pistolet à la main, ni le poussant du pied. Trois des témoins oculaires se révélèrent incapables d'identifier l'accusé, les deux autres étaient si haineux et agressifs dans leurs affirmations qu'ils se mirent à dos les juges et les jurés. Le propriétaire du restaurant, membre du clan Clericuzio, affirma avoir suivi Danny Fuberta hors de son établissement parce qu'il n'avait pas payé l'addition ; il avait assisté à la fusillade et soutint que Pippi De Lena, l'accusé, n'était pas le tireur.

Pippi portait des gants au moment de la fusillade, c'est la raison pour laquelle on ne retrouva aucune empreinte sur l'arme. Un certificat médical, produit par la défense, attesta que l'accusé souffrait d'éruptions cutanées intempestives et incurables, et que le port des gants lui avait été recommandé.

Par sécurité, un juré avait été acheté. Pippi était tout de même l'un des membres les plus importants de la famille. Mais cette ultime précaution se révéla inutile. Pippi fut acquitté et déclaré innocent.

Au regard de la loi, peut-être, mais pas aux yeux de sa femme, Nalene De Lena. Six mois après le procès, Nalene annonça à Pippi qu'elle réclamait le divorce.

Ceux qui brûlent la vie par les deux bouts payent un jour ou l'autre les pots cassés. Le corps et l'esprit ne suivent plus. La chère trop riche, la boisson trop abondante usent le foie et le cœur. Le sommeil devient un refuge, les sens s'émoussent, et l'esprit se referme sur lui-même. Pippi et Nalene souffraient, l'un comme l'autre, de ces maux conjugués. Elle ne voulait plus qu'il la touche et Pippi, de son côté, ne supportait pas d'avoir une compagne qui ne partageait plus tous ses plaisirs. Nalene savait qu'il était un meurtrier et ce fait lui inspirait de l'horreur, alors que Pippi éprouvait un grand soulagement de ne plus avoir à cacher sa véritable personnalité.

— Entendu, nous allons divorcer, acquiesça Pippi. Mais je ne veux pas perdre mes gosses.

— Je sais quelle espèce d'homme tu es, répliqua Nalene. Je ne veux plus jamais te revoir et il est hors de question de te laisser mes enfants.

Cette violence verbale surprit Pippi. Jamais Nalene n'avait été aussi vindicative. Comment osait-elle s'adresser à lui, Pippi De Lena, sur ce ton ? Les femmes ne se rendaient jamais compte du danger ! Pippi songea alors à son travail et à son mode de vie. Il n'était guère en position d'élever deux enfants. Cross avait onze ans, Claudia dix, et il était évident que les petits lui préféraient leur mère.

Pippi voulait se montrer équitable envers sa femme. Après tout, Nalene lui avait donné ce qu'il attendait d'elle ; une famille, des enfants, un foyer stable auquel tout homme aspire dans l'existence. Qui sait ce qu'il serait devenu si Nalene n'était pas entrée dans sa vie ?

— Essayons de trouver une solution raisonnable, commença-t-il. Séparons-nous dignement, sans hargne. — Il joua le registre du charme — On a vécu douze années agréables, pas vrai ? On a eu beaucoup de moments de bonheur. Et grâce à toi, nous avons deux amours de gosses. — Il marqua un temps d'arrêt, surpris de voir le visage de Nalene toujours aussi fermé — Quoi, je n'ai pas été un si mauvais père que ça ! Les enfants m'aiment bien. Et je serai toujours là pour te donner un coup de main, en quoi que ce soit. Tu peux évidemment garder la maison, ici, à Las Vegas. Et je pourrais t'avoir une des boutiques de l'hôtel. Vêtements, bijoux, antiquités. Tu te feras dans les deux cent mille dollars par an. Et on pourra se partager la garde des mômes.

— Je hais Las Vegas, rétorqua Nalene. J'ai toujours détesté cette ville. J'ai mon diplôme d'enseignante et j'ai une place à Sacramento. J'ai déjà inscrit les enfants là-bas, à l'école.

C'est à ce moment précis que Pippi, à son grand étonnement, comprit que Nalene était devenue une rivale, une rivale dangereuse. C'était une notion tout à fait nouvelle pour lui. Les femmes, dans son système de pensée, ne pouvaient être que de douces brebis; les épouses, les maîtresses, les tantes et les femmes des amis, même la fille de Don Domenico, Rose Marie — toutes étaient inoffensives. Dans le monde de Pippi, les femmes ne pouvaient être des ennemies. Il se sentit gagner par une bouffée de rage, cette montée d'adrénaline qu'il éprouvait d'ordinaire face à ses adversaires masculins.

— Je n'irai pas à Sacramento pour voir mes enfants, c'est hors de question! lança-t-il sous le coup de la colère.

Il voyait toujours rouge lorsqu'on ne se laissait pas prendre à son numéro de charme, lorsqu'on repoussait la main amicale qu'il tendait. Toute personne refusant de se montrer raisonnable face à Pippi De Lena courait à la catastrophe. S'il y avait confrontation, Pippi allait jusqu'au bout. C'est donc à sa grande surprise qu'il apprit que sa femme avait mûrement préparé son coup.

— Tu sais qui je suis, annonça Pippi. Alors fais très attention. Tu peux aller à Sacramento, ou te jeter du haut d'une falaise, je m'en contrefiche. Mais tu ne prendras qu'un enfant avec toi, l'autre reste avec moi.

Nalene lui jeta un regard de glace.

— C'est le tribunal qui en décidera, rétorqua-t-elle. Prends un avocat et qu'il se mette en rapport avec le mien.

Elle faillit lui rire au nez en voyant sa mine interdite.

— Tu as un avocat? Tu oses me parler de tribunal?

Alors c'est lui qui éclata de rire, un rire inextinguible, presque hystérique.

C'était saisissant de voir un homme qui, pendant douze ans, avait été un amoureux transi, quémandant les tendresses de son corps et de son cœur contre toutes les cruautés du monde, se transformer soudain en une bête féroce et menaçante. Voilà pourquoi tous les autres hommes lui montraient autant de respect, pourquoi ils avaient peur de lui. Dans la seconde, son visage anguleux avait perdu tout charme, il ne restait plus rien de cette bienveillance qui le rendait d'ordinaire si touchant. Mais Nalene était davantage blessée qu'effrayée. Jamais elle n'aurait pensé que Pippi pût renier aussi facilement son amour pour elle. Après tout, pendant douze ans, ils avaient uni leurs corps, ri et dansé ensemble, nourri leurs enfants, et voilà que Pippi faisait table rase de toutes les joies et les plaisirs qu'elle lui avait donnés.

— Je me fiche de ton avis. Je me fiche de l'avis des juges. Montre-toi raisonnable et je serai raisonnable. Joue les fortes têtes et tu n'auras rien.

Pour la première fois, elle fut terrifiée par tout ce qu'elle avait jadis aimé chez lui — son corps puissant, ses grosses mains, ses traits rudes qu'elle trouvait si virils et que les autres jugeaient hideux. En plus de dix ans de mariage, Pippi s'était révélé davantage courtisan que mari ; il n'avait jamais élevé la voix contre elle, ne s'était jamais moqué d'elle, ni ne lui avait fait le moindre reproche lorsqu'elle se montrait dépensière. Il avait été aussi un bon père, à la vérité — se fachant seulement lorsque ses enfants manquaient de respect à leur mère.

Elle se sentait sur le point de céder, mais le visage de Pippi devenait dans le même temps plus distinct, comme si une ombre l'enveloppait, révélant chaque trait, chaque ligne. Des bourrelets de chairs grossissaient ses joues ; la petite fossette à son menton semblait remplie de mastic noir ; ses sourcils épais étaient parsemés de blanc, mais ses cheveux sur son crâne massif étaient noir charbon, chaque mèche aussi fournie qu'une crinière de cheval ; ses yeux, d'ordinaire si doux, avaient l'éclat glacé de l'acier.

— Je croyais que tu m'aimais, gronda Nalene. Comment oses-tu me menacer ?

Les larmes perlèrent dans ses yeux.

— Écoute-moi, reprit Pippi, soudain désarmé. N'écoute pas ce que peut te raconter ton avocat. Supposons que tu ailles au tribunal et que l'on me donne tous les torts, tu n'auras pas pour autant les deux enfants. Jamais. Ne m'oblige pas à employer la force, Nalene ; je ne veux pas de ça. Je comprends que tu ne veuilles plus vivre avec moi. J'ai toujours considéré que c'était miraculeux que tu sois restée aussi longtemps à mes côtés. Tout ce que je veux, c'est te savoir heureuse. Tu pourras obtenir bien plus de moi que de n'importe quel juge. Mais il faut me comprendre. Je me fais vieux et je ne veux pas vivre sans une famille.

Contrairement à son habitude, Nalene ne put résister à l'envie de lancer une pique :

— Tu as les Clericuzio, jeta-t-elle.

— C'est vrai, répondit Pippi. Et tu ferais bien de t'en souvenir. Mais l'important, c'est que je ne veux pas être seul quand je serai vieux.

— C'est le cas de millions d'hommes. Et de femmes aussi.

— Parce que ce sont des faibles. Ce sont des étrangers qui décident de leur vie, qui régissent leur existence. Je ne laisserai jamais personne faire une chose pareille.

— Tu vas leur interdire, peut-être, de venir vivre avec moi ? railla Nalene.

— Tout juste, répondit Pippi en esquissant un sourire. C'est exactement ce que je vais faire.

— Tu pourras les voir quand tu voudras, mais ils vivront tous les deux avec moi.

Pippi lui tourna le dos.

— A ta guise, articula-t-il d'une voix soudain sans émotion.

— Attends ! lança Nalene. — Pippi se retourna. Il y avait sur son visage quelque chose de si féroce, de si impitoyable qu'elle s'empressa de murmurer : — Si l'un des deux veut rester avec toi, alors c'est d'accord.

Pippi retrouva son exubérance coutumière, comme si tout problème était soudain résolu.

— Génial ! s'exclama-t-il. Ton gosse viendra me rendre visite à Las Vegas, et le mien ira te voir à Sacramento. C'est parfait. Réglons ça ce soir même.

Nalene fit une dernière tentative :

— Quarante ans, ce n'est pas vieux. Tu peux fonder une autre famille.

Pippi secoua la tête.

— Pas question, rétorqua-t-il. Tu es la seule femme qui m'ait fait cet effet. Je me suis marié tard et je ne me remarierai jamais. Je sais que je ne peux pas te garder de force, et c'est une chance pour toi, mais je sais également que je ne peux pas tout recommencer à zéro.

— C'est vrai, concéda Nalene. Tu ne peux pas me forcer à t'aimer de nouveau.

— Mais rien ne m'empêche de te tuer, répondit Pippi en continuant à lui sourire — comme s'il était en train de plaisanter.

Elle soutint son regard et sut qu'il disait vrai. Voilà la

source de son pouvoir sur les autres ; lorsqu'il proférait une menace, celui d'en face savait que c'était du sérieux.

— Attention, avertit Nalene, en rassemblant tout son courage. Si les deux enfants veulent venir avec moi, tu devras t'incliner et les laisser partir.

— Mais ils aiment leur père, répondit Pippi. L'un des deux voudra forcément rester avec son bon vieux papa.

Ce soir-là, après dîner, tandis que les climatiseurs bourdonnaient dans la pièce, repoussant tant bien que mal la chaleur du désert, les parents expliquèrent la situation à leurs deux enfants — Cross, âgé de onze ans, et Claudia, âgée de dix ans. Aucun des deux ne sembla surpris. Cross, qui avait déjà tout le charme de sa mère, avait cependant hérité de la dureté de cœur de son père, ainsi que de sa méfiance. Comme lui, également, il n'avait peur de rien.

— Je reste avec m'man, annonça-t-il tout de go.

Claudia était terrifiée à l'idée devoir faire ce choix.

— Je reste avec Cross, répondit-elle, avec une ruse tout enfantine.

Pippi accusa le choc. Cross lui semblait plus proche de lui que de Nalene. Ils allaient à la chasse ensemble, jouaient aux cartes, faisaient du golf, de la boxe. Cross ne partageait en rien la passion de sa mère pour les livres et la musique. Le garçon passait souvent à la Collection Agency pour tenir compagnie à son père quand de la paperasse le retenait au bureau le samedi. Pippi était persuadé que Cross choisirait de rester avec lui. C'est ce qu'il avait espéré, du moins.

Il avait été amusé par la réponse astucieuse de Claudia. La gamine était loin d'être bête ; mais elle lui ressemblait trop physiquement, et Pippi n'avait pas envie d'avoir sous ses yeux le reflet de ses traits grossiers à longueur d'année. Il semblait normal, par ailleurs, que Claudia aille avec sa mère. La petite avait les mêmes goûts que Nalene. Il ne saurait pas quoi faire de Claudia si elle lui restait sur les bras.

Pippi observa ses deux enfants. Il se sentait fier d'eux. Les enfants savaient que leur mère était la plus faible du couple et ils ne voulaient pas l'abandonner. Nalene, d'ailleurs, avec un instinct de tragédienne, avait revêtu pour l'occasion un pantalon sombre et un pull-over anthracite ; un bandeau noir tout simple retenait ses cheveux dorés en arrière, ce qui faisait ressortir l'ovale diaphane et délicat de son visage. Quant à Pippi, il devait apparaître devant ses enfants brutal et solide comme un roc.

Il joua alors la carte du charme.

— Tout ce que je demande, c'est que l'un de vous deux reste avec moi pour me tenir compagnie, annonça-t-il. Vous pourrez vous voir aussi souvent que vous le voudrez, pas vrai Nalene ? Vous n'allez pas me laisser tout seul à Las Vegas ?

Les deux enfants le regardaient d'un air impassible. Pippi se tourna alors vers sa femme.

— Mets-y du tien, Nalene. Tu dois choisir, articula-t-il tout en songeant avec amertume : « Pourquoi est-ce que je m'accroche comme ça ? »

— Tu as promis de les laisser faire ce qu'ils voudraient, rétorqua Nalene.

— Il faut que nous en parlions tous ensemble, répondit Pippi.

Il n'était pas blessé dans sa chair ; Pippi savait que ses enfants l'aimaient, mais ils préféraient leur mère, ce qui était bien compréhensible. Cela ne voulait pas dire pour autant qu'ils faisaient le bon choix.

— C'est tout vu, lança Nalene avec du mépris dans la voix. Tu as promis.

Pippi ne pouvait savoir à quel point il parut terrifiant, à quel point ses yeux devinrent de glace. Il espérait contrôler sa voix, cacher sa colère.

— Tu dois faire un choix. Si ça ne marche pas, alors on fera ce que tu veux. Mais j'ai le droit d'avoir ma chance, non ?

— Tu es ridicule, répondit Nalene en secouant la tête. Nous irons au tribunal.

C'est à ce moment précis que Pippi sut ce qu'il devait faire.

— Ça ne servira à rien. Essaie si tu veux. Mais réfléchis bien. Pense à notre vie à tous les deux, pense à qui tu es et à qui je suis. Je te supplie de te montrer raisonnable. Pense à nous, à notre avenir à tous. Cross est comme moi, Claudia est comme toi. Cross sera mieux avec moi, et Claudia sera mieux avec toi. Voilà l'évidence. — Il marqua un temps d'arrêt — Cela ne te suffit pas de savoir qu'ils t'aiment tous les deux davantage que moi ? Qu'est-ce qu'il te faut de plus ? Tu leur manqueras plus que je ne leur manquerai si...

Il laissa la dernière phrase en suspens, ne voulant pas que les enfants comprennent le sens de ses paroles.

Mais Nalene reçut le message cinq sur cinq. Prise de terreur, elle attira Claudia à elle. La fillette se retourna vers son frère, avec un regard suppliant.

— Cross... souffla-t-elle.

Cross avait une beauté impassible. Il avança avec grâce, et s'arrêta à côté de son père.

— Je vais rester avec toi, papa, annonça-t-il.

Pippi lui prit la main avec reconnaissance.

Nalene fondit en larmes.

— Cross, tu viendras souvent me voir, aussi souvent que tu voudras. Il y aura une chambre spécialement pour toi à Sacramento. Personne d'autre ne l'utilisera.

La trahison était consommée.

Pippi faillit sauter de joie tant il était content. Il ressentait un tel soulagement de savoir qu'il n'aurait pas à faire ce qui lui avait semblé inévitable l'espace d'un instant.

— Nous allons fêter ça, lança-t-il. Lorsque le divorce sera prononcé, nous serons deux familles heureuses au lieu d'une seule et unique famille heureuse. Et nous vivrons heureux jusqu'à la fin de nos jours. — Ils le regardèrent tous les trois d'un air glacial — On essaiera du moins. On essaiera...

Claudia ne rendit plus jamais visite à son frère et à son père à Las Vegas passées les deux premières années. Cross venait à Sacramento tous les ans, mais dès l'âge de quinze ans, ses visites s'espacèrent et se réduisirent aux seules vacances de Noël.

Le père et la mère représentaient deux pôles radicalement opposés. Claudia et sa mère devinrent de plus en plus semblables. Claudia adorait les études, les livres, le théâtre, les films, elle s'épanouissait nourrie par l'amour de sa mère. Et Nalene retrouvait chez Claudia l'humour et le charme du père ; elle aimait également les traits masculins de sa fille, exempts de dureté à l'inverse de ceux de Pippi. Elles vivaient heureuses toutes les deux.

Claudia termina ses études et partit pour Los Angeles, dans l'espoir de mettre un pied dans le monde du cinéma. Nalene la vit partir avec tristesse, mais elle s'était fait des amis à Sacramento et avait été nommée proviseur-adjoint d'un lycée de la ville.

Cross et son père formaient, eux aussi, une famille heureuse — mais d'une tout autre sorte. Pippi jugeait les faits. Cross était un véritable athlète au lycée, mais un élève guère assidu. Il n'avait aucune envie de poursuivre ses études. Et malgré tout son charme, les filles ne l'intéressaient pas outre mesure.

Cross vivait heureux avec son père. Peu importait le chantage odieux qui avait pesé dans la balance, la décision prise s'avéra être la bonne — deux familles, séparées, mais heureuses. Pippi se montra pour Cross un éducateur aussi exemplaire que pouvait l'être Nalene pour Claudia. Il façonna donc Cross à son image.

Cross aimait le travail au Xanadu, la manipulation des clients, la guerre contre les arnaqueurs de tous poils et montrait une certaine attirance pour les filles de revues — ce qui était bien normal à son âge, considérait Pippi. Cross deviendrait un jour un membre de la famille Clericuzio, avait décidé le patriarche. Pippi croyait en la maxime préférée de Don Domenico : « La chose la plus importante dans la vie, c'est de gagner son pain. »

Pippi prit Cross comme associé à la Collection Agency. Il le faisait venir avec lui au Xanadu quand il devait dîner avec Gronevelt et s'arrangeait pour que Gronevelt s'intéresse à son fils. Grâce à lui, Cross devint l'un des habitués des parties de golf à quatre auxquelles participaient de gros joueurs du Xanadu, mettant systématiquement Cross dans l'équipe adverse. Cross, à l'âge de dix-sept ans, avait déjà cette qualité primordiale chez un parieur : il jouait d'autant mieux un trou que les enjeux étaient élevés. Cross et son partenaire gagnaient régulièrement. Pippi acceptait ces défaites de bonne grâce; même si elles lui coûtaient de coquettes sommes d'argent, son fils s'attirait grâce à elles la sympathie d'une quantité de gens.

Il emmenait Cross à Quogue pour les fêtes et cérémonies de famille, en particulier pour la fête du 4 Juillet qui était célébrée chez les Clericuzio avec une grande ferveur patriotique, ou encore pour les mariages et les funérailles. Cross était leur cousin germain, il avait du sang Clericuzio dans les veines.

Cross accompagnait son père chaque semaine lorsqu'il venait retirer les quatre-vingt mille dollars qu'un accord avec l'hôtel lui assurait. Pippi le mit au courant de tous les pourcentages qu'il touchait sur toutes les formes de jeux. Il lui apprit toutes les ficelles du parieur, ne jamais jouer quand on se sent patraque, ne jamais jouer plus de deux heures d'affilée, ne jamais jouer plus de trois jours dans la semaine, ne jamais insister lorsqu'on est dans une mauvaise passe et ne pas trop tirer sur la corde lorsque la chance vous sourit.

Tout cela semblait le plus naturel du monde à Pippi ; un père digne de ce nom se devait d'apprendre à son fils tous les pièges qui l'attendaient. En tant que jeune associé de l'agence, il était nécessaire que Cross acquière ce genre de connaissance. Car la collecte de fonds n'était parfois pas un travail aussi bénin que Pippi l'avait laissé entendre à Nalene.

Cross ne montra pas la moindre aversion pour ce travail, même pour les missions les plus délicates. Il était trop jeune et trop mignon pour inspirer de la peur mais son corps était suffisamment athlétique pour donner du poids aux ordres que Pippi pouvait donner.

Un jour, pour tester son fils, Pippi confia à Cross une mission particulièrement délicate où seule la persuasion, et non la force, pouvait être utilisée. Le fait même d'envoyer ce jeune émissaire montrait à l'intéressé que le remboursement de la dette se ferait dans la douceur, un geste de bonne volonté de la part du créancier. Le débiteur, un petit *bruglione* du coin nord de la Californie, devait cent mille dollars au Xanadu. L'affaire n'était pas assez grosse pour faire intervenir les Clericuzio et devait donc être réglée à l'échelon local — sortir le gant de velours, plutôt que la main de fer.

Cross rencontra le baron mafieux au mauvais moment. L'homme, un dénommé Falco, écouta l'approche raisonnée de Cross, puis sortit un revolver et plaqua le canon contre la gorge du jeune homme.

— Encore un mot, et je te fais sauter les amygdales !

A sa grande surprise, Cross ne ressentit aucune peur.

— Disons cinquante mille tout de suite, annonça-t-il. Vous n'allez pas me tuer pour cinquante mille malheureux dollars ? Je ne pense pas que mon père apprécierait.

— Ah oui ? Et qui c'est ton père ? demanda Falco, l'arme toujours braquée sur son cou.

— Pippi De Lena, répondit Cross. Et il va me faire la peau de toute façon lorsqu'il apprendra que j'ai baissé à cinquante mille.

Falco éclata de rire et rengaina son pistolet.

— Ça va, dis-leur que je les paierai la prochaine fois que je passerai à Las Vegas.

— Prévenez-moi de votre arrivée. Je demanderai que l'on vous accueille, comme d'habitude, tous frais payés.

Certes, Falco connaissait la réputation de Pippi mais il y avait quelque chose dans le regard de Cross qui l'avait arrêté — l'absence de peur, le calme de sa réponse, la petite plaisanterie à la fin. Tout ceci traçait le portrait de quelqu'un dont nombre d'amis seraient prêts à venger la mort. Mais l'incident décida Cross à prendre une arme et un garde du corps pour ses prochaines démarches.

Pour récompenser le courage de son fils, Pippi lui offrit un week-end de détente au Xanadu. Gronevelt leur procura deux belles suites et une bourse pleine de plaques noires pour Cross.

A cette époque, Gronevelt était âgé de quatre-vingts ans. Il avait les cheveux blancs mais son corps était encore souple et vigoureux. Le vieillard avait aussi la fibre pédagogique. Il adorait enseigner à Cross tout ce qu'il savait.

— Tu ne peux pas gagner, annonça-t-il à Cross au moment de lui donner la bourse de plaques noires, donc je suis sûr de récupérer ma mise. Maintenant, écoute-moi bien. Tu as le choix. Mon hôtel offre de multiples distractions. Il y a un fabuleux parcours de golf, des joueurs viennent du Japon pour s'y exercer. Nous avons de grands restaurants et des sirènes de toute beauté dans notre cabaret, les plus grandes stars du show-biz viennent chanter sur notre scène. Nous avons des courts de tennis, des piscines, et même une excursion en avion sur le Grand Canyon. Tout ça gratuit. Il n'y a aucune raison que les cinq mille dollars contenus dans cette bourse retournent dans ma poche. Alors un conseil, ne va pas au casino.

Pendant ces trois jours de détente, Cross suivit le conseil de Gronevelt. Tous les matins, il jouait au golf avec Gronevelt, son père et un gros client de l'hôtel. Les paris étaient toujours substantiels, mais jamais démesurés. Gronevelt avait remarqué que Cross atteignait son meilleur niveau lorsqu'il y avait beaucoup d'argent en jeu.

— Des nerfs d'acier, commenta Gronevelt à Pippi, d'une voix admirative.

Mais ce qu'appréciait particulièrement le vieillard c'était la clairvoyance du jeune homme, sa lucidité, son intelligence, sachant toujours d'instinct la meilleure tactique à adopter. Le dernier matin, sur le green, le gros client était d'une humeur maussade — non sans raison d'ailleurs. C'était un joueur intelligent et passionné, un homme richissime, heureux propriétaire d'une chaîne de boîtes de strip-tease. Il avait perdu la veille au soir près de cinq cent mille dollars. Ce n'était pas tant l'argent qui le chagrinait que le fait qu'il avait perdu son sang-froid au milieu d'une mauvaise passe et qu'il avait voulu forcer le destin et retourner le sort — erreur classique du débutant.

Ce matin-là, lorsque Gronevelt proposa une partie au prix modéré de cinquante dollars le trou, le client fit grise mine.

— Alfred, lança-t-il, avec ce que je t'ai laissé hier soir, tu pourrais avoir la décence d'ouvrir la partie à mille dollars.

Gronevelt prit ombrage de cette remarque. Ses parties de golf matinales étaient un acte social et amical, associer ce moment privilégié de détente avec les affaires du casino était particulièrement discourtois.

— Mais certainement, répondit Gronevelt, avec sa politesse habituelle. Je vais même te donner Pippi comme partenaire. Je prendrai Cross avec moi.

Ils commencèrent donc la partie. Le magnat des cabarets pornos jouait bien. Pippi aussi. Gronevelt aussi. Seul Cross manquait à l'appel. Jamais, il ne joua aussi mal. Il ratait ses drives, tombait dans les bunkers, sa balle s'abîmait dans le petit étang (construit à grands frais dans le désert du Nevada), et il craquait nerveusement au moment du putt.

Le tenancier des boîtes de strip-tease, cinq mille dollars plus riche, son amour-propre redoré, exultait et les invita tous pour le petit déjeuner.

— Je vous ai laissé tomber, Mr. Gronevelt, regretta Cross. Je suis désolé.

Gronevelt le considéra un moment d'un air pensif puis déclara :

— Un de ces jours, avec la permission de ton père, tu travailleras pour moi.

Cross, au fil des années, eut l'occasion de voir de près les relations qu'entretenaient Gronevelt et son père. Ils étaient de bons amis, dînaient ensemble une fois par semaine et Pippi montrait encore plus de déférence envers Gronevelt qu'il n'en réservait à Don Clericuzio. Le vieil homme, en retour, ne semblait pas craindre Pippi, mais lui offrait toutes les douceurs de l'hôtel, à l'exception des villas. Cross, ayant vu Pippi venir chercher dans les caisses de l'hôtel ses quatre-vingt mille dollars hebdomadaires, ne tarda pas à faire le rapprochement. Les Clericuzio étaient, avec Alfred Gronevelt, les propriétaires du Xanadu.

Cross comprit que Gronevelt, à ce titre, avait tout intérêt à bien s'entendre avec lui, et qu'il lui vouait une attention toute particulière — comme en témoignait cette bourse de plaques noires pour un week-end de loisirs. Cross avait droit, en outre, à toutes sortes de faveurs : chambre, nourriture et boissons gratuites, pour lui et ses amis. Lorsque Cross termina ses études au lycée, Gronevelt lui offrit une petite décapotable. Quand il eut dix-sept ans, Gronevelt le présenta aux filles des revues de l'hôtel avec une affection ostensible, pour lui donner de l'importance à leurs yeux. Cross finit par savoir que Gronevelt, malgré son grand âge, faisait souvent monter des filles dans sa suite du dernier étage, et que d'après les bruits de couloirs, il était une affaire. Cela ne débouchait jamais sur rien de sérieux, mais il se montrait d'une telle générosité que les filles, couvertes de cadeaux, défaillaient pour lui. La moindre femme ayant eu droit pendant un mois aux faveurs du vieil homme était riche pour la vie.

Au cours de l'un de leurs entretiens de maître à élève, où Gronevelt lui apprenait les secrets d'un directeur de grand casino, Cross, prenant son courage à deux mains, demanda au vieil homme de lui parler de ses rapports avec les femmes qui travaillaient pour lui au Xanadu.

— Je laisse les filles des revues, répondit-il dans un sourire, à notre directeur artistique. Les autres femmes, je les traite exactement comme si c'étaient des hommes. En revanche, si tu me demandes un conseil quant à ta vie amoureuse, laisse-moi te dire ceci : Un homme raisonnable et sensé n'a en général rien à craindre de la gent féminine. Mais il y a deux cas à fuir comme la peste : Un, et c'est le pire, la demoiselle en détresse. Deux, la femme qui a plus d'ambition que toi. Ne va pas t'imaginer que je sois misogyne ; je dirais la même chose à une femme à propos des hommes, mais cela n'arrangerait pas nos affaires ! Ce qui m'a sauvé, c'est que j'ai aimé le Xanadu plus que tout au monde. Mais je regrette toutefois de ne pas avoir eu d'enfants.

— Vous semblez avoir mené une vie de rêve, annonça Cross.

— Peut-être, répondit Gronevelt. J'y ai mis en tous cas le prix.

A Quogue, chaque venue de Cross faisait naître une grande agitation parmi les femmes du clan Clericuzio. A vingt ans, il était dans la pleine fleur de sa jeune virilité : séduisant, bien fait de sa personne, fort et étonnamment courtois pour son jeune âge. Cross ressemblait bien plus à sa mère qu'à son père et la famille, tout en remerciant le ciel de ce bienfait, ne pouvait s'empêcher de lancer des plaisanteries à ce propos avec une petite pointe de malice toute sicilienne.

Ce fut un dimanche de Pâques, alors que plus d'une centaine d'invités célébraient la résurrection du Christ, que Dante, le cousin, apporta la pièce finale au puzzle que Cross tentait de reconstituer sur son père.

Dans l'immense jardin clos de la propriété familiale, Cross aperçut une charmante jeune fille entourée d'un groupe de jeunes soupirants. Son père, se dirigeant vers une table du buffet pour aller chercher une assiette de saucisses grillées, leur lança au passage une remarque amicale. Cross vit la fille détourner la tête de Pippi, l'air dégoûté. D'ordinaire, les femmes aimaient bien son père, son visage de grosse brute, son caractère jovial et enthousiaste les faisaient fondre.

Dante remarqua lui aussi la scène.

— Beau brin de fille, fit-il en souriant. Allons lui dire un petit bonjour. Lila, annonça-t-il quelques instants plus tard à la jeune fille, je te présente notre cousin, Cross.

Lila, bien que de leur âge, n'avait pas encore des rondeurs de femme adulte ; elle gardait, par certains abords, la beauté encore un peu verte d'une adolescente. Ses cheveux étaient couleur de miel, sa peau rayonnait de santé, comme nourrie par une source intérieure, mais les contours de sa bouche demandaient encore à s'affermir. Elle portait un gros pull angora qui donnait à son visage un teint doré. Cross tomba amoureux d'elle dans la seconde.

Mais lorsqu'il voulut lui dire un mot, Lila l'ignora ostensiblement et se dirigea vers le repaire des matrones à une table voisine.

— J'ai l'impression que ma tête ne lui revient pas, constata Cross, d'un air penaud.

Dante lui retourna un sourire torve.

Dante Clericuzio était devenu un jeune homme étrange, au visage triangulaire où se lisait un mélange de vitalité et de ruse. Il avait les cheveux noirs et drus des Clericuzio qu'il cachait sous une sorte de béret rappelant les couvre-chefs de la Renaissance. Il était tout petit — il ne dépassait pas le mètre soixante — mais se sachant le préféré de Don Domenico, il débordait de confiance en lui et avait toujours un air malicieux aux lèvres.

— Son nom de famille est Anacosta, annonça-t-il à Cross.

Ce nom ne lui était pas inconnu. Une année plus tôt, la famille Anacosta avait vécu un drame. Le chef de clan et le fils aîné avaient été abattus dans une chambre d'hôtel à Miami. Dante continuait à regarder Cross avec insistance, comme s'il attendait une réaction de sa part.

— Et alors ? rétorqua Cross de sa voix la plus impassible.

— Tu travailles bien pour ton père, n'est-ce pas ?

— Oui.

— Et tu espères plaire à Lila ? Tu es tombé sur la tête ou quoi ! lança-t-il avant d'éclater de rire.

Cross sentit qu'il y avait anguille sous roche. Il resta silencieux.

— Tu ne sais pas ce que fait ton père, poursuivit Dante.

— Il collecte de l'argent, répondit Cross.

Dante secoua la tête.

— Il est temps que tu saches la vérité, mon grand. Ton

père élimine des gens pour le compte de la famille. Il est le *martello* numéro un des Clericuzio.

L'aura de mystère entourant la vie de son père venait d'être vaporisée d'un coup de baguette magique. Tout s'éclairait. Le dégoût de sa mère, le respect que montraient à son égard les amis de Pippi ainsi que les Clericuzio, les mystérieux voyages d'affaires de son père qui duraient des semaines entières, l'arme qu'il avait toujours sur lui, les petites blagues pleines de sous-entendus dont Cross n'avait pu saisir la portée. Il se souvint du procès, et du jour où son père lui avait pris la main, lors de la séparation avec Nalene — un épisode qu'il avait curieusement refoulé dans sa mémoire. Une bouffée de tendresse envahit Cross; il devait protéger son père, car il semblait brusquement tout nu et sans défense.

Mais par-dessus tout, Cross était furieux que Dante ait osé lui révéler ce secret.

— Non, je ne le sais pas. Et toi non plus, tu ne le sais pas. Personne ne le sait, répondit Cross en brûlant de lui ficher son poing sur la figure.

Mais il se contenta d'esquisser un sourire et lui demanda d'un ton narquois :

— Où as-tu donc trouvé ce chapeau ridicule?

Virginio Ballazzo organisait la traditionnelle chasse aux œufs de Pâques avec les facéties d'un clown de cirque. Il rassembla les enfants autour de lui, comme autant de petites fleurs multicolores, resplendissants dans leurs beaux habits, leurs petits minois radieux comme des pétales, la peau rose comme des coquilles d'œufs, les chapeaux hérissés de rubans, les joues rouges d'excitation. Il offrit à chacun un panier d'osier avec un gros bisou d'encouragement avant de donner le départ de la chasse aux œufs. Aussitôt les enfants s'égaillèrent aux quatre coins du jardin.

Virginio Ballazzo lui aussi valait le coup d'œil. Son costume venait de Londres, ses chaussures d'Italie, sa chemise de France, et sa coupe de cheveux était signée par un Michel-Ange de Manhattan. La vie avait souri à Virginio et lui avait donné une fille à la beauté presque aussi fraîche et virginale que celle des enfants s'ébattant autour de lui.

Lucille, que tout le monde surnommait Ceil, avait dix-huit ans et aidait aujourd'hui son père. Elle donnait les paniers aux gamins et les hommes, éparpillés sur la pelouse, échangeaient des regards admiratifs. Elle portait un short et un chemisier blancs. Sa peau était mate avec une touche de miel. Ses cheveux bruns étaient tressés autour de sa tête comme une couronne et elle faisait figure de jeune reine au milieu du parterre, rayonnante de santé, de jeunesse et de joie de vivre.

Du coin de l'œil, elle remarqua la tension entre Cross et Dante. Elle crut même un instant, devant la bouche tordue de Cross, qu'il avait encaissé un coup.

Il lui restait un panier d'osier dans les mains. Elle se dirigea d'un pas décidé vers Dante et Cross.

— Lequel de vous deux veut aller à la chasse aux œufs ? demanda-t-elle, avec un sourire enjoué, en tendant le panier.

Les deux jeunes hommes la regardèrent avec des yeux ébahis d'admiration. C'était la fille la plus belle qu'ils aient vue, la plus resplendissante de vie. La lumière en cette fin de matinée faisait virer sa peau à l'or, ses yeux pétillaient de joie. Son chemisier blanc laissait entrevoir des formes gracieuses mais qui restaient pour autant virginales, et ses cuisses rondes et galbées avaient la couleur du lait.

Soudain, une petite fille poussa un cri. Tous les regards convergèrent vers l'enfant. La fillette avait trouvé un œuf énorme, gros comme une boule de bowling, bariolé de rouge et de bleu. L'enfant tentait de mettre le gros œuf dans son panier, avec une détermination farouche, le chapeau de paille coincé en travers de son visage froncé de concentration, lorsque soudain l'œuf s'était brisé et un petit oiseau s'en était échappé, arrachant un cri de terreur à la petite fille.

Petie accourut et prit l'enfant dans ses bras pour la consoler. C'était encore l'une de ses fameuses blagues et l'assistance éclata de rire.

La petite fille redressa soigneusement son chapeau.

— C'est pas gentil, lança-t-elle d'une voix stridente d'indignation avant de lui donner une claque.

On s'esclaffa de plus belle tandis que la petite fille s'enfuyait, laissant Petie implorer en vain son pardon. Il la rattrapa et lui donna un petit œuf de Pâques en or monté en pendentif. La petite fille accepta le cadeau et lui fit un bisou.

Ceil prit Cross par la main et l'entraîna vers les courts de tennis qui se trouvaient à une centaine de mètres en retrait de la maison. Ils s'installèrent dans un petit abri, qui tournait le dos à la pelouse centrale, offrant ainsi aux deux jeunes gens un peu d'intimité.

Dante les regarda s'éloigner avec un pincement au cœur. Cross était bien plus attirant que lui, et Dante en ressentait de l'humiliation; pourtant il était fier d'avoir un cousin aussi beau. Comme par magie, le panier d'osier avait atterri dans ses mains; il haussa les épaules et partit à la chasse aux œufs avec les autres.

A l'abri des regards dans le petit refuge, Ceil prit dans ses mains le visage de Cross et l'embrassa sur les lèvres. C'était un baiser tout en tendresse. Mais lorsque Cross glissa ses doigts sous le chemisier de la jeune fille, elle le repoussa.

— Depuis que j'ai dix ans, j'avais envie de t'embrasser, annonça-t-elle avec un sourire radieux. Et aujourd'hui, c'était l'occasion rêvée.

— Pourquoi? se contenta de répondre Cross, bien que tous ses sens fussent éveillés par le baiser.

— Parce que tu es si beau, si parfait, murmura Ceil. Parce que tout est permis un jour comme aujourd'hui, ajouta-t-elle en serrant sa main dans la sienne. Nous avons des familles extraordinaires, n'est-ce pas? — Elle se tut un moment, puis demanda —: Pourquoi as-tu choisi de vivre avec ton père?

— Ça s'est fait comme ça.

— Et pourquoi te battais-tu avec Dante? Quel sale type, celui-là.

— Dante est réglo. On se battait pour rire. C'est un grand farceur comme l'oncle Petie.

— Non, c'est un rustre, répliqua Ceil — elle l'embrassa de nouveau, mais tint fermement les mains de Cross — Mon père gagne des fortunes. Il vient d'acheter un ranch dans le Kentucky et une vieille Rolls Royce des années 20. Il a trois voitures de collection et se lance maintenant dans les chevaux de course. C'est la belle vie, non? Tu pourrais passer nous rendre visite demain; tu verrais les voitures et je suis sûre que tu adorerais la cuisine de ma mère.

— Non, il faut que je rentre à Las Vegas, répondit Cross. Je travaille à l'hôtel Xanadu, à présent.

La main de Ceil se crispa l'espace d'un instant.

— Je hais Las Vegas, annonça-t-elle. C'est une ville répugnante.

— Moi, je la trouve géniale, rétorqua Cross dans un sourire. Pourquoi la hais-tu à ce point alors que tu n'y as jamais mis les pieds ?

— Parce que les gens là-bas jettent l'argent par les fenêtres, s'écria Ceil avec une indignation juvénile. Dieu merci, mon père ne joue pas ! Et puis il y a toutes ces filles de revues, c'est sordide.

Cross éclata de rire.

— Je ne sais pas. Moi, je ne m'occupe que du parcours de golf. Je n'ai jamais mis les pieds dans le casino.

Elle savait qu'il lui racontait des histoires, mais feignit de ne pas s'en formaliser.

— Et quand je serai à l'université, tu viendras me voir ? demanda-t-elle.

— Bien sûr, affirma Cross.

A ce jeu, il avait bien plus d'expérience qu'elle. Il était attendri par son innocence, par la façon qu'elle avait de lui prendre la main, par sa totale ignorance de l'homme qu'était son père et du véritable but que poursuivait la famille. Elle essayait son charme, son pouvoir de séduction, grisée par la douceur de l'air et les sensations toutes neuves qui traversaient son jeune corps de femme. Et ses baisers avaient encore la grâce de l'enfance.

— Nous ferions mieux de rejoindre les autres, annonça-t-il au bout d'un moment.

Ils se dirigèrent donc, main dans la main, vers l'aire de pique-nique. Virginio, le père de Ceil, fut le premier à les remarquer.

— Alors les deux tourtereaux ! lança-t-il frottant ses deux index avec malice. Ça roucoule ?

Puis il les embrassa joyeusement.

Ce jour-là restera gravé à jamais dans la mémoire de Cross, parce qu'il y avait cette ambiance de fête et d'innocence, tous ces enfants vêtus de blanc pour célébrer la résurrection du Christ, et parce que le voile de mystère entourant son père avait été enfin levé.

⁂

Lorsque Pippi et Cross rentrèrent à Las Vegas, quelque chose avait changé entre eux deux. Pippi savait évidemment que le secret avait été dévoilé et il manifestait envers Cross de nouvelles marques d'affection. Cross était surpris de voir que les sentiments qu'il éprouvait pour son père étaient toujours les mêmes, qu'il l'aimait toujours comme avant. Il ne pouvait imaginer vivre sans son père, sans les Clericuzio, sans Gronevelt et le Xanadu. C'était la vie qui lui était destinée, et il en existait de moins agréables. Toutefois, une sorte d'impatience commençait à le gagner. Sa vie allait prendre un nouveau tour.

Troisième partie

Claudia De Lena
et
Athena Aquitane

IV

Claudia De Lena quitta son appartement de Pacific Palisades pour se rendre chez Athena, à Malibu. Comment allait-elle la persuader de revenir sur le plateau de *Messalina* ?

L'arrêt de ce film serait aussi dramatique pour elle que pour le studio. *Messalina* était son premier scénario original — ses autres travaux avaient été des adaptations de romans, des réécritures ou des remaniements de scénarios déjà existants, ou des travaux de collaboration.

De plus, le fait d'être l'un des co-producteurs du film lui donnait un pouvoir dont elle n'avait jamais joui jusqu'alors. Sans compter qu'elle était intéressée aux bénéfices — et cela risquait de faire une coquette somme. Elle pourrait alors se placer dans le métier comme auteur-producteur. Claudia était peut-être la seule personne à l'ouest du Mississippi qui ne voulait pas mettre en scène — cela réclamait, à ses yeux, une dureté de cœur et une cruauté dans les relations humaines qui lui semblaient rédhibitoires.

Il existait un authentique lien d'amitié entre Athena et Claudia, un lien intime qui n'avait rien à voir avec la camaraderie d'usage entre gens du cinéma. Athena savait en outre tout ce que représentait ce film pour sa carrière. Elle n'était pas idiote. Et d'où venait cette terreur que lui inspirait ce Boz Skannet ? Athena, d'ordinaire, ne craignait ni rien ni personne.

Voilà, pour Claudia, la première chose à éclaircir. Une fois qu'elle saurait pourquoi Athena était terrifiée à ce point, elle serait peut-être en mesure de l'aider. Il fallait qu'elle l'empêche de ruiner sa carrière — au fond, personne ne connaissait mieux qu'elle les pièges et les chausse-trappes du monde du cinéma.

Claudia De Lena avait rêvé d'être écrivain et de vivre de sa plume à New York. Elle ne se découragea pas lorsque son premier roman, écrit à dix-huit ans, fut refusé par plus de vingt éditeurs. Elle décida alors d'émigrer à Los Angeles et de se faire la main avec les scénarios.

Grâce à son intelligence, son enthousiasme et son talent, elle se fit rapidement de nombreuses relations à Los Angeles. Elle s'inscrivit à un cours d'écriture de scénario à U.C.L.A. et fit la connaissance d'un jeune auteur dont le père était une célébrité en chirurgie esthétique. Il devint rapidement son amant, envoûté par ses formes et son intelligence. Peu à peu, leur liaison, aux yeux du jeune homme, passa du simple « partenariat sexuel » à celui de « relation sérieuse ». Il ne tarda donc pas à présenter Claudia à ses parents. Son père, le célèbre chirurgien, semblait ravi du choix de son fils. Après le dîner, il entraîna Claudia à l'écart.

— Ce n'est pas normal qu'une fille comme vous, annonça-t-il, posant ses deux mains de part et d'autre du visage de Claudia, n'ait pas la beauté qu'elle mérite. Ne vous vexez pas ; c'est une erreur de la nature malheureusement très répandue. Et c'est justement là que j'interviens. Je peux, si vous le voulez, réparer cette injustice.

Claudia n'était pas vexée, mais plutôt indignée.

— Et pourquoi est-ce si important d'être belle ? Quel bien cela m'apportera-t-il, à moi ? répondit-elle dans un sourire. Votre fils semble me trouver suffisamment jolie à son goût.

— Tant mieux, tant mieux, lança le chirurgien. Mais lorsque vous serez passée entre mes mains, vous serez trop belle pour lui. Vous êtes une fille intelligente et pleine d'esprit, mais c'est l'apparence qui fait le pouvoir. Vous voulez donc vraiment passer le reste de votre existence à faire tapisserie pendant que les hommes n'auront d'yeux que pour des poupées Barbie qui n'auront pas le dixième de votre intelligence ? Vous voulez donc rester toute seule comme une cruche parce que vous avez un nez un peu large et un menton crochu de mafieux sicilien — il lui tapota doucement la joue — Ça ne prendra pas longtemps, ajouta-t-il en souriant. Vous avez de beaux yeux et une très jolie bouche. Et un corps de vedette de cinéma.

Claudia s'écarta de lui. Elle savait qu'elle ressemblait à son père ; l'allusion au profil mafieux avait touché une corde sensible.

— De toutes façons, rétorqua-t-elle, je n'ai pas de quoi vous payer.

— Encore une chose, poursuivit le chirurgien. Je connais le monde du cinéma. J'ai prolongé la durée de vie des carrières de bon nombre d'acteurs, hommes et femmes confondus. Lorsque viendra le jour où vous essaierez de vendre un scénario à un dirigeant de studio, le physique aura son importance. Cela peut vous paraître injuste et je sais que vous avez du talent. Mais le monde du spectacle est ainsi. Considérez ma proposition comme une opportunité professionnelle et non comme un fantasme machiste ; même si, au fond, c'est bien de ça dont il s'agit. — Voyant qu'elle hésitait encore, le chirurgien ajouta — : Je vous opérerai gratuitement. Ce sera mon cadeau de fiançailles. Même si je crains qu'après mon intervention, mon fils ne perde la perle rare que vous serez devenue.

Claudia avait toujours su qu'elle n'était pas jolie et le souvenir de son père lui préférant Cross lui revint en mémoire. Si elle avait été belle, est-ce que sa vie aurait été la même ? Elle considéra soudain le chirurgien avec un nouvel œil. C'était un homme séduisant, ses yeux étaient doux et il semblait comprendre ce qu'elle ressentait.

— Entendu, lança-t-elle en riant. Transformez-moi en Cendrillon !

Le travail n'était pas si énorme que ça. Le chirurgien se contenta d'amincir le nez, arrondir le menton et lisser la peau. Lorsque Claudia refit surface dans le monde, elle était devenue une charmante jeune femme, avec un nez parfait, et arborant un air fier et volontaire — elle n'était pas belle à proprement parler, mais il y avait chez elle quelque chose de terriblement attirant.

Les effets dans le domaine professionnel furent étonnants. Claudia, malgré sa jeunesse, décrocha un entretien privé avec Melo Stuart, qui devint aussitôt son agent. Il lui donna des petits travaux d'adaptation sur des scénarios et l'invita à des soirées où elle rencontra des brochettes de producteurs, de metteurs en scène et de vedettes. Tous l'adoraient. En cinq ans, malgré son jeune âge, elle devint une pointure dans le cercle très fermé des scénaristes. Dans sa vie privée, sa métamorphose eut également des effets magiques. Le chirurgien avait dit vrai. Son fils ne put tenir, face à la pression des prétendants. Claudia avait sa collection de soupirants (de véritables adorateurs pour certains d'entre eux) qui aurait fait pâlir d'envie une star de cinéma.

Claudia adorait le monde du spectacle. Elle aimait travailler avec d'autres scénaristes, défendre son sujet auprès des producteurs, caresser les metteurs en scène dans le sens du poil — pour certains, en leur montrant comment économiser de l'argent au tournage, pour d'autres comment réaliser un chef-d'œuvre. Elle était impressionnée par le travail des acteurs et des actrices, par la façon qu'ils avaient de dire ses mots et de les rendre plus percutants, plus touchants que nature. Elle aimait l'atmosphère particulière d'un plateau de cinéma, alors que la plupart des gens s'y ennuyaient à mourir. Elle appréciait la camaraderie qui régnait dans une équipe de tournage et n'avait rien contre une partie de jambes en l'air avec un technicien. Assister à la genèse d'un film, le suivre du début à la fin, jusqu'à son triomphe ou son échec était pour elle une aventure exaltante. Le cinéma était un art majeur à ses yeux et lorsqu'on lui demandait de réécrire un scénario, elle se voyait comme une guérisseuse vaudou, redonnant un second souffle à un moribond, en veillant toujours à rester dans l'ombre. A l'âge de vingt-cinq ans, elle s'était déjà taillé une belle réputation et s'était liée d'amitié avec moult acteurs et actrices. Athena Aquitane était son amie la plus proche.

A sa grande surprise, Claudia se découvrit une sexualité généreuse et exubérante. Ce trait de sa personnalité la laissait souvent perplexe; aller au lit avec homme qui lui était sympathique lui semblait la chose la plus naturelle du monde. Elle ne couchait jamais par intérêt — elle avait un tel talent qu'elle pouvait passer outre ce genre de corvées. En revanche, se plaisait-elle à préciser, nombre d'acteurs couchaient avec elle dans l'espoir qu'elle leur écrive un rôle.

Son premier amant après sa métamorphose fut le

chirurgien lui-même, qui se révéla un amant bien plus ardent et habile que son fils. Enchanté peut-être par son œuvre, il voulut offrir à Claudia un appartement, avec un droit de visite un jour par semaine — pas seulement pour le sexe, mais pour le simple plaisir d'être en sa compagnie. Claudia déclina l'offre avec humour :

— Je croyais que je n'aurais rien à payer ?

— Tu m'as déjà remboursé au centuple. Mais j'espérais que l'on pourrait continuer à se voir de temps en temps.

— Bien sûr, répondit Claudia.

Qu'elle puisse faire l'amour avec autant d'hommes, si différents en âge, en culture et en apparence, et y prendre, avec tous, du plaisir, la stupéfiait. Elle avait l'impression d'être une apprentie œnologue, voulant connaître toutes les saveurs et les bouquets de la terre. Elle jouait parfois les maîtres à penser avec de jeunes acteurs ou de jeunes scénaristes, mais ce n'était pas sa tasse de thé. Elle voulait apprendre, encore et toujours. A ce titre, les hommes mûrs étaient de loin les plus intéressants.

Elle avait même passé la nuit avec le grand Eli Marrion en personne. Ce fut un moment agréable, bien que d'un point de vue strictement sexuel, c'eût été un fiasco.

Ils s'étaient rencontrés à une soirée que donnait la LoddStone ; Marrion était intrigué par Claudia parce qu'elle ne semblait pas impressionnée par sa présence et exprimait des avis et des remarques pénétrantes sur la dernière superproduction maison. Marrion l'avait entendue aussi repousser les avances de Bobby Bantz avec finesse et humour.

Eli Marrion avait abandonné toute activité sexuelle depuis quelques années. Un exercice plus laborieux que distrayant, à son goût, puisqu'il était devenu quasiment impuissant. Lorsqu'il invita Claudia à passer la nuit dans un bungalow que la LoddStone louait à l'année au Beverly Hills Hotel, il imagina qu'elle acceptait sa proposition à cause du pouvoir qu'il représentait, alors qu'il s'agissait d'une simple curiosité sexuelle à son égard. Quel effet cela faisait-il de coucher avec un homme aussi puissant et aussi vieux ? C'était effectivement mince comme motivation, mais il se trouvait que Marrion l'attirait, malgré son grand âge. Son visage simiesque pouvait être parfaitement charmant lorsqu'il se fendait d'un sourire, ce qui s'était produit lorsqu'il lui avait annoncé que tout le monde l'appelait Eli, même ses petits-enfants. Son intelligence et son charme naturel l'intriguaient car on le disait cruel. Le mélange risquait donc d'être détonant.

Une fois dans le bungalow, Claudia s'aperçut avec amusement que Marrion était gêné. Pour chasser toute timidité, Claudia l'aida à se déshabiller. Tandis qu'il pliait ses affaires sur le dossier d'une chaise, elle se dévêtit entièrement, le prit par les épaules et l'entraîna sous les couvertures. Marrion tenta une plaisanterie :

— Lorsque le roi Salomon fut mourant, on fit placer des vierges dans son lit pour le réchauffer.

— Je crains, en la matière, qu'il y ait erreur sur la marchandise, répondit Claudia.

Elle l'embrassa et se mit à le caresser. Ses lèvres étaient douces et chaudes. Sa peau avait un aspect sec et cireux qui n'était pas désagréable au toucher. Elle avait été frappée par sa maigreur lorsqu'il s'était dévêtu — les costumes de trois mille dollars sauvaient les hommes de pouvoir ! — mais ce corps chétif, surmonté d'une grosse tête, avait un côté touchant. Claudia n'était pas du tout rebutée. Toutefois, au bout de dix minutes de caresses et de baisers, il devint évident que le grand Eli Marrion, qui l'embrassait avec l'innocence d'un enfant, était devenu totalement impuissant. C'est la dernière fois que je vais au lit avec une femme, songea Marrion. Il poussa un soupir et se lova dans les bras de Claudia.

— Maintenant, Eli, commença-t-elle, je vais vous expliquer dans le détail pourquoi votre film va être un bide, tant d'un point de vue financier qu'artistique.

En continuant à le caresser tendrement, elle décortiqua le scénario, fit une analyse pénétrante de la mise en scène et du jeu des acteurs.

— Ce n'est pas simplement un mauvais film, dit-elle. C'est carrément irregardable. Il n'y a pas d'histoire, juste une succession de scènes réalisées par un tâcheron qui se prend pour un génie ; et les acteurs font ce qu'ils peuvent en rentrant la tête dans les épaules parce qu'ils savent que c'est de la merde.

Eli Marrion l'écouta avec un demi-sourire ; il se sentait détendu, bien au chaud. La plus grande part de sa vie était derrière lui, et la mort approchait. Plus jamais il ne ferait — ou n'essaierait de faire — l'amour à une femme. Et le fiasco de ce soir n'était en rien une humiliation. Il savait que Claudia ne parlerait à personne de ce qui s'était passé, et quand bien même, quelle importance cela pouvait-il avoir à présent ? Il garderait toujours son pouvoir planétaire. Tant qu'il resterait en lui une étincelle de vie, il serait capable d'influer sur la vie de milliers de gens.

— Tu oublies un détail cependant, annonça-t-il, sincèrement intéressé par l'analyse de Claudia. C'est moi qui lance le film mais ce n'est pas moi qui le fais. Mais tu as raison, je n'embaucherai plus jamais ce réalisateur. Ce n'est pas l'artiste qui perd de l'argent, c'est moi. Mais l'artiste doit supporter le blâme. La seule question que je me pose, c'est : ce film va-t-il rapporter de l'argent ? S'il s'avère être un chef-d'œuvre, ce n'est rien d'autre qu'un heureux accident.

Tout en parlant, Eli Marrion sortit du lit et renfila ses habits. Claudia détestait que les hommes se rhabillent, les barrières sociales ou psychologiques réapparaissaient aussitôt. Marrion était infiniment plus attirant nu, malgré sa silhouette étrange — ses jambes fines comme des allumettes, son corps maigrelet, sa grosse tête, tout cela l'émouvait. Chose curieuse son pénis, au repos, était beaucoup plus gros que chez la plupart des hommes. Il faudrait qu'elle pose la question à son chirurgien. Est-ce qu'un pénis grossissait à mesure qu'il devenait inopérant ?

Marrion avait du mal à attacher sa chemise et à refermer ses boutons de manchettes. Claudia sauta du lit pour l'aider.

Eli Marrion la contempla. Son corps était plus beau que celui de bien des vedettes qui avaient partagé sa couche, mais aucune étincelle de désir ne le traversait. Les cellules de son corps restaient obstinément inertes. Marrion, toutefois, n'en éprouvait ni tristesse ni regret.

Claudia l'aida à enfiler son pantalon, acheva de boutonner sa chemise, rajusta son nœud de cravate et lissa de sa main ses cheveux gris. Marrion passa sa veste et se tint un moment immobile, savourant son apparence de puissance retrouvée.

— C'était très agréable, lui dit-elle en l'embrassant.

Marrion l'observa de la tête aux pieds, comme si elle était une sorte de rivale. Puis il esquissa ce sourire qui avait le don d'adoucir les traits de son visage. Non, elle était sincère, songea-t-il, sans la moindre malice; c'était là sans doute le privilège de la jeunesse. Mais le monde d'Hollywood allait lui enseigner rapidement ses vertus. Dommage...

— A défaut du reste, je peux au moins satisfaire ton estomac, lança Marrion en décrochant le téléphone pour appeler le service de restauration.

Affamée, Claudia avala jusqu'à la dernière goutte un bol de soupe aux légumes, ainsi qu'une grosse coupe de glace à la fraise. Marrion mangea du bout des doigts, mais vida la bouteille de vin pour ne pas être en reste. Ils parlèrent de livres et de films et Claudia découvrit avec étonnement que Marrion était féru de littérature.

— Je rêvais d'être écrivain, annonça Marrion. J'adore écrire, et les livres me procurent des plaisirs sans bornes. Mais j'ai rarement rencontré un écrivain avec qui j'aie pu sympathiser, quelle que soit l'admiration que je peux porter à son œuvre. C'est le cas d'Ernest Vail, pour ne citer que lui. Il écrit des livres admirables, mais dans la vie, c'est un emmerdeur fini. Comment expliques-tu ça?

— Les auteurs et les œuvres sont deux choses différentes, répondit Claudia. Leurs romans sont le distillat de ce qu'il y a de meilleur en eux. Les écrivains sont comme des montagnes; ils doivent compresser des tonnes de roches d'apparence vulgaire pour en sortir un petit gemme. C'est pour cette raison que les diamants sont toujours enchâssés dans une gangue de pierre.

— Tu connais Ernest Vail, je crois? demanda Marrion.

Claudia apprécia de n'entendre dans cette question aucun sous-entendu salace. Marrion savait évidemment que Claudia avait eu une liaison avec Vail.

— J'adore l'écrivain, mais l'homme est insupportable. En plus, il a une telle dent contre la LoddStone que cela frôle la démence. Mais cela n'a rien d'extraordinaire. Tous les artistes ont un compte à régler avec le studio. Rassurez-vous, ce n'est pas dirigé contre vous, personnellement, précisa-t-elle en lui tapotant la main — une familiarité qu'elle ne se serait jamais permise auparavant — Cela dit, il faut reconnaître que vous n'êtes pas un tendre en affaires. Je suis peut-être le seul auteur en ville à bien vous aimer!

Ils éclatèrent de rire.

— Si jamais tu as un souci, appelle-moi, lança Marrion avant de la quitter. N'hésite pas.

C'était une façon élégante de lui dire que leur liaison s'arrêtait là.

Claudia reçut le message.

— Je ne tirerai jamais avantage de cette proposition, répondit-elle. Et de votre côté, si vous avez un problème avec un scénario, n'hésitez pas non plus à m'appeler. Je vous donnerai mon avis gratuitement, mais attention, il faudra aligner un chèque si je dois écrire une seule ligne!

Une manière de lui dire que professionnellement, il aurait davantage besoin d'elle qu'elle n'aurait besoin de lui. Ce qui était faux évidemment, mais Claudia se faisait un point d'honneur à lui montrer que dans son domaine, c'est elle qui tenait les rênes. Ils se séparèrent bons amis.

Le trafic était chargé sur la Pacific Coast Highway. Claudia regardait l'océan scintiller sur sa gauche, sidérée une fois de plus de voir si peu de gens sur les plages. On était loin des foules de Long Island qu'elle avait connu dans sa jeunesse. Des delta-planes zigzaguaient dans le ciel, rasant les lignes à haute tension. Sur sa droite, elle vit un attroupement autour d'un camion de machinerie et de grosses caméras. On tournait un film. Claudia adorait cette route. Et Ernest la honnissait. Pour lui, c'était le chemin vers l'Enfer...

Claudia De Lena avait fait la connaissance d'Ernest Vail lorsqu'on l'avait embauchée pour retravailler un scénario adapté de son best-seller. Elle avait toujours aimé les livres de Vail; il avait un style si fluide, si musical — les phrases se succédaient les unes aux autres comme autant de notes d'une partition. Il avait un regard pénétrant sur la vie et la psychologie des humains et une puissance d'invention qui ravissait Claudia, comme les histoires de son enfance. Elle était donc impatiente de le rencontrer. Mais le véritable Ernest Vail n'avait rien d'un personnage de conte de fée.

Vail avait une petite cinquantaine. Son physique n'avait

pas la grâce de sa prose. Il était râblé et court sur pattes, avec une calvitie qu'il ne se souciait pas de dissimuler. Il comprenait peut-être à merveille les personnages de ses romans mais il était d'une ignorance crasse quant aux subtilités de la vie réelle. C'était peut-être là son charme, cette innocence enfantine. Claudia ne découvrit que plus tard l'esprit brillant et passionnant qui se cachait derrière cette naïveté apparente. Il pouvait être drôle sans le vouloir, comme un enfant, et comme un enfant se montrer d'un égotisme maladif.

Ernest Vail, pendant le petit déjeuner d'affaire au Beverly Hills Hotel Polo Lounge, semblait le plus heureux des hommes. Ses romans lui avaient apporté la bienveillance de la critique et une somme d'argent gentillette, sans être mirifique. Mais voilà que son dernier livre avait crevé les ventes et allait être adapté à l'écran dans une super-production de la LoddStone. Vail s'était chargé de l'adaptation, et Bobby Bantz et Skippy Deere étaient en train de lui dire à quel point il avait fait un travail exemplaire. Et au grand étonnement de Claudia, Ernest Vail buvait leurs paroles comme du petit-lait, telle une starlette à un casting qu'on entraîne vers le canapé. Pas un seul instant, il ne semblait s'être demandé pourquoi une scénariste avait été conviée à ce rendez-vous ! Ce qui la laissait interdite, c'était que les mêmes Bantz et Deere, la veille, lui avaient dit que le scénario était merdique. Il ne fallait voir dans ce qualificatif aucune cruauté ni même le moindre jugement de valeur. Un scénario merdique était simplement une histoire qui ne tournait pas parfaitement rond.

Claudia n'était pas rebutée par la laideur de Vail — après tout, elle n'était guère mieux lotie que lui avant que la chirurgie esthétique n'opère son petit miracle. Sa crédulité et son enthousiasme juvénile avaient quelque chose de touchant.

— Ernest, nous avons demandé à Claudia de te donner un coup de main, annonça finalement Bantz. C'est une spécialiste, la meilleure dans sa branche, et elle fera de cette histoire un vrai scénario de film. Je sens que l'on va décrocher le gros lot et je te rappelle, Ernest, que tu as 10 p. 100 sur les bénéfices.

Claudia vit Ernest Vail mordre à l'hameçon. Le pauvre

bougre ne pouvait savoir que 10 p. 100 des bénéfices, c'était 10 p. 100 de zéro.

Vail semblait authentiquement ravi de l'aide qu'on lui proposait.

— Bonne idée. J'apprendrai des tas de choses grâce à elle. Écrire des scénarios est bien plus amusant que d'écrire des romans, mais c'est encore un peu nouveau pour moi.

— Ernest, tu as ça dans la peau, ça se sent, répondit Skippy Deere voulant se montrer rassurant. Une nouvelle carrière va s'ouvrir à toi. Et tu deviendras riche grâce à ce film si on fait le plein — en particulier si on a un Oscar !

Claudia observa les trois hommes. Deux escrocs et un pigeon — le trio classique à Hollywood. Elle aussi s'était laissé prendre au piège. Skippy Deere l'avait eue en beauté, au sens propre comme au figuré. Et pourtant, malgré cette trahison, elle ne pouvait s'empêcher d'éprouver une certaine admiration pour Skippy. Il semblait toujours d'une sincérité confondante.

Claudia savait que le projet ne s'engageait pas sous les meilleurs auspices ; l'illustrissime Benny Sly travaillait déjà sur le scénario de son côté, faisant du héros intellectuel de Vail un être hybride entre James Bond, Sherlock Holmes et Casanova. Il ne resterait rien du livre de Vail dans le film, excepté l'ossature générale.

C'est donc par compassion que Claudia accepta ce soir-là de dîner avec Vail, afin de mettre au point une méthode de travail pour cette écriture en commun. L'une des clés pour une collaboration réussie était de conjurer tout rapport autre que professionnel ; Claudia veilla donc à se présenter de la façon la moins attirante possible durant leurs séances de travail. Les histoires de cœur faisaient toujours mauvais ménage avec l'écriture.

A son grand étonnement, ces deux mois de collaboration firent naître une solide amitié entre eux deux. Lorsque Vail et Claudia furent radiés du projet le même jour, ils partirent faire une virée à Las Vegas. Claudia adorait jouer au casino et Vail avait le même vice. Elle présenta le romancier à son frère Cross et fut surprise de voir que les deux hommes s'entendaient à merveille. Tout les séparait pourtant. Ernest était un intellectuel qui n'avait aucun goût pour les sports et le golf et Cross n'avait pas ouvert un livre depuis des années.

— Je suis un parleur et lui est une oreille, commenta Vail lorsque Claudia voulut s'enquérir de ce prodige.

L'explication fut loin de la satisfaire.

Elle posa la même question à Cross, qui restait un grand mystère pour elle, bien qu'il fût son propre frère.

— Il inspire confiance, répondit Cross après avoir réfléchi un moment. On lit en lui comme à livre ouvert.

C'était la vérité. Ernest Vail, pour son plus grand malheur, n'avait aucun secret pour personne.

La liaison qu'elle eut avec Vail fut unique en son genre. Bien qu'il fût un romancier de grande renommée, il n'avait aucun pouvoir à Hollywood. On ne l'invitait donc nulle part ; au contraire, on le fuyait comme la peste. Ses articles dans les magazines portaient sur les grandes questions de société ; ses positions étaient politiquement incorrectes, mais toujours empreintes d'humour, ce qui avait le don d'agacer les deux clans. Il se moquait du processus démocratique aux États-Unis ; parlant du féminisme, il déclarait que les femmes resteraient toujours sous le joug des hommes tant que celles-ci ne feraient pas de musculation et conseillait aux féministes d'organiser d'urgence pour le sexe faible des stages d'entraînement para-militaire. A propos des problèmes raciaux, il écrivit un essai linguistique où il avançait que les Noirs devraient se faire appeler « personne de couleur » car le mot « noir » était trop souvent utilisé dans un sens péjoratif, tel que broyer du noir, noir comme le péché, et que le seul exemple à sa connaissance où ce qualificatif n'eût pas de connotation négative c'était dans le genre policier : le roman noir ou le film noir.

Mais les deux parties voyaient rouge lorsque Vail soutenait que toutes les races méditerranéennes, sans exception, Italiens, Espagnols, Grecs, devraient être rangées sous l'appellation « homme de couleur »...

Lorsqu'il abordait les problèmes sociaux, il prétendait que les gens riches étaient obligés de se montrer cruels et méfiants, et que les pauvres n'avaient d'autre choix que de verser dans le crime puisqu'il leur fallait transgresser des lois écrites par la classe riche pour protéger ses biens. Il disait également que toutes les formes de protection sociale n'étaient rien d'autre qu'un moyen d'acheter le silence des pauvres et de les empêcher de faire la révolution. Quant à la religion, elle devrait être déclarée d'utilité publique et prescrite comme un médicament.

Malheureusement, personne ne pouvait savoir s'il était sérieux ou non dans ces propos. Aucune de ces excentricités ne transparaissait dans ses livres; rien dans son œuvre ne pouvait donner quelque clé pour la compréhension du personnage.

Lorsque Claudia travailla avec lui sur l'adaptation de son roman, il se noua entre eux une réelle relation d'amitié. Vail était un élève enthousiaste, lui montrant le plus grand respect, et Claudia, de son côté, aimait son humour grinçant, et sa sincère préoccupation face aux problèmes sociaux. Elle était saisie par le peu de cas qu'il faisait de l'argent dans la vie courante et par l'attention obsessionnelle qu'il y portait en tant que symbole. Son ignorance des mécanismes du monde qui l'entourait et du jeu des pouvoirs, spécialement à Hollywood, était totale et magnifique. Ils s'entendaient si bien tous les deux, qu'un jour Claudia lui donna à lire le roman qu'elle avait écrit. Elle fut flattée de le voir arriver au studio dès le lendemain, avec à la main des notes de lecture.

Le roman avait fini par être édité grâce à sa notoriété de scénariste et à l'influence de son agent Melo Stuart. Il avait eu quelques timides éloges, avait été parfois tourné en dérision pour la simple raison que son auteur était scénariste, mais Claudia avait toujours beaucoup de tendresse pour son livre. Il ne se vendit pas, et n'intéressa aucun magnat du cinéma. Mais il existait, en tant qu'objet. Elle en avait dédicacé un exemplaire pour Vail. « Au plus grand romancier américain vivant », avait-elle écrit. Mais cette attention n'avait eu apparemment guère d'influence sur le jugement du maître...

— Tu as beaucoup de chance, Claudia, commenta Vail. Tu es une scénariste, mais pas une romancière. Tu n'as pas la fibre pour ça.

Puis sans malignité ni ironie, Vail passa la demi-heure suivante à démonter son livre, ligne par ligne, pour lui montrer à quel point c'était un travail vain et inepte, sans charpente, sans résonance intérieure, sans personnage consistant

— même ses dialogues, d'ordinaire le point fort de Claudia, étaient consternants, une succession de mots d'auteur tournant à vide. C'était une mise à mort brutale, mais réalisée avec une logique si implacable que Claudia fut dans l'obligation de reconnaître que Vail disait vrai.

Il termina son analyse par ce qui lui semblait être une parole gentille :

— C'est un bon petit livre pour midinettes de dix-huit ans. Tous les défauts que j'ai cités pourraient être corrigés par le travail, l'expérience et les années aidant. Mais il y a une chose rédhibitoire contre laquelle personne ne peut rien : c'est que tu as un style de chiotte.

A ces mots, Claudia, bien que blessée, se rebiffa. Certains critiques avaient justement vanté la qualité lyrique de son écriture.

— Ce n'est pas vrai ! lança-t-elle. J'ai écrit des phrases irréprochables. Et la chose que j'admire le plus dans tes livres, c'est justement la poésie de ton style.

Pour la première fois, Vail esquissa un sourire.

— Merci du compliment. Mais je n'ai jamais cherché à être poétique. Mon style naît de l'émotion portée par les personnages. Le tien, ta poésie, c'est quelque chose de plaqué, de complètement artificiel.

Claudia fondit en larmes.

— Tu n'es qu'un salaud ! balbutia-t-elle. Comment peux-tu me lancer des horreurs pareilles. Cela te ferait mal de dire une chose positive ?

Vail sembla amusé.

— Hé ! Tu es tout à fait capable d'écrire des pages éditables, si tu veux, et mourir de faim. Mais à quoi bon, lorsqu'on est une surdouée comme toi du scénario. Et en ce qui concerne mon côté négatif, je suis désolé. Je ne sais pas grand-chose, mais là je sais de quoi je parle. Tu ne crois pas ?

— Tu dois avoir raison, mais tu prends un malin plaisir à me torturer.

Ernest la considéra un moment sans rien dire.

— Tu es douée, affirma-t-il. Tu as le chic pour les dialogues de film, tu n'as pas ton pareil pour nouer une intrigue. Tu es faite pour le cinéma. Pourquoi vouloir être forgeron lorsqu'on sait construire des bolides de course ? Tu es une enfant de l'écran, pas de l'encre et du papier.

Claudia le regarda, les yeux écarquillés d'incrédulité.

— Tu ne te rends même pas compte à quel point tes paroles sont blessantes.

— Détrompe-toi. Je dis ça pour ton bien.

— Quand je t'entends parler, je ne peux pas croire que c'est la même personne qui a écrit tous ces livres sublimes, persifla-t-elle. Personne ne pourrait croire une chose pareille. Cela dépasse l'entendement.

— C'est vrai, concéda Vail en pouffant de rire. J'en suis assez fier, d'ailleurs

Durant la semaine qui suivit, Vail garda une certaine distance à son égard pendant leurs séances de travail. Il supposait que leur amitié était terminée. Finalement, Claudia prit les devants :

— Ernest, ne sois pas si coincé. Je ne t'en veux pas. Je crois même que tu avais raison. Mais pourquoi diable fallait-il que tu te montres aussi brutal ? J'ai même cru un moment que c'était par machisme que tu te complaisais à m'humilier. Les hommes rabaissent les femmes pour pouvoir les mettre plus facilement dans leur lit, c'est bien connu. Je sais que tu n'as pas l'esprit assez retors pour faire une chose pareille, mais pour l'amour du ciel, ajoute un peu d'eau pour faire passer la pilule.

Ernest haussa les épaules.

— Je n'ai qu'une passion dans la vie, Claudia. Qu'est-ce qui me resterait si je perdais mon honnêteté en ce domaine ? Si j'ai été aussi brutal, c'est parce que je t'aime beaucoup. Tu ne sais pas à quel point tu es quelqu'un de rare.

— A cause de mon talent, de mon intelligence, ou de ma beauté ? demanda Claudia avec un sourire.

— Non, non ! répliqua Vail en agitant la main. Tu es rare parce que tu es bénie du Ciel, parce que tu es faite pour le bonheur. Aucun drame ne t'a brisé les ailes. Voilà ce qui est exceptionnel chez toi.

Claudia médita un moment ces paroles.

— Tu sais, reprit-elle finalement, il y a quelque chose d'insultant dans tes paroles. Est-ce à dire que je serais fondamentalement débile ? — Elle se tut un instant — C'est vrai qu'il est de bon ton aujourd'hui d'être sinistre.

— Exact. Pourtant, j'ai beau être sinistre, on ne se bouscule pas au portillon pour venir me tenir compagnie !

Ils éclatèrent de rire et Claudia le serra dans ses bras.

— Je te remercie de ton honnêteté envers moi, lança-t-elle.

— Essaie, à l'avenir, de te prendre un peu moins au sérieux. Comme disait ma mère, la vie est une caisse de grenades et on ne sait jamais laquelle te pétera au nez.

— Bigre ! pourquoi faut-il toujours que tu sois aussi sentencieux ! Tu ne seras jamais un bon dialoguiste de cinéma, c'est évident !

— Mais c'est pourtant la vérité vraie.

Avant que s'achève leur collaboration, Claudia avait entraîné Vail dans son lit. Elle avait envie de le voir sans ses vêtements — pour parler vraiment, avoir un réel échange.

Dans le domaine de l'amour, Ernest Vail montrait davantage d'enthousiasme que d'adresse et manifestait plus de gratitude que les autres hommes. Et le grand cadeau pour Claudia, c'était qu'il adorait parler après avoir fait l'amour, la nudité n'inhibant en rien son côté professoral et ses jugements tranchés. Elle aimait le voir nu. Sans ses habits, Vail semblait avoir la vivacité et la fougue d'un singe ; il avait d'ailleurs une pilosité en rapport — une belle toison sur le poitrail et des touffes de poils hirsutes sur tout le dos. Il avait aussi une sorte de gourmandise simiesque et s'accrochait au corps de Claudia comme si elle était un grand fruit suspendu à une branche. Cette impétuosité amusait la jeune femme ; elle adorait jouer la grande comédie du sexe. Le fait qu'il fût connu dans le monde entier, qu'elle l'ait vu de nombreuses fois à la T.V., ajoutait du piquant à l'affaire ; elle l'avait trouvé à l'écran un peu pompeux, un peu moralisateur quand il dissertait sur la littérature et l'état déplorable dans lequel se trouvait le monde, l'air si digne et solennel avec son inséparable pipe éteinte, sa veste de tweed de vieux professeur et ses ronds de cuir aux coudes. Alors qu'Ernest était si amusant au lit, le contraire même de l'image qu'il donnait de lui à la T.V. ! Le moins que l'on pouvait dire, c'est qu'il passait mal à l'écran !

Il ne fut jamais question d'amour, ni d'une véritable « liaison ». Claudia n'en avait pas besoin et Vail n'avait qu'une perception livresque de l'amour. Il avait trente ans de plus qu'elle, et peu à offrir, si ce n'était son renom d'écrivain. Ils n'avaient rien en commun hors la littérature, et ils étaient tous deux d'accord pour dire qu'il n'y avait pas de bases plus catastrophiques pour fonder un couple.

Mais Claudia aimait discuter avec lui. Vail soutenait que le cinéma n'était pas un art, que les films continuaient une régression sémantique vers les peintures rupestres du paléolithique. Le cinéma n'avait pas de langage propre et puisque l'évolution humaine dépendait du langage, les films représentaient une forme de communication dégénérée, un art mineur.

— Alors la peinture, ce n'est pas de l'art, Bach et Beethoven non plus, pas plus que Michel-Ange ! Tu dis n'importe quoi...

C'est alors qu'elle s'aperçut qu'il la taquinait ; il adorait la provoquer — mais par prudence, il attendait qu'ils aient fait l'amour pour jouer à ce petit jeu-là.

Au moment où ils furent radiés du projet, ils étaient déjà devenus amis. Lorsque Ernest retourna à New York, il offrit à Claudia une petite bague avec quatre pierres de couleurs différentes. Le bijou ne paraissait pas avoir une grande valeur, mais c'était une belle pièce qu'il avait passé un temps fou à dénicher chez les antiquaires. Claudia ne quitta plus jamais cette bague, qui devint une sorte de porte-bonheur pour elle.

Mais son départ pour New York signifiait la fin de leur relation sexuelle. Lorsqu'il reviendrait à Los Angeles — si tant est qu'un jour il y revînt — Claudia aurait sans doute une liaison avec quelqu'un d'autre. Vail savait de toute façon que leur histoire avait été plus amicale que sexuelle.

En guise de cadeau d'adieu, Claudia lui ouvrit les yeux sur Hollywood. Elle lui annonça que leur scénario était totalement réécrit par Benny Sly, le Grand Remanieur pour qui les Oscars avaient spécialement inventé un prix. Il n'avait pas son pareil pour transformer des histoires jugées anticommerciales en super-production faisant exploser le box-office. Il ferait sans nul doute du roman d'Ernest un film que l'auteur détesterait mais qui se révélerait une mine d'or.

Vail haussa les épaules.

— Ce n'est pas grave, j'aurai toujours 10 p. 100 des bénéfices. Je serai riche.

Claudia le regarda d'un air horrifié.

— Riche ? s'écria-t-elle. Tu crois au Père Noël ? Tu ne

verras jamais la couleur d'un billet, quel que soit l'argent que le film rapportera. La LoddStone n'a pas son pareil pour faire disparaître les dollars. J'avais une participation aux bénéfices sur cinq films et je n'ai jamais touché un sou. Je ne vois pas pourquoi ce serait différent pour toi.

Vail haussa de nouveau les épaules, semblant curieusement faire peu de cas de cette nouvelle.

Les deux aventures suivantes de Claudia eurent d'étranges échos avec la maxime de la mère de Vail : la vie est une caisse remplie de grenades. Pour la première fois de son existence, elle manqua cruellement de lucidité. Elle eut tout d'abord un coup de cœur pour un jeune réalisateur ayant le vent en poupe — le pire amant qui fût, selon ses critères. Puis elle tomba amoureuse comme une midinette d'un acteur qui faisait tourner la tête de la plupart des femmes de la planète. Dans les deux cas, fiasco assuré.

La satisfaction qu'elle put éprouver à l'idée de séduire des mâles Alpha se volatilisa rapidement lorsqu'elle s'aperçut de la façon dont ils la traitaient.

Le réalisateur, un jeune loup antipathique à peine plus âgé qu'elle, avait fait trois grands coups qui non seulement avaient été encensés par la critique mais qui avaient rapporté une coquette somme d'argent. Tous les studios le courtisaient. La LoddStone signa avec lui un contrat pour trois films et lui offrit Claudia pour remanier le scénario qu'il projetait de tourner.

Il avait une vision claire et précise de ce qu'il voulait, et c'était là l'une de ses qualités. Au début, il se montra condescendant avec Claudia parce qu'elle était une femme et une scénariste de surcroît, deux statuts inférieurs dans l'échelle sociale d'Hollywood. Ils se disputèrent immédiatement.

Il lui demanda d'écrire une scène qui, aux yeux de Claudia, ne servait en rien au fil de l'intrigue. Elle reconnaissait que cette scène pouvait être impressionnante sur l'écran mais que ce n'était que de la poudre aux yeux, un prétexte pour montrer le savoir-faire du réalisateur.

— Je ne peux pas écrire cette scène, annonça-t-elle. Elle est complètement hors contexte. Ce n'est que de l'action et des mouvements de caméra.

— C'est l'essence même des films, je vous le rappelle, rétorqua sèchement le metteur en scène. Alors écrivez-moi cette scène comme je vous le demande.

— Je n'ai aucune envie de perdre mon temps ni de vous faire perdre le vôtre, répondit Claudia. Écrivez-la donc avec votre caméra si vous êtes si fort.

Le réalisateur ne fit pas même l'effort de piquer une colère et répliqua aussitôt :

— Vous êtes virée. Vous n'êtes plus sur le film, lâcha-t-il en claquant dans ses mains. Fini.

Skippy Deere et Bobby Bantz les firent toutefois se réconcilier — la seule raison de ce rabibochage forcé était que le réalisateur avait été intrigué par le fort caractère de Claudia. Le film fut un succès et Claudia dut reconnaître que la réussite du projet revenait davantage au talent du réalisateur qu'à ses prouesses scénaristiques. Elle n'avait pas su entrer dans l'univers intérieur du metteur en scène. Ils se retrouvèrent au lit presque par hasard, mais le réalisateur lui réserva, dans ce champ d'activité, une mauvaise surprise. Il refusa catégoriquement de se dénuder et il fit l'amour sa chemise encore sur les épaules. Mais Claudia avait des rêves plein la tête, les voyant faire de grands films tous les deux. Ils seraient la plus belle association réalisateur-scénariste de tous les temps. Elle était prête à jouer les secondes mains, à se dévouer corps et âme pour le génie de son compagnon. Ils élèveraient le cinéma au rang d'art majeur et deviendraient à eux deux une légende vivante. Leur liaison dura un mois, et se termina le jour où Claudia lui demanda son avis sur le scénario de *Messalina* qu'elle venait de boucler. Après l'avoir lu, il le lança à côté de lui avec dédain.

— C'est de l'élucubration féministe avec un peu de cul, annonça-t-il. Tu es une fille intelligente, mais je ne me vois pas passer un an de ma vie à faire un film pareil.

— Ce n'est qu'un premier jet, précisa Claudia.

— Sache que je déteste les gens qui essaient de tirer avantage de leurs relations privées dans l'espoir de monter un film, rétorqua le jeune réalisateur.

Tout amour se volatilisa dans l'instant chez Claudia. Ces paroles la révoltaient.

— Et toi, sache que je n'ai nul besoin de coucher avec toi pour monter un film ! s'indigna-t-elle.

— Bien sûr. Tu as du talent et tu as la réputation d'être un bon coup dans le métier.

Claudia était littéralement mortifiée. Elle ne lui avait jamais parlé de ses autres partenaires. Elle détestait ce ton persifleur — comme si les femmes devaient, seules, porter le péché de ce qui se faisait à deux.

— Tu es doué, mais un homme qui garde sa chemise pour faire l'amour doit avoir une réputation peu enviable, se défendit-elle. Et moi, au moins, je n'ai jamais entraîné qui que ce soit dans mon lit en lui faisant miroiter un rôle dans mon prochain film.

Ce fut le point final de leur liaison et Claudia commença à songer à Dita Tommey pour réaliser *Messalina*. Seule une femme pourrait tirer toute la substantifique moelle de son scénario.

Qu'il aille au diable ! songea Claudia. Ce connard ne s'est jamais entièrement déshabillé et n'aimait pas parler après l'amour. C'était peut-être un petit génie de l'image, mais il avait oublié le langage en chemin. Et pour un génie, il était particulièrement rasoir, sauf lorsqu'il parlait cinéma.

Claudia approchait maintenant de la grande courbe que décrivait la Pacific Coast Highway; l'océan semblait un grand miroir où se reflétaient les montagnes qui la surplombaient à sa droite. C'était son endroit favori. Les merveilles de la nature lui donnaient toujours le frisson. Il ne lui restait plus que dix minutes de route avant d'arriver à Malibu Colony où habitait Athena. Les deux femmes avaient eu, à des moments différents, le même amant, et à cette pensée, Claudia ressentit une bouffée de fierté : un homme ayant aimé Athena avait pu l'aimer elle...

Le soleil était à son zénith. Il faisait étinceler les vagues du Pacifique comme de gros diamants. Claudia freina brusquement. Un delta-plane avait manqué de lui foncer dessus. Elle vit la pilote, une jeune femme casquée et bottée, un sein saillant de son chemisier, lui faire un petit coucou tout en planant vers la plage. Pourquoi les laissait-on faire? Qu'est-ce que fichait la police? Elle secoua la tête d'un air agacé et rappuya sur l'accélérateur. Le trafic se clairsemait et la route s'enfonça dans les terres, si bien que l'océan disparut de sa vue. Mais deux kilomètres plus loin, il réapparaîtrait devant elle. C'est comme l'amour, songea Claudia avec un demi-sourire. Le vrai amour revient toujours.

Lorsque Claudia tomba réellement amoureuse, ce fut une épreuve douloureuse certes, mais riche d'enseignement. N'importe qui d'autre aurait commis la même imprudence, car l'être aimé était Steven Stallings, une super star pour qui toutes les femmes du globe se pâmaient. Il avait une beauté virile et farouche, un charme authentique et de l'énergie à revendre, savamment entretenue grâce à une utilisation avisée de la cocaïne. Il était aussi un formidable acteur. Mais par-dessus tout, c'était un Don Juan dans l'âme. Il culbutait tout ce qui lui passait entre les mains. Que ce soit en Afrique, dans une petite bourgade de l'Est, à Bombay, Singapour, Tokyo, Londres, Rome ou Paris, il fallait qu'il saute toutes les filles du coin. C'était pour lui un acte de charité chrétienne, une aumône de sa personne offerte aux démunies. Il n'était jamais question de relation suivie — est-ce qu'un mendiant était invité à la table de son bienfaiteur ? Toutefois, Stallings se trouva si satisfait de Claudia que leur liaison dura vingt-sept jours.

Ce furent, pour elle, vingt-sept jours de joie et de souffrance. Steven Stallings, grâce à la drogue, était un amant hors pair. Il était encore plus à l'aise nu que Claudia. Il avait réellement un corps d'Apollon. Souvent, elle le surprenait en train de s'inspecter devant un miroir, comme une coquette ajustant son chapeau.

Claudia n'était, certes, qu'une des pouliches de son écurie. Lorsqu'ils avaient rendez-vous, il la prévenait par téléphone qu'il aurait une heure de retard et débarquait chez elle six heures plus tard. Parfois, il annulait tout bonnement. Claudia ne représentait qu'un point de chute pour la nuit. Lorsqu'il faisait l'amour, il insistait pour qu'elle prenne de la cocaïne avec lui ; c'était amusant sur le moment, mais cela mettait son esprit tellement sens dessus dessous qu'elle ne pouvait plus travailler et qu'elle écrivait n'importe quoi les deux jours suivants. Peu à peu, elle voyait se dresser devant elle le spectre de son pire cauchemar : devenir une femme qui passait son temps à attendre les bonnes grâces de son homme.

Qu'elle fût seulement son quatrième ou cinquième choix était pour le moins humiliant ; mais elle ne lui en voulait pas. La faute incombait à elle seule. Après tout, avec sa notoriété, Steven Stallings pouvait s'offrir toutes les filles de la terre et elle devait s'estimer heureuse de faire partie des rares élues. Stallings vieillirait, perdrait peu à peu son charme, son renom, forcerait de plus en plus sur la cocaïne. Il fallait qu'il en profite tant que les cartes étaient de son côté. Claudia était amoureuse — et, pour quasiment la première fois de sa vie, au fin fond du désespoir.

Le vingt-septième jour donc, lorsque Steven appela pour annoncer qu'il aurait une heure de retard, Claudia décida d'en finir.

— Ne te fatigue pas, Steven, annonça-t-elle. Je quitte le harem.

Il y eut un petit moment de silence.

— C'était vraiment bien tous les deux, répondit-il, l'air nullement surpris. On reste amis, j'espère ?

— Compte là-dessus, rétorqua Claudia avant de raccrocher.

Pour la première fois après une séparation, Claudia ne voulait pas garder de « bonnes relations ». Ce qui l'agaçait le plus, c'était la stupidité dont elle avait fait montre. L'attitude de Stallings n'était, à l'évidence, qu'une façon comme une autre de la faire rompre — et il lui avait fallu un mois pour s'en rendre compte... Quelle idiote ! Comment avait-elle pu être aussi naïve ? Elle fondit alors en larmes ; mais au bout d'une semaine, elle commença à se trouver très bien toute seule. Elle retrouvait son indépendance et pouvait recommencer à travailler. Quel plaisir de réécrire avec les idées claires, sans cocaïne et sans amour pour vous troubler les sangs !

Piquée au vif par la réaction méprisante de son petit génie de réalisateur, Claudia retravailla *Messalina* comme une forcenée pendant six mois.

Le scénario de départ était un grand pamphlet féministe, mais cinq ans d'expérience dans le milieu du cinéma lui avaient appris à enrober ses histoires avec des ingrédients beaucoup plus primaires, tels que la cupidité, le sexe, la violence et une foi d'airain en l'humanité. Elle devait écrire non seulement un grand rôle pour Athena Aquitane, mais également au moins trois seconds rôles conséquents pour d'autres actrices. Les bons rôles féminins étaient si rares que son scénario attirerait toutes les stars du box-office. Autre point essentiel : le méchant devait être plein de charme — séduisant, sans pitié et d'une grande intelligence. Pour ce faire, Claudia s'inspira des souvenirs qu'elle gardait de son père.

Au début, elle pensa faire appel à une productrice indépendante ayant ses entrées à Hollywood, mais la plupart des décideurs des grands studios à pouvoir donner le feu vert étaient des hommes. Même s'ils aimaient le scénario, ils auraient eu peur que leur bébé, avec une femme à la production et une femme à la réalisation, ne devienne un film de propagande féministe. Ils auraient donc exigé qu'il y ait au moins un homme parmi les postes clés. Or Claudia tenait à avoir Dita Tommey comme réalisatrice.

Dita accepterait sans hésitation puisqu'il devait s'agir d'une super-production. Si c'était un succès, le film la propulserait dans la cour des réalisateurs-vedettes du moment. Et si c'était un fiasco financier, avoir fait ce long métrage assoirait de toutes façons sa notoriété dans le métier. Faire un flop avec un film à gros budget était souvent plus bénéfique en terme d'image que de faire un succès avec un petit film.

Un autre point pèserait dans la balance : Dita Tommey, aimant exclusivement les femmes, pourrait approcher, grâce à ce tournage, quatre superbes créatures.

Claudia avait également choisi Dita parce qu'elle gardait un bon souvenir de leur collaboration quelques années plus tôt. Dita était une femme très directe, très intelligente et pleine de talent. En outre, elle n'était pas une de ces « tueuses de scénaristes » qui faisaient appel à des amis pour la réécriture dans le seul but d'avoir une part des honneurs. Dita n'avait jamais revendiqué son nom au scénario sans y avoir effectué un réel travail. Par ailleurs, elle n'était pas adepte du harcèlement sexuel à l'inverse de la plupart des metteurs en scène masculins avec leurs vedettes féminines — quoique parler de « harcèlement sexuel » était un peu déplacé en la circonstance puisque toute l'industrie du cinéma reposait sur le commerce du sexe et de la séduction.

Claudia veilla à ce que Skippy Deere reçoive le scénario un vendredi — il ne lisait les textes avec attention que durant le week-end. Claudia considérait Skippy, malgré le coup en traître qu'il lui avait fait, comme le meilleur producteur de la ville. En outre, elle était incapable de tirer un trait définitif sur une relation de longue date. L'astuce porta ses fruits : Claudia reçut un appel le dimanche matin. Il voulait la voir au déjeuner le jour même.

Claudia lança son portable sur le siège passager de sa Mercedes, et se mit en tenue de travail — jean délavé, chemise d'homme en coton et tennis, les cheveux retenus en arrière par un foulard rouge.

Elle prit l'Ocean Avenue à Santa Monica. Dans le parc de Palisades qui séparait l'Ocean Avenue de la route côtière, elle aperçut les sans-abri de Santa Monica qui se rassemblaient pour recevoir leur collation dominicale. Des bénévoles leur apportaient à boire et à manger tous les dimanches dans l'air pur du parc, faisant la navette entre les bancs et les tables de pique-nique en bois. Claudia passait toujours par là pour se souvenir qu'il existait un autre monde que le sien, où les gens n'avaient ni Mercedes, ni piscine privée et ne faisaient pas leurs emplettes sur Rodeo Drive. Dans les années passées, elle se portait souvent volontaire pour aller servir les repas, aujourd'hui elle se contentait d'envoyer un chèque à l'église qui s'occupait de la distribution. C'était devenu trop douloureux de passer d'un monde à l'autre — tout désir de réussite, chez elle, se retrouvait annihilé. Elle ne pouvait s'empêcher d'observer ces gens, vêtus de haillons, leurs vies ruinées, qui, pour certains, gardaient une étrange dignité. Vivre ainsi sans espoir lui semblait inconcevable et pourtant ce n'était qu'une question d'argent, ce même argent qui coulait à flots pour elle grâce à ses scénarios. Elle gagnait davantage en six mois que ce que ces personnes pourraient gagner durant toute leur existence.

Une fois arrivée chez Skippy Deere à Beverly Hills, Claudia fut conduite par le maître d'hôtel jusqu'à la piscine avec son bassin bleu turquoise et ses cabines de bains jaune citron. Skippy était installé sur une chaise longue capitonnée. A côté de lui, sur une petite table de marbre s'élevait une pile de scénarios. Il avait chaussé ses lunettes de lecture à monture rouge qu'il ne portait que chez lui. Dans sa main, un grand verre d'Évian glacé.

— Ah! Claudia, lança-t-il en se levant pour l'embrasser. Nous avons du pain sur la planche!

En entendant ses paroles, elle sut tout de suite à quoi s'en tenir. La réponse était généralement contenue dans le ton même de la voix; des éloges respectueux signifiaient un non sans appel. Un enthousiasme débordant d'admiration était d'ordinaire suivi par l'énoncé de trois bonnes raisons de ne pas acheter le scénario — un autre studio traitait le même thème, on ne pouvait avoir la distribution idéale pour le film, ou bien il s'agissait d'un sujet tabou. Mais la voix de Skippy était celle d'un homme d'affaires flairant le marché juteux. Il parlait argent et pouvoir décisionnel. Cela voulait dire « oui ».

— Cela risque d'être un gros film, expliquait-il à Claudia. Un très gros film. Il ne faut pas lésiner sur les moyens avec un sujet pareil. On voit bien où tu veux en venir avec cette histoire — c'est fait très intelligemment, mais c'est sur le sexe que je pourrais vendre le truc à un studio. Bien sûr, pour avoir les stars féminines, je jouerai la carte du féminisme. Et on pourra s'offrir une tête d'affiche chez les hommes à condition que tu adoucisses un peu ton méchant, que tu lui donnes quelques scènes où il se montre un brave type. Je sais que tu veux être co-productrice du projet; entendu, mais c'est moi qui décide. Tu as ton mot à dire, bien sûr; je reste ouvert à toutes suggestions raisonnables.

— Je veux choisir le réalisateur, annonça Claudia.

— Tout le monde veut choisir le réalisateur; le scénariste, le studio et les stars! lança Skippy en riant.

— Je ne lâche pas mon scénario si je n'ai pas le réalisateur que je veux, insista Claudia.

— Ça va, fit Skippy. Annonce d'abord au studio que tu veux réaliser, puis fais marche arrière. Ils seront si soulagés qu'ils te laisseront prendre qui tu veux. — Il marqua un temps d'arrêt — Tu as quelqu'un en tête?

— Dita Tommey, répondit Claudia.

— Parfait. C'est un choix judicieux, reconnut Skippy. Toutes les actrices l'adorent. Le studio aussi. Elle ne dépasse pas le budget et n'est pas du genre à vivre aux crochets de la production. Mais on s'occupe d'abord de la distribution tous les deux, avant de la faire venir.

— A qui comptes-tu proposer le film?

— A la LoddStone. On travaille ensemble depuis assez longtemps pour qu'ils me laissent choisir la distribution et le réalisateur sans trop rechigner. Claudia, tu as écrit un scénario idéal. Intelligent, excitant, avec un vrai regard sur le féminisme des premiers âges, et c'est un thème porteur aujourd'hui. Et avec du sexe, en plus. En faisant justice à Messaline, tu fais justice à toutes les femmes. Je vais annoncer notre affaire à Melo et à Molly Flanders; elle pourra se mettre en rapport avec le bureau exécutif de la LoddStone.

— Espèce de salaud, lança Claudia. Tu en as déjà parlé à la LoddStone!

— Hier soir, avoua Skippy avec un sourire malicieux. Je leur ai apporté le scénario et ils m'ont donné le feu vert si j'arrive à monter l'affaire. Allez Claudia, ne me raconte pas d'histoires; je sais que tu as Athena dans ta poche pour ce film, et que c'est pour cette raison que tu ne veux rien lâcher. — Il se tut un instant — C'est du moins ce que j'ai dit à la LoddStone. Alors, au boulot!

Voilà comment avait démarré ce grand projet. Elle n'allait pas maintenant tout laisser s'écrouler.

Claudia approchait à présent du carrefour où elle devait prendre sur sa gauche une petite route qui menait à la Malibu Colony. Pour la première fois depuis le début de cette affaire, elle sentit une bouffée de panique l'envahir. Athena avait une telle fermeté de caractère, comme la plupart des vedettes, qu'elle ne changerait jamais d'avis. Tant pis. Si Athena refusait d'entendre raison, elle sauterait dans un avion et irait à Las Vegas, demander un coup de main à son frère. Cross ne lui avait jamais fait faux bond — ni quand ils étaient enfants, ni quand elle était partie vivre à Sacramento, ni quand leur mère était morte.

⁂

Claudia se souvenait des grandes fêtes à Long Island, chez les Clericuzio. Une demeure qui semblait tout droit sortie d'un conte de Grimm, enclose de murs infranchissables, avec des figuiers où elle passait son temps à jouer avec Cross. Il y avait deux groupes de garçons, entre huit et douze ans. Le groupe adverse était conduit par Dante Clericuzio, le petit-fils du vieux Don Domenico, dont la silhouette imposante se profilait derrière une fenêtre de l'étage, tel un dragon omniscient.

Dante était un garçon belliqueux; il adorait se battre, être le grand chef; le seul garçon qui osait le défier en combat singulier, c'était son frère, Cross. Souvent Dante clouait Claudia par terre et la rouait de coups dans l'espoir d'obtenir sa soumission; Cross apparaissait à chaque fois pour la sauver et les deux garçons se battaient. Le plus surprenant, c'était la sérénité qu'affichait Cross devant la férocité de Dante. En outre, il avait toujours le dessus.

Voilà pourquoi Claudia ne comprenait toujours pas le choix de sa mère. C'est Cross qu'elle aurait dû aimer le plus. Cross était si exceptionnel. Il avait montré sa grandeur d'âme en choisissant de rester avec son père. Il était pourtant évident, aux yeux de Claudia, qu'il aurait préféré vivre avec sa mère et sa sœur.

Dans les années qui suivirent la séparation, la famille parvint à conserver une relative cohésion. Claudia comprit, en surprenant des bribes de conversations, en décodant certains gestes de gens de leur entourage, que Cross avait acquis le même degré de respectabilité que son père. Malgré la rupture du couple, l'affection entre Claudia et son frère resta aussi forte, même si elle revêtit une forme différente. Claudia habitait avec sa mère à Sacramento tandis que Cross résidait à Las Vegas, en compagnie de son père. Ils se rendaient toutefois régulièrement visite, jusqu'à ce que Claudia entre à l'université. C'est alors que, peu à peu, Claudia prit conscience du gouffre qui les séparait. Cross faisait partie du clan Clericuzio, et elle en était étrangère.

Deux ans après le départ de Claudia pour Los Angeles, alors qu'elle avait fêté son vingt et unième anniversaire, on dépista chez sa mère un cancer. Cross, qui travaillait alors avec Gronevelt au Xanadu et venait de faire ses premières armes pour les Clericuzio, fit le voyage et passa deux semaines à Sacramento. Il engagea des infirmières pour assurer une surveillance nuit et jour, ainsi qu'une cuisinière et une femme de chambre. Cross, Claudia et leur mère vécurent de nouveau tous les trois comme avant l'explosion de la famille. Nalene interdit à Pippi de venir lui rendre visite.

Le cancer affecta la vue de Nalene, si bien que Claudia lui faisait la lecture — magazines, journaux, livres. Cross se chargeait des courses, faisait parfois un saut à Las Vegas dans l'après-midi pour régler une affaire urgente au Xanadu, mais rentrait toujours le soir.

La nuit, Cross et Claudia se relayaient au chevet de leur mère. Bien qu'elle fût sous forte dose de calmant, Nalene continuait à étreindre leurs mains avec une force surprenante. Parfois, elle délirait et croyait que ses enfants étaient encore petits. Une nuit, elle fondit en larmes et implora pardon à Cross pour ce qu'elle lui avait fait. Cross dut la prendre dans ses bras pour la réconforter, lui dire que tout était pour le mieux.

Durant les longs après-midi, alors que leur mère dormait sous l'effet des anti-douleurs, Cross et Claudia se racontaient leurs vies dans le menu.

Cross expliquait qu'il avait vendu la Collection Agency et pris ses distances avec les Clericuzio, bien qu'ils aient usé de leur influence pour lui faire obtenir ce poste au Xanadu. Il laissa entendre, d'ailleurs, qu'il avait un certain pouvoir à l'hôtel et que Claudia pouvait venir quand bon lui semblait, tous frais payés, chambre, nourriture, et boisson. Voyant l'étonnement de Claudia, Cross répondit de façon laconique, avec une pointe de fierté à peine perceptible :

— C'est moi qui tiens les comptes maintenant.

Claudia jugea cette fierté un peu triste et ridicule.

La mort de la mère affecta davantage la fille que le fils, mais l'épreuve les avait de nouveau rapprochés. Ils avaient retrouvé leur connivence d'enfants. Claudia fit alors souvent le voyage jusqu'à Las Vegas ; elle rencontra Gronevelt et nota la relation forte que le vieil homme entretenait avec Cross. Durant ces années, Claudia s'aperçut que son frère avait un réel pouvoir, mais elle ne fit jamais le rapprochement entre ce pouvoir et les Clericuzio. Depuis que Claudia avait coupé les ponts avec la famille, n'assistant ni aux mariages, ni aux funérailles, ni aux baptêmes, elle ne pouvait se douter que Cross faisait encore partie du noyau familial. Cross ne lui en parla jamais. Elle ne voyait, également, que très rarement son père qui ne lui témoignait guère d'intérêt.

Le réveillon du jour de l'an était l'événement le plus important de Las Vegas, des gens venus des quatre coins du pays déferlaient en ville pour jouer au casino, et pourtant, Cross réservait toujours une suite pour Claudia. Claudia n'était pas une grosse joueuse, mais un soir de réveillon elle s'oublia quelque peu. Elle était accompagnée par un jeune acteur — sans doute avait-elle voulu l'impressionner? Toujours est-il qu'elle se laissa emporter par la frénésie du jeu et signa une ardoise de cinquante mille dollars. Cross débarqua dans sa suite avec la note. Il avait une curieuse expression sur le visage. Claudia la reconnut aussitôt. C'était l'expression de son père.

— Claudia, je t'ai toujours crue plus intelligente que moi. Qu'est-ce que ça veut dire?

Claudia se sentit un peu honteuse. Cross l'avait souvent mise en garde : ne jouer que des petites sommes, ne jamais surenchérir lorsqu'elle perdait et ne jamais jouer plus de deux ou trois heures d'affilée, le temps étant le piège le plus redoutable du joueur débutant. Claudia était passée outre tous ses beaux principes...

— Cross, donne-moi deux semaines et je paierai ma dette.

La réaction de son frère la laissa interdite.

— Je préférerais encore te tuer plutôt que de te laisser payer.

D'un geste théâtral, il déchira les coupons et les fourra dans sa poche.

— Écoute-moi bien. Si je t'invite ici c'est pour te voir, et non pour te prendre ton argent. Tu ne peux pas gagner, rentre-toi ça dans la tête. Cela n'a rien à voir avec la chance. C'est mathématique.

— D'accord, d'accord, balbutia-t-elle.

— Je me fiche de devoir déchirer ces notes, mais je déteste te voir te comporter comme une idiote.

L'incident fut clos, mais Claudia resta perplexe. Était-il possible que son frère eût autant de pouvoir au Xanadu? Gronevelt était-il au courant? Approuvait-il que Cross fasse ce genre de cadeau?

Il y eut d'autres événements troublants de ce genre, mais le plus inquiétant fut cette histoire avec Loretta Lang...

Loretta était la chanteuse et danseuse vedette du Xanadu Follies Show. Elle avait une belle gouaille et un humour acerbe qui avaient charmé Claudia. Cross fit les présentations après le spectacle.

Loretta Lang était aussi charmante à la ville qu'à la scène. Claudia remarqua toutefois que Cross était loin d'être sous le charme ; au contraire, il semblait passablement agacé par l'esprit piquant de Loretta.

Lors de son séjour suivant au Xanadu, Claudia avait invité Melo Stuart à assister au Follies Show. Melo était venu uniquement pour faire plaisir à Claudia, sans se faire d'illusion. Il regarda le spectacle, avec un œil d'expert.

— Cette fille est fantastique ! annonça-t-il finalement à Claudia. Pas comme chanteuse ou danseuse. Mais elle a un sens inné du comique. Une femme avec ce don, ça vaut de l'or.

Une fois dans les coulisses, Melo sortit le grand jeu.

— Loretta, je vous ai adorée. Vraiment adorée. Vous savez ce que cela signifie ? Vous pouvez venir à L.A. la semaine prochaine ? Je vais vous faire tourner des bouts d'essai et les montrer à un ami qui travaille pour un grand studio. Mais d'abord, vous devrez signer avec mon agence. Il faudra que je me démène pas mal avant de pouvoir rentrer dans mes frais. C'est le métier qui veut ça, mais sachez que je vous trouve formidable et que je crois en vous.

Loretta se jeta dans les bras de Melo. Il n'y avait nul simulacre dans ce geste. Simplement de la reconnaissance sincère. Un rendez-vous fut fixé et ils partirent dîner tous les trois pour fêter l'événement, avant que Melo n'attrape son avion le lendemain matin.

Pendant le souper, Loretta avoua qu'elle était sous contrat — un contrat en béton — avec un agent spécialisé dans les spectacles de cabarets. Un engagement sur trois ans. Melo rassura Loretta ; il existait toujours un moyen de résilier un contrat.

Mais le moyen en question n'apparut pas au premier coup d'œil. L'agent de Loretta tenait à garder le contrôle de la carrière de sa pouliche pour les trois années à venir. Loretta était folle de rage et elle appela Claudia à la rescousse. A son grand étonnement, Loretta lui demanda de faire appel à son frère, Cross.

— Je ne vois pas ce que Cross pourrait faire dans cette histoire, rétorqua Claudia.

— Il a le bras long dans cette ville, répondit Loretta. Il trouvera un arrangement. S'il te plaît, appelle-le.

Lorsque Claudia monta dans la suite du dernier étage et exposa le problème à son frère, Cross secoua la tête, l'air dégoûté.

— Qu'est-ce que ça peut te faire? lança Claudia. Touche-lui-en un mot, c'est tout. Je ne te demande pas la Lune.

— Tu te fais avoir, annonça Cross. J'ai vu des dizaines de filles dans son genre. Elles s'acoquinent avec des gens comme vous pour être en haut de l'affiche et après elles vous jettent comme de vieilles chaussettes.

— Et alors? répliqua Claudia. Elle a vraiment du talent. Cela pourrait changer toute sa vie.

Cross secoua de nouveau la tête.

— Ne me demande pas ça.

— Mais pourquoi? insista-t-elle.

Claudia était habituée à solliciter des faveurs à moult personnes; c'est Hollywood qui voulait ça.

— Parce que si je veux quelque chose, je me dois de l'obtenir, répondit Cross.

— Je ne t'en demande pas tant; simplement d'en toucher deux mots, précisa Claudia. Histoire de pouvoir annoncer à Loretta que nous avons fait notre possible.

Cross éclata de rire.

— Tu es vraiment naïve! Allez, ça va. Dis à Loretta et à son agent de passer me voir demain matin. A dix heures tapantes. Tu peux venir aussi, si ça te chante.

Le lendemain matin, Claudia fit la connaissance de l'agent de Loretta. Il s'appelait Tolly Evans; il avait la tenue sport de mise à Las Vegas, avec une touche d'officialité eu égard à l'importance de la rencontre — autrement dit, un blazer bleu sur une chemise blanche sans col et un jean.

— Bonjour Cross, c'est un plaisir de te revoir, commença-t-il.

— On s'est déjà rencontrés? s'enquit Cross qui ne s'était jamais occupé de près des affaires du cabaret de l'hôtel.

— Il y a longtemps, répondit Tolly, avec du miel dans la bouche. Lorsque Loretta faisait ses débuts au Xanadu.

Claudia remarqua la différence entre les agents de Los Angeles qui s'occupaient de gros sous et de super stars et Tolly Evans qui régnait sur le petit monde des revues. Tolly avait l'air nerveux, et aucune impression de puissance n'émanait de sa personne. Il n'avait rien de la belle confiance d'un Melo Stuart.

Loretta fit une bise à Cross, mais s'abstint de lui dire quoi que ce soit. Contrairement à son habitude, elle semblait éteinte. Elle s'assit, visiblement mal à l'aise, à côté de Claudia.

Cross était en tenue de golf — pantalon blanc, polo blanc, tennis blanches et casquette bleue sur la tête. Il proposa à boire, mais tout le monde déclina poliment l'offre.

— Bien. Réglons cette affaire, annonça-t-il. Loretta, je t'écoute.

— Tolly réclame sa part sur tout ce que je gagne, commença Loretta d'une voix chevrotante. Y compris dans le cinéma. Mais l'agence de L.A. veut évidemment sa commission pour tout rôle qu'ils m'obtiendront. Je ne peux pas payer deux pourcentages. Et Tolly veut également un droit de regard sur tout ce que je fais. Les gens de L.A. n'accepteront jamais ça et moi non plus.

Evans haussa les épaules.

— Il y a un contrat. Nous voulons simplement que Loretta le respecte.

— Mais dans ce cas-là, l'agent de L.A. ne voudra pas de moi.

— La situation me paraît simple, annonça Cross. Il te suffit de payer un dédommagement à Tolly.

— Loretta est une grande artiste, précisa Tolly Evans, elle nous fait gagner beaucoup d'argent. Nous l'avons soutenue, nous avons cru en son talent dès le début. Nous avons investi en elle des sommes considérables. Nous ne pouvons pas la laisser partir, au moment où elle commence à nous être rentable.

— Loretta, il faut payer, répéta Cross.

— Mais je ne peux pas ! gémit-elle. C'est trop cruel.

Claudia dissimula son sourire. Mais Cross ne fit rien pour cacher son amusement. Evans parut se vexer.

— Claudia, annonça finalement Cross. Va chercher tes clubs. On va se faire un neuf trous ensemble. Je te retrouve en bas dans le hall, dès que j'en aurai terminé ici.

Claudia s'était demandé pourquoi Cross s'était vêtu d'une façon aussi cavalière pour la réunion. Comme s'il voulait montrer le peu de cas qu'il faisait de leur affaire. Il avait offensé l'amour-propre de Claudia et celui de Loretta. Mais cela avait rassuré Evans. L'agent n'avait proposé aucun compromis.

— Je préfère rester ici, rétorqua Claudia. Je veux voir Salomon dans ses œuvres !

Cross n'arrivait pas à se fâcher contre sa sœur. Il se mit à rire de bon cœur. Elle lui rendit son sourire, puis Cross se tourna vers Evans.

— Je vois que tu ne veux pas céder. Et, à mon sens, tu es dans ton bon droit. Si on s'entendait sur un pourcentage sur ses cachets pendant un an ? À condition toutefois de laisser tomber toute idée de contrôle sur sa carrière.

— Pas question ! lança Loretta avec colère.

— Et ce n'est d'ailleurs pas ce que je réclame. Pour le pourcentage, ça marche, mais que se passera-t-il si nous lui décrochons un gros contrat et qu'elle est prise sur un film ? C'est nous qui paierons les frais.

Cross poussa un soupir de lassitude.

— Tolly, je te demande de laisser partir cette fille, implora-t-il avec une sorte de tristesse dans la voix. C'est une requête que je te fais. L'hôtel passe un tas de contrats avec toi. Alors accorde-moi cette faveur.

Pour la première fois, Evans eut l'air à la dérive.

— J'aimerais vraiment te rendre ce service, Cross, commença-t-il d'une voix presque suppliante, mais je dois consulter mes associés à l'agence — Il hésita un moment, puis reprit : — Je peux peut-être arranger un rachat.

— Non, répondit Cross. Je te demande une faveur. Pas de rachat, ni rien. Et je veux ta réponse tout de suite, pour que je puisse aller faire tranquille ma partie de golf. — Il marqua une pause — C'est oui ou non.

Claudia fut saisie par ce soudain virage dans la négociation. Cross ne proférait apparemment aucune menace, ne cherchait en rien à intimider son interlocuteur. En fait, il semblait avoir abandonné tout intérêt dans cette histoire. Et pourtant, Evans tremblait des pieds à la tête.

La réponse de l'agent fut inattendue.

— Mais c'est injuste, gémit-il en lançant un regard noir vers Loretta, qui baissa les yeux.

Cross enfila sa casquette de base-ball comme s'il s'apprêtait à quitter la pièce.

— Ce n'est qu'une faveur que je te demande, précisa-t-il. Tu peux refuser. C'est à toi de voir.

— Non, non, répondit Evans. Je ne savais simplement pas que tu prenais cette affaire autant à cœur, que vous étiez des amis aussi proches.

Soudain, l'attitude de Cross changea du tout au tout. Il se pencha et serra l'épaule d'Evans en un geste d'affection. Un grand sourire éclaira son visage. Quel charme ! songea Claudia.

— Tolly, annonça alors Cross d'une voix pleine de gratitude, je n'oublierai pas ton geste. Tu as maintenant carte blanche ici au Xanadu pour faire monter en scène tout nouvel artiste de ton choix, et je lui garantis, au minimum, le troisième nom sur l'affiche. Je m'arrangerai même pour qu'il y ait un spectacle spécial au cabaret avec uniquement des gens de chez toi, et ce soir-là, je veux que toi et tes associés dîniez avec moi à l'hôtel. Appelle-moi quand tu voudras, je laisserai des ordres pour qu'il n'y ait pas de barrage. Accès direct garanti. Ça marche ?

Claudia saisit alors deux choses. Cross avait délibérément fait montre de son pouvoir et pris soin de ne récompenser Evans qu'une fois qu'il eût cédé, pas avant. Evans aurait sa soirée spéciale, et se vautrerait dans le luxe et le pouvoir toute une nuit durant.

Cross l'avait laissée entrevoir une bribe de sa puissance afin de lui faire comprendre à quel point il l'aimait et que cet amour pouvait avoir une influence sur le monde qui les entourait. Elle vit dans le visage harmonieux de son frère toute la beauté qu'elle avait jalousée enfant, la ligne ferme et sensuelle des lèvres, le nez parfait, l'ovale idéal des yeux, le tout légèrement durci, comme figé dans le marbre d'une statue antique.

Claudia sortit de la Pacific Coast Highway et se dirigea

vers les portes de la Malibu Colony. Elle adorait cet endroit; les propriétés donnant de plain-pied sur la plage, l'océan scintillant à perte de vue et les montagnes derrière se mirant dans les eaux. Elle se gara enfin devant la maison d'Athena.

Boz Skannet était étendu sur le sable, derrière la barrière fermant l'extrémité sud de la Malibu Colony. Elle était faite d'un simple treillis grillagé courant sur la plage et s'enfonçant dans l'eau sur une longueur de trois mètres. Un simple symbole. On pouvait aisément contourner ce grillage à la nage.

Boz préparait sa nouvelle attaque contre Athena. Aujourd'hui, ce serait un simple raid de reconnaissance; il s'était donc rendu sur la plage publique, en T-shirt et pantalon de toile sur son maillot de bain. Son sac de plage — qui était en fait un sac de tennis — contenait un flacon d'acide enroulé dans des serviettes de bain.

De l'endroit où il se trouvait, il apercevait la maison d'Athena à travers les mailles du grillage. Deux gardes patrouillaient sur la plage — armés. Si l'arrière de la bâtisse était surveillée, la façade devait l'être aussi. Cela ne le dérangeait pas outre mesure de frapper les gardes, mais il ne voulait pas passer pour un forcené assaillant tout ce qui bougeait. Cela nuirait à la lisibilité de sa noble et juste quête : détruire Athena.

Boz Skannet retira son pantalon et son T-shirt et s'étendit sur son drap de bain, contemplant le sable et les étendues bleues du Pacifique. La chaleur du soleil le fit somnoler. Il pensa à Athena.

A l'université, un professeur avait cité un passage d'un essai d'Emerson : « La beauté est sa propre excuse. » Était-ce bien Emerson qui avait dit ça? S'agissait-il bien de la beauté[1]? Une chose était sûre, c'est qu'il avait pensé à Athena à ce moment-là.

Il était si rare de trouver un être humain si beau de

1. Il s'agit bien de la beauté, mais ce n'est pas Emerson l'auteur; c'est John Greenleaf Whittier, écrivain à qui l'on doit en 1850 *Les Chants du labeur*, où l'on peut lire : « la forme parfaite de l'art n'a que faire de morale, et la beauté est sa propre excuse » *(N.d.T.)*

corps et si vertueux d'âme. L'image de Thena (tout le monde l'appelait Thena dans sa jeunesse) s'était aussitôt imposée à son esprit.

Il l'avait tant aimée dans sa jeunesse qu'il s'était enfermé dans des chimères et avait fini par croire qu'elle l'aimait aussi ; il avait l'impression de vivre un rêve, et que la vie n'était qu'une succession de plaisirs sans fin. Mais, peu à peu, tout ce beau rêve idyllique s'était terni.

Comment pouvait-on avoir l'impudence d'être aussi parfaite ? Comment pouvait-elle oser demander de l'amour, oser se faire aimer de tant de gens ? Ne se rendait-elle pas compte qu'elle jouait là un jeu très dangereux ?

Boz s'étonnait aussi de sa propre métamorphose. Comment l'amour avait-il pu virer à la haine ? La réponse était pourtant évidente : parce qu'il ne pouvait pas la garder pour lui jusqu'à la fin de ses jours ; parce qu'un jour ou l'autre, il devait la perdre, c'était écrit.

Elle coucherait avec d'autres hommes, elle disparaîtrait de son ciel. Et l'oublierait à jamais.

Il sentit les rayons du soleil disparaître tout à coup ; il ouvrit les yeux. Au-dessus de lui se dressait un homme en tenue de ville, taillé comme un bûcheron, une chaise pliable coincée sous le bras. Boz le reconnut aussitôt. C'était Jim Losey, l'inspecteur qui l'avait interrogé après son simulacre d'attaque.

— Quelle coïncidence ! lança Skannet en clignant des yeux. Vous et moi prenant un bain de soleil sur la même plage. Qu'est-ce que vous me voulez encore ?

Losey déplia sa chaise et s'installa à côté de Skannet.

— C'est mon ex-femme qui m'a offert cette chaise. Je passais tellement de temps sur la plage à arrêter des surfers qu'elle a voulu améliorer mes conditions de travail. — Il considéra Boz Skannet, avec un regard presque empreint de douceur — Je voulais juste vous poser deux ou trois questions. D'abord, qu'est-ce que vous fichez aussi près de la maison de miss Aquitane ? Vous contrevenez aux ordres du juge.

— Je suis sur une plage publique, il y a une barrière entre nous et je suis en maillot de bain. Est-ce que j'ai l'air en ce moment de faire quoi que ce soit de répréhensible ?

Losey esquissa un sourire.

— Allez, moi aussi si j'étais marié à une jolie fille

comme elle, je ne pourrais pas m'empêcher de tourner autour. Et si je jetais un coup d'œil dans votre sac?

Boz saisit le sac qui lui servait d'oreiller.

— Pas question! rétorqua-t-il, à moins que vous ayez un mandat.

Losey ne se départit pas de son sourire.

— Ne m'obligez pas à vous arrêter. Ou à vous le prendre de force.

Ces dernières paroles réveillèrent Skannet. Il se leva et agita le sac sous le nez de Losey, tout en le maintenant hors de sa portée.

— Essayez donc!

Jim Losey était surpris. A son souvenir, il n'avait jamais rencontré quelqu'un ayant osé lui tenir tête. En d'autres occasions, il aurait sorti sa matraque ou son revolver et aurait mis le type en charpie. Peut-être était-ce le fait de sentir le sable mou se dérober sous ses pieds qui le fit hésiter, ou bien de lire cette détermination farouche sur le visage de Skannet.

Boz à son tour se mit à sourire.

— Si vous le voulez vraiment, il faudra me tuer, ricana-t-il. Parce que je suis plus fort que vous, tout costaud que vous êtes. Or, si vous me tirez dessus, vous aurez des tas d'ennuis.

Losey admira la lucidité de l'homme. Dans un combat à mains nues, l'issue était aléatoire. Et il n'y avait pas de raison valable de sortir son arme.

— Ça va, annonça finalement Losey.

Il replia sa chaise et commença à s'éloigner.

— Vous êtes vraiment une tête brûlée, Skannet, lança-t-il avec une pointe d'admiration dans la voix. C'est vous qui gagnez cette fois. Mais ne me donnez pas l'occasion de sortir mon arme. Je ne sais pas au juste à quelle distance vous vous trouvez de la maison, vous êtes peut-être hors du périmètre interdit par le juge...

Boz éclata de rire.

— Ne vous inquiétez pas, Losey. Je ne vous donnerai pas cette joie.

Skannet regarda Jim Losey remonter dans sa voiture et disparaître de sa vue. Il roula ensuite son drap de bain et retourna à son propre véhicule pour ranger son sac dans le coffre et glisser les clés sous le siège avant. Puis il retourna sur la plage, et contourna la barrière à la nage.

V

Athena Aquitane était arrivée au sommet du box-office sans les scandales qui faisaient d'ordinaire les délices du public. Elle avait passé de longues années à travailler, prenant des cours d'interprétation, de danse, de chant, lisant tout le répertoire dramatique, tout ce qui était susceptible de nourrir son jeu d'actrice.

Sans compter, bien entendu, le sale boulot de porte à porte. Elle avait fait la tournée des agents, des directeurs de casting, essuyé les allusions plus ou moins fines des producteurs et des réalisateurs, et les avances dinausoresques des responsables et directeurs des grands studios.

Durant la première année, elle gagna sa vie en faisant des publicités, un peu de mannequinat, joua même les hôtesses d'accueil dans des salons automobile. Mais dès la seconde année, ses qualités d'actrice commencèrent à porter leurs fruits. Ses amants la montraient parée de bijoux, la couvraient d'argent et de cadeaux, certains même lui parlèrent mariage. Ses aventures étaient courtes et se terminaient toujours sans amertume.

Rien de cette période ne fut humiliant ou douloureux, pas même lorsqu'un acheteur d'une Rolls Royce crut qu'elle était vendue avec la voiture. Elle dut l'éconduire avec une pirouette, disant qu'elle valait le même prix que la voiture. Elle adorait les hommes, elle adorait le sexe, mais uniquement après le travail, comme une distraction bien méritée. Les hommes ne faisaient pas partie du monde sérieux. Jouer la comédie, c'était là toute sa vie. Sa réalité intime, c'était du sérieux; les dangers du monde extérieur aussi, mais jouer passait avant toute chose — non pas jouer de petits rôles pour pouvoir joindre les deux bouts, mais jouer de grands rôles, dans des pièces illustres montées d'abord dans des salles de quartier, puis finalement au Mark Taper Forum, ce qui marqua un tournant dans sa vie et la propulsa vers le cinéma.

Sa vie réelle était sur scène, elle se sentait plus vivante en incarnant des personnages, en les faisant siens, plutôt que dans la vie de tous les jours. Ses histoires d'amours étaient des parenthèses agréables, comme jouer au golf ou au tennis, dîner avec des amis, des choses sans substances réelles, sans prise directe sur la vie.

La vraie vie avait lieu dans le sanctuaire du théâtre, lorsqu'elle se maquillait, ajoutait une tache de couleur à son costume, lorsque son visage se déformait sous les vagues d'émotions que faisait naître le texte résonnant dans sa tête, lorsqu'elle plongeait son regard dans le trou noir du public — Dieu lui montrait enfin son visage et elle louait sa destinée. Elle pleurait, tombait amoureuse, hurlait d'angoisse, suppliait le pardon pour ses péchés, et parfois éprouvait la félicité du bonheur retrouvé.

Elle avait soif de gloire et de succès pour oblitérer son passé, pour effacer de sa mémoire le souvenir de Boz Skannet, de l'enfant qu'ils avaient eu ensemble, pour oublier sa beauté — cadeau empoisonné que lui avait fait une bonne fée.

Comme toute actrice, elle voulait se faire aimer du monde entier. Elle se savait belle (comment pût-elle l'ignorer, son entourage ne cessant de le lui rappeler à chaque instant) mais également intelligente. C'était là la source de sa foi en elle. Mais elle ignorait encore qu'il y avait en sa personne tous les ingrédients pour faire d'elle une star — une force de travail et de concentration hors du commun, doublée d'une curiosité sans fin.

Une énergie qui la poussait à atteindre la perfection dans tout ce qu'elle entreprenait. La musique et le théâtre étaient ses grandes passions dans l'existence et pour pouvoir progresser en ces domaines, elle devait être experte en tout le reste. Elle apprit à réparer une voiture, devint un fin cordon-bleu. Elle savait jouer à tous les sports féminins, golf, tennis, basket-ball, natation. Tous à un niveau quasi professionnel. Elle étudia l'art et la science érotiques, en littérature comme sur le terrain, sachant à quel point c'était vital dans le métier qu'elle s'était choisi.

Elle avait une faiblesse toutefois ; elle ne supportait pas de faire souffrir son prochain, et puisque dans la vie c'était inévitable, elle n'était pas totalement heureuse. Elle sut, cependant, prendre les bonnes décisions qui la conduisirent vers le sommet, se servir de son pouvoir de star du box-office — elle pouvait se montrer parfois aussi dure et froide qu'elle était belle. Les gens aux postes de décision la suppliaient pour qu'elle fasse une apparition dans leurs films, les hommes lui demandaient à genoux de partager leur couche. Elle avait une influence, pour ne pas dire un pouvoir omnipotent, sur le choix du réalisateur et le reste de la distribution. Elle pouvait commettre de petits crimes sans être inquiétée, tourner le dos à la tradition, faire fi de la bonne morale et un pied de nez à tous ceux qui voulaient savoir qui elle était réellement. Avec la dualité de toute vedette internationale ; il était impossible de séparer chez elle la femme de l'actrice.

Le monde entier l'adulait, mais ce n'était pas suffisant. Elle connaissait sa laideur intérieure. Une seule personne sur terre ne l'aimait pas et cela la plongeait dans des affres d'angoisse. Par définition, une actrice sombre dans le désespoir si pour cent éloges, elle essuie une critique haineuse.

Après cinq années à Los Angeles, Athena décrocha son premier rôle dans un film et fit sa plus belle conquête.

Comme tous les acteurs vedettes au box-office, Steven Stallings avait un droit de veto sur les premiers rôles féminins des films auxquels il participait. Il vit Athena au Mark Taper Forum et fut saisi par son talent. Mais plus impressionné encore par sa beauté. Il la voulut donc comme partenaire dans son prochain long métrage.

Athena tombait des nues et était pour le moins flattée. C'était la grande chance de sa vie et au début, elle ne devina pas la réelle raison pour laquelle elle avait été choisie. Son agent, Melo Stuart, remit rapidement les pendules à l'heure.

Ils se trouvaient dans le bureau de Stuart, une pièce décorée avec goût, rappelant un bric-à-brac oriental ; on y voyait des tapisseries tissées d'or, de gros fauteuils moelleux, le tout baigné dans une lumière tamisée puisque des tentures occultaient la lumière du jour. L'agent aimait prendre un thé à l'anglaise dans son bureau, plutôt que de sortir déjeuner et avalait d'une bouchée les petits sandwiches d'accompagnement tout en parlant. Il ne sortait déjeuner qu'avec ses clients prestigieux.

— Tu mérites cette chance, déclara Stuart. Tu es une grande actrice. Mais cela fait peu de temps que tu vis dans cette ville et malgré ton intelligence, tu es encore un peu naïve. Alors ne prends pas mal ce que je vais te dire. Voilà... — il marqua un temps d'arrêt, comme s'il hésitait — D'ordinaire je n'ai jamais à expliquer ce genre de choses, cela va de soi.

— Mais je suis si naïve... le taquina Athena.

— Pas vraiment naïve, pondéra Stuart, mais tu es tellement obnubilée par ton travail que parfois tu ne vois pas la complexité du jeu social qui régit Hollywood.

— Très bien. Dis-moi ce que je dois faire pour obtenir le rôle, répondit Athena, amusée.

— L'agent de Steven Stallings m'a appelé. Il m'a dit que Stallings t'avait vue au Taper et qu'il avait été impressionné par ta prestation. Il te veut sur le film. J'ai eu ensuite le producteur au bout du fil ; nous avons négocié et sommes arrivés à un accord. Salaire net, deux cent mille. Pas d'intérêt aux recettes — cela viendra plus tard dans ta carrière. Engagement ferme pour ce seul et unique film, pas de promesse pour la suite. C'est un très bon contrat.

— Merci.

— Je ne devrais pas te dire ça, poursuivit Stuart, mais Stallings a la fâcheuse habitude de tomber amoureux de toutes ses partenaires à l'écran. C'est sincère, mais il pose ses conditions.

— Ça va, Melo, l'interrompit Athena, inutile d'en rajouter.

— Si, je crois qu'il le faut.

Il la regarda avec tendresse. Lui aussi, que l'on disait pourtant étranger à ce genre d'élans, était tombé amoureux d'elle au début de leur rencontre ; mais Athena n'avait jamais eu à son égard le moindre geste ou parole équivoques, Stuart avait préféré garder ses sentiments pour lui. Athena restait une perle rare qui lui rapporterait des millions plus tard, ce n'était déjà pas si mal...

— Serais-tu en train de suggérer qu'il faut que je lui saute dessus sitôt que l'on sera seuls ? rétorqua Athena avec aigreur. Mon immense talent ne lui suffit donc pas ?

— Oui et non, répondit Stuart. Le talent est le talent, c'est une donnée intouchable. Mais tu sais comment on devient une grande star de cinéma. Un jour ou l'autre, il faut savoir décrocher le gros lot au moment ad hoc. Et ce rôle, c'est *ton* gros lot. Tu ne peux pas te permettre de rater cette chance. En outre, ce ne doit pas être si pénible de tomber amoureuse de Stallings... Cent millions de femmes sur la planète rêvent d'être dans son lit, pourquoi ferais-tu exception ? Tu devrais plutôt être flattée d'être l'heureuse élue.

— Je suis flattée, merci, répondit Athena d'un ton de glace. Mais si je déteste ce type, qu'est-ce qui se passera ?

Melo Stuart fit disparaître dans sa bouche un autre petit sandwich anglais.

— Comment ça le détester ? C'est un garçon charmant, vraiment. Flirte au moins avec lui jusqu'à ce qu'ils aient tourné trop de plans avec toi pour pouvoir te couper au montage.

— Mais si je suis vraiment bonne, ils ne voudront peut-être pas supprimer mes scènes ? rétorqua Athena.

Stuart poussa un soupir.

— A vrai dire, Stallings n'attendra pas aussi longtemps. Si tu ne succombes pas au bout de trois jours, tu seras virée du film.

— C'est du harcèlement sexuel ! lança Athena en riant.

— Ça fait partie du métier, répondit Stuart. D'une façon ou d'une autre, faire l'acteur, c'est vendre son cul, que ce soit sur l'écran ou en coulisses.

— Je parlais de l'option où je dois succomber à ses charmes, précisa Athena. Une brave partie de jambes en l'air, ça ne lui suffit pas à ton Stallings ?

— Il peut baiser quand et qui il veut, répondit Melo Stuart. Mais s'il est amoureux de toi, il réclame de l'amour en retour. Du moins jusqu'à la fin du tournage. — Il poussa un nouveau soupir — Ensuite l'amour s'éteindra entre vous deux tout naturellement, parce que vous serez trop occupés par le travail. Cela n'aura rien d'insultant pour toi, précisa-t-il après un instant d'hésitation. Une star de la pointure de Stallings annonce ses désirs. Et l'objet, toi en l'occurrence, répond oui ou non. C'est aussi simple que ça. Il va t'envoyer des fleurs le premier jour. Le deuxième jour après la répétition, il t'invitera à dîner pour travailler quelques scènes. Il n'y aura rien d'obligatoire. Mais si tu refuses, tu sautes du film. Je pourrais toutefois t'obtenir le versement intégral de ton salaire, j'y veillerai.

— Selon toi, donc, je ne suis pas assez bonne pour y arriver sans ça, sans offrir mon cul au premier venu ? lança Athena en feignant d'être vexée.

— Bien sûr que non, répondit l'agent. Tu es jeune, tu n'as que vingt-cinq ans. Tu peux attendre encore deux ou trois ans, voire quatre ou cinq. J'ai une foi absolue en toi. Mais ne gâche pas cette occasion. Stallings est un type charmant.

Tout se passa exactement comme l'avait prédit Melo Stuart. Athena reçut un bouquet de fleurs le premier jour. Le lendemain, ils répétèrent avec la distribution au complet. C'était une comédie dramatique où il fallait passer du rire aux larmes, l'une des choses les plus difficiles pour un acteur. Athena était impressionnée par l'habileté de Steven Stallings. Il lisait son texte d'un ton monocorde, sans effort apparent pour le rendre vivant, et pourtant les mots sonnaient juste et les accentuations allaient toujours droit au but. Ils jouèrent une scène de dix façons différentes — ils se répondaient l'un l'autre, s'accompagnaient tour à tour comme deux danseurs. A la fin de la séance de travail, il murmura « parfait, parfait » et lui lança un sourire qui était l'expression d'une reconnaissance purement professionnelle.

C'est en fin de journée que Stallings passa au charme...

— Je crois que ce sera un grand film grâce à toi, annonça-t-il. Si on se voyait ce soir ? Nous pourrions travailler plus en profondeur sur le scénario ? — Il marqua un moment de silence et susurra avec un sourire enfantin : — Je trouve que nous formons un très bon couple tous les deux.

— Merci du compliment, répondit Athena. Quand et où ?

Stallings prit aussitôt, par politesse, un air horrifié.

— Oh ! je ne sais pas, dit-il, à toi de décider.

Athena accepta à cet instant de tenir son rôle et de jouer le jeu comme une professionnelle. Il était la super star. Elle était la novice. C'était à elle de répondre à ses souhaits. « Tu peux encore attendre deux ou trois ans, voire quatre ou cinq... » résonna la voix de Melo Stuart dans ses pensées. Non, pas question d'attendre !

— Et si tu venais chez moi ? proposa Athena. Je nous concocterai un petit dîner, comme ça on pourra travailler tout en mangeant. — Elle marqua à son tour un temps d'arrêt — Sept heures, ça te convient ?

Avec le perfectionnisme qui la caractérisait, Athena se prépara mentalement et physiquement au jeu de la séduction. Le dîner serait léger, pour que la digestion n'affecte ni leur capacité de travail, ni leur prestation sexuelle. Bien que n'étant guère portée sur l'alcool, elle acheta une bouteille de vin blanc. Le repas montrerait ses talents culinaires, mais elle s'arrangerait pour faire la cuisine tout en travaillant.

Comment s'habiller ? Il fallait que la séduction paraisse accidentelle, et non minutieusement préparée. Mais il ne fallait pas que sa tenue soit un repoussoir à ses avances. En tant qu'acteur, Stallings interpréterait le moindre signe.

Elle opta donc pour un jean délavé qui mettait son postérieur en valeur, le pommelage bleu ciel du tissu étant une invite irrésistible pour le regard. Pas de ceinture. Au-dessus, un chemisier blanc en soie à falbalas qui, sans avoir de décolleté plongeant, mettait en valeur le teint de lait de sa poitrine. Elle décora ses oreilles de petits clips circulaires couleur émeraude en harmonie avec ses yeux. Mais l'ensemble était encore un peu trop austère, un peu guindé. Cela ne laissait pas place au doute. C'est alors qu'elle eut l'idée de génie... elle teinta ses ongles d'orteils d'un rouge écarlate et décida de l'accueillir pieds nus.

Steven Stallings arriva avec une bouteille de vin rouge — pas un cru exceptionnel, mais tout à fait honorable. Il était vêtu pour le travail. Pantalon de velours marron, chemise en jean, tennis blanches, les cheveux — d'un noir d'ébène — peignés avec soin. Sagement coincé sous son bras, il y avait le scénario, hérissé de marque pages jaunes.

Le seul détail qui rompait avec cette apparence sérieuse, c'était le discret parfum d'eau de toilette qui entourait sa personne.

Ils mangèrent sans chichi sur la table de la cuisine. Il la complimenta pour ses talents de cuisinière, en invité consciencieux. Tout en mangeant, ils passèrent en revue le scénario, comparant leurs notes, changeant quelques mots dans les dialogues pour qu'ils passent mieux en bouche.

Après dîner, ils s'installèrent dans le salon et jouèrent quelques scènes qui semblaient poser problème. Ils étaient chacun troublés par la présence de l'autre, et leur travail en fut affecté.

Stallings jouait son rôle à merveille. Il était professionnel, respectueux. Seuls ses yeux trahissaient son admiration pour sa beauté, pour sa technique d'actrice, sa maîtrise de l'espace. Finalement, il lui demanda si elle n'était pas trop fatiguée pour jouer la scène d'amour, nœud du film.

Le dîner était depuis longtemps digéré, et ils étaient devenus des amis proches, comme leurs personnages dans le film. Ils jouèrent donc leur scène d'amour. Stallings l'embrassa doucement sur les lèvres, s'abstenant de tout autre attouchement. Après ce premier baiser très chaste, il la regarda dans les yeux, longtemps, et murmura d'une voix émue à souhait :

— J'avais envie de faire ça depuis la seconde où je t'ai vue.

Athena soutint son regard, puis attira le visage de Stallings à elle et lui donna un petit baiser. C'était le signal qu'il attendait. Il réagit avec une fougue qui les surprit autant l'un que l'autre — ce qui prouvait qu'elle était meilleure actrice que lui, songea Athena en son for intérieur. Mais il était doué et habile. Tout en la déshabillant, ses mains caressaient sa peau, ses doigts s'insinuaient en elle, sa langue explorait l'intérieur de ses cuisses. Le corps d'Athena ne restait pas de marbre sous ce traitement. Au fond, ce n'était pas si terrible que ça, songea-t-elle. En outre, Stallings était franchement séduisant ; il émanait de son visage à la beauté antique, dévoré par le feu du désir, une force qu'aucune caméra au monde ne saurait jamais capter — à l'écran cela aurait paru de la simple lubricité. Sous les projecteurs, il faisait l'amour d'une façon bien plus cérébrale et sophistiquée.

Athena joua la femme emportée par la passion. Ils restèrent synchrones jusqu'au bout et atteignirent l'orgasme ensemble en un instant d'apothéose fulgurante. Allongés sur le dos, hors d'haleine, ils se demandèrent tous les deux ce que leurs ébats auraient donné à l'écran si on les avait filmés — on leur aurait sans doute demandé de refaire la prise! Leur prestation n'aurait fait progresser ni la psychologie des personnages, ni le déroulement de l'intrigue. Il aurait manqué dans leur interprétation la tendresse intime du véritable amour ou même du vrai désir. A tous les coups, cette prise aurait terminé dans le chutier.

Steven Stallings tomba amoureux, mais c'était une habitude chez lui. Athena, de son côté, se félicitait que les choses se soient bien passées, même s'il s'agissait, à son sens, d'une sorte de viol à caractère professionnel. Il n'y avait pas de réelles ombres au tableau, si ce n'était l'impossibilité, pour elle, d'exercer son libre arbitre. Elle se consolait toutefois en se disant que la restriction de la liberté individuelle, appliquée avec intelligence, était nécessaire à la survie de l'espèce humaine.

Stallings était satisfait; le tournage s'annonçait sous les meilleurs auspices : il avait une partenaire de qualité à l'écran, une compagne agréable au lit, et n'aurait pas besoin d'aller chercher des filles pour la nuit. Jamais, il n'avait eu l'occasion de rencontrer une femme aussi belle et talentueuse qu'Athena, aussi douée au lit et qui plus est, totalement folle de lui — ce dernier point risquant, bien sûr, de poser quelques problèmes par la suite.

Mais l'événement qui suivit acheva de souder leur amour. Ils sautèrent du lit en lançant à l'unisson : « Et maintenant, au travail! » Ils reprirent leur scénario, et nus comme Adam et Eve au premier jour, ils peaufinèrent leurs scènes.

L'unique petite fausse note, aux yeux d'Athena, ce fut lorsque Stallings renfila son slip — un slip rose, échancré, mettant en valeur ses fesses rondouillettes qui faisaient se pâmer ses adoratrices. Une autre fausse note fut lorsqu'il lui annonça d'un air fiérot qu'il utilisait un préservatif spécial, fabriqué par une société dans laquelle il avait des parts; on lui avait fait un modèle sur mesure. Il était si fin, si bien ajusté qu'il se faisait totalement oublier. Garantie absolue. Il cherchait un nom accrocheur pour le lancement du produit sur le marché ; il hésitait entre Excalibur ou Merlin l'Enchanteur, avec une petite préférence pour Merlin l'Enchanteur. Athena réfléchit un moment à la question.

— Peut-être vaudrait-il mieux opter pour un nom plus politiquement correct, annonça-t-elle en tentant de garder son sérieux.

— Tu as raison, répondit Stallings. Ils sont si chers à fabriquer qu'il faut qu'ils plaisent aux deux sexes. Notre slogan publicitaire sera « le préservatif des stars ». Et si on l'appelait Star Condom ? C'est vendeur, non ?

Leur liaison et le film furent tous deux des succès. Grâce à ce rôle, Athena se retrouva propulsée au sommet du box-office et chaque nouveau long métrage qu'elle tourna durant les cinq années suivantes ne fit qu'asseoir sa position.

Leur histoire, comme la plupart des relations entre stars, ne résista pas à l'usure du temps. Stallings et Athena s'étaient aimés parce que le film les avait rapprochés, mais leur amour était empreint de cynisme et de détachement du fait de la renommée de Stallings et de l'ambition d'Athena. Aucun des deux ne pouvait se permettre d'être plus amoureux que l'autre et cette égalité obligatoire des sentiments leur fut fatale. Il s'opposait également à leur liaison un obstacle purement géographique. Leur aventure se termina avec la fin du tournage. Athena partit en Inde, Stallings en Italie. Il y eut des coups de fil, des cartes de vœux pour Noël et des cadeaux par la poste, ils prirent même chacun de leur côté un avion pour Hawaï pour un week-end en amoureux. Travailler ensemble sur un film c'était jouer les chevaliers de la table ronde. La gloire et la fortune étaient le nouveau Graal. Impossible à partager.

On parla mariage à leur propos — chose parfaitement inconcevable en l'occurrence. Athena appréciait, certes, leur liaison, mais ne pouvait s'empêcher de la trouver vaguement ridicule. Même si elle se faisait un point d'honneur, en bonne professionnelle, de paraître plus amoureuse que Stallings, il lui était impossible de ne pas pouffer en son for intérieur. Stallings, de son côté, semblait si sincère, si parfait, dans son rôle d'amant passionné qu'elle avait l'impression de le voir dans l'un de ses films.

Son charme, bien que réel, avait parfois quelque chose d'artificiel. Son utilisation de l'alcool et de la drogue était si parfaite et calculée que l'on ne savait jamais si on avait le véritable Stallings en face de soi. Il prenait de la cocaïne pour garder la forme, de l'alcool pour être drôle et charmant. La vie, avec ses hauts et ses bas, paraissait ne plus avoir d'emprise sur lui.

Ce fut donc une grande surprise pour Athena lorsqu'il lui parla de mariage. Athena déclina la proposition d'une boutade. Elle savait qu'il courait derrière tous les jupons, que ce soit à l'étranger ou à Hollywood — même pendant sa cure de désintoxication, lorsqu'il commença à forcer un peu trop sur la cocaïne. Pas question de partager la moitié de son existence avec un Don Juan de son espèce.

Stallings ne se vexa pas de ce refus. Il lui avait fait cette proposition dans un moment de faiblesse — un petit excès de cocaïne, sans doute. Il était presque soulagé.

Pendant les cinq années qui suivirent, tandis qu'Athena se hissait au sommet du box-office, la cote de Stallings dégringolait de plus en plus. Il restait l'idole de ses fans, en particulier des femmes, mais par malchance ou manque de discernement, il se fourvoya dans le choix de ses films. La drogue et l'alcool lui firent perdre une certaine rigueur dans le travail. Par l'entremise de Melo Stuart, Steven Stallings fit savoir à Athena qu'il briguait le rôle masculin de *Messalina*. La balle avait changé de camp. Athena, ayant désormais un droit de regard sur ses partenaires, lui offrit le rôle. Elle accéda à sa requête avec une sorte de satisfaction perverse et parce que Stallings collait parfaitement au personnage. En stipulant, toutefois, qu'il n'était nullement obligé de coucher avec elle pour avoir le rôle.

Athena eut ensuite des histoires sans lendemain, dont une avec Kevin Marrion, le fils d'Eli Marrion.

Kevin Marrion avait son âge mais était déjà un vétéran dans l'industrie du cinéma. Il avait produit son premier film à gros budget à vingt ans et avait fait le plein d'entrées. Ce qui l'avait conforté dans l'idée qu'il était un génie dans le cinéma. Depuis, il avait produit trois autres films; tous des flops — seul, son père lui accordait encore quelque crédit dans le métier.

Kevin Marrion était très séduisant — sa première épouse avait été, en son temps, l'une des plus belles femmes de Hollywood. Malheureusement, le charme du fils ne passait pas à l'écran et tous les essais qu'il tourna furent des échecs. De par sa lignée, son avenir résidait donc dans la production.

Athena et Kevin Marrion se rencontrèrent à l'occasion d'une réunion de travail; il voulait lui donner le premier rôle sur le prochain film qu'il produisait. Athena l'écouta parler avec un émerveillement horrifié. Le fils Marrion avait cette naïveté consternante que l'on retrouve chez les gens qui se prennent très au sérieux.

— C'est le meilleur scénario que j'ai jamais lu, lui disait-il. Il est vrai, je dois préciser, que j'ai pas mal collaboré à l'écriture. Athena, vous êtes la seule à posséder la carrure pour ce rôle. Je pourrais avoir n'importe quelle actrice d'un simple claquement de doigts, mais c'est vous que je veux.

Il la regarda d'un air grave pour la convaincre de sa sincérité.

Athena était abasourdie par ce qu'il lui raconta du scénario. C'était l'histoire d'une sans-abri qui, recueillant un jour un bébé abandonné dans les ordures, va trouver sa rédemption et devenir le porte-parole de tous les miséreux des États-Unis. Elle passait la moitié du film à pousser un caddie contenant toutes ses richesses. Après avoir réchappé à la drogue, l'alcool, la privation, le viol et les magouilles du gouvernement pour la déposséder de l'enfant trouvé, elle va se présenter comme candidate à la présidence des États-Unis, sous une étiquette indépendante. Sans gagner, cependant — c'était ce genre de scénario.

Athena était réellement terrorisée. Elle allait devoir se montrer sous les traits d'une femme en détresse, d'une clocharde en haillons errant dans un monde d'apocalypse. Visuellement, un désastre. Les sentiments étaient niais, la construction dramatique insipide. Une histoire d'une indécrottable stupidité.

— Si vous acceptez ce rôle, je pourrai mourir heureux, lança Marrion.

« Soit je suis folle, soit ce type est un débile profond », songea Athena avec horreur. Malheureusement, il s'agissait d'un producteur très influent, à l'évidence convaincu de la qualité de son projet, et ayant la capacité de mener le film à bien. Elle regarda Melo Stuart d'un air désespéré. Son agent lui retourna un sourire pour l'encourager, mais Athena ne put articuler le moindre mot.

— C'est une belle idée, commença Melo Stuart. Classique, mais très belle. L'ascension et la chute. L'essence même du drame épique. Mais tu sais, Kevin, à quel point il est crucial pour Athena, après son dernier succès, de ne pas se tromper dans le choix de son prochain rôle. Laisse-nous ton scénario et nous te recontacterons.

— Bien sûr, répondit Kevin en leur tendant deux exemplaires. Je suis sûr que vous allez adorer cette histoire.

Stuart emmena ensuite Athena dans un petit restaurant thaïlandais de Melrose. Ils commandèrent leur repas et commencèrent à feuilleter le scénario.

— Je préfère encore me pendre ! lança Athena, Kevin est simple d'esprit ou quoi ?

— Tu ne comprends toujours pas le monde du cinéma, répondit son agent. Kevin n'est pas idiot. Il commet simplement l'erreur de se lancer dans quelque chose qui dépasse ses compétences. Mais j'ai vu pire.

— Ah bon ? Où ça ? Quand ?

— Il faudrait que je reprenne mes notes, répondit Stuart. Tu es une grande star, à présent ; tu peux t'offrir le luxe de dire non, mais pas de te faire des ennemis inutilement.

— Eli Marrion est trop futé pour soutenir son fils sur ce projet, avança Athena. Il a dû forcément remarquer la nullité de ce scénario.

— Bien sûr, concéda l'agent. Il dit souvent pour blaguer qu'il a un fils spécialisé dans les films commerciaux qui font des flops et une fille spécialisée dans les films intellos qui coûtent des fortunes. Mais Eli se doit de faire plaisir à ses enfants. Nous n'avons pas, quant à nous, ce genre de devoir. Nous allons donc décliner l'offre. Mais il y a un risque ; la LoddStone a acheté les droits d'un grand roman et il y a un rôle en or pour toi. Si tu jettes Kevin, l'autre rôle peut te passer sous le nez.

— Cette fois, je préfère attendre, répondit Athena en haussant les épaules.

— Pourquoi ne pas gagner sur les deux tableaux ? Tu n'as qu'à dire que tu acceptes le rôle de Kevin, mais que tu veux faire l'autre film en premier. Ça nous laissera du temps pour trouver une façon de nous défiler.

— Et nous ne nous attirerons pas d'ennemis ? demanda Athena avec un demi-sourire.

— Le premier film fera exploser le box-office, alors tout ça n'aura plus d'importance. Tu pourras t'offrir ce luxe.

— Tu es sûr que je pourrai échapper au film de Kevin après ? insista Athena.

— Si je ne parviens pas à te trouver une échappatoire, tu pourras me claquer la porte au nez, répondit l'agent.

Melo Stuart avait, en fait, déjà réglé l'affaire avec Eli Marrion. Celui-ci, ne voulant s'opposer directement à son fils, avait choisi ce biais ; Athena et Melo seraient les méchants de l'histoire. Stuart acceptait ce rôle de bonne grâce. Une grande part du travail d'un agent, c'était de jouer les vilains petits canards.

La tactique fonctionna à merveille. Le rôle dans le premier film propulsa Athena en tête du box-office. Mais il allait s'ensuivre pour elle une longue période de célibat.

Il était prévisible que Kevin Marrion allait tomber amoureux d'Athena pendant la préparation de son film — la LoddStone organisant une farce de préproduction pour un projet qui ne verrait finalement jamais le jour. Kevin avait une étonnante innocence pour un producteur dans le domaine de l'amour et il poursuivait Athena de ses assiduités avec une ardeur et une sincérité inextinguibles. Son enthousiasme et sa révolte contre les inégalités sociales étaient ses plus grands attraits. Un soir, dans un moment de faiblesse, Athena l'accueillit dans son lit — sans doute parce qu'elle se sentait coupable de la comédie qu'elle lui jouait. La chose se révéla plutôt agréable et Kevin la demanda aussitôt en mariage.

Pendant ce temps, Athena et Melo avaient demandé à Claudia De Lena de réécrire le scénario. Elle en fit une farce burlesque et Kevin, fou de rage, la ficha à la porte. Il était tellement furieux qu'il en fit toute une crise.

Cette nouvelle liaison convenait à merveille à Athena.

Elle s'insérait parfaitement dans son emploi du temps et l'enthousiasme de Kevin était bien agréable au lit. En outre, le fait qu'il insistait pour l'épouser, sous le régime de la communauté de bien, était pour le moins flatteur, puisque Kevin hériterait un jour de toute la LoddStone.

Un soir, toutefois, après l'avoir écouté soliloquer à n'en plus finir sur les longs métrages qu'ils allaient tourner ensemble, un éclair de lucidité traversa l'esprit Athena : « Encore une seconde de plus avec ce type et je deviens folle ! » Comme la plupart des gens s'étant trop longtemps contenus, elle déballa tout d'un coup. Sachant qu'elle se sentirait honteuse, elle lui dit tout ce qu'elle avait sur le cœur; non seulement elle ne l'épouserait pas, mais elle ne coucherait plus avec lui et ne jouerait jamais dans son film.

Kevin était abasourdi.

— Mais tu es liée par contrat ! s'insurgea-t-il. Et nous sommes en mesure de t'obliger à le respecter. Tu m'as trompé de bout en bout.

— Je sais. Vois ça avec Melo, répondit-elle simplement, dégoûtée par sa propre attitude.

Certes, c'était elle la méchante et lui le gentil, mais il était curieux de voir que Kevin se souciait davantage de l'avenir de son film que de leur amour.

C'est après cette histoire, lorsque sa carrière cinématographique se trouva lancée sur des rails, qu'elle perdit tout intérêt pour les hommes et préféra rester célibataire. Des choses plus importantes l'attendaient, des choses où les hommes et leurs élans n'avaient aucun droit de cité.

Athena Aquitane et Claudia De Lena devinrent des amies proches parce que Claudia montrait une constance et une assiduité rares dans toutes ses relations amicales. Elle fit la connaissance d'Athena alors qu'elle réécrivait le scénario de l'un de ses tout premiers films — à l'époque, Athena n'était pas encore une grande vedette.

Athena insista pour participer à la réécriture — chose que les scénaristes fuyaient d'ordinaire comme la peste. Athena, toutefois, fit des propositions intéressantes et se révéla d'une aide précieuse. Son regard sur l'histoire et la psychologie des personnages était toujours pénétrant et très rarement égocentrique. Athena avait compris que plus les personnages autour d'elle seraient solides, plus son propre rôle serait riche.

Elles travaillèrent souvent chez Athena, à Malibu, et c'est ainsi qu'elles se découvrirent de multiples points communs. Elles étaient toutes les deux sportives — bonnes nageuses, joueuses de golf honorables, et volleyeuses redoutables sur un court de tennis. Elles faisaient souvent des doubles et battaient la plupart des paires masculines de Malibu. C'est ainsi que leur amitié perdura au-delà de la date fatidique de la fin du tournage.

Claudia raconta toute sa vie à Athena et Athena pas un iota de la sienne. Leur amitié fonctionnait sur ce mode particulier. Claudia en était consciente, mais cela ne la gênait pas outre mesure. Claudia relata évidemment à Athena sa liaison avec Steven Stallings. Athena prit la chose avec humour; elles échangèrent leurs appréciations et tombèrent d'accord pour dire que Stallings était un type extra, au lit, comme dans la vie — un merveilleux acteur, et un homme charmant.

— Il est presque aussi beau que toi, annonça Claudia qui n'était jamais la dernière à reconnaître la beauté chez autrui.

Athena ne releva pas le compliment — une sorte de réflexe pavlovien chez elle, sitôt que l'on faisait allusion à son physique.

— Mais, il est meilleur acteur, c'est ça ? rétorqua Athena pour taquiner Claudia.

— Bien sûr que non. Tu es une actrice absolument hors pair, répondit-elle, avant d'ajouter, pour forcer Athena à livrer un peu d'elle même : Mais il est plus heureux dans la vie que toi.

— Tu crois ? C'est possible, après tout. Mais un jour ou l'autre, il sera plus malheureux que je ne l'ai jamais été.

— Sans doute. La cocaïne et l'alcool auront raison de lui. Il vieillira mal. Mais il est intelligent, il pourra peut-être négocier le virage en douceur.

— Je ne veux pas finir comme lui. Pas question.

— Tu es mon modèle. Mais tu ne pourras rien faire contre le temps. Certes, tu ne bois pas, tu ne te drogues pas et tu ne t'uses pas vraiment la santé au lit, mais on ne peut fuir indéfiniment. Un jour ou l'autre, le passé te rattrape.

Athena éclata de rire.

— Mon passé est le garant de mon salut ! lança-t-elle. Mes secrets sont si banals qu'ils ne valent pas la peine que l'on s'y arrête. Nous autres stars avons besoin de mystère pour briller, c'est bien connu.

Tous les samedis matin, lorsqu'elles ne travaillaient pas, elles allaient faire du lèche-vitrine sur Rodeo Drive. Claudia était toujours sidérée de voir l'habileté avec laquelle Athena se déguisait pour passer inaperçue ; personne ne la reconnaissait — ni ses fans dans la rue, ni les vendeuses dans les magasins. Elle portait une perruque brune et des vêtements amples pour cacher sa silhouette. Par une touche savante de maquillage, elle rendait ses mâchoires plus larges qu'elles ne l'étaient, ses lèvres plus grosses ; mais le plus impressionnant, c'était qu'elle semblait parvenir à modifier les traits mêmes de son visage. Des lentilles de contact colorées achevaient la métamorphose, faisant virer ses yeux verts au brun noisette. Sa voix prenait, de surcroît, un petit accent chantant du Sud.

En ultime précaution, Athena réglait ses achats avec la carte de crédit de Claudia, et la remboursait plus tard, pendant le déjeuner. C'était merveilleux de pouvoir manger tranquillement au restaurant, dans le plus parfait anonymat, se félicitait Claudia avec une pointe d'humour — jamais personne ne venait demander d'autographe à un scénariste !

Deux fois par mois, Claudia passait le week-end chez Athena dans sa maison de Malibu, à nager et à jouer au tennis. Elle lui montra un jour le second jet de *Messalina* ; emballée, Athena la supplia de lui donner le premier rôle. C'était le monde à l'envers ! C'était elle la Grande Star, elle que Claudia aurait dû implorer à genoux pour qu'elle lui fasse cet honneur.

A son arrivée à Malibu, Claudia se sentait donc quelque peu rassérénée. Elle arriverait bien à convaincre Athena de revenir sur le plateau. Certes, Athena semblait décidée à ruiner sa carrière. Mais était-elle vraiment prête à faire du tort à son amie ?

La première chose, toutefois, qui ébranla la belle confiance de Claudia, ce fut la vision des gardes armés patrouillant autour de la maison de l'actrice, malgré la présence des vigiles plantés comme d'habitude devant le portail de la Malibu Colony.

Deux hommes en uniforme de la Pacific Ocean Security se tenaient devant la porte d'entrée et deux autres gardes surveillaient le jardin derrière la maison. La petite femme de chambre sud-américaine la conduisit dans le salon surplombant l'océan. Claudia aperçut deux autres gardes faisant les cent pas sur la plage. Tous avaient des matraques et des revolvers à la ceinture.

Athena serra Claudia dans ses bras.

— Tu vas me manquer, annonça-t-elle. Dans une semaine, je serai loin d'ici.

— Qu'est-ce qui te met dans des états pareils ? lança Claudia. Tu ne vas pas laisser une espèce de macho fiche en l'air ta carrière. Et la mienne du même coup ! Je ne peux pas croire que tu sois aussi poule mouillée. Tu sais ce qu'on va faire ? Je vais rester ici ce soir avec toi et demain on ira chercher des permis de port d'armes et on s'entraînera à tirer. Dans un jour ou deux, on sera les meilleures gâchettes du coin !

Athena éclata de rire.

— C'est ton sang de mafieuse qui reprend le dessus ! lança-t-elle en enlaçant de nouveau son amie — Claudia lui avait parlé des Clericuzio et de son père.

Elles se préparèrent un cocktail et s'installèrent dans les grands fauteuils, face à l'océan, comme si elles contemplaient un immense tableau vivant couleur turquoise.

— Tu ne me feras pas changer d'avis et je n'ai rien d'une poule mouillée, précisa Athena. Mais je crois qu'il est temps que je te dise mon secret, celui que tu meurs d'envie de connaître ; tu pourras aller le raconter à Bantz et Marrion si ça te chante. Qui sait, cela vous aidera peut-être à comprendre ?

Athena lui narra alors l'odyssée de son mariage — le sadisme de Boz, sa cruauté, son désir pervers de l'humilier, de la terroriser...

Avec son sens inné des intrigues, Claudia sentit tout de suite qu'il manquait une pièce au tableau, qu'Athena occultait volontairement un élément clé de l'histoire.

— Qu'est-il arrivé au bébé? demanda Claudia.

Athena reprit son masque lisse de star.

— Je ne peux pas t'en dire plus pour l'instant; en fait, j'aimerais que cette histoire de bébé reste entre toi et moi. Je ne tiens pas à ce que la LoddStone sache que j'ai eu un enfant. Je compte sur toi.

Claudia préféra ne pas insister sur ce sujet.

— Mais pourquoi laisser tomber le film? demanda-t-elle. Tu seras sous surveillance vingt-quatre heures sur vingt-quatre. Après le tournage, tu pourras disparaître où bon te semblera.

— Impossible, répondit Athena. Le studio n'assurera ma protection que le temps du tournage. Et cela ne servira à rien, de toutes façons. Je connais Boz. Rien ne peut l'arrêter. Si je reste ici, je ne finirai jamais le film.

Soudain, elles aperçurent un homme en maillot de bain sur la plage; il venait de sortir de l'eau et se dirigeait vers la maison. Les deux vigiles l'interceptèrent aussitôt. L'un des deux poussa un coup de sifflet et les deux gardes du jardin accoururent. Bien qu'à quatre contre un, ils avaient le plus grand mal à faire reculer l'homme.

— C'est Boz, annonça Athena d'une voix sourde. Il veut me faire peur. Un simple simulacre. Ce n'est pas pour de vrai, pas encore.

Elle sortit sur la terrasse et observa les cinq hommes. Claudia lui emboîta le pas.

Boz Skannet releva la tête vers les deux femmes, les sourcils froncés, le visage bruni par le soleil. Il émanait de son corps une sorte de message de mort.

— Coucou! Athena, c'est moi, s'écria-t-il hilare. Tu ne m'invites pas à prendre un verre?

Athena lui retourna un sourire carnassier.

— Ce serait avec joie si j'avais du poison à la maison! Tu viens de passer outre les ordres du juge, je pourrais te faire arrêter sur-le-champ.

— Tu sais bien que tu n'en feras rien, rétorqua Boz. Nous sommes trop liés tous les deux, nous avons trop de secrets en commun.

Malgré son air jovial, Skannet était terrifiant de malignité. Il rappelait à Claudia ces hommes qu'elle apercevait autrefois aux fêtes des Clericuzio à Quogue.

— Il a fait le tour de la barrière à la nage, annonça l'un des gardes. Il est passé par la plage publique. Il doit avoir une voiture là-bas. Qu'est-ce que l'on fait? On prévient la police?

— Non, répondit Athena. Ramenez-le à sa voiture. Et appelez Pollard. Je veux quatre gardes de plus autour de la maison.

Skannet regardait toujours Athena, planté dans le sable comme une statue de l'île de Pâques.

— A bientôt, Athena! lança-t-il tandis que les gardes l'emmenaient.

— Il est effectivement effrayant, reconnut Claudia. Tu as peut-être raison. Il faudrait des canons pour arrêter un type pareil!

— Je te passerai un coup de fil avant de disparaître à jamais, déclara Athena avec un ton quelque peu théâtral. On s'arrangera pour dîner une dernière fois ensemble.

Claudia était au bord des larmes. Skannet lui avait vraiment glacé le sang; il lui rappelait son père.

— Je prends l'avion pour Las Vegas; je vais demander conseil à mon frère, Cross. Il a l'habitude de ce genre de problèmes et il connaît un tas de gens. Je suis certaine qu'il peut nous aider. Alors, je t'en prie, ne fais rien avant mon retour.

— A quoi bon? rétorqua Athena. Et que veux-tu qu'il fasse, ton frère? Il est dans la Mafia ou quoi?

— Bien sûr que non! se défendit Claudia. Il m'aidera parce qu'il m'aime, c'est tout, précisa-t-elle avec une pointe de fierté dans la voix. Je suis la seule personne, avec mon père, qu'il aime vraiment en ce monde.

Athena la dévisagea en fronçant les sourcils.

— Ton frère est un personnage bien mystérieux. Tu es d'une innocence rare pour une fille qui navigue à Hollywood. A ce propos, je voudrais bien savoir pourquoi tu t'envoies autant de types? Tu n'es ni actrice, ni pute, que je sache?

— La réponse est évidente. Pour la même raison que les hommes s'envoient des dizaines de femmes. Médite là-dessus, lança-t-elle en embrassant Athena. Allez, je file à Las Vegas. Et ne bouge pas avant mon retour.

Ce soir-là, Athena resta sur la terrasse à contempler l'océan qui s'étendait comme une couverture noire sous le ciel sans lune. Elle songeait à la tactique à suivre et éprouvait une réelle tendresse pour Claudia. C'était comique de la voir aussi aveugle vis-à-vis de son frère — les œillères de l'amour, supposait-elle.

⁂

Un peu plus tard dans l'après-midi, Claudia raconta à Skippy Deere toute l'histoire d'Athena. A la fin de son récit, ils restèrent un moment silencieux.

— Elle a visiblement passé sous silence certains détails, annonça-t-il finalement. Je suis allé voir ce Boz Skannet, espérant monnayer son départ. Il a refusé tout net et m'a dit que si j'essayais de lui faire un coup en traître, il avait de quoi nous faire couler, tous. Il irait raconter aux journaux comment Athena s'est débarrassée de sa fille.

Claudia explosa de rage.

— C'est de la calomnie! lança-t-elle. Tous ceux qui connaissent Athena savent qu'elle serait incapable de faire une chose pareille.

— Certes, répondit Skippy. Mais nous ne fréquentions pas Athena lorsqu'elle avait vingt ans.

— Allez tous vous faire voir! lâcha Claudia. Je file à Las Vegas voir mon frère. Il a plus de jugeote et plus de couilles que vous tous ici! Il va régler ça vite fait bien fait.

— Je ne crois pas qu'il pourra ébranler Skannet. On a déjà essayé, et plutôt deux fois qu'une, annonça Deere, tout en entrevoyant une nouvelle opportunité.

Il savait, en effet, certaines choses à propos du frère de Claudia. Cross commençait à s'intéresser au secteur du cinéma. Il avait investi dans six films que Deere avait produits et perdu toute sa mise; Cross n'était donc pas infaillible. On disait aussi qu'il avait des relations dans le « milieu », qu'il y avait même un certain pouvoir. Mais tout le monde, à un degré ou à un autre, avait des liens avec la Mafia, songea Deere; cela ne prouvait pas grand-chose. Il doutait donc fortement que Cross pût leur être d'une quelconque aide dans cette affaire. Mais un producteur devait savoir prendre conseil, en particulier lorsqu'il s'agissait de gros sous. Et peut-être pourrait-il en profiter pour convaincre Cross d'investir de nouveau dans un de ses films ? Il était toujours salutaire de s'entourer de petits partenaires financiers qui n'avaient aucun pouvoir décisionnel.

Skippy Deere fit mine de réfléchir, puis se tourna vers Claudia.

— C'est bon, annonça-t-il. Je viens avec toi.

Claudia De Lena aimait bien Skippy Deere, bien qu'il l'avait escroquée un jour d'un demi-million de dollars. Elle l'aimait pour ses vices, pour la diversité de niveaux où se manifestait sa malhonnêteté et pour sa compagnie qui était toujours agréable — trois qualités vitales pour un producteur à Hollywood.

Des années auparavant, ils avaient travaillé ensemble sur un projet de film et étaient devenus depuis inséparables. A l'époque, déjà, Deere était l'un des producteurs les plus pittoresques et les plus talentueux de la côte Ouest. Un jour, sur un plateau, la vedette masculine du moment s'était vantée d'avoir couché avec la femme de Deere. Skippy qui avait tout entendu, juché sur une passerelle trois étages plus haut, s'était élancé dans le vide pour lui sauter dessus. Le malheureux acteur s'était retrouvé avec une clavicule cassée par le choc et un nez en charpie par un direct du droit.

Claudia gardait de lui un autre souvenir; ils se promenaient un jour sur Rodeo Drive lorsqu'elle avait vu un chemisier dans une vitrine; c'était le plus beau chemisier qu'il lui avait été donné de voir. Il était blanc avec de fines rayures émeraude; on eût dit qu'il sortait tout droit d'un tableau de Monet. C'était un magasin très *select*, il fallait prendre rendez-vous pour pouvoir être admis dans le temple, comme s'il s'agissait du cabinet de quelque grand médecin. Aucun problème. Skippy Deere connaissait personnellement le propriétaire — c'était l'ami intime des dirigeants de studios d'Hollywood, des présidents de multinationales et de tous les grands de ce monde.

Une fois qu'ils furent admis dans la boutique, le vendeur leur annonça que le chemisier coûtait cinq cents dollars.

Claudia recula d'un pas sous le choc, et porta ses mains à sa poitrine comme si elle allait avoir une attaque cardiaque.

— Cinq cents dollars pour un malheureux chemisier? C'est de la folie douce!

L'employé chancela à son tour devant tant d'impudence.

— C'est un tissu d'une rare qualité, répliqua-t-il. Cousu entièrement à la main... et ces lisérés verts sont uniques en leur genre; on ne les trouve nulle part ailleurs dans le monde. Le prix en est donc tout à fait justifié.

— Ne l'achète pas, Claudia, lança Skippy Deere. Tu sais combien ça coûte de faire nettoyer un chemisier comme ça? Au moins trente dollars! A chaque fois que tu porteras ce truc-là, tac! Trente dollars! Il faudra que tu en prennes soin comme de la prunelle de tes yeux. Pas la moindre tache de sauce, et fini la cigarette. Si tu fais un trou, c'est cinq cents dollars qui partiront en fumée!

Claudia se tourna vers le vendeur avec un sourire aux lèvres.

— Dites-moi, minauda-t-elle. Si je prends ce chemisier, j'ai droit au moins à un petit cadeau?

Le vendeur, un homme d'une élégance irréprochable, prit une mine outrée.

— Je vous en prie, sortez! balbutia-t-il avec des éclairs dans les yeux.

Claudia et Skippy se dirigèrent vers la sortie.

— Depuis quand les vendeurs fichent-ils les clients à la porte? lança Claudia en riant.

— Nous sommes sur Rodeo Drive, précisa Skippy Deere. Tu devrais déjà t'estimer heureuse d'avoir pu entrer.

Le lendemain matin, lorsque Claudia arriva au studio, il y avait un gros paquet cadeau sur son bureau. A l'intérieur, se trouvaient une dizaine de chemisiers et un petit mot de Deere : « A ne porter qu'à la cérémonie des Oscars! »

Elle comprit plus tard que le vendeur lui avait raconté des sornettes quand elle aperçut les mêmes lisérés verts sur des robes et sur un bandeau de tennis à cent dollars.

Quant à Skippy, il n'était guère mieux, puisque le film sur lequel ils travaillaient — une histoire d'amour à l'eau de rose — n'avait pas plus de chance d'être nominé aux Oscars que Deere d'être élu à la cour suprême. Mais l'attention était touchante.

Un jour, enfin, le produit de leur collaboration dépassa le seuil magique des cent millions de dollars de recettes, et

Claudia crut sa fortune faite. Skippy Deere l'invita à dîner pour fêter l'événement. Il ne tenait plus en place, tant il était transporté d'allégresse.

— C'est mon jour de chance, lançait-il. Le film a dépassé les cent millions, la secrétaire de Bantz m'a fait une pipe du tonnerre de Dieu, et mon ex-femme s'est tuée en voiture hier au soir !

Les deux autres producteurs présents à la table se figèrent sous le choc. Claudia crut qu'il s'agissait d'une plaisanterie. Mais Deere leva toute ambiguïté :

— Je vois vos yeux briller d'envie ! Ça me fait économiser cinq cent mille dollars de pension par an et mes deux gosses vont hériter de sa maison, une propriété qu'elle m'a extorquée. Ils seront donc autonomes financièrement.

Claudia se sentit brusquement très lasse.

— Quoi ! Je suis honnête, expliqua Deere à son intention. Je dis seulement tout haut ce que tous les autres hommes pensent tout bas.

Skippy Deere avait payé son dû au monde du cinéma. Fils de charpentier, il avait aidé son père à construire les maisons des stars à Beverly Hills. Il arriva alors un événement qui ne pouvait se produire qu'à Hollywood ; il devint l'amant d'une actrice d'âge mûr et celle-ci lui trouva une place chez son agent artistique, une façon comme une autre de préparer sa reconversion future.

Il travailla dur, apprenant à maîtriser sa nature impétueuse, et le plus important de tout, à chouchouter les artistes. Il fallait savoir s'attirer les faveurs des jeunes réalisateurs à la mode, dire quelques mots rassurants aux starlettes et aux jeunes premiers et devenir l'ami et le maître à penser de tous ces casse-pieds de scénaristes. Il s'amusait à comparer son attitude à celle d'un certain cardinal de la Renaissance venu plaider la cause du pape Borgia auprès du roi de France. Lorsque le roi exhiba son postérieur, et défé-qua pour montrer son mépris, le cardinal s'exclama : « Oh, les fesses d'un ange ! » et se précipita pour les lui embrasser.

Mais Skippy Deere explora également la face souterraine du métier. Il passa maître dans l'art de la négociation qu'il résumait par « tout s'achète, même l'impossible ». Il s'ouvrit au champ de la littérature, acquérant un œil de lynx pour repérer les livres susceptibles de faire un succès à l'écran. Il avait le don également pour reconnaître les acteurs de talent. Il étudia dans le détail tous les arcanes de la production cinématographique et les divers moyens de détourner de l'argent d'un film. Il devint l'un de ces producteurs à succès avec qui on retrouvait 50 p. 100 du scénario original à l'écran et 70 p. 100 du budget.

Par chance, il aimait la lecture et pouvait aligner quelques lignes sur le papier. Il était, certes, incapable de partir d'une feuille blanche, mais il aimait retravailler des scènes existantes, revoir des dialogues, insérer des scènes d'actions ou des petites saynettes, qui parfois fonctionnaient à merveille, tout en restant parfaitement inutiles à l'histoire. Sa fierté, la clé du succès de ses films, c'était son sens inné des fins — des fins heureuses où le bien triomphait glorieusement du mal, ou tout au moins porteuses d'espoir pour ne pas sombrer dans le tragique absolu. Son chef-d'œuvre, en la matière, était la fin d'un film narrant la destruction de New York par une bombe atomique. Tous les personnages, y compris ceux qui avaient fait exploser la bombe, se révélaient finalement pétris d'amour pour leur prochain. Pour parvenir à ce tour de force, Skippy Deere avait usé à la tâche cinq scénaristes.

Tout ceci n'aurait été d'aucune utilité, si, en tant que producteur, Deere n'avait eu un don particulier pour trouver des financements. L'argent tombait littéralement du ciel. Les milliardaires faisaient des dons à sa société, ainsi que les jolies femmes avec qui il sortait. Vedettes et réalisateurs appréciaient chez lui son côté bon vivant. Il parvenait, à force de charme, à convaincre les studios d'ouvrir leur portefeuille et avait vite compris qu'avec certains, il pouvait s'assurer le feu vert pour un film en payant des pots-de-vin en conséquence. La liste de gens à qui il devait envoyer « cartes de vœux » ou « cadeaux de Noël » était sans fin. On y comptait nombre de vedettes, de critiques de journaux et de magazines, et même de hauts fonctionnaires de la justice. Tous étaient ses « chers amis », et lorsque certains perdaient de leur utilité, ils étaient retirés du fichier « cadeaux », mais restaient sur le fichier « cartes de vœux ».

L'une des clés de la réussite pour un producteur, c'était d'avoir toujours quelque chose à vendre. Cela pouvait être un obscur roman, ayant fait un flop dans les librairies, peu importe ; l'essentiel c'était d'avoir quelque chose sous le coude à proposer aux studios. Deere s'assurait donc les droits de romans de ce genre, sur cinq années, à raison de cinq cents dollars par an, ou prenait une option sur un scénario et le retravaillait avec l'auteur pour lui donner une forme susceptible de plaire aux studios. C'était vraiment un travail d'esclave car les écrivains étaient des êtres si fragiles. « Fragile » dans son vocabulaire personnel signifiait le plus souvent « complètement incapable » — en particulier quand il parlait des actrices.

Sa collaboration avec Claudia De Lena était, en revanche, des plus agréables et enrichissantes. Il l'aimait vraiment bien et voulait lui apprendre toutes les ficelles du métier. Ils avaient passé trois mois à travailler sur un scénario. Ils dînaient ensemble au restaurant, jouaient au golf (Deere fut d'ailleurs surpris de se faire battre à plates coutures), allaient aux courses à l'hippodrome de Santa Anita, et se baignaient dans sa piscine, entourés de secrétaires en bikini prenant des lettres en sténo. Claudia avait même emmené Deere un week-end à Las Vegas et lui avait présenté son frère Cross. Ils couchaient ensemble de temps en temps — c'était pratique.

Le film fut un grand succès commercial et Claudia s'attendit à recevoir une grosse somme d'argent. Elle avait un pourcentage sur les parts de Deere, or Deere touchait à la « source » comme il disait — c'est-à-dire qu'il avait des points sur le brut. Mais ce que Claudia ignorait c'était que Skippy Deere percevait en fait deux pourcentages différents, l'un sur les recettes brutes, l'autre sur les bénéfices nets. Et la part échéant à Claudia était comptée sur les bénéfices nets — bénéfices qui se réduisirent à zéro, bien que le film ait fait plus de cent millions de dollars de recette. Les frais généraux du studio, la commission de Skippy sur les recettes et le coût du film eurent tôt fait de réduire les bénéfices à une peau de chagrin.

Claudia intenta une action en justice et Skippy Deere lâcha une petite somme pour préserver leur amitié. Lorsque Claudia lui reprocha son attitude, Deere se contenta de répondre : « Cela n'a rien de personnel, c'est juste une bagarre entre avocats. »

Skippy Deere, à ce propos, avait coutume de dire : « Je

faisais du sentiment autrefois, puis j'ai eu le malheur de me marier. » Pire encore, il était tombé amoureux. Une erreur de jeunesse, avouait-il. Contrairement à ses principes, il avait eu la faiblesse d'épouser une actrice parce qu'il avait vu en elle du talent. C'était le cas effectivement, mais, Christi, l'élue en question, n'avait pas cette magie nécessaire à l'écran pour faire d'elle une grande star. Avec toute la meilleure volonté du monde, elle ne décrochait jamais mieux que le troisième rôle féminin sur un film.

Mais Skippy l'aimait vraiment. Lorsqu'il acquit de l'influence dans le microcosme du cinéma, il se démena pour faire de Christi une grande vedette. Il appelait les producteurs, les réalisateurs, les directeurs de studio pour qu'ils lui donnent de grands rôles. En quelques films, elle devint une valeur sûre en second rôle féminin. Malheureusement, elle vieillissait et on la demandait de moins en moins. Ils avaient deux charmants enfants, mais Christi sombra dans la dépression. Skippy dut sacrifier de plus en plus de son temps pour s'occuper d'elle.

Skippy Deere, comme tous les producteurs talentueux, était une bête de travail. Il sillonnait toute la planète pour superviser ses films, trouver des financements, monter des projets. Il côtoyait tant de jolies jeunes femmes au hasard de ses pérégrinations qu'il avait souvent des aventures, passionnelles pour la plupart, mais il aimait toujours son épouse.

Un jour, une fille du comité de lecture lui apporta un scénario qu'elle prétendait parfait pour Christi — il y avait un grand rôle pour elle qui convenait parfaitement à ses talents. C'était un film noir; l'histoire d'une femme qui tuait son mari parce qu'elle tombait amoureuse d'un jeune poète, et qui devait ensuite faire face à la douleur de ses enfants et à la suspicion des beaux-parents. A la fin, bien sûr, elle se rachetait et trouvait la rédemption. C'était une histoire à dormir debout, mais cela pouvait marcher.

Skippy Deere avait deux problèmes à résoudre. Un, convaincre un studio de faire le film. Deux, parvenir à imposer Christi pour le rôle.

Il appela toutes ses relations, mit tout son argent personnel dans le projet. Il persuada une star masculine de participer au film, alors que ce n'était qu'un petit rôle, et obtint

Dita Tommey comme réalisatrice. Tout se passa à merveille. Christi fut sublime, Skippy produisit le film de façon irréprochable — c'est-à-dire que quatre-vingt-dix pour cent de l'argent alla sur l'écran.

Pendant tout ce temps-là, Skippy ne fit qu'une seule infidélité à sa femme — une nuit, à Londres, alors qu'il peaufinait la distribution, avec une Anglaise dont la maigreur piquait au vif sa curiosité.

Le film fut un succès commercial. Skippy, qui avait fait l'impasse sur son salaire de producteur, gagna une fortune grâce à ses pourcentages sur les recettes et Christi remporta l'Oscar de la meilleure actrice.

Au cinéma, selon les canons de Skippy, le film devait s'arrêter là, sur une fin heureuse. Mais sa femme avait retrouvé une haute estime d'elle-même, sûre de sa véritable valeur. Le fait qu'elle fût désormais une tête d'affiche en était la preuve — des coursiers lui apportaient des scénarios avec des rôles de femmes fatales, des personnages de celluloïd chargés de mystère. Skippy lui conseilla de chercher des rôles plus adaptés à elle, car le choix du prochain long métrage serait crucial pour la suite de sa carrière. Il n'avait jamais cherché à savoir si Christi lui restait fidèle ; en effet, il partait du principe qu'il était naturel qu'elle prenne un peu de bon temps lorsqu'elle était en tournage à l'extérieur. Mais, quelques mois après avoir remporté son Oscar, alors qu'on l'invitait à toutes les soirées mondaines avec le gratin de la profession, elle s'affichait en compagnie de jeunes acteurs qui se battaient bec et ongles pour décrocher un rôle. On la voyait en photo dans tous les magazines du show-biz, en femme épanouie, jouissant d'une nouvelle jeunesse. Elle sortait avec des hommes de quinze ans plus jeunes qu'elle. Les commérages allaient bon train chez les journalistes, tandis que les féministes saluaient chez elle ce signe ostensible d'émancipation.

Skippy Deere ne prenait nullement ombrage de ces escapades. Après tout, il couchait bien avec de jeunes starlettes. Pourquoi empêcherait-il son épouse d'avoir ce genre de plaisirs ? En revanche, plus rien ne l'obligeait à se démener comme un beau diable pour promouvoir la carrière de sa moitié. En particulier lorsqu'elle lui demandait de donner un rôle à l'un de ses jeunes amants ! Skippy cessa donc de chercher des scénarios pour elle et d'intercéder en sa faveur auprès d'autres producteurs, de metteurs en scène et grands pontes de studios — hommes d'âge mûr eux-mêmes, ceux-ci prirent rapidement fait et cause pour Skippy Deere, poussés par une sorte de fraternité masculine, et tournèrent résolument le dos à Christi.

Son épouse fit deux autres films comme tête d'affiche. Deux flops consécutifs. Parce qu'elle ne convenait pas pour le rôle. C'est ainsi qu'elle gâcha les retombées professionnelles générées par son Oscar. Au bout de trois ans, elle était de nouveau cantonnée au troisième rôle féminin.

Entre-temps, elle était tombée amoureuse d'un jeune homme qui rêvait d'être producteur. Un jeune loup de la trempe de son mari, mais qui manquait cruellement de capitaux. Christi demanda donc le divorce et obtint du tribunal une pension de cinq cent mille dollars par an et une immense propriété. Ses avocats n'ayant jamais eu vent des autres possessions de Skippy en Europe, les deux époux se séparèrent en bons termes. Et voilà que sept ans plus tard, elle mourait dans un accident de voiture. Christi faisait encore partie du fichier « cartes de vœux » de Skippy, mais sa fiche était estampillée : « la vie est trop courte », ce qui signifiait qu'il ne répondait d'ores et déjà plus à ses appels.

Voilà pourquoi Claudia De Lena éprouvait une affection mi-figue-mi-raisin pour Skippy Deere. C'était quelqu'un qui se montrait aux autres sans faux-semblant, un personnage d'un égoïsme sans fond, qui vous regardait droit dans les yeux en vous jurant que vous étiez son ami, tout en se sachant jugé, par tout Hollywood, incapable du moindre geste d'amitié réelle. Mais c'était un hypocrite passionné, pétillant de vie, et qui plus est, d'un grand pouvoir de persuasion. Le seul homme, peut-être, à pouvoir faire chanceler Cross. Ils prirent donc l'avion ensemble pour Las Vegas.

QUATRIÈME PARTIE

Cross De Lena
et
les Clericuzio

VI

Lorsque Cross eut vingt et un ans, Pippi De Lena brûlait de voir son fils suivre ses traces. Le premier devoir d'un homme dans l'existence, ainsi que tout le monde le reconnaissait, c'était de s'assurer un moyen de subsistance. Un homme devait gagner son pain, avoir un toit au-dessus de sa tête, des habits sur son dos et de quoi nourrir ses enfants. Si l'on voulait y parvenir, sans vivre pour autant dans la misère, il était obligatoire de jouir d'un certain pouvoir sur le monde environnant. Il s'ensuivait, comme deux et deux font quatre, que Cross devait se faire une place dans la famille Clericuzio. Il était donc temps qu'il fasse ses preuves.

Cross jouissait d'une bonne réputation chez les Clericuzio. La réponse qu'il avait faite à Dante quand celui-ci lui avait appris que Pippi était le *martello* de la famille avait semblé faire les délices de Don Domenico en personne. *Non, je ne le sais pas. Et toi non plus, tu ne le sais pas. Personne ne le sait... Où as-tu donc trouvé ce chapeau ridicule?* Quelle repartie! s'enthousiasmait Don Clericuzio, savourant chaque mot. Si jeune et déjà si discret, si futé — quelle fierté pour son père! Il faut que nous donnions sa chance à cet enfant. Tout ceci avait été relaté à Pippi. Il savait donc que l'heure était venue.

Il se mit alors à préparer Cross comme un cheval avant la course. Il l'envoya collecter de l'argent chez des clients récalcitrants où la force était nécessaire. Il lui raconta les vieilles histoires de la famille et comment les opérations avaient été menées. Jamais d'improvisation, insistait-il. Même lorsqu'il fallait faire preuve d'imagination, tout devait avoir été soigneusement prévu jusque dans le moindre détail. Il fallait toujours chercher la simplicité. Boucler un petit secteur, et y coincer la cible. D'abord les repérages, la voiture et l'exécution ensuite; prévoir quelques voitures pour couvrir la fuite, et disparaître pendant un certain temps, afin que personne ne puisse t'interroger tout de suite. Ça, c'était la méthode simple, le B A BA. S'il fallait faire preuve d'imagination, pas de demi-mesure. On pouvait inventer tout ce que l'on voulait, à condition de tout préparer sur le papier. Mais l'originalité n'était de mise qu'en cas d'absolue nécessité.

Il expliqua même à Cross certains mots codés. Une « communion » signifiait que l'on faisait disparaître le corps de la victime. Dans ces cas-là, il fallait faire preuve d'imagination. Pour une « confirmation » on devait le retrouver. La simplicité s'imposait donc.

Pippi fit à Cross l'historique de la famille Clericuzio. Leur grande guerre contre les Santadio qui finit d'asseoir leur pouvoir. Pippi ne dit rien de son rôle durant cette période, et ne s'étendit guère sur les détails. Il préféra, en revanche, faire les éloges de Giorgio, Vincent et Petie. Mais par-dessus tout, il vantait les mérites de Don Domenico, pour sa clairvoyance et sa férocité.

L'influence des Clericuzio s'étendait comme une grande toile d'araignée dans de multiples secteurs d'activité, mais la branche la plus importante était celle des jeux. La famille contrôlait tous les casinos et tripots des États-Unis. Cela allait d'un pouvoir à peine perceptible sur les casinos des réserves indiennes à une mainmise totale sur les paris sportifs, qu'ils soient légaux, comme au Nevada, ou illégaux comme dans le reste du pays. La famille possédait une fabrique de machines à sous, avait des parts dans les manufactures de dés et de jeux de cartes ainsi que dans les sociétés qui fournissaient porcelaine, argenterie et service de blanchisserie aux hôtels des grands casinos. Les jeux étaient la perle de l'empire Clericuzio; la famille usait d'ailleurs de toute son influence pour étendre la légalisation des jeux au reste du pays. En particulier dans le domaine des paris sportifs qui, d'après les analyses, pouvait se révéler une véritable mine d'or.

La légalisation des jeux d'argent dans tous les États-Unis était maintenant le Graal de la quête des Clericuzio. Non seulement les casinos et les loteries, mais également les paris lors des rencontres sportives — base-ball, football, basket-ball et toutes les autres disciplines. Le sport était une institution sacrée en Amérique ; dès que les jeux seraient légalisés, c'est une manne qui tomberait du ciel. Les profits seraient faramineux.

Giorgio, dont la société gérait les loteries de plusieurs États, fit une analyse des bénéfices possibles. Un minimum de deux milliards de dollars était parié pendant le Super Bowl à travers tout le pays, pour la plupart illégalement. Les paris sur les sports à Las Vegas, en comptant seulement ceux autorisés par la loi, s'élevaient à cinquante millions de dollars. Les World Series, qui se déroulaient sur plusieurs matches, totalisaient le milliard. Le basket-ball, bien que moins populaire, atteignait, grâce à ses multiples finales de championnat, le milliard de dollars lui aussi, et ce chiffre ne rendait pas compte des paris quotidiens durant la saison sportive.

Une fois les paris légalisés, ces bénéfices pourraient être facilement doublés par des loteries ou des paris combinés, voire triplés ; quant au Super Bowl les recettes pourraient être décuplées et assurer un bénéfice net d'un milliard de dollars en une seule journée. Le tout pouvait flirter avec les cent milliards de dollars et la beauté de l'affaire, c'est qu'il n'y avait rien à produire ; les seuls frais se réduisant à un peu de marketing et d'intendance. Pour les Clericuzio, c'était la possibilité de se mettre dans la poche une coquette somme au passage — au bas mot cinq milliards de dollars par an.

La famille possédait l'expérience, les appuis politiques et la puissance nécessaires pour escompter contrôler une bonne part de ce nouveau marché. Giorgio avait des études montrant tous les jeux et paris susceptibles d'être mis en place pour les grands événements sportifs. Les jeux seraient un formidable leurre pour attirer cette poule aux œufs d'or qu'était la population américaine.

Le jeu était une activité à bas risque et à haut rendement. Pour parvenir à cette légalisation, peu importait le prix à payer.

La famille avait fait également sa fortune grâce à la drogue, mais elle intervenait uniquement au sommet de la pyramide — œuvrer à la base était trop risqué. Les Clericuzio contrôlaient les chaînes de fabrication en Europe, offraient appuis politiques et juridiques, et blanchissaient l'argent. Leur rôle dans le monde de la drogue était juridiquement inattaquable et extrêmement rentable. Ils faisaient disparaître l'argent frauduleux à travers tout un réseau de banques européennes, et dans quelques banques américaines, contournant ainsi la loi sans crainte d'être inquiétés.

Pourtant, précisa Pippi avec force précautions, il arrivait que certains risques dussent être encourus, il fallait parfois frapper du poing sur la table — ce que faisait la famille avec la plus grande discrétion et avec une férocité absolue. C'était à ce moment-là que l'on gagnait son droit à la belle et douce vie qui était la sienne, que l'on méritait réellement son pain quotidien.

Peu de temps après avoir fêté son vingt et unième anniversaire, Cross allait donc être mis à l'épreuve.

L'un des plus gros appuis politiques de la famille Clericuzio était Walter Wavven, le gouverneur de l'État du Nevada ; un homme d'une cinquantaine d'années, grand et maigre, coiffé d'un chapeau de cow-boy, mais toujours vêtu de costumes irréprochables, taillés sur mesure. Il avait un charme certain, et bien qu'il fût marié, il avait un penchant inextinguible pour le sexe féminin. Il aimait également la bonne chère, le bon vin, les paris sportifs et les jeux au casino. Pour éviter tout risque de se mettre à dos l'opinion publique, il cachait soigneusement ses vices et évitait toute liaison passionnée. Il laissait donc à Alfred Gronevelt et à l'hôtel Xanadu le soin de satisfaire ses divers appétits tout en cultivant une image d'homme pieux et de grand défenseur des vertus familiales.

Gronevelt ayant rapidement compris l'intérêt que pouvait représenter Wavven, lui assurait son soutien financier pour lui faire gravir tous les échelons de l'échelle politique. Lorsque Wavven, devenu gouverneur du Nevada, voulait passer un week-end de détente, Gronevelt lui offrait l'une de ses chères villas.

Les villas avaient été le coup de génie de Gronevelt...

Alfred Gronevelt était arrivé à Las Vegas alors que la ville n'était encore qu'un ramassis de saloons pour cow-boy. Il avait étudié les jeux et la psychologie des parieurs avec la minutie d'un entomologiste découvrant sous la forme d'un insecte un maillon important de la chaîne de l'évolution. Un grand mystère se refusera à jamais à la compréhension humaine : pourquoi les riches passaient-ils des heures à jouer au casino dans l'espoir de gagner un surplus d'argent dont ils n'avaient cure ? Peut-être était-ce une façon pour eux de cacher d'autres vices, ou de défier le destin, mais avant toute chose, c'était le moyen d'affirmer sa supériorité devant son prochain. La conclusion qui s'imposait était la suivante : quand un riche franchissait les portes d'un casino, il devait être traité comme un dieu. Ainsi, il se laisserait prendre au jeu, et se comporterait avec la démesure des dieux ou des rois de France à Versailles.

Gronevelt dépensa donc cent millions de dollars pour construire sept villas luxueuses et un casino privé — un petit bijou en son genre — sur le domaine du Xanadu (avec sa clairvoyance coutumière, Gronevelt avait acheté plus de terre que n'en nécessitait la construction du seul hôtel). Ces villas étaient des palais en miniature, chacune d'elles pouvait accueillir six couples dans six appartements privatifs, bien plus luxueux que de simples suites. Le mobilier était somptueux — tapis tissés main, sols de marbre, salles de bain en or, tentures de velours aux murs — avec serveurs et cuisinier personnels fournis par l'hôtel. Le dernier cri en matière d'équipement audiovisuel transformait le salon en véritable salle de cinéma. Les bars renfermaient les meilleurs vins et spiritueux, et des boîtes débordant de cigares Havane de contrebande trônaient dans les salons. Chaque villa possédait sa piscine privée et un jacuzzi. Tout cela étant gracieusement offert aux joueurs.

Au milieu de ce domaine ultraprotégé des villas, se trouvait un petit casino de forme ovale, surnommé « The Pearl », où les grands joueurs pouvaient s'adonner à leur passion dans la plus stricte intimité; la mise de départ au baccara était de mille dollars. Les plaques dans ce casino étaient elles aussi différentes : le jeu commençait par les plaques noires de cent dollars; on trouvait ensuite celles de cinq cents dollars, beiges avec un liséré d'or; celles de mille dollars, bleues traversées de deux barres d'or : et enfin des plaques de dix mille dollars qui avaient été spécialement fabriquées pour l'occasion — couchées d'or avec un diamant enchâssé en leur milieu. Toutefois, par égard pour les dames, la valeur des plaques à la roulette était divisée par vingt.

Il était étonnant de voir des hommes et des femmes immensément riches mordre à cet hameçon grossier. Ce genre de cadeau promotionnel coûtait à Gronevelt environ cinquante mille dollars par semaine. Mais ces frais pouvaient être déduits sur la feuille d'impôts, et tous les prix étaient gonflés sur les déclarations. Les chiffres réels montraient que chaque villa rapportait un million de dollars par semaine. Les restaurants haut de gamme qui servaient les hôtes importants des villas et de l'hôtel faisaient également de gros bénéfices en surévaluant leurs dépenses vis-à-vis du fisc. Sur la comptabilité officielle, un dîner pour quatre coûtait mille dollars; puisque le séjour des invités était offert par le Xanadu, la note passait en frais professionnels pour le fisc et était retranchée de la feuille de revenus; or, le repas coûtant en réalité à peine cent dollars, on gagnait aussi de l'argent par ce biais.

Pour Gronevelt, les sept villas étaient comme sept couronnes qu'il déposait sur la tête des seuls joueurs susceptibles de miser plus d'un million de dollars pendant leur séjour de deux ou trois jours; peu importait qu'ils gagnent ou qu'ils perdent. Il fallait qu'ils jouent, c'était ça l'important — et paient rapidement leur note sinon ils étaient aussitôt relégués dans l'une des suites de l'hôtel qui, quoique douillettes, ne pouvaient supporter la comparaison avec la splendeur des villas.

Bien sûr, l'intérêt des villas allait un peu plus loin. Elles servaient également de retraite à des personnages publics pour accueillir leurs maîtresses ou leurs petits amis et pour jouer dans le plus strict anonymat. Il était sidérant de voir le nombre de magnats des affaires, d'hommes pesant des centaines de millions de dollars, affublés d'épouses et de maîtresses, qui pouvaient se sentir seuls. Des solitudes en demande de compagnie féminine sans souci, de confidentes intimes et attentionnées. Pour ces hommes, les villas étaient offertes avec les beautés ad hoc.

Le gouverneur Walter Wavven était l'un de ces grands solitaires. Le seul, parmi les hôtes des villas, à ne pouvoir lâcher son million de dollars. C'était un petit joueur, et encore, son portefeuille était le plus souvent garni par Gronevelt. Si d'aventure sa note au casino dépassait un certain plafond, le remboursement en était automatiquement sursis à ses futurs gains.

Wavven venait à l'hôtel pour se détendre — jouer au golf sur le parcours du Xanadu, boire et faire la cour aux déesses que lui envoyait Gronevelt.

Gronevelt jouait à ce petit jeu depuis très longtemps avec Wavven. En vingt ans, il ne lui avait jamais demandé la moindre faveur personnelle, sauf celle de pouvoir faire entendre ses propositions de réformes législatives pour faciliter la vie des casinos à Las Vegas. La plupart du temps, ses doléances étaient entendues ; lorsque ce n'était pas le cas, le gouverneur lui expliquait par le menu les réalités politiques qui l'empêchaient d'accéder à sa requête. Il restait malgré tout quelqu'un de précieux parce qu'il présentait Gronevelt à nombre de juges et de politiciens influents qui pouvaient être achetés avec de la monnaie sonnante et trébuchante.

Gronevelt misait en secret, malgré la conjoncture défavorable, sur le fait que le gouverneur pourrait un jour être élu président des États-Unis. Il serait alors récompensé au centuple de ses efforts.

Mais le destin n'avait pas son pareil pour ruiner les plans des stratèges les plus fins, comme le savait Gronevelt. Le plus simple mortel pouvait être l'instrument de la déroute des plus grands. Le mortel en question avait vingt-cinq ans ; c'était l'amant de la fille aînée de Wavven, elle-même âgée de dix-huit ans.

Le gouverneur avait épousé une femme charmante qui avait un esprit plus ouvert et plus libéral dans ses choix politiques que son mari, même s'ils travaillaient ensemble dans le même parti. Ils avaient trois enfants et cette famille était un grand atout dans sa carrière politique. Sa fille aînée, Marcy, suivait ses études à Berkeley — choix commun de la fille et de la mère, grandement déploré par le père.

Libérée de la rigidité d'une famille versée dans la politique, Marcy se laissa enivrer par l'esprit libéral régnant dans cette université — elle adopta les thèses de la gauche, prit goût à la musique moderne et s'initia à la drogue. En fille digne de son père, elle avait un appétit sexuel débridé. Et c'est avec innocence et un sens aigu de la justice sociale que ses sympathies se portèrent sur les classes laborieuses et les minorités opprimées. Elle se découvrit une passion également pour l'art. C'est donc en toute logique qu'elle commença à sortir avec des jeunes poètes ou musiciens. Après quelques liaisons sans lendemain, elle s'amouracha d'un jeune homme qui écrivait des pièces de théâtre, jouait de la guitare et qui était complètement fauché.

Il s'appelait Theo Tatosky, et il avait le profil idéal pour une idylle d'université : un regard ténébreux, des origines modestes (une famille catholique travaillant à Detroit dans les usines d'assemblage automobile), un esprit idéaliste de poète versé dans les allitérations — « plutôt mourir que pourrir sous un capot d'auto / A chacun de choisir ses chaînes ! », avait-il coutume de dire. Cela ne l'empêchait pas, toutefois, de travailler à mi-temps pour payer ses études. Il se prenait très au sérieux, mais avait un certain talent.

Marcy et Theo furent inséparables pendant deux ans. Elle l'invita au Nevada pour lui présenter toute sa famille, et fut ravie de voir que Theo ne semblait pas le moins du monde impressionné par son père. Plus tard, dans la chambre à coucher du palais du gouverneur, il lui annonça que son père était un maître dans l'art de la langue de bois.

Peut-être Theo avait-il senti leur condescendance ? Wavven et sa femme s'étaient montrés plus qu'amicaux, d'une courtoisie extrême, bien décidés à faire honneur à l'élu de leur fille, tout en déplorant secrètement un choix si incongru. La mère ne s'en inquiétait pas outre mesure, supputant que le charme de Theo s'évanouirait avec le temps. Le père, pour dissimuler son malaise, fit preuve d'une amabilité hors du commun, même pour un politicien. Après tout, le gouverneur se voulait le défenseur des petits et de la classe laborieuse sur la scène politique, et la mère était une intellectuelle libérale. Une histoire d'amour avec ce Theo ne pouvait qu'élargir le champ de vision de sa fille. En attendant, Marcy et Theo vivaient ensemble, et projetaient de se marier à leur sortie de l'université. Theo écrirait et interpréterait ses pièces, et Marcy serait sa Muse et son précepteur de littérature.

Une association solide et stable. Les deux jeunes ne semblaient pas verser trop durement dans la drogue, et le fait qu'ils vivaient maritalement ne causerait guère d'émoi dans l'Amérique actuelle. Le gouverneur se prit même à songer que dans le pire des cas, leur mariage pourrait être finalement un bon point politiquement parlant, un signe envoyé au public prouvant que malgré son passé de WASP pur et dur, malgré sa richesse, sa culture, il avait un sens inné de la démocratie puisqu'il acceptait un col bleu pour gendre.

Tout le monde prit son parti de cette situation banale — le père et la mère regrettant simplement que Theo fût aussi ennuyeux.

Mais la jeunesse est perverse. Marcy, durant la dernière année à l'université, tomba amoureuse d'un jeune étudiant bien plus fortuné et bien plus acceptable pour ses parents que Theo. Marcy voulait rester amie avec Theo. Elle trouvait excitant l'idée de jongler entre deux amants sans commettre sur le papier le péché d'adultère. Dans son innocence, cela flattait son ego.

La surprise vint de Theo. Sa réaction fut bien loin de celle de l'étudiant libéral type de Berkeley, mais plutôt du « Polack » vertueux. Malgré son inclination pour la poésie et la vie de bohème, malgré les cours de ses professeurs féministes et tout le climat de tolérance sexuelle qui flottait dans les couloirs de Berkeley, Theo afficha une jalousie féroce.

Theo Tatosky avait toujours été un peu sombre et excentrique, cela faisait partie de son charme. Il prônait des solutions extrêmes, arguant que sacrifier cent personnes innocentes pour avoir une société libre dans le futur était un prix tout à fait raisonnable. Marcy savait cependant que Theo ne serait jamais capable de faire une chose pareille. Un jour, en rentrant chez eux après deux semaines de vacances, ils découvrirent un nid de souris dans leur lit. Theo s'était contenté de mettre les souriceaux dehors, sans leur faire le moindre mal. Marcy avait trouvé ce geste plein de noblesse de cœur.

Mais lorsque Theo apprit que Marcy avait un amant, il la roua de coups, avant de fondre en larmes et d'implorer son pardon — qu'elle lui offrit d'ailleurs. Elle aimait encore faire l'amour avec lui, et savoir qu'il était au courant de sa double vie rendait la chose plus excitante encore à ses yeux.

Malheureusement, Theo devint de plus en plus violent ; ils se disputaient souvent ; la vie avec lui perdait de son attrait et Marcy finit par s'en aller.

Son autre histoire s'acheva elle aussi. Marcy eut quelques aventures. Theo et Marcy restèrent cependant amis et passaient la nuit ensemble de temps en temps. Marcy comptait s'installer sur la côte Est et faire sa maîtrise dans une université de la Ivy League, Theo partit pour Los Angeles, comptant écrire des pièces et trouver du travail comme scénariste. L'une de ses petites pièces musicales fut achetée par un petit théâtre pour trois représentations. Il invita Marcy à la première.

Marcy prit l'avion pour Los Angeles. La pièce était si mauvaise que la moitié des spectateurs quitta la salle au milieu de la représentation. Marcy resta donc avec Theo pour le consoler. Personne ne sut au juste ce qui se passa cette nuit-là. Au petit matin, Theo poignarda Marcy, lui crevant les deux yeux. Puis il se planta le couteau dans le ventre et appela la police. Les secours arrivèrent à temps pour lui sauver la vie, mais il était déjà trop tard pour Marcy.

Le procès en Californie eut, comme on pouvait s'y attendre, un grand retentissement médiatique. La fille du gouverneur du Nevada assassinée par un poète, fils d'ouvrier, qui avait été son amant pendant trois ans avant d'être jeté aux oubliettes.

L'avocat de la défense était Molly Flanders, spécialisée dans les crimes passionnels — ce devait être son dernier procès criminel puisqu'elle allait se lancer ensuite dans le droit du spectacle. Sa tactique était classique. On trouva des témoins pour dire que Marcy avait au moins six amants alors que Theo la croyait fidèle. Marcy, la fille de bonne famille, riche et frivole, avait bafoué l'amour sincère d'un pauvre col bleu — l'esprit du malheureux, fou de douleur, avait alors chancelé. Molly Flanders plaida la « démence passagère ». Le point d'orgue de son exposé (écrit par Claudia De Lena) fut cette tirade prononcée d'une voix sentencieuse : « Mon client restera à jamais irresponsable de son acte. » Assertion qui aurait eu le don d'agacer le patriarche des Clericuzio.

Theo Tatosky sembla mortifié à souhait durant sa déposition. Ses parents, des catholiques fervents, avaient persuadé des membres influents du clergé de prendre fait et cause pour leur fils et ceux-ci vinrent annoncer devant le tribunal que Tatosky avait renoncé à sa vie d'hédoniste et désirait à présent rentrer dans les ordres. On insista lourdement sur le fait que Tatosky avait tenté de se donner la mort, plein d'un remords évident, ce qui prouvait bien son irresponsabilité au moment des faits, comme s'il y avait là quelque relation de cause à effet. Le tout décoré de fleurs de rhétorique par Molly Flanders qui expliquait aux jurés que le jeune homme saurait se montrer utile à la société si celle-ci avait l'intelligence de ne pas le punir pour avoir commis un acte irraisonné, provoqué par l'inconscience d'une fille de nantis, à la moralité douteuse, se plaisant à bafouer les sentiments authentiques d'un pauvre col bleu. Une petite inconsciente, au fond, sans aucune attention pour autrui, et qui avait malheureusement payé le prix fort de ses fautes.

Molly Flanders adorait plaider en Californie. Les jurés étaient d'ordinaire intelligents, et assez cultivés pour connaître toute la palette possible de troubles psychiatriques — nourris, gavés de théâtre, de musique, de cinéma et de littérature, leur cœur débordait de compassion et d'amour. Lorsque Molly avait affaire à ce genre de jury, l'issue du procès ne faisait aucun doute. Tatosky fut reconnu irresponsable de ses actes au moment du crime et donc non coupable des faits qui lui étaient reprochés. On lui proposa aussitôt d'apparaître dans une série T.V. retraçant sa vie, non pas comme acteur principal, mais comme chanteur pour interpréter des chansons de son cru et servir de fil rouge à l'histoire — la fin rêvée pour une tragédie des temps modernes.

Mais cette histoire eut sur le gouverneur Walter Wavven, père de la victime, des effets catastrophiques. Alfred Gronevelt vit ses vingt années d'efforts et d'investissement partir en fumée, lorsque Wavven, dans l'intimité de sa villa, lui annonça qu'il ne se représenterait pas aux élections. A quoi servait le pouvoir si n'importe quelle ordure de basse condition pouvait tuer sa fille à coup de couteau, la décapiter pratiquement sur place, et s'en sortir indemne, libre comme l'air ! Pire encore, la mémoire de sa fille chérie avait été traînée dans la boue — la presse et la T.V. disant qu'elle n'était qu'une petite pimbêche qui n'avait eu que ce qu'elle méritait.

Certains drames dans la vie restent indélébiles et la perte de sa fille était, pour Wavven, une tragédie de cette sorte. Il passait le plus clair de son temps au Xanadu ; mais il n'était plus que l'ombre de lui-même. Il n'avait plus d'intérêt pour les filles des revues, ni pour les dés ou la roulette. Seuls le golf et la boisson avaient encore ses faveurs. Gronevelt était face à un problème épineux.

Il éprouvait une profonde compassion pour le drame qui touchait Wavven. On ne pouvait entretenir des relations avec un homme, même par pur intérêt, sans finir par éprouver une certaine affection pour lui. La réalité, toutefois, était implacable ; si Wavven se retirait de la scène politique, il perdait toute valeur aux yeux de Gronevelt, toute utilité, présente ou future. Il devenait l'un de ces êtres innombrables se détruisant par l'alcool — et un joueur si mauvais que Gronevelt en était déjà pour deux cent mille dollars de sa poche. Il devrait bientôt lui refuser l'usage des villas. Certes, il aurait droit, en tant que gouverneur, à une suite luxueuse à l'hôtel, mais cela resterait une rétrogradation humiliante. Avant d'en arriver à cette extrémité, Gronevelt voulait tenter une dernière action.

Il persuada Wavven de venir un matin jouer au golf avec lui. Pour compléter les équipes, il demanda à Pippi et Cross de se joindre à eux. Wavven aimait bien l'humour de Pippi, quant à Cross, c'était un jeune homme si charmant et si poli que tous les anciens étaient ravis de l'avoir en leur compagnie. Après la partie, ils allèrent déjeuner dans la villa du gouverneur.

Wavven avait perdu beaucoup de poids et sembla se moquer totalement de son apparence. Il portait un survêtement taché, et une casquette avec le logo du Xanadu. Il n'était pas rasé. Il souriait souvent — pas ce sourire blanc de politicien, mais une sorte de grimace douloureuse. Ses dents avaient viré au jaune. Et il était complètement saoul.

Gronevelt décida d'attaquer bille en tête.

— Gouverneur, vous laissez tomber votre famille ; vos amis, et tous les habitants du Nevada. Vous n'avez pas le droit de faire ça.

— Je vais me gêner ! Qu'ils aillent tous au diable ! De toute façon, tout le monde s'en fiche...

— Ce n'est pas vrai, répondit Gronevelt. Moi je me soucie de vous. Je vais trouver des fonds et vous allez vous présenter aux prochaines élections du Sénat.

— Et pourquoi ferais-je une chose pareille ? rétorqua le gouverneur. A quoi bon être sénateur dans ce pays de merde ? Je suis le gouverneur du grand État du Nevada et l'autre petite ordure tue ma fille et s'en sort la tête haute. Et c'est à moi d'avaler la pilule... Les gens se moquent de ma fille défunte et prient pour son meurtrier ! Vous savez pour quoi je prie, moi ? Pour qu'une bombe atomique volatilise ce pays à la con, et en particulier la Californie.

Pippi et Cross gardèrent le silence durant cet entretien. Ils étaient surpris par la violence de propos du gouverneur. Tous deux comprirent aussitôt où voulait en venir Gronevelt.

— Il faut regarder vers l'avenir, laisser tout ça derrière vous, insistait Gronevelt. Ne laissez pas ce drame ruiner toute votre vie.

Le ton doucereux de Gronevelt aurait irrité un saint.

Le gouverneur jeta sa casquette à travers la pièce et alla se verser un nouveau whisky au bar.

— Je ne peux pas oublier, annonça-t-il. Je passe des nuits blanches à m'imaginer arracher les tripes de cette ordure ; je veux le faire rôtir à petit feu, lui couper les pieds et les mains, mais le garder vivant pour pouvoir continuer à me venger jusqu'à plus soif.

Il les regarda avec un sourire éthylique et béat, découvrant ses dents jaunes dans un remugle d'alcool et manqua de tomber à la renverse.

Soudain, le gouverneur sembla reprendre ses esprits, sa voix se fit moins traînante, presque détachée.

— Vous savez comment il l'a tuée ? demanda-t-il. En lui transperçant les deux yeux. Le juge n'a pas voulu que le jury voie les photos — cela risquait de nuire à leur impartialité, il paraît. Mais, moi, son père, je les ai vues ces photos. Alors quand je vois Theo sortir libre du tribunal avec un petit air satisfait... Il a crevé les yeux de ma fille à coups de couteau, mais tous les matins cette ordure peut regarder le soleil se lever de tout son saoul ! Je voudrais les tuer tous de mes propres mains ! le juge, les jurés, les avocats, tous autant qu'ils sont !

Il remplit son verre et commença à marcher de long en large dans la pièce, soliloquant comme un forcené.

— Je ne peux pas rappliquer comme ça et déballer toutes ces conneries auxquelles je ne crois plus moi-même ! Pas tant que ce salaud sera en vie. Je l'ai reçu à ma table ; ma femme et moi l'avons bien accueilli alors qu'il ne nous plaisait pas ; on lui laissait le bénéfice du doute ! Mais la première impression est toujours la bonne... Nous l'avons invité sous notre toit ! Nous lui avons donné un lit pour coucher avec ma fille ! Et pendant tout ce temps, il nous riait au nez. « Vous avez beau être gouverneur, avoir de l'argent, être civilisé, avoir des sentiments humains, je vais tuer votre fille et vous ne pourrez rien contre moi. Je vous aurai sur toute la ligne. Quand je l'aurai bien baisée je lui ferai la peau. Je vous ferai mordre la poussière et j'en sortirai libre comme l'air. »

Le gouverneur trébucha. Cross intervint pour l'empêcher de tomber. Wavven redressa la tête et contempla la fresque décorant le plafond, avec ses petits anges roses et ses saints emmaillotés de blanc.

— Je veux qu'il crève, balbutia le gouverneur en fondant en larmes. Qu'il crève...

— Walter, tout s'effacera avec le temps, annonça Gronevelt. Faites campagne pour un siège au Sénat. Vos plus belles années sont devant vous ; tant de grandes choses vous attendent encore.

Le gouverneur repoussa Cross et répondit d'une voix étrangement calme :

— Je ne crois plus à rien. Je ne peux plus rien faire de bon pour personne. Personne ne sait ce que je ressens, pas même ma femme. Je hais ce qui me ronge. Vous voulez la vérité ? Les électeurs n'ont que mépris pour moi, ils me prennent pour un pauvre type. Un homme qui a laissé sa fille se faire massacrer et qui n'a même pas su la venger. Qui oserait remettre le destin du grand État du Nevada entre les mains d'un type pareil ? Cette petite ordure aurait plus de chance de se faire élire que moi, ajouta-t-il dans un ricanement. Laissez tomber, Alfred. Je ne ferai campagne pour rien ni personne.

Gronevelt observa Wavven en silence. Il avait perçu quelque chose qui avait échappé à Cross et Pippi. Le chagrin affaiblissait souvent l'homme, mais Gronevelt voulait tenter sa chance.

— Walter, est-ce que vous ferez campagne pour le Sénat

si cette crapule reçoit la punition qu'elle mérite ? Est-ce que vous redeviendrez l'homme que j'ai connu autrefois.

Le gouverneur sembla ne pas comprendre où il voulait en venir. Il jeta un coup d'œil vers Cross et Pippi puis regarda de nouveau Gronevelt.

— Attendez-moi dans mon bureau, ordonna Gronevelt à l'intention de Cross et Pippi.

Les deux hommes s'en allèrent rapidement. Gronevelt et Wavven se retrouvèrent en tête à tête.

— Walter, pour la première fois de notre vie, il va falloir que nous jouions cartes sur table. Nous nous connaissons depuis plus de vingt ans et jamais je ne me suis montré indiscret. Mais aujourd'hui, il me faut une réponse. Cela ne sortira pas d'ici. Est-ce que vous êtes prêt à faire campagne si ce garçon meurt ?

Le gouverneur se dirigea vers le bar, se versa un whisky, mais ne porta pas son verre à ses lèvres. Il esquissa un sourire.

— Je m'inscrirai sur les listes dès que j'aurai assisté aux funérailles de ce garçon, histoire de montrer toute la mansuétude dont je suis capable, annonça-t-il. Mes électeurs adoreront ça.

Gronevelt se détendit. C'était fait. Il se permit même d'y aller de ses conseils :

— Avant toute chose, allez voir votre dentiste, lança-t-il. Il faut vous faire nettoyer ces dents !

Pippi et Cross attendaient le retour de Gronevelt dans son bureau. Il les conduisit dans le salon pour se mettre plus à leur aise.

— Alors, le gouverneur est d'accord ? demanda Pippi.

— Il n'était pas aussi saoul qu'il le prétendait, répondit Gronevelt. Il était tout à fait sérieux. Il m'a fait passer le message à demi mot, sans s'impliquer personnellement.

— Je pars à Quogue ce soir, annonça Pippi. Il nous faut le feu vert des Clericuzio.

— Dis-leur que le gouverneur peut aller très loin, insista Gronevelt. Jusqu'au sommet. Il représentera alors un atout inestimable.

— Giorgio et Don Domenico comprendront sans problème, répondit Pippi. Je dois juste expliquer l'affaire et avoir leur consentement.

Gronevelt lança un sourire à Cross puis se tourna vers Pippi.

— Je crois qu'il est temps que Cross entre dans la famille, annonça-t-il doucement. Il devrait faire le voyage avec toi, à mon avis.

Mais Giorgio préféra venir à Las Vegas. Il voulait rencontrer Gronevelt en personne, or le vieil homme n'avait pas quitté son fief depuis les dix dernières années.

Giorgio, accompagné de ses gardes du corps, eut droit à une villa, bien qu'il ne fût pas un gros joueur. Gronevelt savait faire des exceptions quand il le fallait. Il avait refusé cet honneur à de puissants politiciens, à des magnats des affaires, à certaines stars de cinéma, à de jolies femmes qui avaient partagé sa couche, à des amis intimes. Même pour Pippi De Lena, il n'avait jamais cédé. Il offrait une villa à Giorgio Clericuzio tout en sachant qu'avec ses goûts spartiates, il serait peu sensible à cette débauche de luxe. Toute marque de respect avait son importance, chacune s'ajoutant à la précédente, si anodine fût-elle — un jour, au moment opportun, on saurait s'en souvenir.

Ils se retrouvèrent tous les trois dans la villa — Gronevelt, Giorgio et Pippi...

Gronevelt expliqua la situation.

— Le gouverneur peut être d'une aide considérable pour la famille. S'il parvient à se reprendre, il peut aller très loin. D'abord le Sénat, puis la présidence. Si cela arrive, vous avez de bonnes chances d'obtenir la légalisation des paris sportifs dans tout le pays. Cela rapportera des milliards et ce sera de l'argent parfaitement honorable, parfaitement légal. Il me semble que le jeu en vaut la chandelle.

L'argent légal était certes bien plus précieux que celui de contrebande, mais Giorgio ne prenait jamais de décision à la va-vite.

— Le gouverneur sait-il que vous êtes avec nous ?

— Il n'en est pas certain, répondit Gronevelt, mais des rumeurs circulent. Il n'est pas complètement idiot. J'ai déjà fait des choses pour lui qui ne pouvaient être réalisées sans appui. Il est même loin d'être bête. Tout ce qu'il a dit, c'est qu'il ferait campagne pour un siège au Sénat si le gosse mourait. Il ne m'a rien demandé. C'est un rusé, il n'était pas aussi saoul que ça lorsqu'il a craché le morceau. Je crois qu'il avait tout prévu. Il était sincère sur le fond, mais il nous jouait la comédie quant à la forme. Il ne savait pas comment se venger mais il se doutait que je pouvais faire quelque chose. Malgré sa souffrance, Wavven reste un calculateur. — Gronevelt marqua un silence, puis conclut — : Si on exauce ses vœux, il fait campagne pour le Sénat, et il sera *notre* sénateur.

Giorgio arpenta la pièce, l'air mal à l'aise, zigzaguant entre les statues et le jacuzzi de marbre qui luisait derrière les tentures.

— Vous lui avez fait cette promesse sans même attendre notre feu vert ? lança-t-il à Gronevelt.

— Exact. Il fallait que je me montre persuasif. Je devais accéder à sa requête pour lui faire croire qu'il était encore un homme de pouvoir. Ce qui peut être encore le cas... si tout se passe comme prévu, sa soif de puissance reprendra le dessus.

— Je n'aime pas ça, soupira Giorgio.

Pippi esquissa un sourire. C'était du Giorgio dans ses grandes œuvres. Il avait participé à l'extermination des Santadio avec un zèle et une férocité sans égal qui avait ému aux larmes le vieux patriarche.

— Nous aurons besoin de tout le savoir-faire de Pippi, précisa Gronevelt. Je crois, en outre, qu'il est temps que Cross rejoigne la famille.

Giorgio se tourna vers Pippi.

— Tu crois qu'il est prêt ? demanda-t-il.

— Il a la carrure pour ça ; il doit apprendre à gagner son pain.

— Mais ira-t-il jusqu'au bout ? s'enquit Giorgio. Passer aux actes, c'est une autre paire de manches.

— Si je lui dis de le faire, il le fera, répondit Pippi.

— Entendu, annonça Giorgio en se retournant vers Gronevelt. Nous allons faire cette faveur à votre Wavven, mais s'il oublie de nous renvoyer l'ascenseur, qu'est-ce qui se passera ? Nous aurons pris tous ces risques pour du vent. Parce que je reste sceptique ; ce type est le gouverneur du Nevada, et il laisse sa fille se faire massacrer sans lever le petit doigt ! Il n'a rien dans le ventre ou quoi ?

— Il a fait quelque chose, rétorqua Gronevelt. Il est venu me trouver. Pour un gouverneur, ou un grand politicien, cette initiative réclamait beaucoup de courage.

— A votre avis, il va redresser la barre ? demanda Giorgio.

— Nous allons le sortir de ce mauvais pas parce que nous pouvons faire de grandes choses avec lui, répondit Gronevelt. J'ai été en affaire avec Walter pendant les vingt dernières années. Je vous garantis qu'il saura rebondir, s'il joue bien le coup. Il sait ce qu'il vous devra ; il est assez futé pour ne pas l'oublier.

Giorgio se tourna vers Pippi.

— Il faut que cela semble un accident. Ça risque de faire du bruit. Le nom du gouverneur ne doit être en aucun cas mêlé à cette affaire. Méfions-nous, car il doit avoir pas mal d'ennemis dans la presse ou parmi ces ordures de journalistes T.V.

— Oui. C'est essentiel, renchérit Gronevelt. Il faut que le gouverneur reste blanc comme neige.

— Cette opération est peut-être un peu trop délicate pour un baptême ? avança Giorgio.

— Non. C'est parfait pour Cross, affirma Pippi.

Personne ne pouvait objecter. Pippi était le commandant en chef sur le théâtre des opérations. Il avait prouvé à maintes reprises la justesse de ses jugements, en particulier pendant la grande guerre contre les Santadio. Les Clericuzio l'avaient d'ailleurs souvent entendu dire : « S'il y a un problème, je veux que ce soit moi, et personne d'autre, qui paie les pots cassés. »

— Très bien, lança Giorgio en claquant des mains. Marché conclu. Et si on faisait un petit golf demain matin, Alfred ? Je vais à L.A. pour affaire demain soir, et je rentre à Quogue, dès le lendemain. — Il se tourna vers Pippi — Fais-moi savoir quels hommes tu veux que je t'envoie pour te donner un coup de main ; et dis-moi vite si Cross marche ou pas avec nous.

A ces paroles, Pippi sut que Cross ne ferait jamais partie de la famille s'il refusait cette mission.

⁂

Le golf était une passion pour tous les gens de la génération de Pippi dans le clan Clericuzio. Le vieux Domenico, avec un soupçon de malice, disait que c'était le jeu des *bru-gliones*. Pippi et Cross firent un parcours l'après-midi même ; ils délaissèrent les voiturettes électriques, car Pippi préférait marcher et recherchait la solitude des greens.

Un bosquet d'arbres bordait le neuvième trou et un banc avait été installé sous les frondaisons. Ils s'y assirent.

— Je ne serai pas toujours là, commença Pippi. Il va falloir que tu apprennes à gagner ta vie. La Collection Agency est une bonne affaire, mais difficile à gérer. Tu dois avoir des liens solides avec la famille.

Pippi avait déjà préparé Cross ; il l'avait envoyé sur des opérations difficiles, où la force et la violence devaient être employées et l'avait laissé entendre des histoires de familles. Cross savait donc à quoi s'en tenir. Pippi avait attendu patiemment la bonne occasion — une cible pour qui Cross n'aurait aucune sympathie.

— Je comprends, répondit simplement Cross.

— Ce type a tué la fille du gouverneur. Une petite ordure, et il en est sorti libre comme l'air. Ce n'est pas juste.

Cross adorait voir son père faire dans la psychologie. C'était irrésistible.

— Et le gouverneur est notre ami...

— Exactement, répondit Pippi. Tu peux dire non, Cross, sache-le, mais j'ai besoin de ton aide pour cette affaire.

Cross contempla les greens vallonnés, les petits drapeaux dans leurs trous, immobiles dans l'air moite du désert, les montagnes argentées au loin, le ciel où se reflétaient les enseignes multicolores du Strip. Sa vie allait basculer à cet instant précis et il sentit une bouffée de panique monter en lui.

— Si je n'aime pas ça, je pourrais toujours travailler pour Gronevelt, lança-t-il par bravade.

Mais il posa la main sur l'épaule de son père pendant un long moment, pour lui montrer qu'il plaisantait.

— Ce travail est pour Gronevelt, annonça Pippi avec un grand sourire. Tu as entendu ce qu'il a dit au gouverneur. Nous allons donc exaucer ses vœux. Alfred attendait d'avoir le feu vert de Giorgio. Et j'ai prévenu que tu allais me donner un coup de main.

Au loin, sur l'un des greens, Cross aperçut un groupe de

quatre personnes, deux hommes et deux femmes, scintillant comme des fantômes de Celluloïd dans la lumière éclatante du désert.

— Il faut que je fasse mes preuves, annonça-t-il à son père.

Le marché était simple; soit il acceptait sa mission, soit il devait changer de vie. Or il aimait son existence — travailler pour son père, pour Gronevelt, veiller sur le Xanadu, avoir de belles filles, de l'argent à volonté et du pouvoir. Après avoir connu ça, jamais il ne pourrait mener la vie d'un homme ordinaire.

— C'est moi qui organiserai l'opération, expliqua Pippi. Je serai tout le temps avec toi. C'est absolument sans danger. Mais c'est toi qui devras tirer.

Cross se releva. Il aperçut les drapeaux des sept villas faseyer bien qu'il n'y eût pas le moindre souffle de vent. Pour la première fois de sa jeune existence, il sentit son cœur se serrer à l'idée de perdre ce monde qui était le sien.

— Je te suis, décida-t-il.

Durant les trois semaines suivantes, Pippi paracheva la formation de Cross. Il lui expliqua qu'il attendait de connaître le rapport de l'équipe filant Tatosky — ses déplacements, ses habitudes — et de recevoir des photos récentes de lui. Un groupe de six personnes avait donc quitté l'enclave du Bronx et s'était installé à Los Angeles où vivait encore Tatosky. Toute l'opération dépendait des informations obtenues par cette équipe de surveillance. Pippi y alla même de sa petite leçon de philosophie.

— Tu dois prendre toutes les précautions afin d'éviter le moindre désagrément. N'importe qui peut estourbir quelqu'un; le truc, c'est de ne jamais se faire prendre. Voilà le péché capital. Peu importe les gens impliqués, peu importe les états d'âme. Lorsque le chef de la General Motors décide de jeter à la rue cinquante mille salariés, il s'agit d'affaire. Il fait ce qu'il doit faire, et se fiche de savoir ce que tous ces gens vont devenir. Le tabac tue des milliers de personnes mais qu'est-ce que tu y peux? Si les gens veulent fumer, tu ne vas pas interdire un marché qui génère des milliards de dollars ! C'est pareil avec les armes, tout le monde veut un fusil ; tout le monde s'entre-tue, mais cela rapporte plein de fric ; qu'est-ce que tu veux faire ? Tu es coincé. Il faut gagner sa vie, un point c'est tout. C'est ça le plus important. A chaque instant de l'existence. Si tu n'as pas compris ça, tu es bon pour le caniveau.

« Mais les Clericuzio sont très stricts, expliqua Pippi. Il te faut leur feu vert. Tu ne peux éliminer des gens simplement parce qu'ils ont craché sur tes chaussures. La famille doit être derrière toi, parce que c'est elle qui peut te faire éviter la prison.

Cross écoutait attentivement. Il ne posa qu'une seule question :

— Giorgio veut que cela paraisse un accident. Comment va-t-on s'y prendre ?

Pippi éclata de rire.

— Ne laisse jamais personne te dire ce que tu dois faire. C'est ton opération, pas la leur. Ils ont énoncé ce qui était l'idéal pour eux. Très bien. Maintenant, tu fais ce qui est le mieux pour toi. Et le mieux, c'est toujours la simplicité. Ou alors il faut montrer beaucoup d'imagination.

Lorsque le rapport de filature tomba, Pippi demanda à Cross d'étudier le dossier en détail. Il y avait des photos de Tatosky ainsi que de sa voiture mettant en évidence la plaque minéralogique, une carte du trajet qu'il empruntait de Brentwood à Oxnard lorsqu'il rendait visite à sa petite amie.

— Il arrive à avoir des filles ? Comment est-ce possible ? s'enquit Cross.

— On voit que tu ne connais pas les femmes ! rétorqua Pippi. Si elles t'ont à la bonne, tu peux pisser dans leur évier si ça te chante. Mais si elles t'ont dans le nez, tu pourrais les mettre sur le trône d'Angleterre qu'elles te chieraient dessus quand même.

Pippi s'envola pour Los Angeles afin de mettre au point les derniers détails de l'opération. Il revint deux jours plus tard :

— C'est pour demain soir, annonça-t-il à Cross.

Le lendemain, avant l'aube, pour éviter la chaleur du désert, ils prirent la route de Los Angeles. Pippi conduisait pour que Cross puisse se détendre. Pendant le voyage, Cross contemplait avec émerveillement le soleil levant, qui semblait faire fondre les sables rouges du désert en une rivière d'or léchant les pieds des montagnes. Il était inquiet et avait hâte que le travail soit fait.

Les six hommes de l'équipe, qui avaient quitté le Bronx, les attendaient dans une maison à Pacific Palisades. Une voiture volée, repeinte et équipée de fausses plaques minéralogiques était garée dans l'allée. Les numéros des pistolets qui devaient être utilisés pour l'opération avaient été effacés.

Cross fut surpris par le luxe de la maison qui appartenait aux Clericuzio. Elle avait une vue magnifique sur l'océan qui scintillait de l'autre côté de l'autoroute, une piscine et une gigantesque terrasse. Il y avait six chambres. Les hommes semblaient bien connaître Pippi — mais aucune présentation ne fut faite entre eux et Cross.

Il restait onze heures avant que débute l'opération. Les hommes, ignorant l'énorme poste de télévision du salon, se mirent à jouer aux cartes, en maillot de bain sur la terrasse. Pippi esquissa un sourire.

— C'est idiot, j'ai complètement oublié qu'il y avait une piscine !

— Ce n'est pas grave, répondit Cross. On pourra se baigner en caleçon.

La maison était à l'abri des regards, entourée par de grands arbres et une haie épaisse.

— On peut aussi se baigner cul nu, annonça Pippi. Personne ne peut nous voir, à part les hélicos, et ils préfèrent aller mater les filles qui se dorent la pilule à Malibu.

Pippi et Cross se baignèrent donc et profitèrent du soleil pendant quelques heures. Puis ils dînèrent, l'un des six hommes faisant office de cuisinier. Au menu : steak grillé au barbecue, salade composée. Il y avait du vin rouge à table, mais Cross préféra boire un soda. Tout le monde but et mangea avec beaucoup de modération.

Après le repas, Pippi emmena Cross en voiture pour lui faire repérer les lieux. Ils se garèrent devant le restaurant aux airs de saloon, planté le long de la Pacific Coast Highway, où Theo Tatosky avait coutume de faire halte. Les rapports de filature indiquaient que le mercredi soir, Tatosky, sur son trajet de retour vers Oxnard, s'arrêtait dans ce restaurant vers minuit pour prendre un café et avaler des œufs au bacon. Il quittait les lieux vers une heure du matin. Une équipe de surveillance composée de deux hommes le suivrait et téléphonerait lorsque Tatosky serait en route.

De retour dans la maison, Pippi fit un dernier point avec les hommes. L'équipe se répartirait dans trois voitures. La première ouvrirait le convoi, la deuxième le fermerait, et la troisième serait garée sur le parking du restaurant, prête à intervenir en cas d'urgence.

Cross et Pippi s'installèrent sur la terrasse, attendant le coup de fil. Il y avait cinq voitures dans l'allée, toutes noires, luisantes sous le clair de lune comme de gros scarabées. Les six hommes de l'enclave poursuivirent leur partie de cartes, misant avec des pièces jaunes. Finalement, à onze heures et demie, l'appel tomba. Tatosky avait quitté Brentwood et se dirigeait vers le restaurant. Les six hommes sautèrent dans leurs voitures et partirent se mettre en position. Pippi et Cross s'installèrent dans la voiture volée et patientèrent cinq minutes avant de démarrer. Cross avait dans la poche de sa veste un petit pistolet de calibre 22 qui, bien que dépourvu de silencieux, produisait un petit *pop* discret. Pippi, quant à lui, était armé d'un Glock dont on pouvait entendre la détonation à plus d'un kilomètre à la ronde. Mais depuis son arrestation pour meurtre, Pippi refusait de s'équiper d'un silencieux.

Pippi était au volant. L'opération avait été préparée dans le menu détail. Aucun membre de l'équipe ne pénétrerait dans le restaurant — sage précaution puisque les enquêteurs de la police interrogeraient tous les clients. Les deux hommes de filature avaient décrit la voiture de Tatosky, ainsi que la façon dont il était vêtu. Par chance, le véhicule de leur homme était une Ford bas de gamme, dans une livrée rouge feu, facilement identifiable au milieu d'un parking empli de Porsches et de Mercedes.

Lorsque Pippi et Cross arrivèrent sur les lieux, ils repérèrent immédiatement la voiture de Tatosky. Pippi se gara à côté d'elle. Il éteignit les phares, coupa le contact et les deux hommes attendirent dans l'obscurité. De l'autre côté de la route, l'océan Pacifique scintillait sous la lune, parsemé de reflets dorés. Ils aperçurent une de leurs voitures garée à l'autre bout du parking; les deux autres véhicules se trouvaient en position en amont et en aval du restaurant, attendant de les escorter pendant le trajet retour, prêtes à intercepter tout éventuel poursuivant ou à régler tout problème pouvant survenir devant eux.

Cross consulta sa montre. Minuit et demi. Il restait encore un quart d'heure à attendre. Soudain, Pippi lui tapota l'épaule.

— Le voilà déjà ! lança-t-il. Vas-y !

Cross aperçut une silhouette sortant du restaurant, éclairée fugitivement par les lampes des portes d'entrée. Tatosky avait un air d'adolescent ; un corps maigrelet, des cheveux bouclés encadrant un visage fin et pâle. Il paraissait incapable de faire du mal à une mouche.

Mais au lieu de se diriger vers le parking, Tatosky entreprit de traverser la route, zigzaguant entre les voitures. Une fois arrivé de l'autre côté, il courut sur la plage jusqu'au rivage, et se tint face à l'océan. Il resta un moment à contempler la houle et la lune gibbeuses se mirant à l'horizon. Puis il fit demi-tour. Il avait laissé les vagues lécher ses pieds et ses bottes de cow-boy étaient maculées d'écume.

Cross sortit lentement de l'habitacle. Tatosky était presque à sa hauteur. Cross, avec un sourire courtois, s'arrêta pour le laisser passer et monter dans sa voiture. Une fois Tatosky installé derrière le volant, Cross sortit son pistolet. Tatosky s'apprêtait à glisser la clé de contact dans le Neiman, sa vitre baissée, lorsqu'il releva la tête, sentant une ombre au-dessus de lui. Au moment où Cross fit feu, leurs regards se croisèrent. Tatosky se figea, les yeux exorbités, alors que la balle lui perforait le crâne, transformant dans l'instant son visage en un masque sanguinolent. Cross ouvrit la portière et tira deux autres balles dans la tête de sa victime, puis il posa à côté de lui un sac de cocaïne et referma rapidement la porte. Pippi avait démarré le moteur de sa voiture au premier coup de feu. Il ouvrit la portière côté passager et Cross sauta sur son siège. Conformément au plan prévu, Cross n'avait pas laissé l'arme sur place. Il fallait que cela paraisse être un deal ayant mal tourné et non une exécution.

Pippi sortit alors du parking, suivi par la voiture de couverture. Les deux autres les rejoignirent en tête et cinq minutes plus tard, ils étaient de retour à leur base. Dans le quart d'heure suivant, Cross et Pippi prenaient déjà la route de Las Vegas. L'équipe se chargerait de se débarrasser de l'arme et de la voiture volée.

En dépassant le restaurant, ils ne virent pas traces de gyrophares. A l'évidence, le corps de Tatosky n'avait pas encore été découvert. Pippi alluma la radio pour écouter le bulletin d'informations. Rien non plus.

— Parfait, annonça-t-il. Lorsque le plan est bon, tout se passe toujours sans problème.

Ils arrivèrent à Las Vegas alors que le soleil sortait de terre, transformant les sables du Nevada en une mer écarlate. Cross n'oublia jamais ce voyage à travers le désert et l'obscurité, sous un clair de lune qui semblait ne jamais vouloir prendre fin. Avec le lever du soleil et l'apparition, quelques minutes plus tard, des enseignes lumineuses du Strip, clignotant comme des phares à l'horizon, Cross eut l'impression de sortir d'un cauchemar. Les ténèbres, à Las Vegas, n'avaient pas droit de cité.

C'est à peu près à ce moment-là que l'on trouva Tatosky, son visage cadavérique luisant dans la pâleur de l'aube. On remarqua surtout le fait que Tatosky était en possession de plus d'un demi-million de dollars de cocaïne et qu'à l'évidence on avait affaire à une vente ayant mal tourné. Le nom du gouverneur ne fut à aucun moment prononcé.

Plusieurs faits notables s'imposèrent alors à Cross. D'abord la valeur du sac de drogue qu'il avait laissé sur la dépouille de Tatosky ne dépassait pas dix mille dollars, contrairement à ce qu'annonçaient les autorités, ensuite le gouverneur se fit une bonne presse en envoyant un message de condoléances à la famille de la victime, et enfin, une semaine plus tard, plus personne ne parla de cette affaire.

Pippi et Cross furent convoqués à Quogue pour un entretien avec Giorgio. On les félicita pour cette opération rondement menée, sans faire la moindre allusion au fait que la mort aurait dû paraître accidentelle et non crapuleuse. Cross sentit au cours de cette visite que les Clericuzio le traitaient avec le respect dû à un homme « qualifié ». Le premier signe révélateur fut que l'on offrit à Cross un pourcentage sur toutes les recettes des paris de Las Vegas, légaux ou illégaux. Il était désormais un membre officiel de la famille Clericuzio, à qui l'on ferait appel pour des opérations délicates, et pour lesquelles il recevrait une prime calculée sur le niveau de risque encouru.

Gronevelt eut droit aussi à sa récompense. Walter Wavven fut élu sénateur, et prit un week-end de détente au Xanadu pour fêter l'événement. Gronevelt lui offrit une villa et vint le féliciter de sa victoire.

Le sénateur Wavven avait retrouvé son entrain d'antan. Il jouait de nouveau au casino, organisait des petits dîners avec des filles des revues. Son drame personnel semblait désormais appartenir au passé. Il ne fit allusion qu'une seule fois à son passage à vide :

— Alfred, je vous dois un chèque en blanc.

Gronevelt esquissa un sourire.

— Personne n'oserait donner à qui que ce soit un chèque en blanc, mais je vous remercie de l'intention.

Il ne voulait pas qu'on le paye pour service rendu, mais préférait entretenir une amitié durable avec Wavven.

Durant les cinq années qui suivirent, Cross passa maître dans l'art de diriger un casino. Il était le bras droit de Gronevelt, même si sa fonction première restait de travailler avec son père, non seulement dans la gestion de l'agence de recouvrement de dettes (dont il était certain à présent d'hériter) mais également comme le *martello* numéro deux de la famille Clericuzio.

A l'âge de vingt-cinq ans, Cross était surnommé par les Clericuzio le Petit *Martello*. Il s'étonnait lui-même d'assumer cette nouvelle fonction avec autant de calme et de sérénité. Ses cibles n'étaient jamais des gens de sa connaissance. Rien que des masses d'organes, enchâssées dans une enveloppe de chair sans défense, du gibier qu'il devait abattre sans autre émotion, comme autrefois lorsqu'il partait à la chasse avec son père. Il n'avait pas peur des risques encourus ; il les évaluait mentalement, mais ne ressentait aucune anxiété. Parfois, lorsqu'il se retrouvait seul, dans le silence, ou au matin, au réveil, une terreur diffuse l'envahissait, comme s'il venait de faire un cauchemar. Parfois une vague de mélancolie le traversait et il songeait à sa sœur et sa mère, à ses souvenirs d'enfance, ou aux visites qu'il leur rendait après la séparation et cela lui faisait du bien.

Il revoyait les joues de sa mère, se souvenait de la douceur de ses bras, de sa peau de satin si fine qu'il croyait entendre le sang couler dessous, à l'abri, bien au chaud. Mais dans ses rêves, cette peau parfaite tournait à la cendre, le sang jaillissait de plaies béantes, en des torrents écarlates.

D'autres souvenirs alors venaient le hanter. Le contact glacé des lèvres de sa mère, ses bras osseux l'enlaçant durant de brefs instants de tendresse polie. Jamais, elle ne l'avait étreint avec cet amour qu'elle manifestait pour Claudia. Après chacune de ses visites, il s'en allait le souffle court, un nœud brûlant dans la poitrine, comme s'il avait reçu un coup de poing. La mort de sa mère ne l'avait pas tant fait souffrir, c'était de l'avoir perdue enfant dont il ne se consolait pas.

Quand il songeait à sa sœur, il se sentait moins seul. Ils avaient un passé en commun et Claudia faisait toujours partie de sa vie, même s'il regrettait de la voir aussi peu. Il se souvenait de leurs batailles dans la neige; ils plongeaient les mains dans les poches de leur manteau et s'élançaient l'un contre l'autre. Une sorte de duel sans malignité. Tout était sans doute pour le mieux, se disait souvent Cross. Même si sa mère et sa sœur lui manquaient parfois, il était très heureux avec son père et les Clericuzio.

Et c'est ainsi qu'au bout d'un an, Cross participa à une opération qui marqua un terme à sa jeune carrière de *martello*. La cible était cette fois quelqu'un de sa connaissance...

Une vaste action menée par le F.B.I. à travers tout le pays eut raison de nombreux barons en place — qui étaient, pour certains, des *brugliones* au sens originel du terme. Parmi les victimes de ce coup de force, on comptait Virginio Ballazzo, chef, à cette époque, de la plus puissante famille de la côte Est.

Virginio Ballazzo, qui avait été un baron des Clericuzio pendant plus de vingt ans, avait veillé à ce que la famille ait sa quote-part dans ses activités. En échange, les Clericuzio avaient fait sa fortune. A l'époque de son arrestation, Ballazzo valait plus de cinquante millions de dollars. Il menait, avec sa famille, le grand train. Et malheureusement, cela attira l'attention. Virginio Ballazzo, malgré sa dette envers les Clericuzio, choisit de trahir ceux qui l'avaient placé au sommet. Il viola la loi sacrée de l'*omertà* — le code qui interdisait à quiconque de donner la moindre information aux autorités.

Il était accusé, entre autres, de meurtre, mais ce n'est pas la peur de la condamnation à mort qui l'incita à trahir — l'État de New York ayant abandonné la peine capitale — pas plus que la perspective d'une incarcération à perpétuité, puisque dans l'hypothèse où il serait reconnu coupable, les Clericuzio le feraient sortir en moins de dix ans et s'arrangeraient pour que ces années de détention ressemblent davantage à une résidence surveillée de grand confort. Ballazzo connaissait la musique. En cas de procès, des témoins se parjureraient pour le disculper, les jurés seraient achetés. Au pire, après quelques années de détention, le dossier serait réouvert, avec de nouvelles preuves, de nouvelles dépositions, le lavant de tout soupçon. Il y avait un cas célèbre où les Clericuzio avaient réussi un semblable tour de force pour un de leurs protégés ; après cinq ans d'incarcération, l'homme avait été acquitté et l'État lui avait donné un million de dollars en réparation du préjudice dû à cette « erreur judiciaire ».

Ballazzo n'avait donc rien à craindre de ce point de vue. Ce qui l'incita à trahir, c'est que le gouvernement fédéral le menaçait de saisir tous ses biens à travers la planète, conformément aux lois R.I.C.O. votées par le Congrès pour lutter contre la grande criminalité. L'idée de perdre son palais du New Jersey, son appartement luxueux en Floride, son élevage de chevaux qui avait donné le jour à trois gagnants du Kentucky Derby, lui était insupportable. Car cette loi infâme autorisait le gouvernement à faire main basse sur tous les biens des gens arrêtés pour association de malfaiteurs. Actions, obligations, voitures de collection, tout serait saisi. Don Clericuzio lui-même avait été agacé par cette loi, mais son seul commentaire fut : « Les riches vont s'en mordre les doigts; tôt ou tard, ils finiront par arrêter tout Wall Street avec leur satanée loi. »

Ce n'était pas par hasard que Don Domenico avait pris ses distances avec son vieil ami Ballazzo; ces dernières années, Ballazzo devenait un peu trop voyant à son goût. Le

New York Times avait fait un article sur sa collection de voitures anciennes — on le voyait, posant d'un air débonnaire, derrière le volant d'une Rolls Royce 1935, avec une casquette début de siècle sur le chef. Il apparaissait également à la télévision, cravache à la main, lors du Kentucky Derby, parlant de la beauté de ce noble sport. Ailleurs encore, on le citait comme étant un richissime importateur de tapis. Tout ceci n'était guère du goût des Clericuzio. Ils commencèrent à se méfier de Ballazzo.

Lorsque Virginio accepta de négocier avec le procureur général, son avocat en informa aussitôt les Clericuzio. Don Domenico, qui était à moitié retiré des affaires, chargea aussitôt son fils Giorgio de trouver une solution — une solution à la sicilienne.

Une réunion de famille eut lieu avec Don Domenico, ses trois fils — Giorgio, Vincent et Petie — et Pippi De Lena. Certes, Ballazzo pouvait causer du tort à la famille, mais seul le réseau périphérique serait touché; le noyau dur n'avait rien à craindre. Le traître pouvait donner des informations cruciales, mais sans la moindre preuve juridiquement recevable. Giorgio avança que si le pire devait arriver, la famille pourrait toujours s'implanter à l'étranger; mais Don Domenico s'opposa farouchement à cette idée. La famille ne pouvait vivre qu'ici. L'Amérique avait fait la fortune des Clericuzio; c'était le pays le plus puissant du monde et ses lois protégeaient les riches. Don Domenico citait souvent cette maxime : « Mieux vaut cent hommes coupables en liberté qu'un seul innocent en prison. » Quel merveilleux pays! Le problème, c'était que les dollars amollissaient les hommes. En Sicile, Ballazzo n'aurait jamais osé trahir, l'idée même de transgresser l'*omertà* ne lui aurait pas même effleuré l'esprit — ses propres fils l'auraient abattu aussitôt.

— Je suis trop vieux pour changer de pays, déclara Don Clericuzio. Je ne serai pas chassé de chez moi par les dires d'un traître.

Le cas Ballazzo soulevait un problème plus vaste; il était un signe avant-coureur, le symptôme d'une infection plus générale. Trop de gens déjà violaient les lois ancestrales, or c'était le fondement même de la force des familles. Un baron en Louisiane, un autre à Chicago, un autre encore à Tampa, étalaient au grand jour leur fortune, parlaient de leur puissance à qui voulait l'entendre. Et lorsqu'ils se faisaient arrêter, ces *cafones* voulaient échapper aux ennuis dans lesquels leur seule inconscience les avait entraînés. Alors ils violaient l'*omertà*, trahissaient leurs amis. Ce mal devait être éradiqué à la racine. Voilà la position du patriarche. Mais il était prêt à écouter l'avis d'autrui ; il était vieux après tout, peut-être existait-il d'autres solutions ?

Giorgio raconta dans les grandes lignes ce qui risquait d'arriver. Ballazzo allait traiter avec le procureur. Il accepterait d'aller en prison si le gouvernement ne saisissait pas ses biens, et laissait sa femme et ses enfants jouir de sa fortune. Bien sûr, il négocierait sa peine, en échange de son témoignage contre les gens du milieu. Il serait alors pris en charge, avec sa femme, par le service de protection des témoins et passerait le reste de sa vie sous une fausse identité. Quelques interventions de chirurgie plastique peaufineraient l'ensemble. Ses enfants pourraient ainsi vivre dans la plus parfaite respectabilité. Voilà quels seraient, en gros, les termes du marché.

Virginio Ballazzo, malgré ses défauts, était un bon père ; tout le monde s'accordait sur ce point. Il avait trois charmants enfants qui faisaient une belle carrière. L'aîné était diplômé d'Harvard, la fille, Ceil, avait une boutique de parfum sur la Cinquième Avenue, et le benjamin créait des logiciels pour la N.A.S.A. Des citoyens modèles, exemples vivants du rêve américain.

— Nous allons donc faire passer un petit message à Virginio, annonça Don Domenico, qui devrait le faire réfléchir. Il peut dénoncer qui il veut, envoyer en prison ou sur Pluton qui bon lui semble, mais si le nom des Clericuzio est prononcé ne serait-ce qu'une seule fois, il peut dire adieu à ses enfants.

— Les menaces ne semblent plus impressionner grand monde, rétorqua Pippi.

— Pas lorsqu'il saura que c'est de moi que vient le message, répondit Don Domenico. Il prendra mes paroles au sérieux. Je ne lui promets rien pour lui. Il comprendra tout de suite.

— On ne pourra jamais l'approcher, intervint Vincent, s'il est sous la protection des fédéraux.

— Qu'en penses-tu, toi, mon cher *martello* ?

Pippi haussa les épaules.

— Une fois qu'il aura témoigné, lorsqu'ils lui auront trouvé une planque, on pourra le retrouver. Pas de problème. Mais cela risque de faire des vagues et pas mal de bruit. Cela vaut-il le coup ? Qu'est-ce que cela changera ? Le mal sera fait de toute façon.

— Le bruit, la publicité, c'est justement cela qui m'intéresse. Ce sera notre manière à nous de transmettre le message au reste de la planète. La plus belle *figura* qui soit.

— On pourrait laisser les choses suivre leur cours, insista Giorgio. Peu importe, au fond, ce que peut dire Ballazzo, on ne risque pas grand-chose. Ce que tu proposes, c'est une solution à court terme.

— C'est un peu vrai, concéda Don Domenico. Mais existe-t-il de véritables solutions à long terme ? La vie est pleine de doutes, de réponses à trouver au jour le jour. Tu penses que cette punition ne servira pas de leçon à tous les traîtres en puissance ? Peut-être bien. Mais cela en fera réfléchir plus d'un. Même le Tout-Puissant ne pouvait créer un monde sans châtiment. Je parlerai personnellement à l'avocat de Ballazzo. Il comprendra mon point de vue. Il lui fera passer le message. Et Ballazzo saura que je parle sérieusement. — Don Domenico se tut un moment puis reprit — On attendra la fin du procès pour passer à l'action.

— Et sa femme ? s'enquit Giorgio.

— C'est une gentille fille. Mais elle est devenue trop américaine. Nous ne pouvons prendre le risque de laisser derrière lui une veuve éplorée qui n'aura de cesse de venger son mari et de raconter tous nos secrets.

Petie prit la parole pour la première fois.

— Et les enfants de Virginio ? demanda-t-il, en assassin accompli.

— Non. C'est inutile. Nous ne sommes pas des monstres, répliqua Don Domenico. Ils ne savent rien de nos affaires. Ballazzo ne leur a rien dit. Ils le prennent pour un brave éleveur de chevaux, et c'est tant mieux. Notre ami Virginio va bientôt pouvoir galoper avec ses chevaux jusqu'à la nuit des temps.

Tous restèrent silencieux.

— Épargnons les petits poulains, ajouta Don Domenico avec de la tristesse dans la voix. Nous vivons dans un pays où les enfants n'ont cure de venger leurs parents.

⁂

Le lendemain, le message fut transmis à Ballazzo par l'intermédiaire de son avocat. Dans ce genre de message, le langage était toujours très imagé. Lorsque Don Domenico s'entretint avec l'avocat de Ballazzo, il exprima l'espoir que son vieil ami, Virginio, conservait les meilleurs souvenirs des Clericuzio, précisant que la famille saurait veiller sur les intérêts de leur infortuné camarade. Virginio n'aurait jamais à craindre pour ses enfants, bien que le danger était partout, y compris sur la Cinquième Avenue. Don Domenico se portait garant en personne de leur sécurité. Le patriarche qu'il était, savait à quel point les enfants pouvaient faire la fierté d'un père ; la perspective de la prison, de la chaise électrique, des diables de l'enfer ne devait pas effrayer son courageux ami — seule la santé de ses enfants importait. « Dites-lui, avait-il conclu, que moi, Don Domenico Clericuzio, je lui promets qu'il ne leur arrivera jamais rien de regrettable. »

L'avocat s'empressa de délivrer le message mot pour mot. La réponse de Ballazzo fut la suivante : « Faites savoir à mon ami, à mon plus cher ami, qui a grandi avec mon père en Sicile que je m'en remets à sa vigilance quant à la sécurité de mes enfants et que je lui en voue la plus grande reconnaissance. Dites-lui que je garde le meilleur souvenir de la famille Clericuzio, que j'ai pour elle l'affection la plus profonde, si profonde que son noble nom ne sortira pas de ma bouche. Dites-lui que je lui baise les mains. »

Puis Ballazzo se mit à siffloter, d'un air faussement détaché.

— Je crois qu'il va falloir que nous soignions le moindre mot de notre déposition, annonça-t-il à son avocat. Il ne faudrait pas que nous incriminions par mégarde notre vieil ami...

— En effet, ce serait regrettable, répondit l'avocat qui transmit aussitôt la réponse de Ballazzo à l'intéressé.

Tout se passa comme prévu. Virginio viola *l'omertà* et livra des secrets qui envoyèrent bon nombre de sous-fifres mafieux en prison, ainsi qu'un maire-adjoint de New York. A aucun moment le nom des Clericuzio ne fut prononcé. Puis les Ballazzo, père et mère, furent pris en charge par le programme de protection des témoins et disparurent de la circulation.

Les journaux et la T.V. exultaient — la Mafia toute-puissante venait de recevoir un coup fatal. Des centaines de photos, de reportages sur le vif montraient les méchants jetés en prison. Virginio Ballazzo fit la double page du *Daily News* : « Un grand chef de la Mafia tombe ». On le voyait avec ses voitures de collection, ses chevaux de course, ses costumes londoniens faits sur mesure. Une orgie d'images.

Don Domenico donna alors à Pippi l'ordre de retrouver le couple Ballazzo et de les punir comme il se devait.

— Veille à ce que ça fasse autant de bruit qu'ils en font aujourd'hui. Nous ne voudrions pas que l'on oublie de sitôt notre cher Virginio.

Mais il fallut plus d'un an au *martello* pour accomplir sa mission.

Cross se rappelait très bien Virginio Ballazzo ; il avait le souvenir d'un homme jovial et généreux. Il avait un jour dîné avec son père chez les Ballazzo — Mrs. Ballazzo était un fin cordon bleu, particulièrement en cuisine italienne ; sa spécialité était les macaronis au chou-fleur, avec des herbes et de l'ail. Cross en avait encore l'eau à la bouche. Il avait joué, tout jeune, avec les enfants de Virginio ; il avait même eu un petit béguin pour sa fille, Ceil, lorsqu'il était adolescent. Elle lui avait écrit après ce dimanche magique, mais il ne lui avait jamais répondu.

— Je ne veux pas faire cette opération, annonça Cross, une fois qu'il fut seul avec Pippi.

Son père le dévisagea un moment puis esquissa un sourire chargé de regret.

— Tu sais, ce genre de choses arrive parfois. Il faudra t'y habituer. C'est notre survie qui est en jeu.

— Peut-être, répondit Cross en secouant la tête. Mais je ne peux pas faire ça.

— Entendu, annonça Pippi dans un soupir. Je vais leur dire que tu t'occuperas avec moi de l'organisation. Je leur demanderai de me passer Dante pour la phase finale.

Pippi commença son enquête. Les Clericuzio réussirent à percer l'écran du service de protection des témoins, contre d'énormes sommes d'argent.

Les Ballazzo se sentaient à l'abri sous leurs nouvelles identités — de faux certificats de naissance, de nouveaux numéros de sécurité sociale, de nouveaux certificats de mariage, et quelques interventions de chirurgie esthétique qui les avaient fait rajeunir de dix ans. Leurs corps, leurs gestes, leurs voix, toutefois, restaient bien plus identifiables qu'ils ne le supposaient.

Et les vieilles habitudes ont la vie dure. Un samedi soir, Virginio Ballazzo et sa femme se rendirent dans une petite ville du Dakota du Sud pour jouer dans un casino géré par la municipalité. Sur le trajet du retour, Pippi De Lena et Dante Clericuzio, accompagnés de six hommes, interceptèrent leur voiture. Mais il fallut que Dante outrepasse le plan prévu et leur révèle son identité avant d'appuyer sur la gâchette de son fusil de chasse.

On ne chercha pas à dissimuler les corps. On ne subtilisa ni argent, ni objet de valeur. Il fallait que cela paraisse un règlement de compte et que le message soit reçu cinq sur cinq par le reste de la planète. La presse et la télévision déversèrent un torrent de haine, les autorités promirent que les coupables seraient punis. La fureur fut telle dans le pays que tout l'empire Clericuzio trembla sur ses bases.

Pippi dut aller se cacher en Sicile pendant deux ans. Dante devint de fait le *martello* numéro un de la famille. Cross fut sacré baron ou *bruglione* des Clericuzio pour les territoires de l'Ouest. Il devint également le bras droit indéfectible de Gronevelt au Xanadu. Son refus de prendre part à l'élimination de Ballazzo avait été noté. Il n'avait donc pas le tempérament d'un véritable « homme qualifié ».

Avant que Pippi ne s'évanouisse en Sicile, il avait eu droit à un dîner d'adieu en compagnie de Don Domenico et de Giorgio.

— Je dois vous présenter mes excuses pour mon fils, annonça Pippi à cette occasion. Cross est encore jeune, et les jeunes sont souvent trop sentimentaux. Il aimait beaucoup les Ballazzo.

— Nous aimions tous Virginio, rétorqua Don Domenico. Jamais je n'ai eu autant d'amitié pour quelqu'un.

— Pourquoi l'avons-nous tué ? grogna Giorgio. Cela nous a rapporté plus de mal que de bien.

Don Domenico lui retourna un regard noir.

— Les hommes ne peuvent vivre sans règles. Si tu as le pouvoir, tu dois faire régner la justice. Ballazzo a commis une grave offense. Pippi est de mon avis, n'est-ce pas ?

— Bien sûr, Don Domenico, répondit Pippi. Mais toi et moi sommes de la vieille école. Nos enfants ne peuvent pas comprendre. — Il sembla peser un moment ses mots. — Je veux te remercier d'avoir fait de Cross ton *bruglione* dans l'Ouest pendant mon absence. Il ne te décevra pas.

— J'en suis certain. J'ai confiance autant en lui qu'en toi. C'est un garçon intelligent, et ses récents scrupules sont un signe de jeunesse. Avec le temps, son cœur s'endurcira.

Le dîner fut préparé et servi par une femme dont le mari travaillait dans l'enclave. Elle oublia le bol de parmesan râpé de Don Domenico. Pippi partit dans la cuisine chercher le fromage et la râpe. Il éminça soigneusement le parmesan dans le bol et regarda Don Domenico porter une pleine cuillère de fromage à sa bouche, mêlé à de longues goulées de vin maison. L'homme avait un estomac à toute épreuve, songea Pippi. A quatre-vingts ans passés, il pouvait encore ordonner la mort de qui bon lui semblait et avaler des kilos de fromage rance et des litres de vin âpre.

— Rose Marie est à la maison ? demanda Pippi à brûle-pourpoint. J'aimerais bien lui dire au revoir.

— Elle a eu encore une de ses crises, répondit Giorgio. Elle s'est enfermée dans sa chambre, Dieu merci, sinon elle nous aurait gâché le dîner.

— C'est triste. Je croyais qu'avec le temps les choses se seraient arrangées, avança Pippi.

— Elle pense trop, répliqua Don Domenico. Elle aime trop son fils Dante. Elle refuse de comprendre. On ne change ni le monde, ni les hommes.

— Pippi, comment as-tu trouvé Dante dans cette opération, demanda Giorgio d'une voix un peu mielleuse. Il a prouvé qu'il avait du cran ?

Pippi haussa les épaules et resta silencieux.

Don Domenico poussa un bref grognement et vrilla ses yeux dans ceux de Pippi.

— Tu peux dire la vérité, annonça-t-il. Giorgio est son

oncle et moi son grand-père. Nous sommes tous du même sang, et nous avons le droit de dire ce que nous pensons des uns et des autres.

Pippi posa sa fourchette et regarda tour à tour Don Domenico et Giorgio.

— Dante a le goût du sang, annonça-t-il presque avec regret.

Une façon de dire que Dante avait des accès de bestialité et de cruauté au-delà du strict nécessaire. Attitude totalement prohibée chez les Clericuzio où la bonne exécution du travail primait avant tout.

— Nom de Dieu, soupira Giorgio en se laissant aller contre le dossier de sa chaise.

Don Domenico lui retourna un regard agacé, n'appréciant guère entendre blasphémer sous son toit, puis, d'un geste de la main, il fit signe à Pippi de poursuivre, sans manifester autre émotion.

— C'est un bon élément, reprit Pippi. Il a le tempérament, la force. Il est rapide, intelligent. Mais il y prend trop de plaisir. Et il a perdu du temps avec les Ballazzo. Il leur a parlé pendant dix minutes avant de faire feu sur la femme. Puis cinq minutes encore avant d'en finir avec Ballazzo. Outre que je n'aime pas ça, le plus grave, c'est qu'on ne sait jamais d'où peut venir le danger, et dans ces cas-là chaque minute compte. Sur d'autres opérations, je l'ai vu inutilement cruel. On se serait cru dans l'ancien temps lorsqu'on trouvait intelligent de suspendre les gens à des crocs de boucher. Bref, je préfère passer sur les détails.

— Tout ça, parce que c'est un nabot, lâcha Giorgio avec humeur. Une demi-portion ! Et il faut en plus qu'il porte ses bérets ridicules. Où diable peut-il bien trouver ces machins-là ?

— Là où les nègres trouvent les leurs, rétorqua le patriarche. En Sicile, lorsque j'étais gosse, tout le monde portait des chapeaux bizarres. Allez savoir pourquoi ! Peu importe, de toutes façons. Moi aussi, j'ai porté des couvre-chefs étranges. C'est peut-être un atavisme ? Tout ça c'est à cause de sa mère qui lui bourre le crâne de bêtises depuis qu'il est gosse. Elle aurait dû se remarier. Les veuves, c'est comme les araignées. Elles finissent par s'emprisonner dans leur propre toile.

— Mais Dante est efficace, non ? demanda Giorgio avec ferveur.

— Meilleur que Cross ne le sera jamais, concéda Pippi avec diplomatie. Mais parfois, je crois qu'il est fou comme sa mère — il marqua un silence — il me fait même peur de temps en temps.

Don Domenico avala une cuillère de fromage, suivie d'une belle lampée de vin.

— Giorgio, ordonna-t-il. Il faut que tu parles à ton neveu. Il faut le remettre dans le droit chemin. Son attitude peut être dangereuse pour nous tous, un jour ou l'autre. Mais ne lui dis pas que cela vient de moi. Il est trop jeune, et moi trop vieux. Je ne pourrais pas lui faire entendre raison.

Le mensonge était évident, mais si le vieil homme voulait rester dans l'ombre, c'est qu'il devait avoir ses raisons. C'est alors qu'ils entendirent des bruits de pas au-dessus de leurs têtes, puis dans l'escalier. Rose Marie apparut sur le seuil de la salle à manger.

Les trois hommes virent tout de suite qu'elle était en pleine crise. Ses cheveux étaient hirsutes, son maquillage étrange et outrancier, ses vêtements de guingois. Plus inquiétant encore, sa bouche était ouverte, mais aucun son n'en sortait. C'est son corps, ses mains qui s'agitaient pour se faire comprendre. Et ses gestes étaient bien plus vifs et explicites que n'auraient pu l'être des mots. Elle les détestait, tous, elle voulait les voir morts, voir leurs âmes brûler en enfer pour l'éternité. Elle leur souhaitait de s'étouffer avec leur nourriture, de devenir aveugles avec leur piquette, de perdre leur pénis pendant leur sommeil. Puis elle prit les assiettes de Giorgio et de Pippi et les projeta au sol.

Rien que de très normal ; mais des années plus tôt, lorsqu'elle avait eu sa première crise, elle avait réservé à l'assiette de Don Domenico le même sort ; le patriarche l'avait fait aussitôt enfermer dans sa chambre et pendant trois mois d'isolement elle avait reçu les seuls soins d'une infirmière. Don Clericuzio posa toutefois, par sécurité, le couvercle sur son bol de parmesan : elle avait la regrettable habitude de cracher.

Soudain, Rose Marie retrouva son calme.

— Je voulais te dire au revoir, annonça-t-elle à Pippi. J'espère que tu crèveras en Sicile.

Une vague de compassion envahit Pippi. Il se leva et prit Rose Marie dans ses bras. Elle se laissa faire.

— Je préférerai mourir en Sicile, annonça-t-il en l'embrassant sur la joue, plutôt que de te retrouver, en rentrant, dans cet état.

Rose Marie s'échappa de ses bras et s'éloigna en courant dans l'escalier.

— C'était touchant, railla Giorgio. On voit bien que ce n'est pas toi qui dégustes ! C'est comme ça tous les mois, ajouta-t-il avec un clin d'œil entendu, bien que tout le monde sût que Rose Marie était ménopausée depuis longtemps et que ses crises étaient malheureusement bien plus fréquentes.

Don Domenico semblait le moins affecté par l'état de sa fille.

— Il faut qu'elle guérisse ou qu'elle meure, articula-t-il. Sinon, il faudra nous séparer d'elle. — Il se tourna alors vers Pippi — Je te ferai savoir lorsque tu pourras revenir ici. Profite de ton séjour là-bas, repose-toi ; on se fait tous vieux. Mais repère d'éventuelles nouvelles recrues pour l'enclave. C'est important. Nous avons besoin d'hommes de confiance qui ne nous trahiront pas et qui ont *l'omertà* dans le sang, non pas comme ces pourceaux nés ici qui veulent la belle vie, sans avoir à la mériter.

Le lendemain, alors que Pippi s'envolait pour la Sicile, Dante était invité à passer le week-end à Quogue. Le premier jour, Giorgio laissa Dante passer le plus clair de son temps avec sa mère, Rose Marie. C'était émouvant de voir cette dévotion qu'ils avaient l'un pour l'autre — Dante était complètement métamorphosé en présence de sa mère ; il délaissait même ses coiffes ridicules. Il l'emmenait se promener dans le jardin, la sortait en ville, pour dîner. Il lui prenait la main et marchaient comme les couples d'amoureux du dix-huitième siècle. Lorsqu'elle fondait en larmes, il la prenait dans ses bras et la berçait doucement. Jamais, avec Dante, elle n'avait de crise. Ils ne cessaient de se parler à voix basse, comme s'ils échangeaient de grands secrets.

A l'heure du souper, Dante aida sa mère à dresser la

table, râpa le fromage du grand-père, et lui tint compagnie dans la cuisine. Elle lui avait préparé des *pennes* aux brocolis avec un rôti de veau farci à l'ail et au bacon, son plat préféré.

Giorgio était toujours frappé par le lien particulier qui unissait petit-fils et grand-père. Dante était aux petits soins pour lui ; il remplissait son assiette, lustrait avec ostentation la grande cuillère d'argent dont Don Domenico se servait pour manger son parmesan râpé.

— Grand-père, si tu t'offres de nouvelles dents, le taquinait Dante, nous n'aurons plus besoin de râper ton fromage. Les dentistes font des merveilles aujourd'hui. Ils peuvent te planter de l'acier dans les mâchoires. Un vrai miracle !

— Je veux aller en terre avec mes dents à moi, répondait Don Domenico entrant dans son jeu. Pourquoi Dieu perdrait-il son temps à faire des miracles pour une vieille carne comme moi ?

Rose Marie s'était pomponnée pour son fils, ravivant pour un soir le souvenir de sa beauté d'antan. Elle semblait heureuse de voir son fils et son père aussi proches. Son visage arborait une nouvelle sérénité.

Giorgio aussi s'en félicitait. Sa sœur semblait heureuse pour un temps. Le calme régnait dans la maison et sa cuisine était délicieuse. Elle ne lui lançait plus ses regards chargés de reproches. Aucune crise n'était à craindre.

Une fois que Rose Marie et le grand-père eurent regagné leurs chambres, Giorgio fit venir Dante dans le bureau. Il n'y avait dans cette pièce ni téléphone, ni télévision, et aucun interphone ne la reliait au reste de la maison. Elle était meublée de deux canapés en cuir noir et de fauteuils assortis. On y trouvait un mini-bar, un petit réfrigérateur et un jeu de verres. Sur la table basse, trônait une boîte de havanes. Les murs étaient aveugles, comme dans une grotte.

Dante mettait toujours mal à l'aise Giorgio ; il avait un air trop sournois pour son âge, un regard trop brillant de ruse et d'intelligence. Et il était décidément trop petit au goût de l'oncle.

Il leur servit un verre et alluma un cigare.

— Dieu merci, tu n'arbores pas ces chapeaux ridicules devant ta mère, lança-t-il. Je ne comprends toujours pas pourquoi tu t'accoutres ainsi.

— Parce que j'aime ça, répliqua Dante. Et pour vous

faire parler, toi, Vincent et Petie. — Il se tut un moment, un sourire malicieux aux lèvres — Et parce que je parais plus grand avec ces chapeaux.

C'était la vérité. Ces couvre-chefs lui donnaient un air plus fringant, apportaient à sa face de furet une sorte de charme; toute sa silhouette semblait bancale sans cela.

— Tu ne devrais pas les porter dans le boulot, annonça Giorgio. Ils sont trop facilement reconnaissables.

— Les morts ne parlent pas, rétorqua Dante. Et je tue tous ceux qui pourraient me voir en action.

— Mon neveu, il serait temps que tu arrêtes tes conneries, s'exclama Giorgio. C'est un risque imbécile. Et la famille déteste les risques. Une chose encore : il paraît que tu as le goût du sang?

Pour la première fois, Dante montra de la colère. Il jeta un regard noir à Giorgio et posa brutalement son verre.

— Est-ce que c'est parvenu aux oreilles de grand-père? C'est lui qui t'a chargé de me dire ça?

— Le grand-père ne sait rien, le rassura Giorgio, expert en mensonge. Et je ne lui en parlerai pas. Tu es son chouchou, et cela lui ferait trop de peine. Mais je te préviens, plus de chapeaux pendant le travail et tache de te rincer la bouche. Tu es le *martello* numéro un de la famille désormais et tu y prends trop de plaisir. C'est dangereux et contre les règles.

Dante fit mine d'ignorer l'avertissement. Il prit un air songeur et son sourire torve réapparut sur son visage.

— C'est Pippi qui t'a raconté ça? demanda-t-il d'un ton mielleux.

— Oui, répondit Giorgio sans détour. Et Pippi est le meilleur. On t'a mis avec lui pour que tu apprennes le métier. Et tu sais pourquoi c'est le meilleur? Parce qu'il a un cœur. Parce qu'il n'y prend jamais de plaisir.

Un fou rire s'empara soudain de Dante; il roula sur le canapé, et s'écroula au sol, les bras repliés sur le ventre, le corps traversé de convulsions. Giorgio le regarda d'un air sombre. Le fils était donc aussi fêlé que sa mère. Enfin, Dante se releva et avala une longue gorgée de whisky.

— Voilà que notre Pippi a un cœur, lança-t-il d'un air encore hilare. On aura tout vu.

— C'est la vérité, répondit Giorgio. Tu as beau être mon

neveu, je sais ce que tu vaux. Tu as descendu deux types pour une petite querelle personnelle sans avoir le feu vert de la famille. Don Domenico ne t'a pas puni, pas même réprimandé. Ensuite, tu as tué une pauvre choriste que tu t'envoyais depuis un an. Comme ça, parce que tu as piqué une colère. Tu lui as fait une communion, afin que la police ne puisse pas retrouver son corps. Tu te crois plus fin que les autres ? Sache que la famille, elle, a fait son enquête, et sait que c'est toi le coupable, même si aucun tribunal ne te condamnera jamais.

Dante avait retrouvé son calme. Non par peur, mais par calcul.

— Est-ce que grand-père est au courant ?

— Oui, répondit Giorgio. Mais tu restes son protégé. Il pense que ça te passera avec le temps, que tu es jeune, que tu apprendras à la longue. Je ne veux pas lui parler de ton goût pervers du sang, ce serait cruel de lui causer ce choc à son âge. Tu es son petit-fils, ta mère est sa propre fille. Cela lui briserait le cœur.

Dante éclata de rire de nouveau.

— Don Domenico a un cœur, Pippi De Lena a un cœur, cette mauviette de Cross aussi. Il n'y a que moi qui n'ai pas de cœur, c'est ça ? Et toi, Giorgio ? Tu as un cœur ?

— Exact. La preuve, c'est que j'arrive encore à te supporter.

— Alors je suis le seul à ne pas avoir de putain de cœur ? pérora Dante. J'aime ma mère et mon grand-père or ces deux-là se détestent cordialement. Grand-père m'aime moins depuis que j'ai grandi. Toi, Vinnie et Petie, vous ne m'avez jamais aimé, bien que je sois de votre sang. Qu'est-ce que tu crois ? Que je suis aveugle ? Et pourtant je vous aime tous, moi, même si vous me faites passer après ce connard de Pippi. J'imagine aussi que, d'après vous, je n'ai pas de cervelle non plus ?

Giorgio fut surpris de cette brusque rebuffade, et saisi par la justesse de l'analyse.

— Tu te trompes pour ton grand-père. Il t'aime autant qu'avant. C'est pareil, pour Petie, Vincent et moi. La famille t'a toujours montré son respect à ce que je sache. Certes, Don Domenico est un peu plus distant, mais c'est son grand âge qui veut ça. Quant à moi, je te donne un simple conseil, pour ta propre sécurité. Tu fais un travail très dangereux, il faut que tu prennes toutes les garanties possibles. Tu ne dois pas laisser tes émotions prendre le dessus. Sinon, tu cours à la catastrophe.

— Petie et Vinnie sont au courant aussi? demanda Dante.

— Non, mentit une nouvelle fois Giorgio.

Vincent lui avait aussi parlé de l'attitude inquiétante de leur neveu. Petie ne s'en était pas plaint, parce que Petie était un tueur dans l'âme. Mais à l'évidence, il fuyait Dante comme la peste.

— Il y a d'autres plaintes à mon sujet? s'enquit Dante.

— Non. Et ne prends pas ça aussi mal. Je suis ton oncle et je te donne un conseil, c'est tout. Mais je dois veiller aux intérêts de la famille. Ne t'avise plus jamais de faire une communion ou une confirmation sans l'accord de la famille.

— Entendu, répondit Dante. Je reste quand même le *martello* numéro un?

— Jusqu'au retour de Pippi de ses vacances forcées. Cela dépend de la façon dont tu te comporteras à l'avenir.

— Je prendrai moins de plaisir dans mon travail, si c'est ce que tu veux. Ça te va? proposa Dante en tapotant l'épaule de Giorgio.

— Parfait. Demain, sors ta mère et emmène-la dîner en ville. Occupe-toi d'elle. Ça fait plaisir à ton grand-père.

— D'accord, répondit Dante.

— Vincent a un restaurant à East Hampton, proposa Giorgio. Pourquoi ne pas l'emmener là-bas?

Le ton de Dante changea soudain.

— Comment va-t-elle? Ça empire?

Giorgio haussa les épaules.

— Elle n'arrive pas à tirer un trait sur le passé. Elle s'accroche à de vieilles histoires qu'elle ferait mieux d'oublier. Comme dit ton grand-père : « On ne change ni le monde, ni les hommes. » Mais elle n'arrive pas à s'y faire. — Il serra Dante dans ses bras — Oublions maintenant notre petite discussion. Je hais devoir faire ce genre de choses, ajouta-t-il, comme s'il avait organisé cet entretien de son propre chef.

Lorsque Dante s'en alla le lundi matin, Giorgio rapporta toute sa conversation à Don Domenico.

— Il était si gentil quand il était enfant, dit le grand-père dans un soupir. Que s'est-il passé ?

Giorgio avait une grande qualité. Il disait toujours le fond de sa pensée quand il le fallait, même à son père, le grand Don Clericuzio.

— Il a trop été sous l'influence de sa mère. Et il aime le sang.

Les deux hommes restèrent un moment silencieux.

— Lorsque Pippi reviendra, ajouta Giorgio, que ferons-nous de lui ?

— Je crois, malgré tout, que Pippi devrait prendre sa retraite. Il faut donner à Dante une chance de se rattraper, c'est un Clericuzio quand même. Pippi sera le conseiller de son fils dans l'Ouest. Au besoin, il pourra superviser les missions de Dante. Il n'y a pas de meilleur maître que lui en la matière. Il l'a amplement prouvé contre les Santadio. Mais je veux qu'il finisse ses jours en paix.

— *L'Emeritus Martellus*, murmura Giorgio d'un ton sarcastique.

Mais Don Clericuzio fit mine de ne pas entendre.

— Tu tiendras bientôt les commandes à ma place, annonça-t-il d'un air solennel. Souviens-toi que notre but ultime est d'obtenir notre place dans la société et que notre nom perdure à travers les âges. Et peu importe les sacrifices.

Ce fut la fin de leur conversation. Mais il se passa deux ans avant que Pippi ne puisse revenir de Sicile ; le meurtre de Ballazzo s'était dissipé dans les brumes de la bureaucratie — brumes savamment levées par les Clericuzio.

Cinquième partie

Las Vegas
Hollywood
Quogue

VII

Cross De Lena accueillit sa sœur Claudia et Skippy Deere dans sa suite privée du Xanadu. Skippy était à chaque fois frappé par le contraste entre le frère et la sœur. D'un côté, Claudia, pas vraiment jolie, mais si charmante, et de l'autre, Cross, à la beauté trop classique. Claudia était naturellement chaleureuse et aimable tandis que Cross gardait toujours une certaine rigidité et de la distance dans sa courtoisie. Il y avait une grande différence entre l'amabilité et la courtoisie. La première était innée, inscrite dans les gènes, l'autre était acquise.

Claudia et Skippy étaient assis sur le canapé, Cross installé en face d'eux. Elle lui expliqua la situation puis se pencha vers lui, avec une soudaine intensité dans le regard.

— Ce n'est pas une simple question d'argent, Cross. Il faut me croire. Athena est ma meilleure amie. C'est vraiment une des personnes les plus droites qu'il m'ait été donné de rencontrer. Elle m'a aidée quand j'étais dans le pétrin. Je sais que je te demande là une grande faveur. Si tu tires Athena de ce mauvais pas, je ne te demanderai plus jamais rien. — Claudia se tourna alors vers Skippy — Tu peux maintenant lui parler de l'aspect financier.

Par principe, Skippy Deere passait toujours à l'offensive avant de demander un service à quelqu'un.

— Cela fait dix ans que je viens dans ton hôtel, attaqua-t-il, et tu ne m'as encore jamais offert une de tes fameuses villas. Comment cela se fait-il ?

— C'est toujours complet ! repartit Cross en riant.

— Fiches-en quelques-uns à la porte.

— C'est promis, répondit Cross. Dès que j'aurai gagné

de l'argent avec un de tes films et que je te verrai miser dix mille dollars au baccarat.

— Même moi, sa propre sœur, je n'ai jamais eu droit à l'une de ses chères villas, précisa Claudia. Arrête de tourner autour du pot, Skippy, et parlons argent.

Lorsque Deere eut fini d'exposer l'aspect financier, Cross relut les notes qu'il venait de prendre.

— Si je comprends bien, toi et le studio perdez vos cinquante millions de mise, plus les deux cents millions de bénéfices escomptés sur le projet, si Athena ne retourne pas sur le plateau de tournage. Ce qu'elle refuse de faire parce que son ex-mari, un dénommé Boz Skannet, lui fiche les jetons. Même si vous achetez ce type, elle refusera toujours de reprendre le travail parce qu'elle part du principe que son ex ira jusqu'au bout, et que ce n'est pas quelques billets qui l'arrêteront. C'est tout ?

— Oui, répondit Skippy. Nous lui avons pourtant assuré qu'elle serait mieux gardée que le président des États-Unis en personne pendant la durée du tournage. Nous surveillons déjà tous les faits et gestes de ce Skannet. Et nous avons des hommes chez Athena jour et nuit. Mais elle ne veut rien savoir.

— Je ne vois pas vraiment où est le problème, annonça Cross.

— Ce type vient d'une famille très influente du Texas, expliqua Skippy Deere. Et il n'a pas froid aux yeux, c'est le moins que l'on puisse dire. J'ai demandé aux gars de la sécurité de l'intimider, en vain...

— Avec quelle société travaillez-vous ?

— Avec la Pacific Ocean Security Agency, répondit Skippy.

— Pourquoi vous adresser à moi ?

— Parce que ta sœur soutient que tu pourrais nous être d'une aide précieuse. Elle n'en démord pas.

Cross se tourna vers sa sœur.

— Claudia, qu'est-ce qui te fait donc croire une chose pareille ?

Claudia releva la tête, l'air mal à l'aise.

— Je t'ai vu régler des tas de problèmes par le passé, Cross. Tu es très persuasif, et tu sembles toujours avoir une solution à tout. — Elle lui lança son sourire le plus cajoleur

— Et puis tu es mon grand frère, je sais que je peux compter sur toi.

Cross poussa un soupir.

— Tu joues toujours sur cette vieille corde, rétorqua-t-il.

Malgré l'air maussade de Cross, l'affection entre le frère et la sœur était évidente. Ils restèrent, tous trois, un moment silencieux, puis Deere reprit la parole.

— Cross, nous sommes venus te trouver à tout hasard. En attendant, si tu cherches un bon investissement, j'ai un projet sur le feu qui risque de se révéler très très rentable.

Cross regarda tour à tour Claudia et Skippy d'un air songeur.

— Je veux d'abord rencontrer cette Athena ; je verrai après ce que je peux faire pour régler vos problèmes.

— Magnifique ! lança Claudia, visiblement soulagée. On pourra prendre l'avion dès demain, ajouta-t-elle en se levant pour serrer Cross dans ses bras.

— Parfait, annonça Deere, se demandant déjà comment il pourrait faire supporter à Cross une partie du manque à gagner avec *Messalina*.

Le lendemain, donc, ils s'envolèrent pour Los Angeles. Claudia avait appelé Athena au téléphone pour organiser le rendez-vous, puis avait passé le combiné à Skippy. La conversation qu'il avait eue avec elle confirma ses craintes ; la star ne reviendrait pas sur sa décision. Skippy ne décoléra pas pendant le vol mais trouva un dérivatif en imaginant comment il pourrait convaincre Cross de lui donner l'une de ses villas lors de son prochain séjour à Las Vegas.

Athena Aquitane avait une maison dans la Malibu Colony, une portion de rivage à Malibu à quarante minutes de Beverly Hills et de Hollywood. La Colony abritait une centaine de propriétés, valant chacune entre trois et six millions de dollars, mais ressemblant, de l'extérieur, davantage à des bungalows de plage qu'à des palais. Chaque maison était protégée par une clôture et parfois par un portail gardé.

Pour entrer dans la Colony elle-même, il fallait emprunter une allée privée défendue par un poste de contrôle imposant et par des barrières basculantes. Les vigiles vérifiaient les allées et venues des visiteurs, soit en consultant la liste des laissez-passer, soit en téléphonant à l'intéressé. Les résidents avaient des cocardes magnétiques sur les pare-brise dont on changeait le code toutes les semaines. Aux yeux de Cross, ce genre de dispositif ne représentait en rien un obstacle sérieux pour qui voulait entrer dans l'enceinte.

En revanche, les gardes de la Pacific Ocean Security qui patrouillaient autour de la propriété lui firent meilleure impression. Ils étaient en uniformes, armés et en belle condition physique.

Ils arrivèrent devant la maison d'Athena en suivant l'allée parallèle à la plage. Ils eurent droit au petit contrôle de routine du secrétaire particulier d'Athena, qui se trouvait dans un pavillon d'ami à proximité de l'entrée, gardée par deux autres hommes de la Pacific Ocean Security.

Ils longèrent le bungalow du secrétaire, puis de grands parterres fleuris, flanqués de citronniers qui répandaient des senteurs acides dans l'air, jusqu'à la porte de la maison principale où un autre garde était de faction.

Une femme de chambre miniature, originaire d'Amérique du Sud, leur fit traverser une cuisine gigantesque puis un grand salon, ceint de baies vitrées donnant sur l'océan. La pièce était meublée de rotin, parsemée de tables basses et de canapés bleu outremer. La servante ouvrit alors une porte vitrée qui donnait sur la terrasse surplombant la mer, équipée de chaises, de tables et d'un vélo d'exercice chromé qui brillait au soleil comme de l'argent. Au-delà s'étendait l'océan sans fin sous le dais azur du ciel.

Cross De Lena eut un choc en découvrant pour la première fois Athena. Une sorte de terreur. Elle était bien plus belle qu'à l'écran, ce qui était très rare chez les actrices. La pellicule ne pouvait capter cette coloration délicate des yeux, cette profondeur du regard, ces reflets verts des iris. Son corps avait la souplesse d'une athlète, ses mouvements une grâce naturelle. Ses cheveux blonds rassemblés en masse hirsute sur le haut de sa tête — une coiffure des plus disgracieuses chez toute autre femme — mettait en valeur sa beauté, comme une couronne dorée. Elle portait un survêtement bleu ciel qui, bien que ample, suivait harmonieusement les lignes de son corps. Ses jambes étaient longues, comparées à son buste, et ses pieds étaient nus, sans vernis aux ongles.

Mais le plus frappant chez elle, c'était cette profondeur, ce regard intense qu'elle posait sur les choses et les gens.

Elle accueillit Skippy Deere avec un baiser sur la joue, serra Claudia dans ses bras et tendit une main courtoise à Cross. Ses yeux avaient la couleur émeraude de l'océan derrière elle.

— Claudia m'a beaucoup parlé de vous, annonça-t-elle à Cross. Voilà donc ce frère si séduisant et mystérieux qui peut arrêter la terre de tourner si ça lui chante, lança-t-elle en riant — un rire naturel, innocent, à mille lieues de l'image d'une femme terrifiée.

Cross se sentit gagné par une sorte d'émerveillement — il n'y avait pas d'autre terme. La voix d'Athena était légèrement rauque, assez grave — un instrument de musique aux pouvoirs ensorcelants. L'océan encadrait son visage — une ligne de mâchoires délicate, une bouche ourlée de lèvres généreuses, sans fard, d'un rose soutenu, une intelligence rayonnante. Les paroles de Gronevelt revinrent brusquement à l'esprit de Cross. *L'argent protège de tout en ce bas monde, sauf des yeux d'une jolie femme.*

Cross avait connu nombre de créatures de rêves à Las Vegas — il y en avait tout autant qu'à Los Angeles et à Hollywood. Mais à Las Vegas, la beauté était souvent orpheline, rarement associée au talent — la plupart de ces belles avaient d'ailleurs échoué à Hollywood. A Los Angeles beauté et don artistique faisaient bon ménage, quoique le véritable génie restât une exception. Les deux villes attiraient donc les plus belles femmes du monde. Mais il existait une troisième catégorie : les stars.

Ces femmes, en plus de leur beauté, avaient l'intelligence, le charme et une sorte d'innocence et d'opiniâtreté enfantines. Leur passion pour ce métier finissait par élever leur savoir-faire sur scène au niveau de l'œuvre d'art, et par leur conférer une sorte de noblesse. Bien que la beauté fût une chose courante dans les deux villes, à Hollywood, les déesses s'attiraient l'amour de la planète entière — Athena Aquitane était l'une de ces rares divinités terrestres.

— Claudia m'a dit que vous étiez la plus belle femme du monde, commença assez froidement Cross.

— J'aurais préféré qu'elle vante mon intellect, rétorqua Athena.

Elle se pencha sur la balustrade et leva une jambe en l'air, comme une danseuse s'exerçant à la barre. Chez une autre femme, cela aurait paru un geste plein d'affectation, mais chez elle cela semblait parfaitement naturel. En effet, pendant tout leur entretien, elle ne cessa de faire ses exercices, pliant son buste d'arrière en avant, levant une jambe, puis l'autre, moulinant des bras, certains gestes accentuant sciemment ses paroles.

— On ne dirait pas que nous sommes frère et sœur, n'est-ce pas ? lança Claudia.

— C'est vrai, concéda Skippy.

Mais Athena les observa tour à tour.

— Je ne suis pas d'accord. Vous vous ressemblez beaucoup, répondit-elle le plus sérieusement du monde.

— Tu comprends pourquoi je l'aime autant ! lança Claudia à Cross.

Athena interrompit un instant ses mouvements de gymnastique.

— Claudia m'a dit que vous pourriez peut-être nous aider, annonça-t-elle. Je ne vois pas vraiment ce que vous pouvez faire.

Cross fit son possible pour ne pas la regarder trop intensément, détournant les yeux de la masse d'or de ses cheveux qui flamboyait comme un soleil sur le bleu de la mer.

— J'ai un certain pouvoir de persuasion. S'il est vrai que la seule chose qui vous empêche de reprendre le tournage, c'est votre ex-mari, je peux peut-être passer un marché avec lui.

— Boz n'honore aucun marché, par principe, rétorqua Athena. Le studio s'est déjà cassé les dents.

— Athena, vous n'avez absolument rien à craindre, assura Skippy Deere à mi-voix. Je vous le garantis.

Mais il ne parvenait même plus à s'en convaincre lui-même. Deere les dévisagea tour à tour. Athena pouvait ensorceler qui elle voulait, en particulier les hommes — les actrices, avec leur charme inné, étaient les maîtresses en la matière. Mais Skippy ne détecta aucun changement notable chez Cross.

— Skippy ne peut se faire à l'idée que j'abandonne le cinéma. C'est pour lui toute sa vie.

— Et pas pour toi, peut-être ? rétorqua Deere avec humeur.

Athena lui jeta un regard de glace.

— C'était le cas, autrefois. Mais je connais Boz. Je dois disparaître de la circulation, recommencer une nouvelle vie. — Elle leur lança un sourire malicieux — Ne vous inquiétez pas, je saurai toujours me débrouiller.

— Encore une fois, je peux conclure un accord avec votre mari, proposa Cross. Et garantir qu'il le respectera.

— Athena, dans le monde du cinéma, il y a des centaines de cas comme le tien, insista Deere sur le ton de la confidence. Toutes les stars se font harceler par des dingues. Nous savons parfaitement traiter ce genre d'affaires. Il n'y a absolument aucun risque.

Athena poursuivit ses exercices de gymnastique, lançant une jambe au-dessus de sa tête, à une hauteur inconcevable.

— On voit bien que vous ne connaissez pas Boz, moi si.

— Est-ce uniquement à cause de lui que vous refusez de reprendre le travail ? demanda Cross.

— Oui. Il ne me laissera jamais tranquille. Vous pourrez me protéger le temps du tournage, mais ensuite ?

— Avec moi, les gens respectent leur part du contrat, affirma Cross. Je lui donnerai ce qu'il veut pour m'en assurer.

Athena interrompit ses mouvements. Pour la première fois, elle regarda Cross droit dans les yeux.

— Je n'aurai jamais confiance en quelque accord que ce soit avec Boz, lança-t-elle d'un air de défi.

— Alors je suis désolé de vous avoir fait perdre votre temps, répondit Cross.

— Mais non, c'était un plaisir, rétorqua Athena avec bonne humeur. Et j'ai pu faire ma gymnastique, alors tout est pour le mieux. — Elle le regarda de nouveau droit dans les yeux — Mais je vous suis reconnaissante d'avoir essayé. Je m'efforce de faire bonne figure, comme dans mes films, mais en vérité, je suis morte de trouille.

Elle reprit aussitôt contenance.

— Claudia et Skippy me parlent souvent de vos fameuses villas. Si je viens un jour à Las Vegas, j'aurai droit à cette faveur ?

Son visage était grave, mais ses yeux pétillaient de malice. Elle faisait une démonstration de son pouvoir devant Claudia et Skippy, et attendait visiblement une réponse affirmative de la part de Cross, ne serait-ce que par simple galanterie.

Cross esquissa un sourire.

— Les villas sont toutes réservées, annonça-t-il. — Il marqua une pause avant d'ajouter avec un sérieux qui surprit les deux autres — : Mais si vous venez à Las Vegas, je peux garantir personnellement votre sécurité.

— J'en doute. Personne ne peut arrêter Boz, répondit-elle, comme si elle était en tête à tête avec Cross. Il se fiche d'être pris ou non. Mais quoi qu'il fasse, une chose est sûre : il passera à l'acte en public pour que tout le monde puisse le voir dans ses œuvres.

— Mais pourquoi ? s'exclama Claudia qui commençait à perdre patience.

— Parce qu'il m'a aimée autrefois, répondit Athena en riant. Et parce que la vie m'a davantage souri qu'à lui. — Elle les dévisagea tour à tour — C'est toujours triste de voir deux êtres qui se sont aimés se haïr ainsi. Un beau gâchis.

A cet instant, la femme de chambre sud-américaine apparut sur la terrasse, en compagnie d'un homme.

L'homme était grand, plutôt bien fait de sa personne, et élégamment habillé, avec un zeste de conformisme — un costume Armani, une chemise Turnbull et Asser, une cravate Gucci et des chaussures Bally. Il présenta aussitôt ses excuses pour cette irruption importune.

— Je suis désolé, on ne m'a pas dit que vous étiez occupée, miss Aquitane, commença-t-il. Je pense que votre femme de chambre a dû être impressionnée par ma plaque, précisa-t-il en montrant sa carte de police. Je voulais juste vous poser quelques questions à propos de cet incident de la nuit dernière. Mais je peux attendre, ou revenir plus tard.

Le discours était courtois, mais son ton était sans appel. Il regarda les deux hommes et lança :

— Salut Skippy.

Skippy Deere prit un air chagrin.

— Tu n'as pas le droit de lui parler sans quelqu'un des relations publiques, ou un représentant juridique à proximité. Tu es bien placé pour le savoir, Jim.

Le policier tendit la main à Claudia et à Cross en se présentant :

— Inspecteur Jim Losey.

Tous deux l'avaient reconnu. C'était le policier le plus célèbre d'Hollywood ; ses exploits avaient même donné naissance à un feuilleton T.V. Il faisait également diverses apparitions dans des films et figurait dans le listing « cartes et cadeaux de Noël » de Skippy Deere.

— Jim, passe-moi un coup de fil tout à l'heure, commença Skippy, fort de sa position, et je t'arrangerai un rendez-vous avec miss Aquitane en bonne et due forme.

— Très bien, Skippy, répondit Jim Losey, toujours tout sourire.

— Je risque de ne pas m'éterniser ici, intervint Athena. Pourquoi ne pas faire ça tout de suite ? Je vous écoute.

Jim Losey aurait pu passer de prime abord pour quelqu'un d'affable s'il n'y avait eu cette défiance dans son regard, ce corps sur le qui-vive, fruit d'années à côtoyer le milieu du crime.

— Devant ces gens ?

Athena s'immobilisa et se raidit.

— J'ai davantage confiance en eux qu'en la police, rétorqua-t-elle calmement, annihilant de sa personne toute trace de charme.

Jim Losey encaissa le coup sans broncher. Il était habitué à ce genre de pique.

— Je voulais savoir pourquoi vous avez retiré votre plainte contre votre mari. Vous a-t-il menacée, de quelque manière que ce soit ?

— Oh ! non, pas le moins du monde. Il m'a juste jeté de l'eau à la figure devant un milliard de personnes en hurlant que c'était de l'acide. Ce n'est rien du tout. La preuve, le lendemain matin vous l'avez libéré sous caution.

— Ça va, ça va, lança Losey en levant les bras pour éviter toute polémique. Je demandais ça simplement dans l'espoir de vous aider.

— Jim, sois gentil, coupa Skippy. Rappelle-moi plus tard.

Ce qui immédiatement tira une sonnette d'alarme chez Cross. Préférant éviter le regard de Losey, il tourna la tête vers Deere et le considéra d'un air perplexe.

— Entendu, répondit le policier en évitant à son tour de regarder Cross.

Il aperçut le sac à main d'Athena posé sur une chaise longue.

— J'ai vu les mêmes sur Rodeo Drive, annonça-t-il en ramassant le sac. Deux mille dollars pièce. Comment peut-on payer aussi cher pour un truc pareil ? demanda-t-il d'un ton de fausse politesse en regardant Athena droit dans les yeux. Vous pouvez m'expliquer ça ?

Le visage d'Athena resta de marbre. Elle avança vers la porte, et l'océan disparut derrière elle.

— Votre question a quelque chose d'insultant. Sortez d'ici.

Losey la salua et prit congé, un grand sourire aux lèvres. Il avait fait son petit effet.

— Finalement, tu es une femme comme les autres ! lança Claudia en entourant les épaules d'Athena. Quelle mouche t'a donc piquée ?

— J'avais mes raisons. Et il a très bien reçu le message.

Une fois qu'ils eurent quitté la maison d'Athena, Cross, Claudia et Skippy se rendirent chez *Nate and Al* à Beverly Hills. Au dire de ce dernier, c'était le seul endroit à l'ouest des montagnes rocheuses où l'on pouvait manger du pastrami décent, ainsi que du corned-beef et des hot dogs comme à Coney Island.

Pendant le repas, Skippy annonça :

— Athena ne reviendra jamais sur le plateau.

— C'est évident, rétorqua Claudia. Mais pourquoi s'est-elle emportée avec cet inspecteur ?

Skippy éclata de rire et se tourna vers Cross.

— Tu as compris ce qui s'était passé ?

— Non, reconnut Cross.

— L'une des grandes légendes qui courent à Hollywood c'est que n'importe qui peut s'envoyer une star. C'est un peu vrai pour les hommes, certes ; c'est d'ailleurs pour cette raison que l'on voit des tas de filles traîner sur les plateaux ou au Beverly Wilshire Hotel. Mais pour les actrices, c'est beaucoup plus rare... un type qui travaille chez elles, éventuellement — un charpentier, un jardinier peut décrocher la timbale — il y a des actrices qui ont le feu où je pense, je le sais, j'en ai rencontré. Les cascadeurs ont la cote, les techniciens aussi, ça arrive. Mais s'envoyer les gens de l'équipe nuit toujours à la carrière d'une actrice. Sauf évidemment, si c'est une grande star. Nous autres, les vieux qui sont aux commandes, on voit ça d'un très mauvais œil. A quoi bon avoir de l'argent et du pouvoir dans ce cas ! — il leur lança un sourire malicieux — Prenez maintenant un type comme Losey. C'est un grand et beau gaillard. Il descend, lui, des vrais méchants, il a donc un succès fou auprès des femmes de ce monde de pacotille. Il le sait très bien. Et il s'en sert. Il ne supplie jamais une star pour avoir ses faveurs, il l'intimide. Voilà pourquoi il a lancé sa pique. C'était d'ailleurs la véritable raison de sa visite. Il est venu voir Athena sous un faux prétexte dans l'espoir de tenter sa chance. Par sa remarque déplaisante, il lui faisait savoir qu'il voulait la sauter. Et Athena l'a tout de suite remis à sa place.

— C'est donc la vierge Marie, rétorqua Cross.

— Pour une actrice de cinéma, oui, répondit Deere.

— Selon toi, elle essaie d'arnaquer le studio, lança Cross sans détour. Pour toucher un petit extra ?

— Athena ne ferait jamais une chose pareille, s'offusqua Claudia. Elle est honnête jusqu'au tréfonds.

— Elle n'a pas de vieux comptes à régler ?

— Ça ne marche pas comme ça ici, annonça Skippy. Primo le studio se ficherait de se faire arnaquer. Toutes les stars font ça. Secundo, si elle avait une revanche à prendre, ça se saurait. Cette fille est une énigme, annonça-t-il avant de marquer un silence. Elle déteste Bobby Bantz et elle est loin d'être folle de moi. Ça fait des années qu'on lui court après, et rien, pas le moindre moment de faiblesse.

— C'est dommage que tu ne puisses rien pour nous, regretta Claudia.

Son frère ne répondit rien.

Durant le trajet du retour, Cross médita la question, pesant le pour et le contre. C'était l'occasion qu'il attendait. Cela risquait d'être dangereux, certes, mais si l'opération marchait, il pourrait enfin se séparer des Clericuzio.

— Skippy, annonça finalement Cross. J'ai une proposition à vous faire, à toi et au studio. Je rachète le film tout de suite, en l'état. Je vous donne les cinquante millions que vous avez investis, j'avance l'argent pour finir le film et laisse le studio s'occuper de la distribution.

— Tu as cent millions de dollars ? lancèrent en chœur Claudia et Skippy.

— Disons que je sais où les trouver, rectifia Cross.

— Mais tu ne pourras pas faire revenir Athena. Et sans elle, pas de film, insista Skippy.

— Je t'ai dit que j'ai un certain don de persuasion. Tu peux m'arranger un rendez-vous avec Eli Marrion ?

— Bien sûr, répondit Skippy, mais à condition que je reste producteur du film.

La rencontre ne fut pas aussi facile à organiser. La LoddStone, c'est-à-dire Eli Marrion et Bobby Bantz, voulait s'assurer que Cross De Lena n'était pas un fantoche, qu'il avait l'argent et des références solides. Certes, il avait des parts au casino Xanadu de Las Vegas, mais il n'avait aucun actif financier susceptible de prouver qu'il avait les épaules pour mener à bien une telle opération ; et Deere se portait garant pour Cross. Mais la situation se décoinça réellement lorsque Cross exhiba une lettre de crédit de cinquante millions de dollars.

Sur les conseils de sa sœur, Cross De Lena embaucha Molly Flanders pour traiter le contrat.

Molly Flanders reçut Cross dans son bureau en sous-sol. Cross était sur le qui-vive ; il savait certaines choses sur elle. Dans son monde de Las Vegas, il n'avait jamais rencontré une femme ayant quelque pouvoir que ce soit, or Claudia lui avait dit qu'elle était l'une des personnes les plus influentes d'Hollywood. Les directeurs de studio la prenaient au téléphone, les grands agents, comme Melo Stuart, l'appelaient à l'aide sur les gros contrats qu'ils avaient à traiter, les vedettes, telles qu'Athena, lui demandaient de défendre leurs droits lors de désaccords avec les studios. Molly Flanders avait même interrompu la production d'une série T.V. en pleine gloire parce que sa cliente avait été payée en retard.

Elle était bien plus agréable à regarder que Cross ne le supposait. Elle était imposante, mais bien proportionnée, vêtue avec élégance, et dotée d'un visage malicieux de sorcière — un nez aquilin, une bouche généreuse et des yeux noisette pétillant d'intelligence et de combativité. Ses cheveux blonds étaient ramassés en chignon au-dessus de sa tête. Toute austérité en elle s'évanouit avec son sourire.

Malgré sa dureté dans les affaires, Molly Flanders n'était pas insensible à la beauté chez les hommes et Cross lui fit aussitôt bonne impression. Elle s'attendait à voir, en masculin, la réplique de Claudia. Outre la beauté, Molly nota chez Cross une force dont était dépourvue Claudia. Il émanait de sa personne une sérénité étrange, comme si le monde ne pouvait lui réserver de surprise. Malgré tout, elle n'avait guère envie d'avoir Cross comme client. Elle avait entendu des rumeurs à son sujet, on parlait de lien avec la Mafia ; elle n'aimait pas le monde de Las Vegas, et elle doutait que Cross fût réellement prêt à prendre un pari aussi risqué.

— Mr. De Lena, commença-t-elle. Je tiens à mettre tout de suite les choses au clair. Je suis l'avocate de miss Athena Aquitane, non son agent. Je lui ai expliqué les conséquences qu'elle devra supporter si elle persiste dans son refus. Et je suis convaincue qu'elle ne fera pas marche arrière. Aussi, si vous passez cet accord avec la LoddStone et qu'Athena ne revient pas sur le plateau, je serai dans l'obligation de défendre Athena si vous intentez un procès contre elle.

Cross la regarda longuement. Il n'avait aucun moyen de savoir ce qu'elle pensait vraiment. Il devait donc jouer carte sur table.

— Je vous signerai un papier attestant que je renonce à poursuivre miss Aquitane en justice, au cas où j'achète le film, proposa-t-il. Et j'ai un chèque de deux cent mille dollars sur moi, si vous acceptez de vous occuper de ce contrat. Une simple avance. Vous pourrez me facturer vos services au prix qui vous conviendra.

— Résumons la situation et arrêtez-moi si je me trompe. Vous donnez cinquante millions au studio en remboursement de la somme qu'ils ont investie. Tout de suite. Et vous réunissez le reste de l'argent pour finir le film ; soit, au bas mot, cinquante autres millions. Vous allez donc miser cent millions de dollars sur le fait qu'Athena reprenne le tournage, et que le film soit un succès. Or un bide est toujours possible. C'est un risque absolument démesuré.

Cross savait user de son charme lorsqu'il le fallait. Mais ce genre d'astuce ne servirait à rien avec une femme comme Molly Flanders ; c'était évident.

— J'ai cru comprendre qu'avec les droits de distribution à l'étranger, T.V. et vidéo, le film ne pouvait pas perdre d'argent, même si personne ne venait le voir dans les salles, expliqua-t-il. Le vrai problème, en revanche, c'est de faire revenir Athena Aquitane sur le plateau. C'est en cela que j'aurais peut-être besoin de votre aide.

— Impossible. Je ne veux pas vous laisser nourrir de faux espoirs. J'ai déjà essayé et je me suis cassé le nez. Tout le monde a essayé. Même Eli Marrion s'est fait envoyer sur les roses. Il s'apprête donc à abandonner le film, assumer la perte sèche, et à ruiner la carrière d'Athena. Mais sur ce dernier point, je ne le laisserai pas faire.

— Comment comptez-vous vous y prendre ? demanda Cross, intrigué.

— Marrion est obligé de trouver un accord avec moi, annonça-t-elle. C'est un homme intelligent. Il sait que je vais le poursuivre en justice et lui rendre la vie impossible pour tous les autres contrats qu'ils voudront conclure. Athena ne retravaillera plus, certes, mais ils ne pourront pas la dépouiller.

— Si vous me représentez, vous pourrez sauver la carrière de votre protégée, insista Cross.

Il sortit une enveloppe de la poche de sa veste et la lui tendit. Molly Flanders l'ouvrit, lut le document qui se trouvait à l'intérieur, puis décrocha le combiné et passa quelques coups de fil pour s'assurer que le chèque n'était pas en bois.

Elle releva la tête vers Cross et lui lança un sourire.

— Ne prenez pas mal mon geste. Je fais ça avec les plus grands producteurs de cette ville.

— Avec Skippy Deere, par exemple ? demanda-t-il en riant. J'ai mis de l'argent dans six de ses films, quatre ont été de grands succès et je n'ai pas touché un sou.

— Vous auriez dû me choisir comme avocat, rétorqua Molly Flanders. Avant d'accepter votre proposition, il faut que vous me disiez comment vous comptez faire revenir Athena sur le plateau. — Elle se tut quelques secondes, puis ajouta : — Quelques rumeurs circulent sur votre compte.

— Sur le vôtre aussi, répliqua Cross. Je me souviens d'une affaire, il y a plusieurs années ; vous plaidiez encore ; vous défendiez un jeune type poursuivi pour meurtre. Il avait violé et tué sa petite amie, et vous avez plaidé la folie. Il est sorti libre moins d'un an plus tard. — Cross marqua une pause, laissant paraître son irritation — Vous vous fichiez alors de ce que l'on pouvait dire sur lui.

Molly Flanders lui jeta un regard de glace.

— Vous n'avez pas répondu à ma question.

Cross décida qu'un petit mensonge était le bienvenu.

— Molly, commença-t-il. Je peux vous appeler Molly? — Elle hocha la tête — Vous savez que je dirige un hôtel à Las Vegas. J'y ai appris ceci : l'argent est magique, on peut vaincre toutes les peurs avec de l'argent. Alors je vais proposer à Athena 50 p. 100 des bénéfices que j'aurai sur le film. Si vous négociez bien et que la chance est de notre côté, cela peut monter jusqu'à trente millions pour elle... — Il marqua une nouvelle pause et annonça de son ton le plus persuasif — : Allons Molly, trente millions de dollars, cela vaut bien le coup de prendre un petit risque, non?

Molly Flanders secoua la tête.

— Athena se fiche de l'argent.

— La seule chose qui m'étonne, poursuivit Cross, c'est que le studio ne lui ait pas fait cette offre.

Pour la première fois Molly Flanders prit un air amusé.

— On voit bien que vous ne connaissez pas les studios, répliqua-t-elle. Ils auraient bien trop peur que toutes les autres stars se mettent à avoir les mêmes exigences s'ils cédaient une fois. Mais revenons à notre sujet. La Lodd-Stone, je crois, va accepter votre marché parce qu'ils vont se faire une coquette somme d'argent rien qu'en assurant la distribution du film. Ce sera leur cheval de bataille dans la négociation. Et ils exigeront également un pourcentage sur les recettes. Mais, je vous le répète, Athena ne marchera pas. — Elle se tut et le considéra d'un air malicieux — Je croyais que vous autres, les propriétaires de casino, vous ne jouiez jamais.

Cross lui retourna son sourire.

— Tout le monde joue. Mais je ne m'y risque que lorsque les probabilités sont en ma faveur. En outre, je prévois de vendre l'hôtel et de faire carrière dans la production. — Il se tut un moment, le temps de lui laisser évaluer l'envie qu'il avait de se lancer dans le cinéma — Je crois que c'est plus intéressant.

— Je vois. Ce n'est donc pas une simple lubie.

— Non. C'est une façon pour moi d'y mettre un pied, expliqua Cross. Lorsque le premier pas sera fait, j'aurai besoin de vous pour aller plus loin.

Molly Flanders fut amusée par cette proposition.

— Très bien, je serai votre avocate, mais en attendant voyons déjà si vous n'allez pas perdre ces cent millions de dollars.

Elle décrocha son téléphone. Elle s'entretint avec son interlocuteur quelques instants, puis raccrocha.

— Nous devons d'abord voir les types de leur service financier, annonça-t-elle à Cross. Vous aurez alors trois jours pour réfléchir.

Cross était impressionné.

— Ça ne traîne pas!

— C'est eux qui sont pressés, pas moi. Chaque jour d'arrêt leur coûte une fortune.

— Il est inutile de vous dire, évidemment, que l'offre que je compte faire à miss Aquitane est confidentielle, ça doit rester entre vous et moi.

— Cela tombait sous le sens!

Ils se serrèrent la main et Cross s'en alla. Une fois seule, un détail de leur entrevue lui revint en mémoire; pourquoi Cross De Lena avait-il fait allusion à cette vieille affaire de viol? A ce beau succès de sa carrière? Pourquoi celui-là, précisément? Molly Flanders avait pourtant fait libérer des quantités de meurtriers...

***

Trois jours plus tard, Cross De Lena et Molly Flanders se retrouvèrent dans le bureau de l'avocate avant la réunion avec la LoddStone. Molly voulait vérifier les pièces financières que Cross avait apportées. Ils prirent ensuite la Mercedes SL 300 de Molly pour se rendre au studio.

— Regardez le parking! lança Molly une fois passé l'imposant portail. Je vous donne un dollar par voiture américaine que vous pourrez repérer.

Ils traversèrent des alignements de voitures rutilantes, de toutes les couleurs — Mercedes, Aston Martin, B.M.W., Rolls Royce. Cross n'aperçut qu'une seule Cadillac et tendit le doigt vers elle.

— Ce doit être la voiture d'un pauvre écrivain qu'on a fait venir de New York! lança-t-elle d'un ton badin.

Les bâtiments de la Lode Stone s'étendaient sur une surface gigantesque où étaient disséminés les bureaux des productions indépendantes. L'immeuble principal n'avait que dix étages et ressemblait à un décor de film. Le studio avait gardé la décoration originelle des années 20, en ne pratiquant que les réparations nécessaires. Aux yeux de Cross, l'immeuble semblait sortir tout droit de l'enclave du Bronx.

Les bureaux du siège administratif du studio étaient exigus et bondés, sauf au dixième étage, où Eli Marrion et Bobby avaient leur quartier général. Une grande salle de réunion séparait les deux bureaux directoriaux, équipée d'un bar avec serveur et d'une kitchenette. Les sièges autour de la table étaient garnis de velours grenat et de rembourrages moelleux. Des photos sous verre des films signés Lode Stone trônaient aux murs.

Eli Marrion, Bobby Bantz et Skippy Deere attendaient leur arrivée, en compagnie du chef des services juridiques du studio et de deux avocats. Molly Flanders donna au conseiller juridique un exemplaire du contrat et les trois avocats de la Lode Stone se mirent à en éplucher tous les articles. Le serveur leur apporta à boire et s'esquiva. Skippy Deere fit les présentations.

Eli Marrion, comme de coutume, insista pour que Cross l'appelle par son prénom, puis se mit à raconter l'une de ses histoires favorites dont il se servait pour amadouer ses interlocuteurs en prévision d'une négociation difficile. Son grand-père avait créé le studio au début des années 20. Il voulait appeler sa société la Lode Stone[1], mais il avait un accent allemand à couper au couteau qui induisit en erreur les avocats. C'était une petite entreprise de dix mille dollars à l'époque lorsqu'on découvrit l'erreur typographique; rectifier le nom semblait un tracas inutile. Voilà comment une société pesant sept milliards aujourd'hui était affublée d'un nom qui n'avait aucun sens. Mais Marrion souligna (car la moindre anecdote qu'il pouvait raconter n'était jamais totalement gratuite) que les mots n'avaient pas d'importance, seule l'image comptait — cette pierre d'aimant attirant la

1. Magnétite, pierre d'aimant. *(N.d.T.)*

lumière des quatre coins de l'univers, voilà ce qui faisait la force de ce logo.

Molly Flanders présenta alors l'offre de Cross. Il se proposait de rembourser les cinquante millions investis, de laisser à la LoddStone les droits de distribution, et de garder Skippy Deere comme producteur. A sa charge d'apporter le complément nécessaire pour terminer le film. Le studio aurait, en outre, 5 p. 100 sur les recettes.

Tous écoutèrent attentivement.

— Ce pourcentage est ridicule ! s'offusqua Bantz. Nous voulons davantage. Qu'est-ce qui nous prouve, d'abord, que vous n'avez pas monté cette affaire de toutes pièces avec Athena, que ce n'est pas une grosse arnaque ?

Cross fut étonné par la réaction de Molly Flanders. Il s'était imaginé que les négociations seraient à Hollywood plus civilisées qu'à Las Vegas.

— Fais pas chier, Bobby ! rétorqua-t-elle, presque en criant, ses yeux de sorcière étincelant de fureur. Tu as un sacré culot de nous accuser de vouloir t'arnaquer ! Ton assurance ne te couvre pas pour ce genre de conneries. On vient te sauver la mise et tu nous insultes ! Si tu ne t'excuses pas tout de suite, je prends Mr. De Lena avec moi, on se tire d'ici, et je te laisse dans ta merde !

— Allons allons ! Molly, Bobby, intervint Skippy Deere. Du calme. On a un film à sauver. Ne nous écartons pas du sujet.

Marrion avait observé toute cette scène, avec un petit sourire en coin, sans prononcer un mot. Il prendrait la parole plus tard, juste pour dire oui ou non.

— C'est au contraire tout à fait de propos, se défendit Bantz. J'aimerais bien savoir ce que ce type a de plus à proposer que nous, qui le rend si sûr de pouvoir faire revenir Athena sur le film.

Cross resta impassible, sourire aux lèvres. Molly lui avait recommandé de ne pas intervenir.

— Mr. De Lena a quelque chose en plus à offrir, c'est l'évidence même. Mais pourquoi vous dirait-il ce que c'est ? Si vous mettez dix millions de dollars sur la table pour connaître sa botte secrète, je lui ferai part de votre offre. Et je peux vous dire qu'à ce prix-là, ce serait encore donné.

Même Bobby Bantz éclata de rire.

— Ils n'arrivent pas à croire, intervint Skippy, que Cross soit prêt à risquer une telle somme sans être certain du résultat. C'est cela qui les tracasse.

— Skippy, lança Molly, je t'ai déjà vu allonger un million de dollars pour un roman que tu n'as jamais adapté à l'écran. Où est la différence ?

— La différence, répliqua Bantz, c'est que ce n'était pas l'argent de Skippy, mais celui du studio !

Tout le monde rit. Cross était perplexe et commençait à se demander ce qu'il faisait là. Certes, il ne fallait pas qu'il se montre trop impatient, mais un peu d'irritation ne ferait pas de mal. Il se tourna vers son avocate.

— J'ai fait cette offre sur un coup de tête, expliqua-t-il à mi-voix. Si c'est trop compliqué, on laisse tomber et on rentre chacun chez soi.

— On parle gros sous, jeta Bobby Bantz avec humeur. Ce film peut rapporter près de cinq cents millions de dollars.

— Si vous étiez parvenus à convaincre Athena de reprendre le tournage... s'empressa de préciser Molly Flanders. Je lui ai encore parlé ce matin. Elle s'est déjà coupé les cheveux pour montrer qu'elle parle sérieusement.

— On pourra toujours lui fiche une perruque. Satanée actrice ! pesta Bantz avant de se tourner vers Cross.

Il sonda son regard un moment, ayant visiblement une idée derrière la tête.

— Si Athena ne revient pas sur le film et que vous ne pouvez le mener à bien, demanda-t-il, qui garde les rushes ?

— Moi, répondit Cross.

— Je vois, lâcha Bantz. Vous pourrez alors faire ce que vous voudrez du matériel. En faire par exemple un film érotique.

— C'est une possibilité.

Molly Flanders fit un signe de tête à l'intention de Cross, pour lui enjoindre de rester à l'écart.

— Si vous êtes d'accord sur le principe, reprit Molly, tout pourra se négocier ; droit à l'étranger, vidéo, T.V. et intérêt aux recettes. La seule clause inamovible, c'est que notre marché devra rester secret. Mr. De Lena veut voir son nom figurer uniquement en tant que co-producteur.

— Ça me va, annonça Skippy Deere. A condition que mon accord financier avec le studio reste inchangé.

Pour la première fois, Eli Marrion intervint.

— Chaque chose en son temps, précisa-t-il, signifiant ainsi une fin de non-recevoir. — Puis il se tourna vers Cross — Votre avocate a tout pouvoir en ce qui concerne la négociation des détails de l'accord ?

— Absolument, répondit Cross.

— Très bien. Je veux que tout soit mis noir sur blanc, précisa Marrion. Vous n'êtes pas sans savoir que nous comptions abandonner le film et assumer la perte. Nous sommes persuadés qu'Athena ne reviendra pas travailler. Si vous passez cet accord avec nous, si vous nous versez les cinquante millions de dollars et qu'Athena ne revient pas sur le plateau, nous serons intouchables juridiquement parlant. Il faudra vous retourner contre Athena or elle n'aura jamais de quoi vous rembourser.

— Il n'est pas question de l'attaquer en justice, affirma Cross. J'oublierai et passerai à autre chose.

— Vous n'aurez pas de comptes à rendre à vos investisseurs ? s'enquit Bantz.

Cross haussa les épaules.

— C'est immoral. Vous ne pouvez trahir les financiers qui vous ont offert leur confiance et vous ont soutenu. Pour la simple raison qu'ils sont riches !

— Même chez les riches, rétorqua Cross avec un visage de marbre, il vaut mieux être du bon côté de la barrière.

— Ça sent mauvais, lança Bobby Bantz, excédé.

— Vous savez, commença Cross, en prenant un air confiant et innocent, j'ai passé ma vie à faire usage de persuasion. Dans mon casino de Las Vegas, je dois convaincre chaque jour des gens parfaitement sains de corps et d'esprit de miser leur argent alors que les probabilités sont contre eux. Et le secret de ce tour de force, c'est de les rendre heureux. Il suffit, pour cela, de leur donner ce qu'ils veulent au fin fond d'eux-mêmes. Je ne procéderai pas autrement avec miss Aquitane.

Bobby Bantz détestait toute cette affaire. Il restait persuadé que le studio se faisait gruger.

— Si jamais nous apprenons, insista-t-il, qu'Athena avait déjà décidé de travailler avec vous, nous vous poursuivons en justice ; et nous n'honorerons pas les termes de notre contrat.

— Je veux garder un pied dans le monde du cinéma pendant longtemps, répondit Cross. Je tiens à travailler avec la LoddStone. Et il y a de l'argent pour tout le monde.

Eli Marrion observait Cross en silence, essayant de se faire une idée du personnage. L'homme parlait peu ; il n'était ni un bluffeur, ni un illuminé. La Pacific Ocean Security n'avait pu établir aucun lien entre lui et Athena ; ils n'avaient vraisemblablement affaire à aucune conspiration. Il fallait prendre une décision, mais l'instant n'était pas aussi dramatique que ne le prétendaient ses collaborateurs. Marrion était si las qu'il sentait peser la masse de ses vêtements sur ses os fatigués. Il avait hâte d'en finir.

— Peut-être qu'Athena a un petit grain, avançait Skippy Deere, qu'elle est devenue maboule du jour au lendemain. Dans ce cas, on peut faire marcher l'assurance.

— Elle est aussi saine que nous tous ici, répliqua Molly Flanders. Vous serez tous bons pour l'asile avant elle, ça je vous le garantis !

Bobby Bantz regarda Cross droit dans les yeux.

— Êtes-vous prêt à signer une déclaration attestant que vous n'avez passé aucun accord avec Athena à l'heure actuelle ?

— Absolument, répondit Cross, en laissant transparaître tout son mépris pour Bantz.

Marrion comptait les points avec satisfaction. Pour l'instant, tout se passait comme prévu. Bobby jouait le méchant. Il était étonnant de voir l'inimitié quasiment instinctuelle que les gens ressentaient pour Bobby ; et il n'y était pour rien. C'était un simple rôle de composition, bien qu'il se moulât parfaitement à sa personnalité.

— Nous voulons 20 p. 100 des recettes, annonça Bantz. Nous gardons la distribution nationale et à l'étranger. Et nous serons partenaires pour toute suite éventuelle.

— Bobby, intervint Skippy avec exaspération, ils meurent tous à la fin ! Comment veux-tu qu'on fasse une suite ?

— Très bien, rétorqua Bantz sans se démonter. Disons pour tout film en amont de cette histoire.

— En amont, en aval, au milieu, tout ce que vous voudrez ! lança Molly Flanders. Mais vous n'aurez pas plus de 10 p. 100. Vous allez vous faire une petite fortune avec les droits de distribution. Et vous ne courrez aucun risque. C'est à prendre ou à laisser.

Eli Marrion était à bout de force. Il se leva, le buste raide et prit la parole d'un ton serein et mesuré :

— 12 p. 100, et l'affaire est conclue. — Il se tut un moment et observa Cross — Ce n'est pas tant pour l'argent. Mais ce sera peut-être un grand film et cela m'embête de l'abandonner. Je suis aussi curieux de voir ce qui va se passer. — Il se tourna ensuite vers Molly Flanders — Alors, c'est oui ou non ?

— C'est oui, répondit Molly, sans même consulter Cross du regard.

Eli Marrion et Bobby Bantz restèrent seuls dans la salle de réunion. Silencieux. Avec l'expérience, ils avaient appris à taire certaines choses. Au bout d'un moment, Marrion prit la parole.

— Il se pose un problème d'ordre moral.

— Nous nous sommes engagés à garder cet accord secret, mais si tu veux Eli, on peut toujours passer un coup de fil.

Marrion poussa un soupir.

— Dans ce cas, nous pouvons dire adieu au film. Ce De Lena est notre seul espoir. S'il découvre, de surcroît, que la fuite vient de nous, on risque de gros ennuis.

— Il a beau se pavaner, il n'osera pas s'attaquer à la LoddStone de front, rétorqua Bantz. Ce qui m'inquiète, c'est de le voir mettre un pied dans le business.

Marrion avala une gorgée de son cocktail, tira une bouffée de son cigare ; le filet de fumée brune fit fourmiller tout son corps. Eli Marrion était à bout de force et trop vieux pour se soucier réellement des catastrophes à long terme. L'heure de l'apocalypse était toute proche pour lui.

— Ne dis rien, ordonna-t-il. Nous tiendrons notre engagement. Je retombe peut-être en enfance, mais j'aimerais bien voir ce que ce magicien va tirer de son chapeau.

Après la réunion, Skippy Deere rentra chez lui et appela

Jim Losey pour convenir d'un rendez-vous. Sitôt ensemble, il fit jurer au policier le secret absolu et lui raconta ce qui s'était passé.

— Je crois que tu devrais faire suivre Cross, annonça-t-il. Il y a peut-être quelque chose d'intéressant à se mettre sous la dent.

Mais il ne lui demanda cette faveur qu'après avoir consenti à engager Losey pour jouer un petit rôle dans un prochain film qu'il produisait — l'histoire d'un tueur en série à Santa Monica.

Cross De Lena, une fois de retour dans sa suite du Xanadu à Las Vegas, se mit à songer au tournant que sa vie était sur le point d'aborder. Pourquoi prendre un tel risque? Certes les retombées pouvaient être énormes tant d'un point de vue financier que social. Mais ce qui le troublait, c'était qu'il existait en lui une autre motivation, plus insidieuse; l'image d'Athena Aquitane et de son corps se mouvant devant l'océan émeraude le hantait, ainsi que l'idée qu'un jour elle pourrait apprendre à le connaître et à l'aimer, pas pour toujours, mais pour quelque temps du moins. Que disait Gronevelt à ce propos? « Il n'y a pas de plus grand péril pour l'homme qu'une femme qui appelle au secours. Méfie-toi comme de la peste des demoiselles en détresse. »

Mais tous ces avertissements lui semblaient loin. Il contempla le Strip en contrebas, avec ses façades multicolores, les chalands allant et venant dans ce cloaque de lumière, comme des fourmis transportant des ballots de billets pour aller les enfouir sous terre. Pour la première fois, il analysa sa situation avec distance et impartialité.

Si Athena était aussi parfaite et irréprochable qu'on le disait, pourquoi exigeait-elle (en pensée tout au moins) la mort de son mari, en échange de son retour sur le film? A l'évidence, tout le monde le savait. L'offre de la LoddStone, qui se proposait d'assurer sa protection durant le temps du tournage, ne valait rien, puisque chaque jour de travail la rapprocherait inexorablement du dénouement final. Une fois le film terminé, elle se retrouverait seule et sans défense face à Skannet.

Eli Marrion, Bobby Bantz, Skippy Deere, eux connaissaient la réponse. Mais personne n'osait la dire. Pour des gens comme eux, le risque était trop grand. Ils étaient au sommet ; ils vivaient dans un tel luxe qu'ils avaient trop gros à perdre. Le jeu n'en valait pas la chandelle. Ils pouvaient se permettre de saborder le film, l'échec passerait au compte des pertes et profits, mais pas de dégringoler jusqu'en bas de l'échelle. Cela leur serait mortel.

Ils avaient pris, de leur côté, la décision qui s'imposait, sachant qu'ils n'étaient pas experts en cet autre domaine d'activité et qu'ils risquaient de commettre des erreurs fatales. Mieux valait donc considérer ce trou de cinquante millions de dollars comme une perte d'un point sur leurs actions en bourse et passer à autre chose.

Il restait, pour Cross, deux problèmes délicats à résoudre. Primo, l'exécution de Boz Skannet ne devait en aucun cas léser le film ou Athena. Secundo — et de loin la question la plus épineuse — il lui fallait obtenir le feu vert de son père, Pippi De Lena, et des Clericuzio, sachant que son petit accord avec la LoddStone ne resterait pas longtemps secret.

VIII

Cross De Lena voulait épargner Big Tim pour diverses raisons. Tout d'abord, il laissait, chaque année, dans les caisses du Xanadu entre cinq cent mille et un million de dollars. Et puis, il aimait bien l'homme, pour son appétit de la vie, son côté bouffon et picaresque.

Tim Sneden, surnommé Big Tim l'Embrouille, était le propriétaire de plusieurs centres commerciaux couvrant la pointe nord de la Californie. C'était un habitué de Las Vegas, et un gros client du Xanadu. Il était particulièrement chanceux dans les paris sportifs. Big Tim faisait de gros paris, cinquante mille dollars sur les matches de football et dix mille sur le championnat de basket-ball. Pensant duper son monde, il veillait à perdre de temps en temps des petites sommes, mais gagnait presque toujours ses gros paris. Cross s'en était aperçu tout de suite.

Big Tim l'Embrouille était un géant, il mesurait près de deux mètres pour cent cinquante kilos. Son appétit allait de pair avec sa corpulence; il avalait tout ce qui lui tombait entre les mains, et prétendait ne pouvoir prendre du poids, parce qu'on avait pratiqué sur lui une dérivation de l'œsophage, de sorte que la nourriture allait directement dans ses intestins, sans passer par l'estomac. Il n'était pas peu fier de ce pied de nez fait à la nature.

Car Big Tim l'Embrouille était un arnaqueur dans l'âme. Il n'avait pas gagné son surnom par hasard. Au Xanadu, où il avait une chambre tous frais payés, il nourrissait ses amis à l'œil — après son passage il ne restait plus rien en cuisine. Il faisait passer sur sa note de jeux les call-girls qu'il s'offrait, ainsi que ses achats personnels. Et lorsqu'il perdait et que son ardoise atteignait le plafond limite, il en repoussait le paiement à sa prochaine visite au Xanadu, au lieu de s'en acquitter dans le mois, comme tout joueur qui se respecte.

Il était certes chanceux pour les paris sportifs, mais aux tables de jeux, il avait la main moins heureuse. Il était adroit, connaissait les probabilités et misait avec intelligence, mais son exubérance naturelle le faisait aller trop loin; tous ses gains dans les paris sportifs étaient avalés par ses pertes dans les salles du casino. Ce n'était donc pas pour l'argent que les Clericuzio s'intéressaient à son cas, mais pour des raisons de stratégie politique à long terme.

En effet, depuis que la famille œuvrait pour la légalisation des paris sportifs dans tous les États-Unis, le moindre scandale dans ce domaine risquait de freiner tout le processus. On mena donc une enquête sur Big Tim l'Embrouille. Les conclusions furent si alarmantes que l'on convoqua Cross et Pippi à Quogue pour une réunion extraordinaire. C'était la première opération de Pippi depuis son retour de Sicile.

⁂

Cross et Pippi prirent l'avion ensemble pour la côte Est. Cross se demandait si les Clericuzio avaient déjà eu vent de son accord avec la LoddStone; son père risquait d'être furieux d'apprendre la nouvelle sans avoir été consulté au préalable. Car Pippi, quoique retiré des affaires à cinquante-sept ans, restait le *consiglière* de son fils, *bruglione* de la famille.

Une fois dans l'avion, Cross raconta à Pippi son rôle dans la reprise du film *Messalina*, s'empressant d'ajouter que ses conseils étaient toujours aussi précieux pour lui, mais qu'il ne voulait pas le placer dans une situation délicate vis-à-vis de la famille. Il lui fit part également de ses inquiétudes. Peut-être cette convocation à Quogue signifiait-elle que Don Domenico était au courant de son action à Hollywood ?

Pippi l'écouta sans dire un mot, puis poussa un soupir dépité.

— Tu es jeune ! annonça-t-il. Cela n'a rien à voir avec ton affaire. Don Domenico ne bougerait jamais aussi vite. Il attendrait d'abord de voir ce qui se passe. On croit que c'est Giorgio qui dirige la famille — c'est du moins ce que Vincent, Petie et Dante s'imaginent — mais ce n'est pas vrai. Le vieux Domenico est plus rusé qu'un renard. Tu n'as pas de souci à te faire, Don Domenico est toujours juste en ce qui concerne ce genre d'affaire. En revanche, il faudra te méfier de Giorgio et de Dante. — Il se tut un moment, comme s'il hésitait à parler de la famille, même devant son propre fils. — Comme tu le sais, les enfants de Giorgio et de Vincent ne sont pas au courant des activités de la famille. Don Domenico et Giorgio ont décidé depuis leurs naissances que les gosses vivraient dans la plus stricte légalité. Don Domenico a voulu faire de même avec Dante, mais Dante est trop futé ; il a rapidement compris et n'a eu de cesse de vouloir entrer dans la famille. Don Domenico ne pouvait pas l'en empêcher. C'est ainsi que Giorgio, Vincent, Petie, toi et moi, et Dante, nous sommes l'arrière-garde, celle qui assure la retraite des Clericuzio vers la légalité. Voilà quel est le grand dessein de Don Domenico. C'est ce genre de choses qui fait sa force, qui fait de lui un grand parmi les grands. Il pourrait même voir d'un bon œil ta tentative d'« insertion sociale » ; c'est, au fond, ce qu'il aurait voulu que Dante fasse.

— Peut-être, répondit Cross, tout en cachant à son père sa terrible faiblesse, à savoir qu'il faisait tout ça dans l'espoir de gagner l'amour d'une femme.

— Il faut toujours voir le long terme, comme le faisait Gronevelt, précisa Pippi. Lorsque le temps sera venu, tu iras en parler directement à Don Domenico, en veillant à ce que la famille puisse saucer le plat au passage. Vincent et Petie se fichent de ce que tu peux faire, mais méfie-toi de Giorgio et de Dante.

— Pourquoi ?

— Parce que Giorgio en veut toujours plus, et que Dante a toujours été jaloux de toi. Tu es mon fils et cela lui reste en travers de la gorge. Et de surcroît, Dante est un fou dangereux.

A sa grande surprise, c'est la première fois qu'il entendait son père critiquer ouvertement un membre de la famille.

— Et selon toi, je n'ai pas à m'inquiéter de Vincent et de Petie ?

— Vincent a ses restaurants et Petie son entreprise de travaux publics dans l'enclave. Vincent a envie de passer ses vieux jours tranquilles et Petie aime l'action. Tous les deux t'aiment bien et me respectent. Nous avons fait pas mal de choses ensemble lorsqu'on était jeunes.

— Tu m'en veux pas trop, p'pa, de ne pas t'en avoir parlé avant ? demanda Cross.

Pippi lui jeta un regard sardonique.

— Ne cherche pas à m'embobiner ! Tu sais très bien que Don Domenico comme moi, on t'aurait dit non. Quand vas-tu occire ce Boz Skannet ?

— Je ne sais pas encore. C'est très compliqué. Il faut que ce soit une confirmation afin qu'Athena sache qu'elle n'a plus rien à craindre de lui et qu'elle accepte de revenir travailler sur le film.

— Laisse-moi t'organiser l'opération, proposa Pippi, avant de marquer un temps de silence. Et si cette Athena refuse malgré tout de reprendre le tournage ? Tu peux t'asseoir sur tes cinquante millions.

— Elle reviendra travailler, j'en suis sûr. Claudia, qui est une amie proche d'Athena, en est certaine aussi.

— Claudia, ma chère fille, murmura Pippi. Elle ne veut toujours pas me voir ?

— Non, je ne crois pas. Mais tu pourrais faire un saut à l'hôtel quand elle y sera.

— Pas question. Et si cette Athena refuse de finir le film après l'opération, elle aura droit à sa communion, toute grande star qu'elle soit !

— Non, ne fais pas ça, répondit Cross, avant d'ajouter : Tu devrais voir Claudia, tu sais. Elle est bien plus jolie qu'avant.

— Tant mieux. Elle avait un visage si vilain lorsqu'elle était petite. Comme moi.

— Pourquoi ne fais-tu pas la paix avec elle ?

— Elle n'a pas voulu que j'assiste aux funérailles de ta mère et elle ne peut pas me sentir. Alors ça ne sert à rien. J'espère bien que tu lui renverras la monnaie de sa pièce, lorsque ce sera mon tour d'y passer ! Qu'elle aille au diable ! — Il se tut un moment — C'était un sacré petit bout de femme quand elle était gosse.

— Tu devrais la voir aujourd'hui, insista Cross.

— Peut-être. En attendant, ne te fais pas de mouron, lança Pippi pour changer de sujet. Inutile de dire quoi que ce soit à Don Domenico. Ce rendez-vous n'a rien à voir avec ton affaire.

— Comment peux-tu en être aussi sûr demanda Cross.

— Parce qu'autrement, Don Domenico m'aurait demandé de venir seul, pour savoir si je marchais ou non avec toi.

La suite des événements allait lui donner raison.

A Quogue, Giorgio, Don Domenico, Vincent, Dante et Petie attendaient leur arrivée dans le patio, à l'ombre des figuiers. Comme le voulait la coutume, ils déjeunèrent tous ensemble, avant de parler affaire.

Giorgio exposa la situation. L'enquête avait révélé que Big Tim truquait certains matches d'université dans le Middle West, et probablement quelques matches de football et de basket-ball en championnat professionnel. Pour ce faire, il soudoyait joueurs et arbitres, une opération très juteuse et très dangereuse. Si jamais le scandale éclatait, cela soulèverait un tel tollé que les Clericuzio pourraient dire adieu à leur espoir de voir un jour les paris sportifs légalisés dans le pays. Or, un jour ou l'autre, les manigances de Big Tim l'Embrouille se sauraient.

— Les flics s'emploient davantage à combattre la fraude dans le domaine du sport que les tueurs psychopathes, grogna Giorgio. Allez savoir pourquoi ? Qu'est-ce que ça peut faire, au fond, de savoir qui gagne et qui perd ? Il n'y a pas mort d'homme, à ce que je sache ! Personne n'est lésé, sauf les bookmakers, or les flics leur vouent une haine ancestrale. En plus, si Big Tim s'arrange pour que Notre-Dame remporte la coupe, tout le pays sera en liesse.

— Je ne vois pas où est le problème, s'impatienta Pippi. Il suffit de lui taper sur les doigts.

— On a déjà essayé, rétorqua Vincent. Mais ce type est un cas. Il n'a peur de rien. On l'a prévenu maintes fois et il continue comme si de rien n'était.

— Il se fait appeler l'Embrouille et il en est fier ! précisa Petie. Il ne paie jamais ses notes ; il fait même un bras d'honneur au fisc, et a tout l'État de la Californie sur le dos parce qu'aucun de ses magasins ne paie ses taxes locales. Il arnaque même son ex-femme et ses gosses, pour les pensions alimentaires. C'est un voleur jusqu'au tréfonds. Impossible de lui faire entendre raison ; il a ça dans le sang.

— Cross, reprit Giorgio, toi qui le connais puisqu'il vient souvent jouer au Xanadu. Qu'est-ce que tu penses de notre bonhomme ?

Cross fut plus nuancé.

— Il est effectivement très en retard pour régler ses ardoises, mais il finit toujours par payer. C'est un joueur avisé, il n'a rien d'un fou. C'est le genre de type pour qui il est difficile d'avoir de la sympathie, mais il est très riche et il fait venir plein de gens à Las Vegas. Même s'il truque les matches et nous arnaque de temps en temps, il reste un atout pour nous. Laissons-le tranquille, conclut-il en apercevant, du coin de l'œil, le sourire narquois de Dante.

A l'évidence, il savait quelque chose que Cross ignorait.

— Impossible, répondit Giorgio. Parce que Big Tim, notre Embrouilleur national, a cette fois pété les plombs. Il s'est mis dans la tête de truquer le Super Bowl !

Don Domenico prit la parole pour la première fois dans la discussion, et s'adressa directement à Cross.

— Est-ce que cela te paraît possible, mon neveu ?

Cette question était un compliment déguisé. Une façon, pour le vieux Domenico, de faire savoir qu'il considérait Cross comme un expert en ce domaine.

— Non, répondit Cross. Il est impossible d'acheter les arbitres du Super Bowl parce qu'on ne sait jamais à l'avance qui sera nommé. Impossible, aussi, d'acheter les joueurs, parce qu'ils gagnent trop d'argent, les vedettes tout au moins. De toutes façons, même si on truque un match au mieux, on n'est jamais sûr du résultat à 100 p. 100. Pour rentrer dans ses sous, il faut pouvoir truquer cinquante ou cent matches. Comme ça, si on a trois ou quatre ratés, cela ne se fait pas trop sentir. Le risque est donc trop grand avec le Super Bowl.

— Exactement, approuva Don Domenico. Alors pourquoi, selon toi, cet homme riche et intelligent se lancerait-il dans une entreprise aussi folle ?

— Pour la gloire, suggéra Cross. Pour parvenir à truquer le Super Bowl, il lui faudra faire quelque chose de si risqué, de si fou, qu'il est sûr de se faire pincer. Je ne sais pas exactement ce que cela peut être, mais cela dépassera l'entendement, c'est sûr. Big Tim doit donc y trouver son compte. Je vous rappelle qu'il croit, dur comme fer, pouvoir se sortir de n'importe quel mauvais pas.

— Je n'ai jamais rencontré quelqu'un de cette espèce, annonça Don Domenico.

— Ce genre-là ne pousse qu'en Amérique, maugréa Giorgio.

— Cet homme représente un grand danger pour nous, poursuivit Don Domenico. Or, d'après ce que vous me dites, il est impossible de lui faire entendre raison. Nous n'avons donc pas le choix.

— Attendez, intervint Cross. Il rapporte au bas mot un demi-million de dollars par an au casino.

— C'est une question de principe, répondit Vincent. Les bookmakers nous payent pour protéger leurs intérêts.

— Laissez-moi lui parler, insista Cross. Il m'écoutera peut-être. Tout ça, c'est beaucoup d'agitation pour pas grand-chose. Il ne peut truquer le Super Bowl. A mon avis, cela ne vaut pas la peine que l'on mette en place une opération.

Cross croisa soudain le regard de son père et il sut que ce n'était pas à lui d'avancer ce genre d'arguments.

— Cet homme est dangereux, annonça Don Domenico d'un ton sans appel. Ne lui dis rien, mon neveu. Il ne doit pas savoir qui tu es réellement. Pourquoi lui donnerait-on cet avantage ? C'est sa stupidité qui le rend dangereux, il est aussi stupide qu'un animal affamé, voulant manger dans toutes les auges à la fois ! Et s'il se fait coincer, il essaiera de faire plonger le maximum de gens avec lui. Il impliquera tout le monde, à tort ou à raison. — Il marqua un temps de silence puis se tourna vers Dante. — Mon petit-fils, ajouta-t-il, je crois que c'est un travail pour toi. Mais je veux que Pippi prépare l'opération. Il connaît le terrain.

Dante acquiesça.

Pippi allait marcher en terrain miné. Si jamais quelque chose arrivait à Dante, il serait tenu pour responsable. Une autre chose était claire : Giorgio et Don Domenico avaient certes décidé, qu'un jour, Dante serait à la tête de la famille, mais pour l'heure, ils ne se fiaient pas encore à lui.

Dante prit donc une suite au Xanadu. Big Tim l'Embrouille n'étant attendu à Las Vegas que la semaine suivante, Cross et Pippi mirent à profit ce laps de temps pour préparer Dante à son rôle.

— Big Tim est un grand joueur, mais pas au point que l'hôtel lui offre une villa. Il n'est pas de la taille des Arabes ou des Asiatiques. Il laisse des notes de frais faramineuses ici ; il saute sur tout ce qui peut être gratuit. Il invite des amis à sa table, commande les meilleurs vins, il essaie même de se faire payer par l'hôtel les cadeaux qu'il offre à ses poules. Même les clients des villas n'ont pas droit à un tel traitement de faveur. C'est un arnaqueur né et les croupiers doivent ouvrir l'œil. Il peut prétendre avoir misé un numéro juste avant que celui-ci sorte, parier au baccara alors que la première carte est déjà sortie, ou encore, au black jack, annoncer avoir 18 en main au moment où sort un 3. Il se fait toujours tirer l'oreille pour payer ses notes, mais il nous laisse un demi-million de dollars par an, même en retirant ce qu'il gagne sur les paris sportifs. C'est un rusé. Il va jusqu'à distribuer des plaques à ses amis en les mettant sur son compte, pour nous faire croire qu'il parie davantage qu'il ne le fait — c'est la vieille astuce qu'utilisaient autrefois les types de la confection pour faire monter leur commission. Mais, attention, il voit tout rouge quand sa chance tourne. L'année dernière, il a laissé deux millions chez nous ; nous avons organisé une petite fête en son honneur et lui avons offert une Cadillac. Il a râlé parce que ce n'était pas une Mercedes !

Dante était révolté.

— Il prend des plaques à la caisse qu'il ne mise même pas ?

— Absolument, répondit Cross. C'est assez courant. On a tout intérêt à fermer les yeux ; plus ils nous croient idiots, plus ça les met en confiance lorsqu'ils sont aux tables. Ils s'imaginent pouvoir nous damer le pion une fois de plus.

— Pourquoi le surnomme-t-on l'Embrouille ? s'enquit Dante.

— Parce qu'il veut le beurre et l'argent du beurre. Et qu'il l'obtient, expliqua Cross. Lorsqu'il s'envoie des filles, il les mord jusqu'au sang, comme s'il voulait en garder un morceau pour lui. C'est le roi de l'arnaque en son genre.

— J'ai hâte de voir cet oiseau de plus près, marmonna Dante d'un air songeur.

— En revanche, il n'a jamais pu arracher à Gronevelt une de ses villas, poursuivit Cross. Alors je ne cède pas non plus.

— Et moi ? lança Dante. Pourquoi je n'ai pas droit à une villa ?

— Parce que ça coûte à l'hôtel entre cent mille et un million de dollars la nuit.

— Pourtant Giorgio en a bien une, lui !

— Très bien, répondit Cross. J'en toucherai deux mots à Giorgio.

Tous deux savaient que Giorgio serait furieux d'entendre une telle requête de la part de Dante.

— Pas la peine, admit Dante.

— Tu auras une villa le jour de ton mariage, répondit Cross. Pour ta lune de miel !

Pippi reprit les commandes de la discussion.

— Mon plan est adapté au personnage qu'est Big Tim. Cross, tu interviendras uniquement à Las Vegas, le temps de ferrer notre bonhomme. Tu devras laisser à Dante un crédit illimité, et faire disparaître son ardoise. Entre-temps, à L.A. tout sera en place. Il faudra t'assurer que notre type vient bien au Xanadu et n'annule pas sa réservation au dernier moment. Pour ce faire, tu vas organiser une soirée en son honneur et lui offrir une Rolls. C'est pendant cette fête que tu lui présenteras Dante et moi. C'est tout pour toi.

Il fallut plus d'une heure à Pippi pour expliquer son plan par le menu.

— Je comprends pourquoi Giorgio dit que tu es le meilleur, annonça Dante avec admiration. J'étais fou de rage lorsque Don Domenico t'a donné la responsabilité de l'opération à ma place. Mais je vois qu'il avait raison.

Pippi resta de marbre devant ces flatteries.

— Souviens-toi qu'il faut que ce soit une communion, Dante, pas une confirmation. On doit avoir l'impression qu'il s'est enfui. Avec tous les procès qu'il a sur le dos, c'est plausible. J'aimerais, en outre, que tu ne portes pas un de tes satanés chapeaux pendant l'opération. Les gens parfois s'accrochent à ce genre de détails. Don Domenico aimerait bien savoir comment Big Tim voulait truquer le Super Bowl, mais ce n'est pas absolument vital. C'est lui la tête. Sitôt éliminé, toute l'arnaque s'effondre. Donc, pas de folie, d'accord ?

— Je n'aime pas être sans chapeau ; ça me porte la poisse, répondit Dante d'un ton glacial.

Pippi haussa les épaules.

— Autre chose encore. Pas de folie non plus avec ton crédit au casino. Ordre de Don Domenico lui-même ; il ne tient pas à ce que l'hôtel laisse sa chemise dans cette opération. Il faut déjà acheter la Rolls.

— Ne te fais pas de bile, assura Dante. Le travail est chez moi un plaisir. — Il marqua un silence et ajouta avec un sourire malicieux — : J'espère que tu feras cette fois un bon rapport sur moi.

Cross dissimula sa surprise. Il y avait une hostilité évidente entre les deux hommes. Et voir Dante tenter d'intimider son père était pour le moins étonnant. C'était un petit jeu dangereux, petit-fils de Don Clericuzio ou non.

Mais Pippi sembla ne pas remarquer la bravade de Dante.

— Tu es un Clericuzio, annonça-t-il. De quel droit ferais-je un rapport sur toi ? — Il lui donna une petite tape dans le dos — Nous avons un travail à faire ensemble. Essayons de le rendre le plus agréable possible.

Dante observa attentivement Big Tim à son arrivée. L'homme était grand et gros, mais le gras était ferme, collé à ses os, et ne roulait pas comme des bouées sous ses vêtements. Il portait une chemise en jean avec de grandes poches sur les seins, fermée par une rangée de boutons blancs. Dans l'une des poches, il avait fourré une poignée de plaques noires de cent dollars, dans l'autre, celles blanc et or de cinq cents dollars. Les plaques rouges de cinq et les vertes de vingt gonflaient les poches de son large pantalon blanc. Il avait des sandales avachies aux pieds.

Big Tim jouait le plus souvent au crap, le jeu de dés où les probabilités de réussite étaient les plus grandes. Cross et Dante savaient qu'il avait déjà parié dix mille dollars sur deux matches universitaires de basket-ball et placé cinq mille dollars sur un cheval de course à Santa Anita, par l'entremise de bookmakers clandestins. Big Tim l'Embrouille allait une fois de plus gruger le fisc. Il semblait parfaitement serein quant à l'issue de ces paris et lançait ses dés avec enthousiasme.

Il était le chef à la table de crap, houspillant les autres joueurs pour les inciter à miser sur ses lancers, les traitant avec bonne humeur de poltrons. Il misait avec des plaques noires, par poignées, couvrant tous les numéros, adoptant la bonne tactique. Il lançait si fort les dés qu'ils rebondissaient au bout de la table et revenaient à portée de sa main. A chaque fois il essayait de les reprendre, mais le croupier les ramassait rapidement avec sa canne pour laisser le temps aux autres joueurs de faire leurs paris.

Dante prit place à la table et se mit à parier avec Big Tim pour gagner. Puis il fit toutes les erreurs possibles et imaginables — à moins d'un miracle, Dante était sûr de perdre. Il paria sur le quatre et le dix, misa sur le double-six sec et sur les as et le onze à trente et quinze contre un. Il demanda pour vingt mille dollars de plaques et les étala toutes sur la table. Lorsque, le coup suivant, il signa une nouvelle note de vingt mille dollars, Big Tim commença à s'intéresser à lui.

— Hé, vous, l'homme au chapeau ! Vous jouez comme un pied ! lança Big Tim.

Dante lui fit un petit signe et continua à miser à tort et à travers. Lorsque Big Tim sortit un sept, Dante prit les dés et demanda pour cinquante mille dollars de plaques. Il les plaça au petit bonheur sur la table, espérant que la chance serait de son côté. Ce qui ne fut pas le cas. Big Tim cette fois-ci lui porta un intérêt tout particulier.

Big Tim mangeait dans la cafétéria du casino, qui proposait de la cuisine américaine traditionnelle. Il ne fréquentait guère les autres restaurants du Xanadu, que ce soit le restaurant français ou l'italien, ou encore le pub anglais qui semblait plus vrai que nature. Il avait invité cinq personnes à sa table et avait distribué à tout le monde des tickets de Keno pour que chacun puisse participer au tirage des numéros tout en mangeant. Cross et Dante étaient installés dans une alcôve.

Avec ses cheveux blonds et ras, Big Tim ressemblait à un bourgeois flamand jovial sorti tout droit d'un tableau de Bruegel. Il commanda toute une variété de mets, l'équivalent de trois dîners complets — mais, à sa décharge, il finit quasiment tous ses plats, piochant même de temps en temps dans les assiettes de ses convives.

— C'est vraiment dommage, soupira Dante. Je n'ai jamais vu quelqu'un profiter autant de la vie.

— C'est une façon aussi de se faire des ennemis, répondit Cross. En particulier lorsqu'on en profite sur l'argent des autres.

Ils virent Big Tim signer la note qu'il n'avait pas à payer et demander à l'un de ses compagnons de laisser un pourboire en liquide. Après le départ de Big Tim l'Embrouille et de sa suite, Cross et Dante finirent tranquillement leur café. Cross aimait cette salle baignée d'une lumière tamisée, avec ses grandes baies vitrées où filtrait la nuit colorée par le rose des néons et le vert des arbres.

— Je me souviens d'une nuit, il y a trois ans...

commença Cross. Big Tim faisait une belle série aux dés. Je crois qu'il a dû gagner plus de cent mille dollars. Il était environ trois heures du matin. Lorsque le croupier a ramassé ses plaques pour les porter à la caisse, Big Tim, fou de rage, est monté sur la table et a pissé dessus !

— Qu'est-ce que tu as fait ?

— J'ai demandé aux gardes de le reconduire dans sa chambre et de lui mettre une amende de cinq mille dollars pour les dégâts. Amende qu'il n'a évidemment jamais payée.

— Moi, je lui aurais arraché les yeux de la tête, rétorqua Dante.

— Tu sais, lorsqu'un homme te lâche chaque année cinq cent mille dollars, tu peux bien le laisser pisser de temps en temps sur une de tes tables. Au fond de moi, cependant, je lui en ai toujours voulu. S'il avait fait ça dans le petit casino des villas, j'aurais peut-être vu tout rouge, qui sait ?

Le lendemain, Cross déjeuna avec Big Tim pour lui parler de la fête organisée en son honneur et de la remise de la Rolls Royce. Pippi rejoignit les deux hommes et Cross se chargea des présentations.

Big Tim voulait encore plus.

— La Rolls c'est bien, mais quand aurai-je droit à une villa ?

— C'est vrai, tu la mérites, concéda Cross. A ta prochaine visite, tu en auras une. Promis. Même si je dois fiche quelqu'un dehors pour t'en libérer une.

— Votre fils, lança Big Tim à Pippi, est bien plus sympathique que cette vieille fripouille de Gronevelt !

— C'est vrai qu'il était un peu bizarre durant ses dernières années, répondit Pippi. J'étais, je crois, son meilleur ami, et il ne m'a jamais donné une villa.

— Quel salaud ! pesta Big Tim. Mais maintenant que votre fils est aux commandes, vous pouvez en avoir une quand vous voulez, non ?

— Jamais, s'offusqua Cross. Les villas sont pour les joueurs !

Ils rirent tous en chœur, puis Big Tim changea brusquement de sujet :

— Il y a un drôle de type, avec une espèce de béret sur la tête. C'est le pire joueur de crap que j'ai jamais vu, commença-t-il. Il a laissé pour près de deux cent mille dollars en moins d'une heure. Qu'est-ce que vous savez sur lui ? Tu n'ignores pas, Cross, que je suis toujours à la recherche de partenaires financiers.

— J'ai un devoir de réserve envers mes clients, répliqua Cross. Tu serais content si je me mettais à raconter à tout le monde tes petits secrets ? Tout ce que je peux te dire, c'est qu'il peut avoir une villa quand bon lui semble, mais il paraît s'en contreficher. Il préfère, à l'évidence, ne pas trop se faire remarquer.

— Présente-moi, au moins, insista Big Tim. Si je fais affaire avec lui, tu auras un pourcentage.

— Je ne peux pas, répondit Cross. Mais mon père le connaît.

— Un peu de fric ne fait de mal à personne, admit Pippi.

— Parfait ! Allez-y, dites-moi tout.

Pippi fit son grand numéro de charme :

— Vous feriez une sacrée équipe tous les deux. Ce gars est bourré aux as mais il n'a pas votre flair en ce qui concerne les bonnes affaires. Je sais que vous êtes un type réglo, Tim, vous me donnerez ce qui vous semblera honnête.

Le visage de Big Tim s'éclaira. Encore un pigeon qui allait lui manger dans la main...

— Parfait, exulta-t-il. Je serai à la table de crap ce soir, amenez-le donc !

Sitôt les présentations faites, Big Tim chipa le couvre-chef de Dante et lui posa sur la tête sa casquette de l'équipe des Dodgers. Le résultat était comique : Big Tim, avec la coiffe à la François Ier de Dante, ressemblait à l'un des sept nains de Blanche-Neige.

— Pour nous porter chance ! lança Big Tim.

Tous rirent, mais Pippi remarqua la lueur sinistre dans les yeux de Dante. Il était, en outre, furieux de voir que Dante n'avait pas suivi ses instructions en ce qui concernait ses chapeaux. Il avait annoncé qu'il s'appelait Steve Sharpe, et fait croire à Big Tim qu'il avait un réseau de distribution de drogue sur la côte Est et qu'il devait blanchir des sommes faramineuses. C'est pour cette raison que Steve jouait comme un forcené — il avait dernièrement perdu un million de dollars au Super Bowl sans sourciller. C'était un client en or pour le casino, qui payait rubis sur l'ongle.

— Stevie, il faut que l'on parle ! commença Big Tim en passant son gros bras autour des épaules de Dante. Allons grignoter quelque chose à la cafétéria.

Big Tim s'installa dans une alcôve à l'écart. Dante commanda un café mais Big Tim se fit apporter tout un assortiment de desserts — glace, poire Belle Hélène, Banana split... ainsi qu'une assiette de cookies.

Ils discutèrent business pendant plus d'une heure. Il voulait se débarrasser d'un centre commercial, une affaire en or, et il pouvait s'arranger pour que le gros de la vente se passe sous la table en liquide. Il avait une chaîne de conditionnement pour la boucherie et des cargaisons de produits frais qui pouvaient être achetées au noir et revendues, avec une coquette marge, en toute légalité. Il avait également un pied dans l'industrie du cinéma ; il pourrait donc l'aider à investir dans des films pour le circuit vidéo ou les cinémas pornos.

— Il y a un paquet de pognon à se faire. Tu pourras rencontrer des tas de vedettes, t'envoyer les petites starlettes et blanchir tout ton fric.

Dante était aux anges. Big Tim semblait tellement en confiance, tellement enthousiaste qu'il voyait déjà une pluie de billets tomber du ciel. Dante montra son intérêt, tout en laissant transparaître une certaine méfiance.

— Laissez-moi votre carte, annonça Dante. Je vous rappellerai ou demanderai à Pippi de le faire. Nous dînerons ensemble et nous parlerons plus en détail de nos affaires éventuelles ; je vous donnerai alors ma réponse.

Big Tim lui tendit sa carte.

— Il ne faut pas traîner, prévint-il. J'ai un autre coup sur lequel je peux te mettre. Un coup sans risque. Mais il faut faire vite — il hésita un instant avant de poursuivre. — C'est dans le domaine du sport.

Le visage de Dante rayonnait d'un nouvel enthousiasme.

— Nom de Dieu, c'est mon rêve. J'ai toujours aimé le

sport. Vous parlez d'acheter un grand club de base-ball, quelque chose comme ça ?

— Non. Pas du gros poisson comme ça, lâcha rapidement Big Tim. Mais pas du menu fretin non plus.

— Très bien. Quand parlons-nous de tout ça ?

— Demain, déclara Big Tim en gonflant sa poitrine de fierté, le casino donne une réception en mon honneur. Ils vont m'offrir une Rolls. Parce que je suis l'un de leurs plus gros pigeons. Je rentre à Los Angeles le lendemain. Pourquoi pas ce jour-là ?

Dante fit mine de réfléchir à cette proposition.

— Entendu, annonça-t-il. Pippi m'accompagnera à L.A. ; il vous passera un coup de fil pour organiser tout ça.

— Parfait ! exulta Big Tim. — Il se demandait pourquoi Steve Sharpe se montrait aussi méfiant, mais mieux valait ne pas poser de question et faire affaire — En attendant, je vais t'apprendre ce soir à jouer au crap, pour que tu aies au moins une chance de ne pas te faire plumer.

Dante prit un air faussement penaud.

— Je connais les probabilités, mais je le fais exprès. Une fois que la nouvelle se répand, j'ai toutes les filles à mes basques.

— Alors ton cas est désespéré, lança Tim, mais toi et moi, on va se faire un tas de fric, tu vas voir !

Le lendemain, la fête pour Big Tim l'Embrouille eut lieu dans la grande salle de réception du Xanadu, lieu réservé aux grands événements — réveillons du nouvel an, festins de Noël, mariages de gros clients, remises de trophées en tout genre, bal du Super Bowl ou des World Series, et même conventions politiques.

C'était une salle gigantesque, avec un plafond s'élevant à des hauteurs vertigineuses, des ballons accrochés un peu partout et deux grands buffets pour séparer l'espace. Les tables avaient la forme d'icebergs, incrustés de fruits de toutes les couleurs — des melons d'eau coupés en deux exhibant leur chair jaune, des grappes généreuses de muscats, gorgés de jus, des ananas, des kiwis, des kumquats, des nectarines, des litchis, et une montagne de pastèques. Des paniers débordant de crèmes glacées enchâssés dans la fausse glace ressemblaient à des sous-marins pris dans la banquise. Une succession de plats chauds arriva ensuite : une cuisse de bœuf entière, une dinde énorme, un jambon fumé, un plateau de pâtes de toutes les couleurs, luisantes de sauce tomate ou de sauce au *pesto*, puis une marmite rouge gigantesque, aussi grande qu'une poubelle de rue, flanquée de poignées d'argent massif, où mijotait un ragoût de sanglier, composé en fait d'un mélange de porc, de bœuf et de veau, le tout accompagné d'une farandole de pains et de miches de toutes sortes, blanches de farine. Une autre table en forme d'icebergs regorgeait de desserts — choux à la crème, beignets dégoulinant de crème chantilly, bataillons de pièces montées chapeautées de petits hôtels Xanadu miniatures. Café et alcool furent ensuite offerts par les plus jolies serveuses de l'hôtel.

Big Tim avait déjà fait des ravages dans les buffets avant l'arrivée du premier invité.

Au centre de la salle, installée sur un présentoir, trônait la Rolls Royce, protégée de la foule par une cordelette tendue sur des piquets. Couleur crème, luxueuse, élégante, avec une pureté de lignes saisissante, elle contrastait avec le monde de strass et de paillettes de Las Vegas. Un mur entier avait été retiré, afin de pouvoir faire entrer la voiture dans la salle — le trou béant étant dissimulé par de lourdes tentures dorées. Dans un coin de la salle, on apercevait une Cadillac violette — prix de la tombola qui sera organisée parmi les convives ayant une invitation numérotée (à savoir, les gros clients du Xanadu et les directeurs des casinos des grands hôtels de Las Vegas). Ces fêtes étaient l'une des grandes idées de Gronevelt. Après chaque réception, les recettes aux tables de jeu montaient en flèche.

La soirée fut un grand succès car Big Tim était un Falstaff flamboyant. Soutenu par deux serveuses, il avala d'une traite près d'un buffet entier. Il ingurgita tant de nourriture que la mission de Dante devint presque superflue.

Cross fit un petit discours au nom de l'hôtel, puis Big Tim prononça quelques mots de gratitude.

— Je tiens à remercier l'hôtel Xanadu pour ce merveilleux cadeau, commença-t-il. Cette voiture de deux cent mille dollars est maintenant à moi. C'est ma petite récompense pour avoir fréquenté assidûment le Xanadu ces dix dernières années où l'hôtel m'a traité comme un prince tout en vidant mon porte-monnaie. Avec ce que je leur ai laissé, ils pourraient m'offrir cinquante Rolls qu'ils seraient encore loin du compte ! Mais peu importe ; je ne peux conduire qu'une seule voiture à la fois !

Il fut interrompu par une salve d'applaudissements et de vivats. Cross esquissa un sourire contraint. Il était toujours mal à l'aise durant ce genre de cérémonie où toute l'hypocrisie de l'hôtel éclatait au grand jour.

Big Tim enserra les deux filles qui se tenaient de part et d'autre de lui et leur toucha les seins d'un air goguenard. Comme un vieux routier du comique, il attendait que cessent les applaudissements pour continuer.

— Non, je plaisante ! Cela me fait très plaisir, lança-t-il. C'est l'un des jours les plus beaux de ma vie. Je suis presque aussi content que le jour de mon divorce. Il reste néanmoins un petit détail : qui va me payer l'essence pour ramener cette perle jusqu'à L.A. ? Parce que le Xanadu m'a encore mis à sec !

Big Tim savait s'arrêter pour ne pas lasser son public. Sous un tonnerre de hourras, il grimpa donc sur l'estrade et monta dans la voiture. Les tentures dorées masquant le trou dans le mur s'ouvrirent et Big Tim sortit la Rolls de la salle de réception.

La fête s'arrêta rapidement après que la Cadillac fut gagnée par un gros client. Le festin avait duré quatre heures et tout le monde était impatient de repartir vers les tables du casino.

Ce soir-là, le fantôme de Gronevelt avait de quoi se réjouir. La recette de la nuit fut doublée. Quoique aucune fornication ne fût remarquée, une odeur de sperme semblait flotter dans les couloirs. Les belles call-girls invitées à la fête de Big Tim s'étaient rapidement trouvé des bras compatissants parmi les joueurs qui lâchaient dans leur giron des poignées de plaques noires.

Gronevelt avait fait remarquer à Cross que chaque joueur, homme et femme, avait des comportements sexuels différents et qu'il était vital pour la survie du casino de répondre aux besoins de chacun.

D'abord du sexe, toujours du sexe, c'était la règle sacrée de Gronevelt. Le sexe guérissait de tout, selon lui. Cela pouvait même remettre un joueur dégénéré sur le droit chemin. Le Xanadu recevait nombre d'hôtes de marque — des prix Nobel, des milliardaires, des prêcheurs vedettes, des grands noms de la littérature. Le prix Nobel de physique, le plus grand cerveau du monde peut-être, s'était envoyé toutes les filles d'une revue pendant son séjour d'une semaine. Il ne pariait pas beaucoup, mais c'était un honneur pour l'hôtel de le compter parmi ses clients. Gronevelt avait dû payer de sa poche des petits cadeaux aux filles, parce que ce détail protocolaire n'avait pas effleuré l'esprit de ce génie. Les filles disaient toutes qu'il était un bon coup — passionné, ardent, adroit, sans perversion, et affublé du plus bel engin qui leur avait été donné de voir. Et la cerise sur le gâteau, c'était son humour. Il les faisait rire aux larmes et ne se lançait jamais dans des discussions ennuyeuses et rébarbatives. Un rapport d'autant plus étonnant que les filles n'étaient pas du genre à s'attendrir sur leurs clients. Cette nouvelle transporta de joie Gronevelt. Savoir qu'un grand cerveau pouvait apprécier une brave partie de jambes en l'air le réconfortait. Ce n'était pas comme cet affreux Ernest Vail, grand écrivain certes, mais un sale gosse capricieux, toujours avec la trique et pas un mot gentil. Il y avait aussi, parmi les grands noms, le sénateur Wavven, un éventuel futur président des États-Unis, pour qui le sexe était une sorte de partie de golf à gagner, ainsi que le doyen de l'université de Yale, le cardinal de Chicago, le chef du comité pour l'égalité des droits civils des Noirs et les huiles du parti républicain. Tous autant qu'ils étaient, redevenaient de petits garçons dans les bras des filles. La seule exception possible à cette loi sacrée, c'était les homosexuels et les drogués, mais ils n'étaient pas du genre à fréquenter les casinos.

Gronevelt avait remarqué que les joueurs hommes faisaient monter des filles *avant* de descendre au casino, les femmes, en revanche, préféraient le sexe *après* avoir joué. Puisque l'hôtel devait répondre aux besoins de toute sa clientèle et qu'il n'y avait pas de call-men, juste des gigolos, le Xanadu faisait appel aux serveurs, croupiers et jeunes chasseurs pour satisfaire ses pensionnaires femmes. Les hommes avaient besoin de se mettre en confiance avant d'aller livrer bataille, les dames de dissiper leur culpabilité après avoir perdu de l'argent ou de s'offrir une petite récompense pour fêter leurs exploits aux tables.

On apprit que Big Tim avait appelé une fille une heure avant de se rendre à la soirée et était parti se coucher au petit matin avec ses deux serveuses, après avoir perdu une coquette somme d'argent. Les filles n'avaient pas envie de monter ensemble avec lui ; elles étaient de la vieille école. Big Tim résolut le problème à sa façon. Il exhiba pour dix mille dollars de plaques de casino et leur dit qu'elles repartiraient avec si elles passaient toutes les deux la nuit avec lui. Le tout, accompagné d'une vague promesse de prime si elles se débrouillaient bien au lit. Il les regarda avec délice lorgner les plaques luisantes, et peser le pour et le contre avant d'accepter son offre. Le plus drôle, c'est qu'il était tellement saoul qu'il s'endormit sous leurs caresses, gavé de vin et de nourriture. Les deux filles s'accrochèrent au bord du lit, poussées par la masse imposante de Big Tim, et finirent leur nuit pelotonnées sur les descentes de lit.

Tard dans la nuit, Cross reçut un appel de Claudia :

— Athena est introuvable ! C'est la panique au studio et je suis très inquiète. Cela lui arrive de temps en temps de disparaître un week-end, en gros une fois par mois. Mais étant donné les circonstances, je préférais te prévenir. Il faudrait que tu fasses quelque chose avant qu'elle s'en aille pour de bon.

— Tout va bien, ne te fais pas de souci, répondit Cross, sans lui dire que des hommes à lui surveillaient Skannet.

Cet appel, toutefois, raviva en lui le souvenir d'Athena, son visage miraculeux, où transparaissait la moindre de ses émotions, ses jambes longues et fines, l'intelligence dans ses yeux, cette aura magique qui semblait rayonner de tout son être.

Cross décrocha son téléphone et appela une fille de revue avec qui il passait de temps en temps la nuit. Une dénommée Tiffany.

C'était la chef des danseuses au cabaret du Xanadu. Ce titre lui donnait droit à quelques primes supplémentaires et à une petite autorité; elle devait faire respecter la discipline chez les filles de la revue et éviter disputes et crêpages de chignons en tout genre. Elle avait une beauté sculpturale, mais ne pouvait faire carrière dans le cinéma parce qu'elle paraissait trop grosse à l'écran. Sur scène, ses formes étaient envoûtantes, mais sur pellicule, elle semblait peser dix kilos de plus.

Elle fut surprise par l'ardeur et l'impatience de Cross. Il la saisit aussitôt, la débarrassa de ses vêtements et se mit à la couvrir de baisers, comme s'il voulait dévorer son corps. Il la pénétra rapidement et jouit très vite. Ce n'était pas son habitude.

— Cette fois-ci, ce doit être le grand amour, articula-t-elle, avec une pointe de tristesse dans la voix.

— Oui, c'est le grand amour, répéta Cross.

Et il recommença à lui faire l'amour.

— Ce n'est pas moi, évidemment. Alors qui est l'heureuse élue?

Cross n'aimait pas être aussi transparent. Mais il ne pouvait dissimuler ce feu qui lui dévorait le corps. Il lui fallait ces seins ronds et fermes, cette langue chaude, ces lèvres tendres, cette toison duveteuse nichée au creux des cuisses, comme pour s'y noyer. Plusieurs heures plus tard, lorsque la chair fut rassasiée, Athena hantait encore ses pensées.

Tiffany appela le service d'étage et commanda un dîner pour eux deux.

— Je plains cette pauvre fille lorsque tu l'auras mise dans ton lit!

Après le départ de Tiffany, Cross se sentit gagné par une sorte de sérénité. Il était toujours vaguement honteux d'être amoureux à ce point, mais son corps assouvi distillait en lui une nouvelle confiance. A trois heures du matin, il descendit faire un dernier tour au casino.

Il aperçut Dante à la cafétéria, en compagnie de trois jolies femmes riant aux éclats. Il reconnut l'une d'elles; c'était Loretta Lang, la chanteuse qu'il avait aidée à se défaire de son agent à Las Vegas. Les deux autres filles lui étaient inconnues. Dante lui fit signe de les rejoindre, mais Cross déclina l'invitation d'un signe de tête. De retour dans sa suite du dernier étage, il prit deux somnifères pour s'endormir rapidement, mais il rêva encore d'Athena.

Les trois créatures à la table de Dante n'étaient pas des inconnues à Hollywood — c'étaient des épouses de stars de cinéma et des petites célébrités dans leur microcosme. Elles avaient assisté à la fête de Big Tim — personne ne les avait invitées mais elles étaient entrées dans la place grâce à leur charme.

L'aînée des trois, Julia Deleree, épouse de l'un des plus grands acteurs de cinéma, avait deux enfants et leur famille faisait souvent la une des magazines, donnant l'image du couple idéal, un ménage sans problème baignant dans le bonheur.

La deuxième, Joan Ward, était toujours séduisante, bien qu'elle frisât les cinquante ans. Elle jouait des seconds rôles à présent, incarnant des femmes de tête, des mères méritantes, des esseulées trouvant à la fin de leur calvaire un nouvel amour, ou encore de farouches militantes féministes. Son mari dirigeait un studio et payait ses notes sans rechigner, quel qu'en soit le montant ; sa seule exigence étant de la voir jouer les maîtresses de maison exemplaires lors des nombreuses réceptions qu'il donnait chez eux. Ils n'avaient pas d'enfants.

La troisième, Loretta Lang, était devenue aujourd'hui une incontournable des feuilletons comiques. Elle avait épousé également un bon parti — son mari était un grand acteur de films d'action et les tournages le retenaient à l'étranger le plus clair de l'année.

Les trois femmes avaient sympathisé au hasard de leurs rencontres sur les plateaux, et étaient devenues amies. Elles faisaient ensemble les boutiques sur Rodeo Drive ou s'organisaient de petits déjeuners au Beverly Hills Hotel pour parler de leurs maris et comparer leurs comptes en banque. En ce qui concernait l'argent, elles n'avaient pas à se plaindre. C'était comme si les billets poussaient sous leurs pieds. Il n'y avait qu'à se baisser pour les ramasser. Jamais leurs maris ne leur posaient de questions sur leurs dépenses.

Julia déplorait que son mari passât aussi peu de temps

avec ses enfants. Joan, dont l'époux était cité comme un découvreur de talent, regrettait de ne pas avoir d'enfants. Et Loretta se lamentait de voir son mari se cantonner à des rôles de grosses brutes.

Mais un jour, Loretta, avec sa vivacité naturelle, se révolta : — Arrêtons nos conneries. Nous sommes heureuses et mariées à des types pleins aux as. Ce que nous ne digérons pas, en fait, c'est que nos maris nous envoient faire des courses sur Rodeo Drive pour se déculpabiliser de culbuter tout ce qui bouge.

Elles avaient éclaté de rire. Loretta avait touché dans le mille.

— J'aime mon mari, avait dit Julia, mais il est à Tahiti pour un mois sur un tournage. Et je sais qu'il ne reste pas assis sur la plage à se masturber. Puisque je ne veux pas passer un mois là-bas, il doit donc s'envoyer sa partenaire ou une fille du cru.

— Que tu sois avec lui ou non, ne changerait pas grand-chose à l'affaire, précisa Loretta.

— Même si mon mari n'a pas un sperme de lapin, lança Joan, sa queue frétille comme une baguette de sourcier. Pourquoi crois-tu que la majorité des nouveaux talents qu'il découvre soit des filles, hein ? C'est celle qui suce le mieux qui a le rôle.

Elles étaient toutes les trois un peu grises, heureuses, oubliant qu'il y avait des calories même dans le vin.

— On ne peut pas vraiment leur en vouloir, annonça Loretta d'un ton tranchant. On leur offre sur un plateau les plus belles filles de la planète. Comment pourraient-ils résister ? En revanche, je ne vois pas pourquoi nous devrions faire ceinture, de notre côté. Au diable les dépenses, et allons prendre du bon temps !

Et c'est ainsi qu'elles s'offraient, une fois par mois, un week-end de détente entre femmes. Lorsque leurs maris n'étaient pas là, ce qui était monnaie courante, elles n'avaient rien contre une aventure d'une nuit.

Puisque leurs visages n'étaient pas inconnus du grand public, elles devaient se déguiser. La chose se révéla beaucoup plus facile qu'on ne pouvait le supposer. Des perruques modifiaient leurs coiffures et la couleur de leurs cheveux, un coup de pinceau pour élargir ou amincir les lèvres parachevait le tout. Elles se vêtaient en femmes de la classe moyenne et dissimulaient leur beauté — ce qui n'avait guère d'importance puisqu'avec leur talent d'actrices, elles savaient user de leur charme. Elles adoraient ces rôles de composition, et aimaient écouter les hommes dévoiler leur cœur dans l'espoir, souvent couronné de succès, de les attirer dans leur lit. C'était une véritable bouffée d'air frais que de jouer des personnages mystérieux sans être prisonnières du carcan d'un scénario. Et la vie leur réservait d'agréables surprises ; elles recevaient des offres de mariage et des preuves d'amour authentiques ; des hommes se confiaient à elles sachant qu'ils ne les reverraient jamais. On les admirait non pas pour leur statut social, mais pour leur personne. Elles adoraient créer et incarner de nouveaux personnages. Parfois, elles jouaient les opératrices de saisie en goguette, parfois des infirmières en congés, des dentistes ou des assistantes sociales. Elles se faisaient un devoir de se documenter en profondeur avant d'interpréter leurs personnages. Parfois encore, elles se faisaient passer pour des secrétaires d'un cabinet d'un grand avocat de Los Angeles et racontaient insidieusement des détails de la vie privée de leurs maris ou de leurs partenaires sur les plateaux. Elles s'amusaient beaucoup, mais prenaient certaines précautions ; jouer à ce petit jeu à Los Angeles aurait été trop dangereux ; elles pouvaient croiser des proches qui les auraient immédiatement reconnues malgré leur déguisement. San Francisco présentait également trop de risques. Certains homosexuels semblaient percer leur véritable identité au premier coup d'œil. Leur terrain de chasse favori était donc Las Vegas.

Dante les avait ramassées au bar du Xanadu Club Lounge où les joueurs fatigués venaient prendre un peu de repos, écouter de la musique, une chanteuse ou un comique. Loretta avait chanté sur cette petite scène à ses débuts. Il n'y avait pas de piste de danse. L'hôtel tenait à ce que ses clients repartent vers le casino sitôt après avoir recouvré leurs forces.

Dante fut aussitôt séduit par leur joie de vivre, leur charme naturel. De leur côté, elles l'avaient vu perdre des sommes faramineuses aux tables — leur curiosité était piquée au vif. Après avoir bu un verre, il les emmena à la roulette et leur donna à chacune pour mille dollars de plaques. Elles trouvaient son couvre-chef irrésistible, et s'étonnaient de l'extrême courtoisie des croupiers à son égard ; il y avait chez lui un mélange envoûtant de drôlerie et de malignité. L'humour de Dante était parfois d'une telle vulgarité qu'elles en avaient le frisson, et l'énormité de ses mises les émoustillait. Certes, elles étaient riches, gagnaient des sommes astronomiques, mais avec lui, c'était des flots de billets qui pleuvaient et voir tout cet argent passer sous leurs yeux exerçait sur elles une magie certaine — il leur arrivait bien sûr de dépenser dix mille dollars dans les boutiques de Rodeo Drive, mais elles repartaient avec des articles de luxe dans leurs sacs. Aussi, lorsque Dante signa sans broncher une note de cent mille dollars, elles en eurent le souffle coupé, même si leurs maris leur offraient des voitures qui valaient le double ; Dante jetait littéralement l'argent par les fenêtres.

Elles ne couchaient pas forcément avec les hommes qu'elles rencontraient mais elles tinrent cette fois un conciliabule dans les toilettes des dames pour savoir laquelle des trois finirait la nuit avec Dante. Julia voulait à tout prix emporter l'affaire ; elle rêvait, disait-elle, de pisser dans ce chapeau ridicule — les deux autres lui abandonnèrent la proie.

Joan espérait gagner cinq ou dix mille dollars. Elle n'en avait pas réellement besoin, mais tout argent sonnant et trébuchant était bon à prendre. Loretta ne partageait pas l'engouement de ses deux amies pour Dante. Sa vie à Las Vegas l'avait en partie immunisée contre ce genre de personnage. Avec eux, il y avait trop de surprises, et le plus souvent désagréables.

Elles avaient réservé une suite de trois chambres à l'hôtel. Pendant leur virée entre femmes, elles ne se séparaient jamais, pour des raisons de sécurité et également pour pouvoir tout se raconter de leurs aventures en cours. Elles s'étaient fixé une règle d'or : ne jamais passer la nuit complète avec les hommes qu'elles avaient ferrés.

C'est donc Julia qui eut droit à Dante — ce dernier n'ayant pas voix au chapitre bien qu'il préférât Loretta. Il insista néanmoins pour que Julia vienne dans sa chambre, qui se trouvait juste en dessous de leur suite.

— Je te raccompagnerai après jusqu'à ta chambre,

annonça-t-il. Nous n'en avons pas pour plus d'une heure. Je dois me lever tôt demain matin.

C'est à ce moment que Julia comprit que Dante les prenait pour des professionnelles.

— Allons plutôt dans la mienne, répondit Julia. C'est moi qui te raccompagnerai.

— Il y a déjà tes deux copines là-haut. Je suis un petit gabarit : je ne serai pas de taille à résister si elles me sautent dessus pour me sodomiser !

Cette pointe d'humour mit Julia en confiance et elle céda, sans remarquer toutefois le sourire malicieux qu'esquissa Dante.

— J'aimerais pisser dans ton chapeau, osa Julia tandis qu'ils se dirigeaient vers la chambre de Dante.

— Si ça t'amuse, tes désirs sont les miens, répondit Dante avec un visage impassible.

Une fois dans la suite, les préliminaires furent réduits à leur plus simple expression. Julia jeta sur le canapé son sac à main et dégrafa le haut de sa robe pour exhiber ses seins — ses plus beaux atours. Mais Dante était une exception; il sembla n'y porter aucun intérêt.

Il la conduisit dans la chambre à coucher, lui retira sa robe et ses sous-vêtements. Lorsqu'elle fut nue, il ôta à son tour ses habits. Julia remarqua que son pénis était de taille modeste, courtaud et circoncis.

— Il faudra mettre un préservatif, annonça-t-elle.

Dante la jeta sur le lit avec une force surprenante. Bien qu'elle fût loin d'être frêle, Dante la projeta sur le matelas sans apparemment le moindre effort. Puis il l'enfourcha et lui écarta les cuisses.

— Je veux que tu mettes un préservatif, insista-t-elle. Je suis très sérieuse.

L'instant suivant, un éclair de douleur l'aveugla. Il venait de la gifler; une gifle si puissante qu'elle faillit s'évanouir sous le choc. Elle tenta de se débattre en vain; malgré sa petite taille, Dante était fort comme un roc. Deux autres claques tombèrent; ses joues étaient en feu et un mal lancinant s'insinuait dans ses mâchoires. Elle le sentit la pénétrer. Ses va-et-vient durèrent à peine quelques instants et il s'effondra sur elle.

Ils restèrent un moment les corps emmêlés, puis Dante

entreprit de la retourner. Il était encore en érection et voulait la sodomiser.

— J'adore ça, murmura-t-elle, mais il faut que je me mette un peu de vaseline. J'en ai dans mon sac.

Il la laissa se relever et se diriger vers le canapé. Dante se carra sur le seuil de la chambre, toujours en érection.

Julia farfouilla dans son sac à main, et en sortit soudain, avec un geste théâtral, un petit pistolet en argent. C'était un accessoire d'un film sur lequel elle avait travaillé et elle avait toujours rêvé s'en servir dans une situation réelle. Elle braqua le canon vers Dante, bras tendus, jambes fléchies, comme elle l'avait vu faire dans les films.

— Maintenant, je vais m'habiller et m'en aller. Si tu fais le moindre geste, je tire.

A sa grande surprise, sa belle tirade fit rire Dante aux éclats; toutefois, elle remarqua avec une certaine satisfaction que son érection s'était envolée.

Elle savourait la situation. Elle s'imaginait déjà revenue dans sa suite, en train de raconter son aventure à Joan et Loretta en riant aux larmes. Elle songea un moment à demander le chapeau de Dante pour pisser dedans.

Mais ce fut au tour de Dante de lui réserver une surprise. Il se mit à marcher vers elle, lentement. Il souriait, parlait doucement :

— C'est du calibre de fillette. Tu ne risques pas de me faire grand mal, à moins de me tirer dans la tête, et encore. Règle numéro un. Ne jamais choisir de petit calibre. Tu pourrais me mettre trois balles dans le corps que je pourrais encore t'étrangler. En plus, tu tiens ce pistolet comme une godiche! Il est inutile de prendre cette posture de cow-boy de gare! Ce genre d'arme n'a pas de recul. Si tant est que tu me touches, parce qu'avec ces petits engins, on raterait une vache dans un couloir! Alors jette-moi ça et causons un peu. Tu partiras après.

Comme il continuait d'avancer vers elle, Julia jeta le pistolet sur le canapé. Dante ramassa l'arme et l'examina en secouant la tête.

— C'est un faux? articula-t-il. Voilà le meilleur moyen de se faire tuer. — Il eut un air de dépit presque attendri. — Si tu étais une pute, tu aurais un vrai pistolet. Alors qu'est-ce que tu es?

Il plaqua Julia au fond du canapé, la retenant prisonnière avec ses jambes, ses orteils plaqués sur sa toison pubienne. Il s'empara alors de son sac à main, l'ouvrit et répandit son contenu sur la table basse. Il fouilla dans les poches et sortit son portefeuille qui renfermait ses cartes de crédit et son permis de conduire. Il les étudia attentivement, puis esquissa un sourire malicieux.

— Retire cette perruque, ordonna-t-il.

Puis il prit un napperon sur le canapé et retira le maquillage de Julia.

— Nom de Dieu, tu es vraiment Julia Deleree ! Je suis en train de m'envoyer une vedette de cinéma ! lança-t-il dans un éclat de rire. Tu peux pisser dans mon chapeau quand tu veux, ma belle !

Son gros orteil commençait à fouiller dans son entrejambe, puis il la fit se relever.

— N'aie pas peur, murmura-t-il.

Il l'embrassa, la retourna et la plaqua contre le dossier du canapé, le torse d'un côté, les jambes de l'autre, ses fesses offertes, dressées vers lui.

— Tu avais promis de me laisser m'en aller, implora Julia, au bord des larmes.

Dante couvrait ses fesses de baisers, ses doigts explorant son intimité. Et il la pénétra sauvagement lui arrachant un cri. Lorsqu'il eut terminé sa besogne, il lui tapota la croupe affectueusement.

— Tu peux te rhabiller, maintenant. Désolé de n'avoir pas tenu parole, mais je n'allais pas rater l'occasion de pouvoir raconter à mes amis que je me suis payé le superbe cul de Julia Deleree !

Le lendemain, Cross se fit réveiller de bonne heure. Une longue journée de travail l'attendait. Il devait faire disparaître les notes de Dante de la comptabilité du casino, falsifier les souches des coupons, et faire quelques arrangements pour que le Xanadu puisse récupérer la Rolls Royce de Big Tim. Giorgio avait préparé le dossier de telle sorte que le changement officiel de propriétaire ne prenne effet que dans un mois. C'était du Giorgio dans toute sa splendeur.

Mais ce beau programme fut interrompu par un appel de Loretta Lang. Elle était dans l'hôtel et voulait le voir de toute urgence. Craignant que cela ait trait à Claudia, il demanda à ses gardes de la laisser monter dans son bureau.

Loretta lui fit la bise et lui raconta toute l'histoire entre Julia et Dante. L'homme en question se faisait appeler Steve Sharpe et avait perdu cent mille dollars au crap. Cela les avait impressionnées et Julia avait voulu coucher avec lui. Elles étaient venues entre femmes pour se détendre et jouer au casino. Maintenant, elles étaient terrifiées à l'idée que ce Steve Sharpe puisse créer un scandale.

Cross hocha la tête d'un air compatissant. C'était vraiment pas le moment ! Juste avant une mission ! Quelle bêtise. Il était furieux d'apprendre que Dante gaspillait ses plaques de jeux.

— Je connais ce type, bien sûr, répondit Cross. Qui sont les deux autres femmes avec toi ?

Loretta savait qu'il valait mieux jouer franc jeu avec Cross. Elle lui révéla leur identité.

— Vous faites ça souvent ? demanda-t-il dans un sourire.

— Il faut bien que l'on s'amuse un peu, répondit Loretta.

Cross la regarda avec sympathie.

— Écoute Loretta. Ta copine, de son plein gré, est montée avec lui dans sa chambre. Elle s'est déshabillée. Qu'est-ce qu'elle veut faire ? Crier au viol ou quoi ?

— Non, non ! se défendit en toute hâte Loretta. On veut juste que cette histoire ne s'ébruite pas. Cela pourrait être un désastre pour nos carrières.

— Il ne dira rien, la rassura Cross. Ce type est un drôle de zèbre. Il n'aime pas la publicité. Mais un conseil, ne tournez plus autour de lui. Et soyez un peu plus prudentes à l'avenir.

Cette dernière remarque chagrina Loretta. Les trois amies avaient décidé de continuer à faire la fête ; elles n'allaient pas se laisser impressionner par une simple fausse note. Rien de grave n'était arrivé.

— Comment sais-tu qu'il ne parlera pas ?

— Je le lui demanderai moi-même, répondit Cross d'un air sentencieux. Comme une faveur personnelle.

Après le départ de Loretta, Cross demanda à visionner la cassette vidéo où étaient archivés tous les clients s'étant présentés à la réception. Il reconnut aussitôt les deux actrices, malgré leur déguisement. Dante aurait pu s'en rendre compte, ça sautait aux yeux !

Pippi passa voir Cross dans sa suite avant de partir pour Los Angeles afin d'organiser les détails logistiques de l'opération Big Tim. Cross lui raconta l'anecdote de la nuit.

Pippi secoua la tête.

— Ce petit con aurait pu tout fiche en l'air ! Ce n'est pas le moment de s'éparpiller. Et il a fallu qu'il garde ce satané chapeau, malgré mes instructions.

— Fais attention à toi. Et garde un œil sur Dante.

— Tout est prévu. Il n'a qu'à suivre le plan et tout ira bien. Ce soir, à L.A., je lui mettrai de nouveau les points sur les « i ».

Cross lui annonça que Giorgio avait fait les démarches nécessaires pour que Big Tim ne soit le propriétaire légal de la Rolls Royce que dans un mois, de sorte qu'après la mort de l'Embrouille, la voiture reviendrait à l'hôtel.

— Giorgio ne changera jamais, soupira Pippi. Don Domenico aurait laissé la Rolls pour les gosses de Tim.

Big Tim quitta Las Vegas deux jours plus tard, laissant soixante mille dollars d'ardoise au Xanadu. Il prit un vol pour Los Angeles en fin d'après-midi, partit travailler quelques heures à son bureau puis rentra à Santa Monica pour dîner avec son ex-femme et ses deux enfants. Il distribua à ses gosses des liasses de cinq dollars et une boîte en carton pleine de pièces. Il donna à son ex-femme le chèque de pension alimentaire, sans lequel les visites lui seraient interdites. Une fois les enfants au lit, il se lança dans une cour effrénée, abreuvant son ex-femme de mots doux pour qu'elle accepte de coucher avec lui ; ce qu'elle refusa — il faisait ça sans réelle envie, après son séjour au Xanadu, il était rassasié. Mais cela valait le coup d'essayer — avec elle c'était gratuit.

Le lendemain Big Tim avait une journée chargée. Deux agents du fisc tentèrent une manœuvre d'intimidation dans l'espoir de l'inciter à payer certaines dettes. Il leur rétorqua qu'il irait se plaindre au tribunal et les jeta dehors par la peau du cou. Il visita ensuite un entrepôt de boîtes de conserve, et un autre de médicaments sans ordonnance, acquis à bas prix puisque les produits arrivaient à leur date de péremption. Les dates seraient falsifiées. A midi, il déjeuna avec le vice-président d'une chaîne de supermarchés pour qu'il accepte de mettre à la vente sa marchandise. Pendant le repas, il glissa une enveloppe de dix mille dollars à son interlocuteur.

L'après-midi, il reçut la visite surprise de deux agents du F.B.I. qui voulaient l'interroger sur les relations qu'il entretenait avec un membre du Congrès poursuivi pour fraudes. Big Tim les envoya sur les roses.

Big Tim l'Embrouille ne connaissait pas la peur. Peut-être sa masse imposante lui donnait-elle un surplus de confiance ou peut-être lui manquait-il une case, au fond? Insensible aussi bien à la souffrance physique qu'à la souffrance psychologique, il ne voulait pas seulement damer le pion aux hommes, mais à la nature elle-même. Lorsque les médecins lui annoncèrent qu'il allait tout droit à la tombe s'il continuait à manger autant et qu'il devait suivre immédiatement un régime draconien, il préféra opter pour une dérivation de l'œsophage — solution bien plus hasardeuse. L'intervention fut un succès. Il mangeait comme dix sans plus connaître la moindre complication.

Il avait édifié son empire financier de la même façon. Il passait des accords qu'il refusait d'honorer lorsque les bénéfices s'amenuisaient, il trahissait sans vergogne ses associés et ses amis. Tout le monde le poursuivait en justice, mais les dommages et intérêts qu'obtenaient ses victimes étaient toujours en dessous de ce que Big Tim avait gagné sur leur dos. La vie souriait à ceux qui savaient faire un pied de nez à l'avenir. Il était persuadé de pouvoir toujours s'en sortir. Il pouvait déclarer ses sociétés en faillite, embobiner qui il voulait. Avec la gent féminine, il était encore plus impitoyable. Il leur promettait des empires, des appartements, des boutiques, et se contentait de leur donner un petit bijou pour Noël, un petit chèque pour leur anniversaire. De coquettes sommes, mais de la roupie de sansonnet comparé à ce qu'il leur promettait. Big Tim ne voulait s'engager dans aucune relation sérieuse. Son seul désir, c'était d'avoir une fille dans son lit quand l'envie lui prenait.

Big Tim aimait les arnaques et les embrouilles ; ça mettait du piment dans la vie. Il connaissait un bookmaker indépendant à Los Angeles à qui il avait fait perdre soixante-dix mille dollars sur un championnat de football. Le bookmaker tenait un revolver pressé contre sa tempe et Big Tim se contentait de lui hurler sous le nez : « Va te faire foutre ! » Puis il offrit dix mille dollars de dédommagement et le bookmaker, de guerre lasse, accepta.

Grâce à sa fortune, sa santé de fer, sa corpulence et son absence totale de principes, Big Tim réussissait tout ce qu'il entreprenait. Sa foi absolue en la corruptibilité de son prochain l'auréolait d'un air d'innocence qui finissait par attendrir les femmes comme les juges. Son appétit pour la vie donnait un certain charme au personnage. C'était un homme rusé et malhonnête, certes, mais il avait le courage de ne pas cacher son jeu.

Big Tim ne s'inquiéta donc pas du rendez-vous pour le moins étrange qu'avait organisé Pippi De Lena. Pippi était un filou comme lui et il saurait toujours s'en dépatouiller. Grandes promesses et petits billets.

En ce qui concernait Steve Sharpe, il sentait le filon, un pigeon prêt à se laisser plumer sans broncher pendant des années. Ce petit nabot avait perdu en un soir plus d'un demi-million de dollars de plaques aux tables. Ce qui voulait dire qu'il avait un crédit faramineux au casino et qu'il devait avoir des sommes considérables d'argent à blanchir. Il serait un partenaire précieux pour truquer le Super Bowl. Non seulement, il fournirait les liquidités pour déposer les paris mais il avait la confiance des bookmakers. Ces derniers, en effet, n'acceptaient pas de gros paris de n'importe qui.

Big Tim se prit ensuite à rêver à son prochain séjour à Las Vegas. Il aurait enfin une villa ! Qui allait-il emmener avec lui ? Privilégierait-il les affaires ou le plaisir ? De futurs pigeons, ou rien que des filles ? Mais il était l'heure d'aller dîner avec Pippi et Steve Sharpe ; il y réfléchirait plus tard. Il appela son ex-femme et ses deux enfants pour bavarder un peu, puis il partit au rendez-vous.

Le dîner avait lieu dans un petit restaurant de poisson sur les quais de Los Angeles. Il n'y avait pas de portier ; Big Tim gara donc sa voiture sur le parking à proximité.

Sitôt passé les portes du restaurant, un maître d'hôtel haut comme trois pommes l'accueillit et l'entraîna vers la table où l'attendait Pippi.

Big Tim était le roi des embrassades et il serra chaleureusement Pippi dans ses grands bras.

— Où est Steve ? Il m'a posé un lapin ou quoi ? Je n'ai pas de temps à perdre avec ce genre de conneries !

Pippi joua son numéro de charme. Il tapota l'épaule de Big Tim.

— Et moi, je suis quoi, de la crotte de bique ? Allez assieds-toi donc ; tu vas faire le meilleur repas de ta vie ! On ira voir Steve après.

Le maître d'hôtel vint rapidement prendre la commande.

— Nous voulons tout ce que vous avez de mieux, et plein les assiettes, mon ami est grand mangeur et fin gourmet. Je ne tiens pas à ce qu'il sorte de table le ventre vide. Je serais obligé de m'en plaindre à Vincent.

Le maître d'hôtel sourit d'un air serein. Il connaissait la qualité de sa cuisine. Le restaurant appartenait à l'empire de Vincent Clericuzio. Lorsque la police ferait son enquête, personne ici n'aurait vu Big Tim.

Les deux hommes mangèrent un plateau de fruits de mer, garni de clams, de moules, de crevettes puis passèrent aux homards — trois pour Big Tim, un seul pour Pippi, qui termina son repas bien avant son invité.

— Steve est un ami, et je peux t'assurer qu'il joue dans la cour des grands sur le marché de la drogue. Si cela te fait peur, dis-le-moi tout de suite.

— Cela m'impressionne autant que ce homard, rétorqua Big Tim, en agitant une grosse pince sous le nez de Pippi. Autre chose ?

— Il a toujours de grosses sommes à blanchir, ajouta Pippi. Il faudra inclure ça dans le marché.

Big Tim faisait un excellent repas, laissant les diverses senteurs de l'océan flatter ses papilles.

— Je sais déjà tout ça. Dis-moi plutôt pourquoi il n'est pas là, bordel ?

— Il est sur son yacht. Il tient à ce que personne ne te voie avec lui. C'est dans ton intérêt. La prudence est une seconde nature chez Steve.

— Qu'est-ce que tu veux que ça me fasse que l'on me voie avec lui ? Ce qui compte, c'est que *moi* je veux le voir !

Big Tim reposa enfin sa fourchette. Il prit un fruit en dessert et un expresso. Pippi éplucha une poire. Ce faisant, Big Tim commanda un autre expresso.

— Pour ne pas piquer du nez, précisa-t-il, le troisième homard m'est resté sur le ventre.

Aucune addition ne fut présentée. Pippi laissa un billet de vingt dollars sur la table et les deux hommes quittèrent le restaurant, avec les félicitations du maître d'hôtel quant à l'appétit de Big Tim.

Pippi entraîna ensuite son invité vers une petite voiture de location. Big Tim eut toutes les peines du monde à se glisser dans l'habitacle.

— Tu ne pouvais pas louer une voiture plus grande ? maugréa-t-il.

— C'est à côté, répondit Pippi pour le tranquilliser.

C'était la vérité ; deux minutes plus tard, il arrivait à destination. La nuit était tombée ; seuls les feux d'un petit yacht, amarré au quai, perçaient l'obscurité.

La passerelle d'appontage était gardée par un géant de la corpulence de Big Tim. Un autre homme était de faction sur le pont. Pippi et l'Embrouille gravirent la passerelle et montèrent à bord. Dante apparut alors sur le pont, arborant encore un de ses chapeaux à la François Ier, et vint leur serrer la main, évitant avec bonne humeur le mouvement de bras de Big Tim qui voulait une nouvelle fois lui chiper son couvre-chef.

Dante les conduisit sous le pont, jusqu'à une cabine faisant office de salle à manger. Ils s'installèrent confortablement autour de la table, sur des chaises vissées dans le sol.

Sur la table trônait un assortiment d'alcools, un seau à glace et un plateau de verres en tous genres. Pippi servit à chacun un cognac.

A ce moment-là, les moteurs se mirent en marche et le bateau commença à bouger.

— Où va-t-on comme ça ? lança Big Tim.

— Faire un petit tour, répondit Dante tranquillement. Une fois que nous serons au large, nous monterons sur le pont respirer l'air marin.

Big Tim n'était pas né de la dernière pluie, mais il était

persuadé de pouvoir faire face à n'importe quelle situation. Il accepta cette explication sans broncher.

— Tim, commença Dante, j'ai donc cru comprendre que vous vouliez travailler avec moi.

— Erreur, c'est toi qui vas travailler avec moi ! rectifia Big Tim dans un grand éclat de rire. C'est moi qui mets en scène le show. Tu pourras blanchir ton fric sans même avoir à payer la lessive ! Et tu te feras un petit bénef en sus. Je suis en train d'implanter un supermarché à Fresno et tu pourras avoir des parts dans la boîte pour cinq ou dix millions. J'ai des tas d'affaires de ce genre.

— Cela me semble très bien, annonça Pippi De Lena.

Big Tim lui retourna un regard noir.

— A quel niveau tu entres en jeu, toi ? J'aimerais bien le savoir.

— Pippi est mon associé, répondit Dante. Mon conseiller. Moi j'apporte l'argent, lui la matière grise. — Il se tut un instant, avant d'ajouter, cette fois en toute vérité — : Il m'a dit beaucoup de choses sur votre compte, Tim, c'est la raison de notre petit rendez-vous.

Le bateau filait à toute allure vers le large, les verres vibraient sur le plateau. Big Tim se demandait s'il allait parler à ce Steve de son arnaque sur le Super Bowl. Il eut soudain une intuition, et jusqu'alors, elles ne l'avaient jamais trompé. Il se laissa aller contre le dossier de sa chaise, but une lampée de cognac et lança aux deux hommes un regard grave et scrutateur — un regard dont il faisait souvent usage, travaillé, peaufiné comme une figure de style, celui d'un homme sur le point de livrer un grand secret, de montrer une confiance qu'on n'accordait qu'aux seuls vrais amis.

— J'ai un gros coup sur le feu, les gars, commença-t-il. Mais je veux savoir, d'abord, si on va faire des affaires ensemble. Vous prenez des parts dans mon supermarché ou non ?

— On marche, répondit Dante. Nos avocats se verront demain pour régler les détails, et je vous apporterai des caisses d'argent bien frais.

Big Tim vida son verre de cognac et se pencha vers Dante et Pippi.

— Je peux acheter le Super Bowl, annonça-t-il. — Avec un geste théâtral, il fit signe à Pippi de remplir leurs verres, remarquant, avec satisfaction, l'air étonné des deux hommes. — Vous croyez que je vous raconte des bobards, n'est-ce pas ?

Dante retira son couvre-chef et considéra Big Tim d'un air perplexe.

— Je me dis : encore un qui se paie ma tête ; vous voulez peut-être pisser dans mon chapeau, pendant que vous y êtes ? répondit Dante avec un demi-sourire. C'est une étrange manie ces temps-ci. Voyons ce que Pippi en pense, c'est un expert en ce domaine.

— Impossible, répondit Pippi. Le Super Bowl aura lieu dans huit mois et personne ne sait quelle équipe le jouera.

— Alors tant pis pour vous, rétorqua Big Tim. Si vous ne voulez pas participer à un coup en or, ça vous regarde. Moi je m'en fiche. Mais je vous assure que je peux truquer le match. Ce n'est pas grave, nous avons toujours notre petite affaire de supermarché. Maintenant, faites faire demi-tour à ce bateau et rentrons au port, je n'ai pas que ça à faire.

— Ne monte donc pas sur tes grands chevaux, Tim, intervint Pippi. Dis-nous plutôt comment tu comptes t'y prendre.

Big Tim vida d'un trait son cognac.

— Je ne peux pas, annonça-t-il d'un ton chargé de regret. Mais je peux vous proposer une garantie. Vous misez dix millions et nous partageons les gains. Si ça ne marche pas, je vous rends vos dix millions. C'est honnête non ?

Dante et Pippi échangèrent un regard amusé. Dante baissa la tête ; avec son chapeau Renaissance, il ressemblait à un écureuil de dessins animés, plein de malice.

— Vous me rendez ma mise en liquide ? s'enquit Dante.

— Pas exactement. Je vous mets sur un autre coup. Dix millions de rabais à la prochaine affaire.

— Vous comptez acheter les joueurs ? demanda Dante.

— Impossible, répondit Pippi. Ils gagnent trop d'argent. Il doit s'agir des arbitres plutôt.

Big Tim exultait.

— Je ne peux rien vous dire, mais mon affaire est en béton. C'est du sûr à 100 p. 100. Et l'argent n'est rien comparé à la gloire. Songez que ce sera la plus grande arnaque de tous les temps dans les annales du sport !

— Et on aura droit, en prime, à un aller direct en prison ! répliqua Dante.

— Voilà pourquoi je ne vous dis rien, par grandeur d'âme. C'est moi qui irais en prison, pas vous les gars. De toutes façons, j'ai des avocats hors pair et des relations haut placées.

C'est alors que Dante sortit du rôle que lui avait assigné Pippi.

— On est assez loin ? demanda-t-il à brûle-pourpoint.

— Oui, répondit Pippi, mais je crois qu'on peut discuter encore un peu. Tim va tout nous raconter.

— Tim, je l'emmerde ! lança Dante sur le ton de la fausse plaisanterie. Tu as entendu, Big Tim ? Maintenant, tu vas me dire comment l'arnaque marche et ne t'avise pas de me raconter des salades !

Son ton était si méprisant que Big Tim vit tout rouge.

— Ce n'est pas un petit con comme toi qui va m'impressionner ! Tu te crois plus costaud que les types du F.B.I. ou de l'I.R.S., ou que les Youpins de la côte Ouest ? Je ne vais pas pisser dans ton chapeau, mais chier dedans !

Dante se pencha en arrière et frappa deux petits coups contre la paroi de la cabine. Quelques instants plus tard deux gorilles à la mine patibulaire ouvrirent la porte et se plantèrent sur le seuil. Aussitôt, Big Tim se leva et balaya du bras ce qu'il y avait sur la table. Bouteilles, seau à glace, verres, volèrent à travers la cabine.

— Non, Tim, ne fais pas ça ! cria Pippi, voulant lui éviter des souffrances inutiles.

Il désirait également que tout se passe selon le plan prévu. C'était Dante qui devait « finir » le travail, pas lui. Mais Big Tim se rua vers la porte prêt à défendre chèrement sa peau.

Dante s'élança, se faufila entre les bras de Big Tim et se plaqua contre son corps énorme. L'étreinte fut brève. La seconde suivante Big Tim tombait à genou. C'était une vision de cauchemar. La moitié de sa chemise était fendue, et à la place de son poitrail, s'ouvrait une plaie béante, vomissant du sang à gros bouillons qui se répandait en flaque sur la table.

Dante tenait à la main un couteau, la lame rougie jusqu'à la garde.

— Mettez-le sur une chaise ! ordonna-t-il aux gardes.

Il s'empara alors de la nappe qui recouvrait la table pour

étancher la blessure de Big Tim. Le malheureux, sous le choc, s'était presque évanoui.

— Tu aurais pu attendre ! reprocha Pippi.

— Non. Alors comme ça, c'est un dur à cuir. C'est ce qu'on va voir...

— Je monte sur le pont, finir les préparatifs, annonça Pippi.

Il ne voulait pas assister à ce spectacle. Il n'avait jamais torturé qui que ce soit. Aucun secret, aussi important soit-il, ne justifiait une telle cruauté. Lorsqu'il tuait des gens, il s'agissait pour lui de les retirer de ce monde afin qu'ils ne causent plus d'ennuis. Rien de plus.

Une fois sur le pont, Pippi s'aperçut que ses acolytes avaient déjà tout préparé. La cage d'acier était en place au bout de son crochet, la porte à barreaux ouverte, le pont protégé d'une bâche de plastique.

L'air marin était vif et odorant. L'océan sombre et pourpre oscillait lentement sous ses yeux. Le yacht ralentit puis s'arrêta.

Pippi contempla l'horizon pendant quinze longues minutes, puis les deux gorilles remontèrent le cadavre de Big Tim. Un spectacle si répugnant qu'il détourna les yeux.

Les quatre hommes glissèrent Big Tim dans la cage, puis la descendirent au treuil au-dessus de l'océan. L'un des hommes régla la hauteur des barreaux de la porte de sorte que les hôtes des profondeurs marines puissent se faufiler au travers et se repaître du cadavre. On ouvrit le crochet et la cage plongea dans les abîmes.

Avant le lever du jour, il ne resterait de Big Tim que les os, flottant dans sa cage au fond de l'océan jusqu'à la fin des temps.

Dante apparut alors sur le pont. Il avait pris une douche et changé de vêtements. Sous son chapeau Renaissance ses cheveux étaient luisants et mouillés. Pas la moindre trace de sang sur lui.

— Il a déjà fait sa communion ? Vous auriez pu m'attendre ! lança-t-il.

— Il a parlé ? demanda Pippi.

— Oh ! oui, répondit Dante. L'arnaque était enfantine. Mais il m'a donné du fil à retordre jusqu'au bout.

⁂

Le lendemain, Pippi prit un avion pour aller faire son rapport à Don Domenico et à Giorgio.

— Big Tim était dingue, annonça-t-il. Il avait soudoyé le fournisseur de boissons et de nourriture pour les joueurs du Super Bowl. Ils comptaient droguer l'équipe contre laquelle ils allaient parier. Les entraîneurs et les joueurs s'en seraient aperçus, même si les fans n'y auraient vu que du feu ; le F.B.I. leur serait tombé immanquablement sur le dos. Tu avais raison, le scandale aurait réduit à néant nos espérances ; le dommage aurait peut-être été irréparable.

— Il était idiot ou quoi ? demanda Giorgio.

— Il cherchait la gloire, je crois, répondit Pippi. Être riche ne lui suffisait plus.

— Et ses complices ? demanda Don Domenico.

— Lorsqu'ils verront qu'ils n'ont plus de nouvelles de Big Tim, ils se feront tout petits, suggéra Pippi.

— Cela me paraît sensé, confirma Giorgio.

— Parfait, conclut Don Clericuzio. Et mon petit-fils ? Il a été bien ?

Cela semblait, de prime abord, une remarque anodine, mais Pippi connaissait suffisamment Don Clericuzio pour savoir qu'il ne posait pas cette question à la légère. Pippi répondit le plus prudemment possible, mais sans laisser la moindre équivoque.

— Je lui ai demandé de ne pas porter ses espèces de chapeaux pendant l'opération à Vegas et à L.A., mais il n'en a fait qu'à sa tête. Ensuite, il n'a pas suivi le plan prévu. On aurait pu obtenir l'information en parlant encore un peu, mais Dante voulait du sang. Il a mis Big Tim en charpie. Il lui a coupé le sexe, les testicules et les tétons. C'était parfaitement inutile. Il aime ça et c'est très dangereux pour la famille. Quelqu'un doit lui faire entendre raison.

— Il faut que ce soit toi, annonça Giorgio à son père. Moi, je n'ai aucune autorité sur lui.

Don Domenico sembla peser le pour et le contre un long moment.

— Il est jeune ; ça lui passera, répondit-il finalement.

Comprenant que Don Clericuzio ne lèverait donc pas le petit doigt, Pippi lui raconta la bévue de Dante avec la star de cinéma la veille de l'opération. Don Domenico fronça les sourcils et Giorgio fit une grimace de dégoût. Il y eut alors un long silence. Pippi se demanda s'il n'avait pas été trop loin.

Au bout d'un moment, Don Domenico secoua la tête.

— Pippi, tu as, encore une fois, montré tes talents d'organisation. Je veux que tu dormes en paix; tu ne travailleras plus jamais avec Dante. Mais il faut que tu comprennes, Dante est mon petit-fils, mon petit-fils unique. Giorgio et moi ferons tout notre possible pour le raisonner. Il grandira et s'assagira, j'en suis sûr.

Au balcon de sa suite du Xanadu, Cross De Lena passait en revue les dangers que recelait l'opération dans laquelle il s'était lancé. De sa position, il apercevait tout le Strip, l'enfilade multicolore des casinos, la foule marchant sur les trottoirs. Il voyait ses clients, en contrebas, sur le parcours de golf, tentant de faire un trou en un coup pour savoir si la chance serait avec eux le soir aux tables de jeux.

Danger numéro un : il allait organiser une opération de première importance sans consulter les Clericuzio. Certes, il était le baron des territoires Ouest qui s'étendaient du Nevada à la pointe méridionale de la Californie, et les barons pouvaient opérer de façon autonome dans nombre d'affaires, n'ayant pas de compte à rendre à la famille tant que celle-ci recevait sa part des bénéfices. Mais les règles étaient très strictes en la matière : aucun baron, ou *bruglione*, ne pouvait se lancer dans une affaire de cette amplitude sans avoir le feu vert de la famille. La raison en était fort simple. Si les choses tournaient mal, le baron en question ne bénéficierait d'aucune clémence du procureur, d'aucun soutien juridique. De surcroît, on ne ferait rien pour empêcher de jeunes chefs aux dents longues de mettre main basse sur son fief; son argent ne serait ni blanchi, ni mis de côté pour ses vieux jours. Le bon sens voulait donc que Cross aille trouver Giorgio et Don Domenico.

Cette opération risquait de faire des vagues autour de lui. Et il engageait une bonne partie des 51 p. 100 de parts de l'hôtel que lui avait léguées Gronevelt pour financer la reprise du film. Certes, il s'agissait de son argent personnel, mais il était indissociablement lié aux intérêts secrets qu'avaient les Clericuzio dans l'hôtel. Sans l'aide de la famille, jamais il n'aurait eu cet argent. Les Clericuzio avaient donc une nette tendance, toute humaine certes, à se considérer comme les propriétaires spirituels des fortunes de leurs subordonnés. On allait prendre ombrage lorsqu'on découvrirait qu'il avait investi cet argent sans consulter la famille. La règle, bien que dépourvue d'assise légale, ressemblait à un code d'honneur médiéval : un baron ne pouvait vendre son château sans le consentement du roi.

L'importance des sommes investies était également un facteur à ne pas négliger. Cross avait hérité des 51 p. 100 de Gronevelt. Le Xanadu valait un milliard de dollars. Mais il engageait cinquante millions de dollars sans garantie, et s'apprêtait à investir cinquante autres millions. Au total, une mise de cent millions — un risque financier énorme. Or les Clericuzio étaient notoirement prudents et conservateurs ; c'est ainsi qu'ils avaient assuré leur pérennité dans leur nouveau pays d'adoption.

Un souvenir remonta à la mémoire de Cross. Des années plus tôt, lorsque les Santadio et les Clericuzio étaient en bons termes, ils avaient voulu mettre le pied dans le monde du cinéma. Mais l'expérience s'était révélée catastrophique. Lorsque l'empire des Santadio s'était effondré, Don Domenico avait mis un terme à toute tentative d'infiltration dans le cinéma.

— Ces gens sont trop rusés, avait-il déclaré. Et ils n'ont peur de rien, parce qu'il y a trop d'argent à gagner. Il nous faudrait les abattre tous, or nous ne connaissons rien à ce genre d'affaire. Produire des films est bien plus compliqué que de vendre de la drogue.

Non, il n'avait pas le choix, conclut Cross. S'il allait demander la permission aux Clericuzio, elle lui serait refusée. Il se retrouverait alors pieds et mains liés. Lorsque l'affaire serait faite, il pourrait toujours faire son *mea culpa* et laisser les Clericuzio avoir leur part des bénéfices, le succès excusant souvent bien des péchés... En revanche, s'il échouait, il serait fini, qu'il ait eu ou non le feu vert de la famille. Cette dernière constatation soulevait donc une question fondamentale et inquiétante...

Pourquoi faisait-il ça ? Les mises en garde de Gronevelt lui revinrent en mémoire : « Méfie-toi des demoiselles en détresse. » Il en avait rencontré des dizaines jusqu'à aujourd'hui, et il avait su les laisser toutes aux griffes de leurs dragons. Les femmes en détresse étaient légion à Las Vegas.

La vérité était limpide. La beauté d'Athena Aquitane l'avait ensorcelé. Ce n'étaient pas seulement son joli minois, ses yeux, ses cheveux, ses jambes, ses seins qui l'envoûtaient, mais cette intelligence, cette chaleur qui rayonnait de tout son être, présente dans chaque regard, chaque courbe de son visage, chaque ligne délicate de ses lèvres. Il avait l'impression qu'à côté d'elle, le monde entier prenait un nouvel éclat, renaissait sous le feu d'un soleil plus radieux. Il revoyait l'océan derrière elle, les rouleaux émeraude dessinant pour elle des couronnes d'écume... Une idée lui traversa l'esprit : Athena était finalement la femme que rêvait de devenir sa mère.

Il se sentit alors gagné par l'envie irrépressible de la revoir, d'être avec elle, d'entendre sa voix, de contempler à nouveau son corps qui se mouvait avec tant de grâce. Voilà donc pourquoi je me lance dans cette aventure ! Juste pour ça ! pesta-t-il contre lui-même.

Il mit un moment à se résoudre à cette idée, puis finalement il se sentit soulagé. Il avait enfin admis la vérité. Cela lui donna une nouvelle détermination et il focalisa tout son esprit sur son travail à venir. Pour l'heure, le principal problème était d'ordre opérationnel. D'abord faire le vide — oublier Athena, oublier les Clericuzio. Il lui fallait régler le cas épineux de Boz Skannet, et ce, au plus vite.

Cross allait se trouver dans une situation délicate : officiellement, il avait trop d'intérêt à ce qu'il arrive malheur à Boz Skannet ; tous les regards risquaient donc de converger vers lui.

Cross arrêta son choix sur trois noms pour mener à bien l'opération. Le premier était Andrew Pollard, le directeur de la Pacific Ocean Security Agency, qui était déjà mêlé jusqu'au cou à cet imbroglio. Le deuxième était Lia Vazzi, le gardien de la résidence de chasse des Clericuzio dans les montagnes du Nevada. Lia avait sous ses ordres des gars qui jouaient également les gardiens du domaine, mais qui étaient, en fait, des hommes de main travaillant pour le compte de la famille. Le troisième larron serait Leonard

Sossa, un faussaire à la retraite que les Clericuzio embauchaient pour divers travaux de contrefaçon. Les trois hommes se trouvaient directement sous l'autorité de Cross, *bruglione* des territoires Ouest.

Deux jours plus tard, Andrew Pollard recevait un coup de fil de Cross De Lena.

— J'ai appris que tu as travaillé dur ces derniers temps, commença Cross. Pourquoi ne viendrais-tu pas à Las Vegas te changer les idées ? Je t'invite tous frais payés — chambre, boisson, et repas. Amène ta femme. Et si tu t'ennuies, passe me voir dans mon bureau ; on bavardera un peu.

— Je te remercie de cette invitation, répondit Pollard. Je suis un peu débordé en ce moment, mais la semaine prochaine, ça t'irait ?

— Bien sûr. L'ennui, c'est que je ne serai pas à Las Vegas et que l'on ne pourra pas se voir.

— Dans ce cas, je viens demain.

— Parfait, dit Cross avant de raccrocher.

Pollard se carra dans son fauteuil, perplexe. Cette invitation était un ordre déguisé. Il allait falloir marcher sur des œufs.

Leonard Sossa, faussaire retiré des affaires, vivait heureux comme seul un homme sait l'être quand il a échappé de peu à la chaise électrique. Il regardait avec émerveillement le lever du soleil chaque matin, l'herbe verte et les vaches paissant dans les prés. Il aimait contempler les jolies femmes, entendre l'assurance impétueuse des jeunes hommes et voir l'éveil de l'intelligence chez les enfants. Une miche de pain frais, un verre de vin, un morceau de fromage faisaient son bonheur.

Vingt ans plus tôt, le F.B.I. l'avait arrêté au moment où il contrefaisait des billets de cent dollars pour la défunte famille des Santadio. Ses associés s'étaient fait pincer et l'avaient donné. Le malheureux Sossa avait bien cru passer le reste de sa vie en prison. Faire de faux billets était un crime bien plus grave aux yeux de la loi que le viol, le meurtre, le braquage de banque ou les incendies criminels. Lorsqu'on contrefaisait un billet, on s'attaquait directement à l'État, tandis que pour les autres crimes, on n'était qu'une sorte de charognard prélevant sa part sur la grande carcasse de la société humaine. Il ne fallait, en matière de fausse monnaie, s'attendre à aucune mansuétude. Sossa fut donc condamné à vingt ans de réclusion.

Mais Leonard Sossa ne fit qu'un an en prison. Un compagnon de cellule, émerveillé par son habileté, par ses dons de magicien avec de l'encre et une plume, parla de lui aux Clericuzio.

Aussitôt, il eut un nouvel avocat et reçut la visite d'un médecin qu'il ne connaissait ni d'Eve ni d'Adam. Il y eut bientôt une révision de la peine, sur les bases d'une expertise médicale annonçant que ses capacités mentales s'étaient réduites à celles d'un enfant de cinq ans et qu'il ne représentait plus une menace pour la société. Du jour au lendemain, Sossa fut un homme libre, et un employé de la famille.

Les Clericuzio avaient besoin d'un faussaire habile. Non pas pour faire de faux billets car les autorités étaient bien trop susceptibles en ce domaine, mais pour effectuer divers faux dans des secteurs d'activités bien plus lucratifs. Dans le labyrinthe paperassier au sein duquel évoluait Giorgio, il fallait jongler avec les chiffres, avoir des documents légaux signés par des sociétés fantômes, dissimuler des mouvements de capitaux faramineux — tout un monde où faux et usage de faux étaient légion. Leonard avait donc du pain sur la planche et son domaine d'intervention se diversifia avec le temps.

Le Xanadu faisait souvent appel à ses talents. Lorsque de grands joueurs mouraient, laissant de belles ardoises au casino, on demandait à Leonard de signer une note de la main du mort pour un million de dollars supplémentaire. Bien sûr, la famille du mort ne payait pas l'ardoise, mais le Xanadu pouvait se prévaloir auprès du fisc de ce manque à gagner. Ce cas de figure se produisait bien plus souvent qu'on ne pouvait s'y attendre. Il semblait y avoir un taux de mortalité particulièrement élevé dans le monde des jeux. On procédait de même avec les joueurs vivants qui ne voulaient pas honorer leurs dettes ou cherchaient à les réviser à la baisse.

Pour ces services rendus, Leonard Sossa recevait une rente de cent mille dollars par an, avec l'interdiction absolue d'exercer ses talents en tout autre domaine, en particulier dans la contrefaçon de billets de banque. Ce dernier point s'inscrivant parfaitement dans la politique générale de la famille. Les Clericuzio avaient, depuis longtemps, banni de leurs activités la fabrication de fausse monnaie et le kidnapping, car ce genre d'affaires sonnait le branle-bas de combat chez toutes les autorités fédérales. Le jeu n'en valait pas la chandelle.

Pendant vingt ans, donc, Leonard Sossa mena une vie heureuse dans sa petite maison nichée dans le Topanga Canyon, à la périphérie de Malibu. Il avait un petit jardin, une chèvre, un chien et un chat. Il peignait la journée et se saoulait la nuit. Il y avait des légions de jolies filles à Topanga, libres d'esprit et de mœurs, et des collègues peintres en pagaille.

Sossa ne quittait jamais le canyon, excepté pour faire ses emplettes à Santa Monica ou lorsqu'il était appelé par les Clericuzio — ce qui se produisait environ deux fois par mois. Le travail le retenait rarement plus d'un jour ou deux. Il faisait ce qu'on lui demandait sans jamais poser de questions. C'était un fidèle soldat de la famille.

Aussi, lorsqu'une voiture vint le chercher et que le chauffeur lui demanda de prendre ses outils et de faire sa valise, Leonard Sossa lâcha ses bêtes dans la nature et ferma sa maison sans discuter. Les animaux se débrouilleraient bien tout seuls — ce n'était pas comme des gosses. Cela lui faisait certes quelque chose de les abandonner, mais les bêtes ne vivaient jamais longtemps, en particulier dans le canyon; il en avait déjà perdu beaucoup. Son année passée derrière les barreaux l'avait rendu fataliste, et sa libération inattendue lui avait donné une sorte de foi optimiste en la vie.

Lia Vazzi jouait de son côté le gardien des pavillons de chasse des Clericuzio dans la Sierra Nevada. Il était arrivé aux États-Unis, âgé de trente ans, alors qu'il était l'homme le plus recherché d'Italie. En dix ans de résidence, il avait appris à parler anglais, presque sans accent, et se débrouillait pas trop mal à l'écrit. En Sicile, il venait d'une des familles les plus puissantes et respectées de l'île.

Quinze ans plus tôt, Lia Vazzi avait été le chef de la Mafia à Palerme, un homme de premier plan. Mais il était allé trop loin.

A Rome, le gouvernement avait donné les pleins pouvoirs à un juge d'instruction pour éradiquer la Mafia en Sicile. Le juge était arrivé à Palerme avec sa femme et ses enfants, protégé par l'armée et un bataillon de policiers. Il prononça un discours enflammé, promettant de se montrer impitoyable pour ces criminels qui tenaient sous leur joug cette île magnifique depuis des siècles. L'heure était venue de faire prévaloir la loi, de laisser les représentants du peuple dûment élus décider du destin de la Sicile. Le règne des brutes ignorantes et de leur honteuse organisation secrète était révolu. Lia Vazzi prit ces paroles comme une insulte personnelle.

Le juge, gardé jour et nuit, entendait les témoins, lançait des mandats d'arrestation. Son tribunal était une forteresse, sa résidence bouclée par des cordons de soldats armés jusqu'aux dents. Il semblait intouchable. Mais au bout de trois mois d'efforts, Lia Vazzi parvint à connaître l'itinéraire du magistrat, qui était gardé secret pour prévenir tout risque d'attaque.

Le juge sillonnait l'île, allant de ville en ville pour rassembler les preuves, ordonner des arrestations. Il devait rentrer à Palerme afin de recevoir une médaille pour sa tentative héroïque de réduire à néant la Mafia sicilienne. Lia Vazzi et ses hommes minèrent un petit pont que devait emprunter le juge. Le magistrat et son escorte furent réduits en bouillie, à tel point que l'on dut passer le torrent en contrebas à l'épuisette pour récupérer leurs restes. Le gouvernement à Rome, fou de rage, passa toute l'île au peigne fin et Lia Vazzi dut se cacher. Bien que les autorités n'eussent pas la moindre preuve, il valait mieux que Vazzi ne tombe pas entre leurs mains.

Tous les ans, la famille Clericuzio envoyait Pippi De Lena recruter des hommes pour les faire émigrer dans l'enclave du Bronx et les enrôler dans les rangs de son armée secrète. Aux yeux de Don Domenico, seuls les Siciliens, rompus depuis des siècles à la tradition de *l'omertà*, pouvaient devenir des soldats dignes de confiance. Les jeunes nés en Amérique étaient trop mous, trop vaniteux, et pouvaient trop facilement être transformés en indicateurs par ces procureurs hargneux et zélés qui envoyaient à l'ombre des cohortes de *brugliones*.

Les dogmes de *l'omertà* étaient élémentaires. Il était interdit de dire à la police quoi que ce soit qui puisse nuire, de près ou de loin, à la Mafia. Un péché puni de mort. Si un clan mafieux rival massacrait vos père et mère sous vos yeux, vous ne deviez rien dire à la police. Si l'un d'eux vous tirait dessus, et vous laissait pour mort sur le bas-côté d'un chemin, vous étiez tenu au silence. S'il vous volait votre mule, votre chèvre, vos bijoux, la loi du silence était de mise; pas question d'aller porter plainte au commissariat. Les autorités étaient le mal personnifié et tout Sicilien qui se respecte ne se compromettrait jamais avec le Grand Satan. La Mafia et la famille étaient La loi.

Dix ans plus tôt, Pippi De Lena avait emmené Cross au cours d'un de ses voyages en Sicile, une sorte de séjour sport-étude, pour son fils. Il s'agissait moins de recruter que de sélectionner, car ils étaient des centaines à vouloir être du voyage.

Ils se rendaient dans une petite bourgade à soixante-dix kilomètres de Palerme, perdue dans la campagne sicilienne, avec ses villages de pierres sèches, parés de fleurs flamboyantes. Ils étaient reçus dans la demeure même du maire.

Celui-ci était un petit homme grassouillet, avec une jolie bedaine — détail physique d'importance pour son image de marque, puisque c'est par leur ventre rond en Sicile que se reconnaissaient les chefs mafieux.

Sa maison avait un jardin agréable, parsemé de figuiers, d'oliviers et de citronniers; c'était là que Pippi menait ses entretiens. Curieusement, le jardin rappelait celui des Clericuzio, à Quogue, à l'exception des citronniers et des fleurs aux couleurs chatoyantes. Le maire aimait visiblement la beauté — sa femme était charmante et ses trois filles, quoique encore adolescentes, étaient déjà de belles plantes aux formes généreuses.

Cross remarqua tout de suite que Pippi n'était pas le même homme en Sicile. Il laissait de côté sa galanterie naturelle, et se montrait avec les femmes d'une réserve et d'une correction irréprochables. Jamais, il ne leur faisait le moindre numéro de charme. Le soir, dans la chambre qu'ils partageaient, il faisait la morale à Cross :

— Tu dois faire attention avec les Siciliens. Ils n'aiment pas que l'on s'intéresse aux femmes. Si tu couches avec l'une de leurs filles, tu es un homme mort.

Les jours suivants, des prétendants au voyage se succédèrent devant Pippi. Il avait des critères de sélection précis : pas d'homme de plus de trente-cinq ans ou de moins de vingt ans. S'ils étaient mariés, pas plus d'un enfant par ménage. Et enfin, leur candidature devait être appuyée par le maire. Les raisons en étaient les suivantes : trop jeunes, les hommes risquaient d'être influencés par la culture américaine, trop vieux, ils ne pourraient s'adapter au pays. S'ils avaient plus d'un enfant, ils se montreraient trop prudents et rechigneraient à accomplir des tâches risquées que la famille pouvait être amenée à leur confier.

Certains volontaires étaient si gravement compromis aux yeux de la loi qu'ils n'avaient d'autres solutions que de quitter la Sicile. D'autres rêvaient simplement d'une vie meilleure en Amérique, quel qu'en soit le prix à payer. D'autres encore avaient compris qu'il était vain d'attendre un coup de pouce du destin pour voir s'améliorer leur sort et désiraient ardemment intégrer les rangs du clan Clericuzio — ceux-là faisaient les meilleures recrues.

A la fin de la semaine, Pippi avait son quota de vingt hommes ; il soumit sa liste de noms au maire pour qu'il donne son avis sur chacun d'eux et qu'il organise leur émigration. Le maire raya un seul nom sur la liste.

— Je pensais qu'il serait parfait pour nous, s'étonna Pippi. Aurais-je fait une erreur de jugement ?

— Absolument pas, répondit le maire. Tu as fait, pour tous, un très bon choix, comme toujours.

Pippi était perplexe. Toutes les recrues seraient bien traitées. Les célibataires auraient des appartements, les familles une petite maison. Tous se verraient attribuer des emplois fixes et vivraient dans l'enclave. Certains seraient choisis par les Clericuzio pour devenir des soldats de la famille et un bel avenir s'offrirait à eux. Pour que le maire raye un nom, il fallait que l'homme soit un très mauvais élément. Mais pourquoi, dans ce cas, l'avait-on laissé se présenter aux entretiens ? Il y avait anguille sous roche, encore un imbroglio typiquement sicilien.

Le maire lança un regard inquisiteur à Pippi, comme s'il cherchait à sonder son esprit, puis, satisfait, il esquissa un sourire.

— Tu es un Sicilien pour moi et je ne vais pas te mentir, expliqua-t-il. Le nom que je viens de barrer, c'est celui de l'homme que ma fille veut épouser. Je voudrais le garder ici un an de plus, pour faire le bonheur de la petite ; je te le donnerai ensuite. Je ne pouvais pas l'empêcher de se porter volontaire. Mais il y a une autre raison à mon geste : je connais quelqu'un qui, à mon avis, devrait partir à sa place. Et j'aimerais que tu acceptes de le voir.

— Pas de problème, répondit Pippi.

— Je ne veux pas influencer ton jugement, mais c'est un cas particulier et l'homme doit quitter le pays au plus vite.

— Tu sais que je me dois de prendre des précautions, précisa Pippi. Les Clericuzio sont chatouilleux sur ce point.

— Cet homme vous serait d'une aide précieuse, répondit le maire, mais l'opération n'est pas sans risque.

Il expliqua alors l'histoire de Lia Vazzi. L'assassinat, en Sicile, du juge mandaté par le gouvernement avait fait le tour du monde et Pippi et Cross avaient eu vent de l'affaire.

— S'ils n'ont aucune preuve, pourquoi la situation est-elle aussi dramatique pour Vazzi ? s'enquit Cross.

— Jeune homme, nous sommes en Sicile. Les policiers sont des Siciliens. Le juge aussi était un Sicilien. Tout le monde sait que c'est Lia qui a fait le coup. Peu importe les preuves. S'il tombe entre leurs mains, je ne donne pas cher de sa peau.

— Pourquoi ne pas le faire simplement émigrer en Amérique ? insista Pippi.

— C'est possible, répondit le maire, mais le problème c'est de passer inaperçu des autorités aux États-Unis.

— Ça fait beaucoup de problèmes pour un seul homme.

Le maire acquiesça d'un mouvement d'épaules.

— C'est un ami à moi, je le reconnais. Mais il n'y a pas que ça. — Le petit homme marqua un temps, et esquissa un sourire malicieux pour exciter la curiosité des deux hommes. — C'est aussi un *uomo qualificato*, un des meilleurs. C'est un expert en explosif, et ils ne sont pas des centaines. Il sait manier le garrot aussi, une vieille tradition sicilienne fort utile ; le couteau et les armes à feu, cela va sans dire. Mais le plus important, c'est qu'il est intelligent. Un homme qui sait tout faire. Et solide, avec ça. Comme un roc. Il ne parlera jamais. Il sait écouter, en revanche, et n'a pas son pareil pour délier les langues. Ne me dis pas que vous n'avez pas besoin d'un type comme lui là-bas !

— Je reconnais que c'est un don du ciel, ton bonhomme, répondit diplomatiquement Pippi. Mais je ne comprends toujours pas pourquoi un homme tel que lui serait obligé de fuir ?

— Parce qu'en plus de toutes ses qualités, répondit le maire, c'est un homme prudent. Il n'est pas du genre à forcer le destin. Ses jours sont comptés ici.

— Et un homme aussi « qualifié » que lui pourrait être heureux comme simple piétaille pour les Clericuzio ? demanda Pippi.

Le maire baissa la tête avec une compassion affligée pour son protégé.

— C'est un vrai chrétien, répondit-il. Il a dans le sang l'humilité que le Christ nous a enseignée.

— Il faut que je rencontre cette perle rare ! annonça Pippi. Même si c'est seulement pour le plaisir. Je ne te promets rien.

— Oh ! il va te plaire, pour ça je ne me fais pas de soucis ! rétorqua le maire avec de grands gestes enthousiastes. Mais il y a un autre problème. Il m'a formellement demandé de te dire la vérité. — Pour la première fois, le maire sembla perdre de sa belle assurance. — Il a une femme et trois enfants, et il faut que sa famille parte avec lui.

Pippi sut d'avance que sa réponse serait non.

— Voilà qui complique tout, se contenta-t-il de répondre. Quand verrai-je ton type ?

— Il sera dans le jardin ce soir. Il n'y aura pas de danger, j'ai pris des dispositions à cet effet.

Lia Vazzi était un homme de petite taille, avec ce corps sec et compact que les Siciliens ont hérité de leurs aïeux arabes. Il avait un visage anguleux, un profil de faucon, une peau brune, qui lui donnait un air de noblesse, et il parlait un peu anglais.

Ils prirent place autour de la table de jardin; il y avait devant eux une bouteille de vin maison, un ramequin d'olives venant de la propriété, une miche de pain cuite dans l'après-midi, ronde et encore chaude, ainsi qu'un jambon entier truffé de grains de poivre comme autant de petits diamants noirs. Lia Vazzi mangea et but son verre sans rien dire.

— On m'a fait les plus chaudes recommandations à ton sujet, commença Pippi pour montrer son respect. Mais je suis inquiet. Est-ce qu'un homme comme toi, avec ton éducation et tes qualifications, pourrait vivre heureux en Amérique à travailler au service de quelqu'un d'autre?

Lia Vazzi regarda tour à tour Cross puis Pippi.

— Tu as un fils. Tu serais prêt à faire la même chose pour lui, n'est-ce pas? Je veux assurer la sécurité de ma femme et de mes enfants et pour cela je ferai ce qu'il faut.

— Ton cas n'est pas sans danger pour nous, poursuivit Pippi. Tu comprends que je dois évaluer si les risques encourus sont à la hauteur de ton utilité pour nous.

Lia Vazzi haussa les épaules.

— Ça, je ne suis pas en mesure d'en juger, répondit-il comme s'il s'était déjà résigné à essuyer un refus.

— Si tu venais tout seul, cela faciliterait bien des choses, suggéra Pippi.

— Non, répliqua Vazzi. Nous vivrons ensemble ou nous mourrons ensemble. — Il marqua un silence — Si je les laisse ici, Rome va leur rendre la vie impossible. Je ferais mieux de me livrer dans ce cas.

— Le problème est de parvenir à te cacher, toi et ta famille.

Lia haussa de nouveau les épaules.

— L'Amérique est grande, maugréa-t-il, puis il tendit le ramequin d'olives à Cross, en ajoutant d'un ton presque moqueur: Ton père t'abandonnerait-il, lui?

— Non, avoua Cross. Il est de la vieille école, comme toi. — Il prononça ces paroles d'un ton solennel mais avec un soupçon de sourire au coin des lèvres — On m'a dit que tu étais fermier, aussi.

— Oui. Je fais des olives. J'ai ma propre presse.

Cross se tourna vers son père.

— Et les pavillons de chasse dans la Sierra Nevada ? Il pourrait s'en occuper avec sa famille ; cela lui permettrait de se faire oublier. C'est complètement isolé. Sa femme pourrait l'aider dans son travail. — Il s'adressa à Vazzi — Cela te dérangerait de vivre dans les bois ?

« Les bois », en Sicile désignait tout ce qui n'était pas urbain.

Lia haussa les épaules.

C'est la force du personnage qui acheva de convaincre Pippi De Lena. Vazzi n'était pas grand, mais il sembla émaner de son être une force et une dignité particulières. Il était toujours saisissant de voir un homme qui n'avait pas peur de mourir, qui ne craignait ni l'enfer ni le paradis.

— C'est une bonne idée, annonça Pippi. Ce serait une couverture parfaite. On pourra ainsi faire appel à toi pour des opérations ponctuelles et tu te feras un peu d'argent ; ce sera ta participation au risque.

Cross et Pippi virent les muscles du visage de Vazzi se détendre au moment où il se rendit compte qu'il venait d'être accepté. Sa voix tremblait légèrement lorsqu'il prit la parole :

— Je vous remercie, vous venez de sauver ma femme et mes enfants, annonça-t-il en regardant Cross dans les yeux.

Depuis lors, Lia Vazzi avait remboursé au centuple sa dette. De simple exécutant, il était devenu le chef des équipes d'intervention travaillant pour Cross. Il avait sous ses ordres six hommes qui s'occupaient de la résidence de chasse avec lui. Il avait désormais sa propre maison, s'était enrichi et était devenu un citoyen américain à part entière, envoyant ses enfants à l'université. Une prospérité gagnée à force de courage, de bon sens et, le plus important de tout, en faisant preuve d'une loyauté indéfectible. Aussi, lorsqu'il apprit que Cross De Lena le réclamait à Las Vegas, c'est de bonne grâce qu'il glissa sa valise dans le coffre de sa nouvelle Buick et prit la route pour le long voyage jusqu'au Xanadu.

⁂

Andrew Pollard fut le premier arrivé à Las Vegas. Il avait pris le vol de midi à Los Angeles, s'était détendu au bord d'une des gigantesques piscines de l'hôtel, avait joué au casino pendant une heure ou deux, avant de monter discrètement dans la suite directoriale de Cross.

— Je ne vais pas te garder longtemps, annonça Cross en lui serrant la main. Tu pourras rentrer à L.A. ce soir. Je veux que tu me donnes tout ce que tu as sur ce Boz Skannet.

Pollard lui raconta ce qui s'était passé et lui annonça que Skannet séjournait au Beverly Hills Hotel. Il lui narra également sa conversation avec Bantz.

— Ils se fichent donc totalement de ce qui peut arriver à Athena Aquitane, tout ce qu'ils veulent, c'est boucler le film, expliqua-t-il à Cross. Les studios ne prennent pas ce genre de type au sérieux. J'ai une équipe de vingt hommes qui s'occupe uniquement de ce genre de harceleurs. Les stars de cinéma sont vraiment des proies faciles pour des gars comme lui.

— Et les flics ? Qu'est-ce qu'ils peuvent faire ?

— Pas grand-chose. Tant qu'il n'y a pas passage à l'acte.

— Et toi ? Tu as des types pourtant efficaces dans tes équipes.

— Je dois marcher sur des œufs, précisa Pollard. On pourrait me faire fermer la boîte si j'employais la manière forte. Tu sais comment sont les juges. Ce n'est pas la peine de leur donner un bâton pour me taper dessus !

— Ce Skannet, quel genre de type est-ce ? s'enquit Cross.

— Du genre qui n'a pas froid aux yeux, répondit Pollard. En fait, il me fiche un peu les jetons. C'est vraiment un dur, l'un des pires que j'ai rencontrés ; et il se fiche complètement des conséquences. Sa famille a de l'argent et des appuis politiques partout alors il se dit que rien ne peut lui arriver. Il adore foutre le bordel ; il y a des types comme ça. Si tu veux tenter quelque chose contre lui, il ne faut pas y aller avec le dos de la cuillère. Cela doit être du sérieux.

— Avec moi, c'est toujours du sérieux, rétorqua Cross. Tu surveilles toujours Skannet ?

— Bien sûr. Il peut faire un sale coup à tout moment.

— Parfait. Rappelle tes hommes. Je ne veux plus personne à ses basques. Compris ?

— Comme tu voudras, répondit Pollard, avant d'ajouter après un moment de réflexion : Fais attention à Jim Losey ; il surveille aussi Skannet. Tu le connais ?

— Je l'ai rencontré une fois. Une chose encore : prête-moi ta carte d'identification de la Pacific Ocean Security. Je te la rendrai ce soir et tu pourras prendre le vol de minuit pour L.A.

Pollard blêmit.

— Tu sais que je ferais n'importe quoi pour toi, Cross, mais prends garde, vas-y avec des pincettes. J'ai mis du temps à me constituer une petite vie prospère et je n'ai aucune envie de me retrouver à la rue du jour au lendemain. Je sais que je dois tout ce que j'ai aux Clericuzio ; je leur en suis reconnaissant et je paie toujours ma quote-part. Mais cette affaire est particulièrement délicate.

Cross lui retourna un sourire rassurant.

— Ne te fais pas de souci, tu es bien trop précieux pour nous. Encore un détail, si Skannet appelle pour s'assurer que des types viennent bien de chez toi, tu confirmes.

A ces mots, le cœur de Pollard cessa de battre. De gros ennuis se profilaient à l'horizon, c'était couru d'avance.

— C'est tout ce que tu sais sur lui ? Rien d'autre ? reprit Cross, puis, voyant l'hésitation de Pollard, il ajouta : Je saurai te montrer ma gratitude. Quand ce sera fini.

Pollard réfléchit un moment.

— Skannet prétend connaître un secret concernant Athena Aquitane, dit-il enfin. C'est pour cette raison qu'elle n'a pas porté plainte contre lui. Un secret terrible, qui fait les délices de Skannet. Cross, je ne sais ni comment ni pourquoi tu te retrouves mêlé à cette affaire, mais il est possible que ce secret soit la solution à ton problème.

Pour la première fois, Cross se départit de son masque d'amabilité et soudain Pollard sut pourquoi Cross avait acquis sa réputation. Son regard était glacé, inquisiteur, un regard qui pouvait prononcer un arrêt de mort sans sourciller.

— Tu sais très bien pourquoi je m'intéresse à cette affaire, répondit Cross. Bantz a dû tout te raconter. Il t'a même demandé une petite enquête sur moi. Est-ce que toi ou le studio avez la moindre idée de ce que peut être ce secret ?

— Non. Personne ne le sait. Cross, je fais de mon mieux pour t'aider, tu le sais.

— Mais oui, je le sais, répondit Cross, retrouvant son air affable. Je vais même te faciliter la tâche. Le studio brûle de savoir comment je compte m'y prendre pour convaincre Athena Aquitane de reprendre le travail. Je vais te le dire. Je vais lui offrir la moitié des bénéfices du film, voilà. Tu peux le leur dire, ça m'est égal. Profite de la situation, fais monter la sauce et prends-leur quelques billets de plus au passage. — Cross ouvrit alors le tiroir de son bureau et en sortit un petit sac de cuir — C'est pour toi. Cinq mille dollars de plaques. Je ne voudrais pas que tu dépenses ton argent dans le casino lorsque je te fais venir ici pour affaires.

Il n'y avait guère de risque. Andrew Pollard allait toujours échanger ses plaques à la caisse contre des billets.

Leonard Sossa venait juste d'arriver dans sa suite du Xanadu lorsqu'on lui apporta la carte de Pollard. Avec son matériel, il fabriqua quatre cartes de la Pacific Ocean Security; du travail soigné, en tous points identiques, jusqu'à la petite pochette ad hoc. Elles n'auraient pas résisté à l'examen de Pollard, mais peu importait. Les cartes ne passeraient jamais entre ses mains. Une fois que Sossa eut fini son travail, quelques heures plus tard, deux hommes le conduisirent dans la réserve de chasse de la Sierra Nevada et l'installèrent dans un bungalow niché au fond des bois.

De la terrasse, il regarda passer un ours puis un cerf dans les sous-bois. Le soir venu, il nettoya ses outils et attendit. Il ne savait ni où il était, ni ce qu'il allait faire, et peu lui importait. Il touchait sa rente de cent mille dollars annuelle et vivait libre en pleine nature. Pour tuer le temps, il dessina l'ours et le cerf sur une centaine de feuilles de papier, qui, une fois assemblées et feuilletées en continuité formaient une sorte de dessin animé où l'on voyait l'ongulé pourchasser le plantigrade.

Lia Vazzi fut accueilli d'une toute autre manière. Cross

lui donna une accolade chaleureuse, et l'invita à dîner dans sa suite. Cross avait été son chef des opérations bien des fois en dix ans. Lia, malgré son caractère bien trempé, n'avait jamais tenté d'usurper son autorité et Cross, en retour, l'avait toujours traité avec respect, comme un égal.

Cross venait passer des week-ends dans la Sierra Nevada et ils partaient à la chasse tous les deux. Lia lui racontait ses démêlés en Sicile et sa découverte du mode de vie américain. Cross, en retour, invitait Lia et sa famille à Las Vegas, tous frais payés, avec un crédit de cinq mille dollars au casino qu'on ne demandait jamais à Lia d'honorer.

Pendant le dîner, ils parlèrent de tout et de rien. Lia s'émerveillait encore de sa nouvelle vie en Amérique. Son fils aîné suivait ses études à l'université de Californie et ne savait rien des activités secrètes de son père. Lia était parfois mal à l'aise, à ce propos.

— J'ai parfois l'impression qu'il n'est pas de mon sang, disait-il. Il gobe tout ce que ses professeurs lui racontent. Il croit que les femmes sont les égales des hommes, que les paysans devraient recevoir gratuitement des terres. Il fait partie de l'équipe de natation de l'université. Durant toute ma vie en Sicile — et la Sicile est une île — je n'ai jamais vu un Sicilien mettre un pied dans l'eau.

— Sauf quand un pêcheur tombe par-dessus bord! lança Cross en riant.

— Même pas! rétorqua Lia. Il se noie aussitôt!

A la fin du repas, ils parlèrent affaires. Lia n'appréciait pas vraiment la nourriture à Las Vegas mais il adorait le cognac et les havanes. Cross lui envoyait toujours une caisse de cognac et une boîte de cigares pour la Noël.

— J'ai une mission très délicate à te confier, commença Cross. Quelque chose qui exige finesse et doigté.

— C'est ce qu'il y a de plus difficile.

— Et cela doit se faire dans le domaine de la Sierra. Nous allons emmener quelqu'un là-bas. Je veux qu'il écrive certaines lettres et obtenir de lui un certain renseignement.

Cross sourit en voyant le haussement d'épaules confiant de Lia.

Le Sicilien était toujours amusé de voir dans les films américains le héros ou le méchant refuser obstinément de parler. « Je pourrais les faire parler chinois si je voulais », avait-il coutume de dire.

— La difficulté, précisa Cross, c'est qu'il ne doit y avoir aucune trace sur le corps, ni aucune substance dans son organisme. Et, pour couronner le tout, le type en question est une forte tête.

— Seules les femmes peuvent faire parler un homme avec des caresses, rétorqua Lia avec bonhomie, tout en tirant avec délectation une bouffée de son cigare. J'ai l'impression que tu vas t'impliquer personnellement dans cette affaire.

— Je n'ai pas le choix. Tu prendras tes hommes pour l'opération, mais il faut que femmes et enfants quittent la propriété.

— Ils iront à Disneyland, répondit Lia en agitant son cigare. C'est un don du ciel ce parc. On les envoie à chaque fois là-bas quand il y a du grabuge.

— A Disneyland? répéta Cross, incrédule, avant d'éclater de rire.

— Je n'y ai jamais mis les pieds, précisa Lia. J'aimerais quand même bien voir ça avant de mourir! Cela doit être une communion ou une confirmation?

— Une confirmation, répondit Cross.

Ils entrèrent alors dans le détail des opérations. Cross expliqua son plan à Lia, et le *modus operandi.*

— Qu'est-ce que tu en penses? demanda-t-il après son exposé.

— Tu es plus Sicilien que mon fils et pourtant tu es né en Amérique, répondit Lia. Mais si ton bonhomme résiste et ne veut pas te donner ce que tu veux, qu'est-ce que l'on fait?

— Ce sera ma faute. Et la sienne. Il nous en faudra supporter les conséquences. Sur ce plan, tu vois, la Sicile et l'Amérique sont deux grandes sœurs.

— C'est vrai, concéda Lia. Et c'est pareil en Chine, en Russie ou en Afrique. Comme dit Don Clericuzio, on finit tous un jour ou l'autre au fond de l'océan, bouffé par les poissons.

IX

Eli Marrion, Bobby Bantz, Skippy Deere et Melo Stuart s'étaient réunis en cellule de crise chez le président de la LoddStone. Andrew Pollard avait raconté à Bantz comment Cross comptait faire revenir Athena sur le plateau. Cette information avait été confirmée par Jim Losey, quoiqu'il eût refusé de communiquer ses sources.

— C'est de l'extorsion de fond ! s'indigna Bobby Bantz. Melo, tu es son agent, tu es responsable d'Athena et de tous tes clients. Est-ce à dire qu'à chaque fois que nous serons à mi-tournage d'une grosse production, tes vedettes vont se mettre en grève et réclamer la moitié des bénéfices ?

— Uniquement si tu es assez fou pour céder ! rétorqua Melo Stuart. Laissez ce De Lena jouer à ce petit jeu. Il ne restera pas longtemps dans le métier.

— Justement, Melo, parlons stratégie, intervint Marrion. Si Athena reprend le tournage, toi et ta cliente allez nous dépouiller comme de vulgaires braqueurs de banques. Tu trouves ça normal ?

Tous les autres étaient médusés. Il était exceptionnel que Marrion soit si cinglant, du moins depuis qu'il avait passé la quarantaine. Melo Stuart sentit une bouffée de panique monter en lui.

— Athena ne sait rien de tout ça ! plaida-t-il. Elle me l'aurait dit, sinon.

— Est-ce qu'elle marcherait dans la combine si elle en avait vent ? demanda Skippy Deere.

— Je lui conseillerais d'accepter et lui ferais signer un document annexe où elle s'engagerait à restituer la moitié de l'argent au studio, répondit Stuart.

— Alors sa grande scène de la femme terrorisée ne serait que de la comédie ? s'exclama Bantz. De la pure foutaise ? Et tu rêves Melo ! Tu n'imagines tout de même pas que la LoddStone se contenterait de récupérer la moitié de ce qu'elle toucherait de ce De Lena ? Cet argent nous appartient, de plein droit. Elle pourra peut-être s'assurer une retraite dorée avec De Lena, mais pour elle le cinéma ce sera terminé. Aucun studio ne voudra l'embaucher après un coup comme ça.

— Sauf à l'étranger, répondit Skippy Deere. A l'étranger, ils prendront le risque.

Marrion décrocha le téléphone et tendit l'appareil à Melo Stuart.

— Ayons-en le cœur net ! Appelle Athena. Dis-lui ce que compte faire Cross De Lena et voyons sa réaction.

— Elle a disparu depuis samedi, annonça Deere.

— Elle est revenue, rétorqua Stuart. Ça lui arrive de temps en temps de jouer les filles de l'air pendant le weekend, mais elle revient toujours.

Stuart composa le numéro d'Athena. La conversation fut brève. L'agent raccrocha et esquissa un sourire satisfait.

— Elle ignorait tout de cette offre. Elle a dit que tout l'or du monde ne la ferait pas changer d'avis et qu'elle se contrefichait de sa carrière. — Stuart marqua un moment de silence puis ajouta : — J'aimerais bien rencontrer ce Boz Skannet. Un homme qui peut inciter une actrice à négliger sa carrière ne peut être foncièrement mauvais.

— Alors les jeux sont faits, conclut Marrion. Nous allons minimiser nos pertes, malgré une situation désespérée. Mais c'est dommage. Athena était une grande actrice.

Andrew Pollard avait des instructions précises. Primo informer Bantz des intentions de Cross en ce qui concernait Athena. Secundo, rappeler ses hommes qui surveillaient Skannet. Tertio, aller rendre une petite visite à Skannet et lui faire une offre.

Skannet était en sous-vêtement lorsqu'il fit entrer Pollard dans sa suite du Beverly Hills Hotel. Il empestait l'eau de Cologne.

— Je viens juste de me raser, annonça-t-il. Il y a davantage de parfums dans cet hôtel que dans un bordel !

— Je croyais que vous deviez avoir quitté la ville, lança Pollard d'un ton accusateur.

— Je sais, mais je m'en vais demain, c'est pareil, répondit Skannet en donnant une grande tape dans le dos de Pollard. J'avais encore un ou deux détails à régler ici.

Il avait un sourire malicieux; d'ordinaire son visage d'Indien, son torse imposant auraient impressionné Pollard, mais maintenant qu'il savait que Cross était sur l'affaire, il se surprit à avoir pitié de lui. Il fallait toutefois rester sur ses gardes.

— Miss Aquitane savait que vous ne partiriez pas, dit-il. Le studio n'y comprend rien, mais votre femme croit savoir où vous voulez en venir. Elle aimerait donc vous rencontrer, en tête à tête. Elle pense que tous les deux, seul à seul, vous pourrez trouver un arrangement.

Pollard vit la bouffée de joie éclairer momentanément le visage de Skannet et il sut que Cross avait touché le point sensible. Le pauvre type en pinçait encore pour elle, et il allait gober l'histoire.

— Cela ne ressemble guère à Athena, remarqua Skannet, soudain suspicieux. D'ordinaire, elle ne supporte pas de me voir; je la comprends d'ailleurs, précisa-t-il d'un air hilare. Elle tient à son joli petit minois!

— Elle veut vous faire une offre. Une rente à vie. Un pourcentage sur tout ce qu'elle gagnera jusqu'à la fin de ses jours. Mais elle tient à vous rencontrer en personne, et dans un endroit secret. Elle a autre chose à vous demander.

— Je sais ce qu'elle veut, répondit Skannet, avec une curieuse lueur dans le regard.

Pollard avait vu ce même regard chez des violeurs faussement repentis.

— Le rendez-vous est fixé à sept heures, précisa Pollard. Deux de mes hommes viendront vous chercher pour vous emmener au lieu du rendez-vous. Ils resteront pendant l'entretien pour assurer la sécurité de miss Aquitane. Ce sont deux de mes meilleurs éléments et ils seront armés jusqu'aux dents. Histoire de vous ôter toute idée saugrenue de la tête.

— Ne vous faites pas de soucis, répondit Skannet dans un sourire. Je ne lui ferai rien.

— Parfait, répondit Pollard avant de prendre congé.

Lorsque la porte se referma, Skannet leva le poing vers le ciel. Il allait revoir Athena, en tête à tête, avec seulement deux guignols pour assurer sa protection! C'était elle qui avait organisé la rencontre, personne ne pourrait donc lui reprocher d'avoir violé les ordres du juge.

Skannet passa le reste de la journée à rêver à ses retrouvailles avec Athena. C'était une bonne surprise et selon toute vraisemblance, elle allait faire usage de ses charmes pour tenter d'obtenir ce qu'elle voulait. Il s'étendit sur le lit, s'imaginant déjà dans les bras de sa belle. L'image de son corps s'imposa à lui. Sa peau diaphane, la rondeur de son ventre, de ses seins avec leurs pointes roses, ses yeux d'un vert lumineux, presque surnaturel, sa bouche chaude, délicate, son souffle, ses cheveux de feu prenant une teinte cuivrée sous la lune. Pendant un moment, il fut submergé par une bouffée de son amour d'antan. Il aimait de nouveau son intelligence, son esprit droit et courageux qu'il était parvenu à terroriser. Pour la première fois depuis son adolescence, il se masturba; dans ses pensées Athena venait à lui, le pressait jusqu'au bout de son plaisir. Pendant cet instant d'oubli, il était plein d'amour et de bonheur.

Mais ce moment de félicité s'évanouit bien vite. Il sentit monter en lui une vague de honte au souvenir de son humiliation. Il la détesta de nouveau et eut soudain la certitude que ce rendez-vous était un piège. Que savait-il de ce Pollard, au fond? Skannet se redressa et étudia la carte de visite que Pollard lui avait laissée. Le bureau de la Pacific Ocean Security ne se trouvait qu'à vingt minutes de l'hôtel. Il descendit en trombe dans le hall et un chasseur lui approcha sa voiture.

A son arrivée, Skannet fut impressionné par les dimensions et le luxe des locaux de la société de surveillance. Il traversa le hall et se dirigea vers la réception pour exposer son cas. Un vigile armé l'accompagna jusqu'au bureau de Pollard. Les murs étaient décorés de récompenses émanant de la police de Los Angeles, de diverses associations de sans-abri et autres organisations, dont les boy-scouts des États-Unis. Il y avait même des sortes d'Oscars de cinéma.

Andrew Pollard le regarda avec surprise et une vague inquiétude. Skannet le rassura aussitôt.

— Je voulais simplement vous prévenir, annonça-t-il. J'irai au rendez-vous avec ma propre voiture. Vos hommes monteront avec moi et m'indiqueront le chemin.

Pollard haussa les épaules. Cette affaire ne le concernait plus. Il avait exécuté les ordres.

— Comme vous voudrez, répondit-il. Mais un coup de fil aurait suffi.

Skannet esquissa un sourire malicieux.

— Bien sûr, mais j'avais envie de voir comment vous étiez installés. Et je veux aussi appeler Athena, pour être sûr qu'on ne me mène pas en bateau. J'imagine que vous pouvez la joindre. Si je l'appelle, elle risque de me raccrocher au nez.

— Certainement, répondit Pollard avec amabilité.

Il décrocha le combiné. Il se demandait ce que Skannet avait en tête, et espérait secrètement qu'il allait annuler la rencontre; Pollard serait ainsi, *de facto*, écarté de cette affaire qui ne lui disait rien de bon. Il savait, en outre, qu'il n'aurait pas l'actrice directement au bout du fil.

Il composa le numéro à Malibu et demanda à parler à Athena. Il brancha le haut-parleur pour que Skannet puisse entendre la conversation. Le secrétaire d'Athena lui répondit qu'elle était sortie et ne rentrerait pas avant le lendemain. Pollard raccrocha et leva les yeux vers Skannet. Celui-ci semblait satisfait.

Il avait vu juste! Athena allait se servir de son corps pour assurer son marché avec lui. Les joues tannées de Skannet virèrent au bronze sous l'afflux de sang qui lui montait à la tête; il se revoyait du temps de leur jeunesse, lorsqu'ils étaient fous amoureux l'un de l'autre.

A sept heures du soir, Lia Vazzi arriva au Beverly Hills Hotel, accompagné de l'un de ses hommes de main. Skannet les attendait, prêt à foncer au rendez-vous. Il était vêtu comme un adolescent — un gros blue jean, une chemise de coton délavée, un blouson blanc. Il s'était rasé de près et ses cheveux blonds étaient coiffés en arrière. Sa peau rouge semblait plus pâle que de coutume, son visage plus doux. Vazzi et son compère montrèrent à Skannet leur carte de la Pacific Ocean Security.

Skannet n'était pas impressionné outre mesure. Il avait affaire à deux nains, dont l'un avait un vague accent mexicain, lui sembla-t-il. Il se déferait facilement de ces deux gugusses le moment venu. Ces gardes privés étaient vraiment des rigolos. Il plaignait presque Athena.

— Je crois savoir que vous préférez prendre votre voiture, annonça Vazzi à Skannet. Je monterai avec vous, et mon collègue nous suivra avec la nôtre. Cela vous convient-il ?

— Parfait, répondit Skannet.

Au sortir de l'ascenseur, les trois hommes tombèrent sur Jim Losey. Le policier attendait dans le hall, assis sur un canapé et était venu à leur rencontre, poussé par une impulsion subite. Il était passé à l'hôtel jeter un coup d'œil sur Skannet, à tout hasard. Il leur brandit sous le nez sa plaque.

— Qu'est-ce que vous voulez ? lança Skannet en regardant la carte de Losey.

— Qui sont ces deux hommes ? demanda le policier.

— En quoi cela vous regarde ? rétorqua Skannet.

Lia et son compère restèrent silencieux, laissant Jim Losey les dévisager de la tête aux pieds.

— J'aimerais avoir une petite conversation avec vous en privé, annonça Losey.

Pour toute réponse, Skannet voulut pousser Losey sur le côté. L'inspecteur lui saisit aussitôt le bras. Les deux hommes étaient de grands gabarits.

— La plainte a été retirée, lança Skannet d'un ton rageur. Je n'ai rien à vous dire. Et si vous ne me lâchez pas dans la seconde je vous réduis en bouillie.

Losey libéra Skannet. Il n'était en rien intimidé par cet accès de colère, mais son esprit était en ébullition. Les deux hommes qui accompagnaient Skannet avaient un air étrange ; il se passait quelque chose de pas catholique. Il fit un pas de côté et les suivit jusqu'au porche où les chasseurs menaient les voitures des clients de l'hôtel. Il vit Skannet monter dans son véhicule, en compagnie de Vazzi. L'autre homme disparut de sa vue. Losey attendit un moment, pour savoir si une autre voiture allait quitter le parking, mais il n'y en eut aucune.

Il était inutile de suivre Skannet, et Losey n'avait aucun motif pour lancer des voitures de patrouille à sa poursuite. Il se demanda un moment s'il devait raconter cet incident à Deere et choisit de ne rien dire. Une chose était sûre : au moindre faux pas, Skannet allait regretter amèrement son coup d'éclat d'aujourd'hui.

⁂

Le trajet était long; Skannet ne cessa de se plaindre et de poser des questions, menaçant plusieurs fois de faire demi-tour. Mais Lia Vazzi sut se montrer rassurant. Le rendez-vous avait lieu dans un pavillon de chasse qu'Athena avait acheté dans la Sierra Nevada; ils allaient passer la nuit là-bas. Elle voulait que leur rencontre reste secrète pour qu'ils puissent résoudre le problème en toute sérénité. Ces paroles restèrent vaguement énigmatiques pour Skannet. Il ne voyait pas comment elle pourrait dissiper une haine ancrée chez lui depuis plus de dix ans. Elle n'était tout de même pas stupide au point de croire qu'une partie de jambes en l'air et une liasse de billets suffiraient à l'amadouer. Tout n'était pas aussi simple. Il avait toujours admiré son intelligence, mais peut-être était-elle devenue une de ces actrices arrogantes et prétentieuses qui pensaient pouvoir tout acheter avec leur corps et leur argent. Le souvenir de sa beauté le hantait encore. Enfin, après toutes ces années, elle allait de nouveau lui sourire, le séduire, et se donner à lui. Peu importe ce qu'il adviendrait ensuite, il aurait sa nuit d'amour.

Lia Vazzi n'était pas impressionné par les menaces de Skannet. Il pouvait faire demi-tour si le cœur lui en disait. Vazzi avait trois voitures d'escorte derrière lui et ses ordres étaient clairs. En dernier recours, il pouvait se contenter de tuer Skannet. Le problème, c'est que l'on ne devait retrouver aucune trace de coup sur le corps.

Ils franchirent enfin les portes de la propriété; Skannet fut surpris par la taille de la maison de chasse qui ressemblait davantage à un petit manoir. Il sortit de la voiture et s'étira. Il y avait cinq ou six voitures garées dans l'allée. Ce détail fit naître en lui une bouffée d'inquiétude.

Vazzi l'entraîna vers le perron et ouvrit la porte. A cet instant, Skannet entendit d'autres véhicules arriver dans la propriété. Il se retourna, croyant apercevoir Athena. Il s'agissait de trois voitures occupées chacune par deux hommes. Lia lui fit traverser le hall et le conduisit dans le salon flanqué d'une énorme cheminée. Un homme l'attendait, assis dans le canapé. Un inconnu. C'était Cross De Lena.

Tout se passa très vite.

— Où est Athena? lâcha Skannet avec fureur, tandis que deux hommes lui saisissaient les bras et que deux autres lui pressaient des pistolets sur la tempe.

Dans la seconde Lia Vazzi, qui avait paru jusque-là inoffensif, lui tira les jambes en arrière et Skannet s'écroula au sol, face contre terre.

— Si tu ne fais pas ce qu'on te dit à la lettre, tu es mort. Alors ne bouge pas. Tais-toi et écoute.

Un autre comparse ficela les pieds de Skannet et on le remit debout, face à Cross. Skannet fut surpris de se sentir aussi impuissant, lorsque les hommes le relâchèrent. Avec ses chevilles entravées, il semblait avoir perdu toutes ses facultés physiques. Il tenta, pour la forme, de donner un coup de poing au nabot qui l'avait emmené ici; mais Vazzi recula d'un pas, et Skannet, emporté dans son élan, manqua de perdre l'équilibre.

— On sait que tu es un violent, lança Vazzi en le contemplant avec mépris. Mais il est temps de faire marcher tes méninges. La force ne te sert à rien ici...

Skannet sembla sensible au conseil. Ses pensées se bousculaient dans sa tête. S'ils avaient voulu le tuer, ils l'auraient déjà fait. Il avait donc affaire à une sorte de tentative d'intimidation. On attendait quelque chose de lui. Très bien, il allait leur donner ce qu'ils voulaient et ferait davantage attention à l'avenir. Un point était évident : Athena n'avait rien à voir dans cette histoire. Il détourna les yeux de Vazzi et reporta son attention sur l'homme assis dans le canapé.

— Qui êtes-vous?

— J'ai deux ou trois petites choses à te demander; tu pourras ensuite rentrer chez toi.

— Et si je refuse, vous allez me passer à tabac, c'est ça? lança Skannet dans un éclat de rire.

Il avait l'impression d'être au cinéma, de se retrouver dans un mauvais film de série B.

— Non, répondit Cross. Il n'y aura aucun passage à tabac. Personne ne va te toucher. Je veux simplement que tu t'asseyes à cette table et que tu m'écrives quatre petites lettres. Une pour la LoddStone dans laquelle tu vas promettre de ne plus t'approcher de leur plateau. Une pour

Athena Aquitane où tu vas t'excuser de ta conduite et jurer ne plus jamais lui causer d'ennui. Une autre pour la police, où tu vas reconnaître que tu comptais réellement utiliser de l'acide lors de ta prochaine attaque et une dernière pour moi, où tu vas me révéler le secret que tu détiens sur miss Aquitane. C'est tout.

Skannet voulut sauter sur Cross mais un homme le projeta en arrière et Skannet acheva son vol sur le canapé opposé.

— Ne le touche pas ! ordonna Cross.

Skannet se redressa laborieusement. Cross désigna le petit bureau où trônait un bloc à lettres.

— Où est Athena ? insista Skannet.

— Elle n'est pas ici, répondit Cross. Dehors tout le monde ! lança-t-il à ses hommes, sauf Lia.

L'équipe vida rapidement les lieux.

— Va t'asseoir au bureau, ordonna Cross.

Skannet obtempéra.

— Je vais remettre tout de suite les pendules à l'heure, annonça Cross. Cesse de jouer les durs et fais ce qu'on te dit. Pas de geste inconsidéré. Tu as peut-être les mains libres mais ne te fais pas d'illusions. Écris gentiment ces lettres et tu seras libre.

— Allez vous faire foutre !

Cross se tourna vers Vazzi.

— Inutile de perdre notre temps. Tue-le, annonça-t-il.

Sa voix était calme et posée, et c'est ce parfait détachement qui fut le plus terrifiant. Pour la première fois de sa vie d'adulte, Skannet sentit une peur panique l'envahir. Il comprit soudain la raison de la présence de tous ces hommes dans la propriété, de tout ce déploiement de forces dirigé contre lui.

— Ça va, ça va ! s'empressa-t-il de répondre, avant même que Vazzi eût fait le moindre mouvement. Je vais les écrire ces lettres !

Il prit une feuille de papier et le stylo. Par ruse et malice, il se mit à écrire de la main gauche — comme la plupart des athlètes complets, Skannet était ambidextre et pouvait écrire presque aussi bien de l'une ou l'autre main. Cross se plaça derrière lui pour surveiller le travail. Skannet, honteux d'avoir cédé, rassembla ses muscles ; sûr de son adresse physique, il saisit le stylo dans sa main droite et bondit sur Cross, espérant lui crever un œil. En un instant, tout son corps se détendit, son bras levé au-dessus de lui, son tronc jaillissant de sa chaise, et pourtant Cross, d'un simple pas de côté, esquiva facilement le coup. Mais Skannet essayait encore, sautillant sur place.

Cross le regarda en silence.

— Tout le monde se doit de tenter sa chance une fois, concéda-t-il. C'est humain. Maintenant que c'est fait, pose ce stylo et donne-moi ces lettres.

Skannet s'exécuta.

— Tu ne m'as pas dit le secret, précisa Cross après avoir parcouru du regard les feuilles manuscrites.

— Je ne veux pas mettre ça sur le papier. Faites sortir votre gars et je vous le dis, répondit-il en désignant Vazzi du doigt.

Cross tendit les lettres à Vazzi.

— Tiens, va les mettre en lieu sûr.

Vazzi sortit de la pièce.

— Très bien, annonça Cross. Raconte-moi maintenant ce grand secret.

Lia Vazzi quitta la propriété et courut vers le bungalow de Leonard Sossa qui se trouvait à une centaine de mètres de là. Sossa attendait les documents. Il examina les deux feuilles de papier.

— C'est écrit de la main gauche, remarqua-t-il. Je ne sais pas imiter les gauchers. Cross le sait pourtant.

— Tu es sûr ? Il a pourtant essayé de planter Cross en tenant le stylo de la main droite.

Sossa étudia de nouveau les feuilles manuscrites.

— Tu as raison, reconnut-il. Ce type n'est pas un vrai gaucher. Il a essayé de vous blouser.

Lia Vazzi reprit les lettres et retourna dans le pavillon de chasse. En arrivant dans le salon, il sut tout de suite, en voyant l'expression de Cross, qu'il s'était passé quelque chose. Cross avait l'air abasourdi et Skannet était étendu sur le canapé, les pieds entravés posés sur l'accoudoir, l'air hilare.

— Ces lettres ne sont pas bonnes, annonça Vazzi. Il les a écrites de la main gauche et le graphologue dit qu'il est droitier.

Cross se retourna vers Skannet.

— Décidément, tu es trop fort pour moi. Je n'arrive pas à t'intimider et tu ne fais pas ce que je te demande. J'abandonne.

Skannet se leva.

— Tout ce que je vous ai dit est vrai, lança-t-il avec malignité. Tout le monde tombe amoureux d'Athena, mais il n'y a que moi qui la connaisse vraiment.

— Non, tu ne sais rien d'elle, rétorqua Cross, et rien de moi non plus.

Il alla à la porte et fit un signe. Quatre hommes accoururent aussitôt dans la pièce.

Cross se tourna vers Vazzi.

— Tu sais ce que je veux. S'il ne cède pas, débarrasse-toi de lui et n'en parlons plus, lâcha-t-il avant de quitter le salon.

Lia Vazzi poussa un soupir de satisfaction. Il admirait Cross; cela faisait des années qu'il était heureux de servir sous ses ordres, mais Cross était décidément trop patient. Certes, les grands parrains en Sicile montraient des prodiges de patience mais ils savaient dire stop quand il le fallait. Il y avait chez Cross une sorte de mollesse tout américaine qui l'empêcherait d'être un grand parmi les grands.

Vazzi se tourna vers Skannet et annonça d'une voix doucereuse :

— A nous deux, maintenant. — Puis il s'adressa aux quatre hommes — Tenez-lui les bras, mais doucement. Sans l'amocher.

Les quatre hommes s'emparèrent de Skannet. L'un d'eux sortit une paire de menottes et lui attacha les poignets dans le dos. La seconde suivante, Skannet était totalement sans défense. Vazzi le fit s'agenouiller au sol, et ses comparses le tinrent en place.

— La petite comédie a assez duré, commença-t-il. — Son corps sec et nerveux parut gagner une nouvelle sérénité, sa voix était posée, son ton conventionnel — Tu as deux solutions : soit tu écris ces lettres de la main droite, soit tu refuses.

L'un des hommes donna à Vazzi un gros revolver et une

boîte de munitions. Vazzi chargea l'arme, en montrant une à une les petites ogives avant de les glisser dans le barillet. Il se dirigea vers la fenêtre, tira les six balles dans les frondaisons, puis revint vers Skannet. Il chargea de nouveau l'arme, mais avec une seule cartouche cette fois. Il fit tourner le barillet et plaqua le canon sous le nez de Skannet.

— Je ne sais pas où se trouve la balle, annonça-t-il. Toi non plus. Si tu refuses d'écrire ces lettres, j'appuie sur la détente. Alors ? C'est oui ou non ?

Skannet soutint le regard de Vazzi sans répondre. Vazzi referma l'index sur la gâchette et tira. Il y eut le clic du chien percutant une chambre vide. Le Sicilien hocha la tête.

— Je serrais le ventre pour toi, annonça-t-il.

Il regarda le barillet et plaça la balle dans la première chambre. Il retourna à la fenêtre et fit feu. La déflagration fit trembler les murs de la pièce. Vazzi revint vers Skannet, glissa un autre balle et fit de nouveau tourner le barillet.

— On y retourne, reprit-il en plaquant le revolver sous le menton de Skannet.

Cette fois, le malheureux céda.

— Rappelle ton patron, articula-t-il. J'ai encore une ou deux choses à lui dire.

— Non. Fini les enfantillages. C'est oui ou c'est non.

Skannet vrilla de nouveau son regard dans celui de Vazzi et ne vit dans les yeux de l'homme aucune menace, mais un vague regret.

— C'est bon, lâcha Skannet. Je vais écrire.

On le transporta aussitôt sur la chaise du bureau. Lia s'installa sur le canapé tandis que Skannet s'acquittait de ses écritures. Une fois le travail achevé, il prit les feuilles des mains de Skannet et se rendit dans le bungalow de Sossa.

— Ça te va, cette fois ?

— C'est parfait, répondit Sossa.

Vazzi alla annoncer la nouvelle à Cross, puis retourna dans le salon.

— C'est fini, expliqua-t-il. Je te ramène à L.A. dans quelques minutes.

Vazzi accompagna ensuite Cross jusqu'à sa voiture.

— Tu sais ce que tu as à faire, dit Cross. Attends jusqu'à demain matin, je serai rentré à Las Vegas d'ici là.

— Ne te fais pas de souci. J'ai cru qu'il n'écrirait jamais,

le bougre ! — Voyant la mine préoccupée de Cross, il ajouta :
— Qu'est-ce qu'il t'a dit quand je n'étais pas là ? Quelque chose que je devrais savoir ?

— J'aurais dû l'abattre comme un chien ! se contenta de lâcher Cross avec une violence qui ne lui était pas coutumière. J'aurais dû prendre ce risque. Parfois, je me hais d'être aussi prudent.

— Bah, tout est fini, maintenant.

Vazzi regarda la voiture de Cross passer le portail de la propriété. L'espace d'un instant, il regretta la Sicile. Là-bas, aucune femme n'avait de secrets aussi terribles à cacher. Là-bas, toute cette histoire ne se serait jamais produite et Skannet servirait de pâture aux poissons depuis bien longtemps.

A l'aube, une camionnette se gara devant le pavillon de chasse.

Lia Vazzi récupéra les lettres de suicide qu'avait rédigées Sossa et fit monter le faussaire dans la voiture qui devait le ramener dans le Topanga Canyon. Vazzi nettoya le bungalow, brûla les lettres de Skannet et effaça toute trace de leur présence sur les lieux. Leonard Sossa n'aurait vu ni Skannet ni Cross durant son séjour dans la Sierra Nevada.

Vazzi s'occupa ensuite des préparatifs pour l'exécution de Skannet.

Six hommes étaient impliqués dans l'opération. Ils avaient bâillonné Skannet et placé un bandeau sur ses yeux, avant de le faire monter dans la fourgonnette. Deux hommes prirent place avec lui à l'arrière. Skannet était pieds et mains liés, totalement neutralisé. A l'avant, deux autres hommes, un conducteur et un comparse jouant les co-pilotes. Un cinquième compère conduisait la voiture de Skannet, tandis que Lia Vazzi et le dernier membre de l'équipe ouvraient le convoi dans une autre voiture.

Vazzi contemplait le soleil s'élever lentement derrière les montagnes. La procession parcourut environ cent kilomètres avant de s'enfoncer dans les bois.

Au bout d'un moment, les voitures s'arrêtèrent. Vazzi fit garer le véhicule de Skannet sur le bas-côté de la route, puis ordonna que l'on sorte le prisonnier du fourgon. Skannet ne montra aucune résistance, il semblait avoir accepté son sort, ayant sans doute compris où ils voulaient en venir.

Vazzi sortit alors une corde du coffre d'une voiture. Il en mesura soigneusement la longueur et en noua l'extrémité à une grosse branche. Deux hommes mirent Skannet sur pied pour que Vazzi puisse passer le nœud coulant autour du cou de sa victime. Il sortit ensuite les deux lettres de suicide rédigées par Sossa et les glissa dans la poche du blouson de Skannet.

Il fallut quatre hommes pour hisser Skannet sur le toit de la fourgonnette, puis Vazzi fit un signe au chauffeur. Le véhicule avança brusquement et Skannet tomba du toit et s'immobilisa dans l'air. Le craquement des vertèbres cervicales résonna dans les frondaisons. Vazzi inspecta le cadavre, retira les menottes et les entraves des chevilles. On ôta le bâillon et le bandeau. Il y avait quelques rougeurs autour des lèvres mais après un jour ou deux à se balancer au bout d'une corde, il n'en resterait plus une trace. Vazzi inspecta les avant-bras et les chevilles, à la recherche d'éventuels hématomes; quelques petites marques, certes, mais rien de probant. Vazzi était satisfait. Il ignorait si on allait croire à cette mise en scène, mais les ordres de Cross avaient été suivis à la lettre.

Deux jours plus tard, alerté par un appel anonyme, le shérif du comté découvrit le cadavre de Skannet. Il dut chasser un ours brun curieux qui donnait des coups de pattes contre la corde, faisant osciller le corps d'avant en arrière. Lorsque le coroner arriva sur les lieux, ils s'aperçurent que la chair pourrissante était déjà infestée d'insectes.

Sixième partie

Une mort
à Hollywood

X

Dix postérieurs de femmes se dandinaient en cadence devant l'œil luisant d'une caméra. Bien que le tournage du film fût en déroute, Dita Tommey continuait à auditionner des actrices pour *Messalina*. Elle cherchait une doublure pour les fesses d'Athena Aquitane.

Athena refusait de tourner nue — pas question pour elle de montrer la pointe de ses seins ou le galbe de ses fesses. Une coquetterie curieuse de la part d'une star, mais nullement rédhibitoire. Dita les substituerait simplement par les seins et fesses des actrices qu'elle auditionnait.

Bien entendu, elle tournerait avec ces comédiennes de vraies scènes dialoguées; elle n'allait pas leur demander de poser nues comme dans un vulgaire film porno. Mais leur prestation déterminante serait la scène de sexe, lorsqu'elles rouleraient sur les draps, offrant leurs fesses à l'œil de la caméra — le chorégraphe des scènes d'amour devant régler le ballet de leurs ondulations avec Steven Stallings, la vedette masculine.

Au côté de Dita, se trouvaient Bobby Bantz et Skippy Deere. Les seules autres personnes admises sur le plateau étant les membres indispensables de l'équipe de tournage. La présence de Deere ne gênait pas Dita outre mesure, mais Bobby Bantz n'avait rien à faire ici. Elle avait envisagé un instant de le chasser du plateau, mais si *Messalina* ne se faisait pas, elle risquait de se trouver dans une situation délicate. Dita avait donc tout intérêt à faire preuve de diplomatie.

— Qu'est-ce que l'on cherche, exactement? demanda Bantz avec irritation.

Le chorégraphe des scènes de lit, un jeune homme nommé Willis, directeur de la Los Angeles Ballet Company, lui répondit avec enthousiasme.

— Le plus beau cul du monde ! Mais aussi les plus beaux muscles. On ne veut pas de chair flasque, ni de raie ouverte.

— C'est ça, répondit Bobby Bantz. Rien de mou.

— Et pour les nichons ? s'enquit Skippy Deere.

— Il faut qu'ils soient fermes et ne ballottent pas.

— On auditionne les seins demain, précisa Dita Tommey. Aucune femme n'a, à la fois, des seins parfaits et un cul parfait, c'est l'un ou l'autre ; la seule exception, c'est peut-être Athena, mais elle ne veut pas les montrer !

— Tu dois les avoir vus, toi, n'est-ce pas ? lança Bantz d'un air cauteleux.

Dita oublia momentanément la diplomatie.

— Bobby, tu n'es qu'un connard ! Pour la simple raison qu'elle n'a pas voulu coucher avec toi, tu pars du principe qu'elle est lesbienne !

— Ça va, ça va, répondit Bantz. Je vous laisse, j'ai des centaines de coups de fil à passer.

— Moi aussi, renchérit Skippy.

— A qui vous espérez faire croire ça ? rétorqua Dita Tommey.

— Tu pourrais tout de même montrer un peu de compassion à notre égard ! s'indigna Skippy Deere. Bobby et moi, on n'a pas tant de distractions. On n'arrive pas même à trouver un moment pour jouer au golf ! Voir des films est un boulot à plein temps. Pas de théâtre pour nous, ni d'opéra ! On parvient parfois à voler une heure par-ci par-là après avoir fait notre devoir de présence dans nos familles. Qu'est-ce que tu veux faire pendant une heure, sinon baiser un coup ? C'est le passe-temps le moins éprouvant intellectuellement.

— Ouah ! Skippy ! Regarde ça ! s'exclama soudain Bobby Bantz. C'est le plus beau cul que j'ai jamais vu de ma vie !

Deere ouvrit la bouche d'un air ébahi.

— Bobby a raison. C'est le cul qu'il nous faut, Dita ! Embauche-la.

Dita Tommey secoua la tête avec incrédulité.

— Nom de Dieu, vous êtes crétins ou quoi ? Vous ne voyez pas que c'est une Noire !

— On s'en fiche. Embauche-la quand même ! insista Deere avec exubérance.

— C'est ça, approuva Bobby Bantz. Elle jouera une esclave éthiopienne dans *Messalina*. Mais pourquoi diable s'est-elle présentée à cette audition ?

Dita contempla Bantz et Deere avec curiosité. C'était les deux hommes peut-être les plus importants de Hollywood, recevant plus de cent appels téléphoniques par jour, et ils étaient comme deux gamins cherchant leur dépucelage.

— Lorsqu'on a appelé les sociétés de casting, nous n'avons pas précisé que nous voulions uniquement des fesses de Blanches. On aurait eu encore toutes les ligues antiracistes sur le dos !

— Je veux absolument rencontrer cette fille, insista Bantz.

— Moi aussi ! renchérit Deere.

Mais ce bel enthousiasme fut interrompu par l'irruption de Melo Stuart sur le plateau.

— C'est fini ! Nous pouvons tous retourner au travail ! lança-t-il d'un air triomphant. Athena reprend *Messalina*. Son mari vient de se pendre. Boz Skannet quitte les planches !

Il se mit à applaudir, comme on le fait lorsqu'un acteur vient de tourner son dernier plan sur un film. Skippy et Bobby l'imitèrent. Dita Tommey leur jeta un regard chargé de dégoût.

— Eli veut vous voir tous les deux sur-le-champ, annonça l'agent d'Athena. Pas toi Dita, précisa-t-il avec un sourire affable. Il s'agit d'une réunion strictement d'affaires, rien d'artistique ne sera évoqué.

Une fois que les trois hommes eurent quitté le plateau, Dita Tommey convoqua dans sa caravane la fille au postérieur sculptural. Elle était très belle, avec une peau d'ébène, et une lueur impudente dans le regard — une effronterie naturelle que Dita jugeait bien plus envoûtante que ces poses affectées qu'affectionnaient d'ordinaire les actrices.

— Je vais vous donner le rôle d'une esclave éthiopienne sur *Messalina*, annonça Dita. Vous aurez une seule ligne de dialogue mais on filmera votre cul sur toutes les coutures.

Nous cherchons un cul de Blanche pour doubler Athena Aquitane ; c'est dommage que le vôtre soit si noir, parce qu'autrement, vous lui auriez volé la vedette ! précisa-t-elle en lui lançant un sourire amical. Vous vous appelez Falene Fant. Ça sonne bien. C'est déjà un nom de star.

— Une ligne, c'est déjà ça, répondit la fille. Merci de toutes façons ; pour le compliment et pour le rôle.

— Une chose encore, reprit Dita. Skippy Deere, le producteur, trouve que vous avez le plus beau cul du monde. Ainsi que Bobby Bantz, le directeur de la LoddStone. Vous n'allez donc pas tarder à avoir de leurs nouvelles.

Falene Fant esquissa un sourire malicieux.

— Qu'est-ce que vous me conseillez ? demanda-t-elle.

Dita Tommey haussa les épaules.

— Je ne suis pas obsédée par les culs comme les hommes. Mais je vous trouve charmante et pleine de talent. Au point que je crois pouvoir vous donner davantage qu'une seule ligne de dialogue sur ce film. Venez chez moi ce soir, on en reparlera. Je vous ferai à dîner.

Ce soir-là, après que les deux femmes eurent passé deux heures au lit, Dita Tommey prépara le dîner et parla de la carrière future de Falene Fant.

— C'était très bien, annonça Dita, mais je crois que nous devrions rester simplement amies désormais et garder notre petite nuit secrète.

— Pas de problème, répondit Falene, mais tout le monde sait que vous êtes gouine. C'est mon cul de négresse qui coince aux entournures ? lança-t-elle avec un sourire torve

Dita ignora le mot « gouine ». L'impudence était délibérée ; Falene avait, à l'évidence, mal pris le désir de discrétion de la réalisatrice.

— Un cul est un cul, qu'il soit noir blanc vert ou jaune ! protesta Dita. Mais tu as un réel talent. Si tu ne tournes qu'avec moi, ça desservira ta carrière. De plus, je ne fais qu'un film tous les deux ans. Il faut que tu travailles davantage. Or la plupart des réalisateurs sont des hommes et lorsqu'ils engagent une fille roulée comme toi, ils espèrent bien une petite partie de jambes en l'air. S'ils s'imaginent que tu es gouine, ils risquent d'en choisir une autre.

— Peu importe les réalisateurs, si j'ai dans ma poche le

producteur et le directeur de la LoddStone, lança Falene avec malice.

— Détrompe-toi! Deere et Bantz sont capables de te mettre le pied à l'étrier, mais le réalisateur peut toujours te faire sauter au montage. Ou alors te filmer de telle sorte que tu passes pour une godiche.

Falene secoua la tête d'un air dépité.

— Je dois donc coucher avec Bobby Bantz et Skippy Deere, comme j'ai couché avec toi. C'est vraiment nécessaire? demanda-t-elle en ouvrant de grands yeux.

Dita eut une bouffée de tendresse pour la jeune femme. Enfin une actrice qui ne jouait pas les saintes nitouches offensées.

— C'était très agréable ce soir, confia Dita. Tu es une experte.

— Je n'ai jamais compris pourquoi les gens font un tel ramdam autour du sexe, répondit Falene. Ce n'est pas une corvée pour moi, au contraire. Je ne touche ni à la drogue, ni à l'alcool. Alors je m'accorde un peu de bon temps...

— C'est très bien. Maintenant, un petit mot sur Deere et Bantz. Deere est, à mon sens, le meilleur parti. Deere est amoureux de lui-même mais il aime les femmes. Il fera quelque chose pour toi, j'en suis sûre. Il te trouvera de vrais rôles, il est assez intelligent pour se rendre compte de ton talent. Bantz, en revanche, n'aime personne hormis Eli Marrion. Il n'a aucun goût, et encore moins l'œil pour reconnaître le vrai talent. Bantz te fera signer un contrat avec le studio et te laissera au placard. Il a fait ça avec sa femme pour avoir la paix. Elle a touché une fortune, mais n'a jamais eu un rôle digne de ce nom. Alors que si tu plais à Skippy Deere, il t'aidera dans ta carrière.

— Cela fait un peu froid dans le dos, frémit Falene.

Dita lui tapota le bras.

— N'en rajoute pas. Je suis peut-être une gouine, mais je suis avant tout une femme. Et je connais les acteurs. Ils sont prêts, homme comme femme, à faire n'importe quoi pour être en haut de l'affiche. Tout le monde cherche la gloire. Tu veux finir employée des postes dans l'Oklahoma ou devenir une star et vivre à Malibu? Sur ta fiche, il est dit que tu as vingt-trois ans. Combien de types t'es-tu envoyés jusqu'à maintenant?

— Je ne sais pas ; je n'ai pas compté. Cinquante, peut-être. Mais c'était pour le plaisir, uniquement, s'excusa-t-elle avec un demi-sourire.

— Quelque-uns de plus ne te traumatiseront pas à vie, lança Dita. Et ce sera peut-être plaisant, va savoir ?

— Tu sais, s'il n'y avait pas en moi cette conviction de devenir un jour une star, je ne ferais jamais ça.

— Bien sûr. C'est le cas de nous tous ici.

— Et toi, demanda Falene en riant. Comment tu as fait ?

— Je n'avais pas le choix. Il a fallu que je fasse preuve derrière la caméra d'un talent hors du commun.

— Comme je te plains !

Au siège de la LoddStone, Bobby Bantz, Skippy Deere et Melo Stuart étaient réunis dans le bureau d'Eli Marrion. Bantz fulminait.

— Quel abruti ! Il terrorise tout le monde et puis il se suicide.

— J'imagine, Melo, que ta cliente reprend le tournage, demanda Marrion.

— Bien entendu, répondit l'agent.

— Elle n'a pas d'autres exigences financières par hasard ? s'enquit Marrion d'une voix de glace.

— Non, répondit Melo, notant pour la première fois la fureur du président de la LoddStone. Elle est prête à reprendre le tournage dès demain matin.

— Parfait, lança Deere. En jouant bien le coup, on peut encore tenir le budget.

— Fermez donc vos grandes gueules et écoutez-moi ! s'écria Marrion.

Jamais on ne l'avait entendu s'exprimer ainsi ; tous firent silence dans la seconde. Marrion parla d'une voix posée comme à son habitude, mais sa colère était évidente.

— Skippy, que le film dépasse ou non le budget, on n'en a rien à fiche. Je te rappelle qu'il ne nous appartient plus. Nous avons paniqué et avons commis une erreur stupide. Nous tous ici. Nous nous sommes fait doubler au poteau par un outsider.

Skippy Deere voulut intervenir :

— La LoddStone va se faire une fortune avec les droits de distribution. Et vous avez encore un pourcentage sur les recettes. Cela reste une bonne affaire.

— Peut-être, mais ce De Lena va gagner bien plus d'argent que nous, rétorqua Bantz. Ce n'est pas normal !

— De Lena n'a effectivement rien fait pour sauver le film, renchérit Marrion. Le studio pourrait sans doute faire prévaloir ses droits pour récupérer la propriété du film.

— C'est vrai, reprit Bantz. On l'emmerde ce type. Fichons-lui un procès au cul !

— Nous allons le menacer de le poursuivre en justice, annonça Marrion, et nous conclurons un accord avec lui. Nous lui restituerons sa mise avec, en prime, 10 p. 100 sur les bénéfices.

Skippy Deere éclata de rire.

— Allons Eli, Molly ne le laissera jamais accepter un tel marché.

— Nous négocierons directement avec De Lena, précisa Marrion. Je crois que je saurai lui faire entendre raison. — Il marqua un moment de silence, puis reprit : — Je lui ai téléphoné dès que j'ai appris la nouvelle. Il va arriver sous peu. Vous savez qu'on raconte des choses plus ou moins louches sur lui. Ce suicide tombe un peu trop à pic et je doute qu'il ait très envie qu'on s'intéresse de près à son cas.

Cross De Lena, dans sa suite du dernier étage du Xanadu, lut dans le journal l'annonce de la mort de Skannet. L'opération était une réussite. Personne ne remettait en cause la thèse du suicide, grâce, notamment, aux deux lettres d'adieux trouvées sur sa dépouille. Aucun expert en graphologie n'aurait pu détecter la contrefaçon — Boz Skannet n'avait guère rédigé de documents manuscrits durant sa vie et Leonard Sossa était un orfèvre en la matière. En outre, les entraves à ses chevilles et à ses poignets, suffisamment lâches, n'avaient laissé aucune trace. Lia Vazzi avait encore fait des prodiges.

Le premier appel que reçut Cross était prévisible. Giorgio Clericuzio le convoquait à Quogue, pour une entrevue dans la demeure familiale. Cross savait que les Clericuzio ne seraient pas dupes.

Le second appel fut d'Eli Marrion. Il lui demandait de se rendre au studio, à Los Angeles, sans son avocate. Cross accepta. Mais avant de quitter Las Vegas, il appela Molly Flanders et l'informa du coup de fil de Marrion. Elle vit aussitôt tout rouge.

— Quelle bande de salauds, lança-t-elle. Je viendrai vous prendre à l'aéroport et nous irons ensemble à la LoddStone. Ne passez jamais la porte d'un studio, même pour dire bonjour, sans être accompagné d'un avocat !

Lorsqu'ils entrèrent dans le bureau d'Eli Marrion, ils surent aussitôt que des problèmes pointaient à l'horizon. Les quatre hommes qui les attendaient avaient le regard noir de combattants prêts au bras de fer.

— J'ai décidé finalement de venir avec mon avocate, annonça Cross à Marrion. J'espère que cela ne vous dérange pas ?

— Pas le moins du monde, répondit Marrion. Je voulais simplement vous éviter des tracas peut-être superflus.

— Je sens que l'on va bien s'amuser, rétorqua Molly, le visage fermé, l'œil étincelant de fureur. Vous voulez récupérer le film mais notre contrat est en béton.

— C'est exact, concéda Marrion. Mais nous faisons appel au sens de l'équité de Cross. Il n'a rien fait pour solutionner le problème, alors que la LoddStone a investi du temps, de l'argent et une somme considérable d'énergie créatrice pour mener à bien ce projet. Sans ce travail de notre part, le film ne serait pas ce qu'il est. Aussi, nous proposons à Cross de récupérer son argent, ainsi que 10 p. 100 des recettes nettes et nous nous montrerons généreux sur le calcul du net. Il n'y aura pas de mauvaises surprises. Aucun risque pour lui.

— Pour l'instant, c'est lui qui a su prendre tous les risques, rétorqua Molly Flanders. Votre offre est inacceptable.

— Alors nous irons devant les tribunaux, annonça Marrion. Je suis sûr que Cross n'a pas plus envie que nous d'aller en justice, ajouta-t-il en lui lançant un sourire qui donnait à son visage de gorille un air angélique.

Molly Flanders vira au rouge.

— Eli, on te voit devant les tribunaux vingt fois par an, parce que tu passes ton temps à tenter ce genre d'arnaques, ça suffit. — Elle se tourna vers Cross — Allons-nous-en !

Mais Cross ne pouvait se permettre d'intenter un long et fastidieux procès. Son arrivée sur le film et la mort miraculeuse de Skannet allaient attirer l'attention. On commencerait à enquêter; on risquait de faire de lui un personnage un peu trop public et Don Clericuzio détestait ça. Marrion l'avait bien compris.

— Discutons encore un peu, répondit Cross avant de faire face à Marrion, Bantz, Deere et Stuart. Si un joueur vient dans mon casino et gagne une fortune, je lui paie ce qui lui revient. Je ne commence pas à négocier un rabais. Or c'est ce que vous faites, messieurs. Vous ne trouvez pas cela pour le moins curieux?

— Il s'agit d'affaires, ici, pas de machines à sous! lança Bantz avec mépris.

— Vous pourrez gagner, au bas mot, dix millions de dollars sur votre investissement, intervint Melo Stuart pour calmer les esprits. C'est plus qu'une bonne affaire.

— Sans même lever le petit doigt! renchérit Bantz.

Seul Skippy Deere semblait du côté de Cross.

— Tu mérites davantage, Cross. Mais il vaut mieux accepter leur offre que d'aller se battre en justice, même dans l'hypothèse où tu gagnes le procès. Acceptes leur marché et je te promets que nous ferons affaire tous les deux, sans passer par le studio. Et que ta part sera équitable cette fois.

Il était essentiel de ne pas proférer de menaces. Cross esquissa donc un sourire résigné.

— Tu as peut-être raison, répondit-il. Je veux rester à Hollywood en bons termes avec tout le monde, et dix millions de bénéfices, ce n'est pas si mal pour un premier essai dans la production. — Il se tourna vers Molly — Occupez-vous du contrat. Je dois maintenant vous quitter, j'ai un avion à prendre.

Il sortit de la pièce, suivi par Molly Flanders.

— On peut gagner au tribunal, insista-t-elle.

— Je ne veux pas de procès. On fait affaire comme ça.

L'avocate l'observa un moment en silence, puis lança :

— Entendu, mais nous aurons davantage que 10 p. 100.

Lorsque Cross arriva à Quogue, le lendemain, Don Domenico Clericuzio l'attendait, avec ses trois fils, Giorgio, Vincent et Petie, et son petit-fils Dante. Ils déjeunèrent dans le jardin, un repas froid composé de jambons et de fromages italiens, accompagnés d'une salade dans une énorme jatte de bois et de grandes tranches de pain de Sicile, croustillantes à souhait. Le traditionnel bol de parmesan râpé trônait à côté de Don Clericuzio.

— Nous avons appris, Croccifixio, que tu as mis le pied dans le monde du cinéma, annonça Don Domenico durant le repas, d'un ton détaché.

Le vieil homme but une gorgée de vin rouge et avala une cuillère de parmesan.

— C'est exact, confirma Cross.

— Il paraît que tu as investi une partie de tes parts du Xanadu pour financer un film ? demanda Giorgio.

— C'est dans mes attributions, répondit Cross. Après tout, je suis votre *bruglione* dans l'Ouest, ajouta-t-il en riant.

— *Bruglione*, c'est bien le mot, rétorqua Dante.

Don Clericuzio lança un regard réprobateur à son petit-fils.

— Tu t'es engagé dans une affaire d'importance sans consulter la famille, reprocha le patriarche. Tu n'as pas cherché à connaître notre avis sur la question. Mais le plus important de tout, tu as mené une action violente qui risque d'avoir de graves répercussions. Sur ce point, la règle est stricte. Soit tu as notre accord, soit tu agis en solo et tu assumes seul les conséquences.

— Sans compter que tu t'es servi des ressources de la famille ! lança Giorgio avec aigreur. Les pavillons de chasse dans la Sierra Nevada, Lia Vazzi, Leonard Sossa ainsi que Pollard et son agence de surveillance. Certes, ces gens sont sous tes ordres dans l'Ouest, mais ils font partie également de la famille. Par chance, tout s'est bien passé. Mais si cela avait mal tourné ? Nous risquions tous très gros.

— Il le sait très bien, l'interrompit Don Domenico avec impatience. La question est de savoir pourquoi il a agi ainsi. Il y a quelques années, mon neveu, tu m'as demandé de ne pas t'impliquer dans ces choses qu'un homme d'honneur est parfois amené à accomplir. J'ai accédé à ta requête, à regret, car je me privais là d'un élément de grande valeur. Et voilà qu'aujourd'hui, tu le fais pour ton propre compte. Cela ne ressemble pas au cher neveu que j'ai connu.

Cross savait que Don Domenico l'aimait bien. Mais il ne pouvait lui dire la vérité — impossible de lui avouer qu'il avait été envoûté par la beauté d'Athena ; ce ne pouvait être une raison recevable, cela aurait même eu quelque chose d'insultant ; avec des répercussions peut-être fatales pour lui. Il n'y avait pas pire faute que de trahir la famille pour les yeux d'une belle.

— J'ai entrevu l'opportunité de gagner une grosse somme d'argent, préféra-t-il annoncer. Pour moi et la famille. L'occasion de mettre le pied dans un nouveau secteur d'activité. Une jolie affaire pour blanchir de l'argent. Mais je devais agir vite. Il est évident que je n'ai pas cherché à dissimuler mes actes ; le fait que je me suis servi des ressources humaines et logistiques de la famille en est la preuve. Je voulais vous en informer, une fois l'opération réalisée.

— Et c'est chose faite ? demanda Don Clericuzio avec un sourire.

Cross sentit que Don Domenico était au courant de tout.

— Il est survenu un autre problème, avoua Cross avant de raconter son entretien avec Eli Marrion.

A sa grande surprise, Don Clericuzio éclata de rire.

— Tu as bien fait ! s'exclama-t-il. Un procès risquait de tourner au désastre. Laisse-les savourer leur victoire. Mais quelle bande de racailles. Nous avons eu raison de ne pas mettre le doigt dans ce milieu. — Il se tut un moment — Tu as gagné dix millions de dollars dans l'affaire, c'est déjà ça. C'est une coquette somme.

— Non, répondit Cross. Cinq pour moi, cinq pour la famille, j'y tiens. Je ne crois pas, en revanche, que nous devrions nous laisser décourager aussi facilement. J'ai de grands projets, mais il me faudra pour les réaliser le soutien de la famille.

— Il faudra alors revoir les pourcentages, lança Giorgio.

Giorgio était de la même race que Bantz, songea Cross, il lui en fallait toujours plus.

Don Clericuzio l'interrompit l'air agacé.

— Attrapons déjà l'ours, on se partagera la peau après. Tu as la bénédiction de la famille. Mais attention. Toute action violente devra être discutée à l'avenir. C'est compris, neveu ?

— C'est compris, répondit Cross.

Cross quitta Quogue avec une bouffée de soulagement. Don Clericuzio lui avait montré son affection.

Don Domenico Clericuzio, vieillard octogénaire, dirigeait toujours son empire d'une main de fer — un monde qu'il avait créé de toutes pièces, au prix de beaucoup d'efforts et de sacrifices.

A son âge vénérable, alors que la plupart des hommes étaient rongés par le remords au souvenir de fautes passées, pétris de mélancolie ou de doutes quant à leur façon d'avoir mené leur vie, Don Clericuzio était aussi sûr de ses choix et de ses actions qu'à l'âge de quatorze ans.

Il était inébranlable dans ses convictions comme dans le bien-fondé de ses jugements. Dieu avait créé un monde dangereux, et l'homme l'avait rendu plus dangereux encore. Le monde de Dieu était une arène dans laquelle l'homme devait gagner son pain quotidien et terrasser son prochain qui était un fauve affamé et sans merci. Don Clericuzio s'enorgueillissait d'avoir pu assurer la sécurité et le bien-être des siens en ce bas monde.

Il était satisfait de voir qu'en dépit de son âge avancé, il était encore capable d'ordonner la mort de ses ennemis. Certes, il pardonnait à tous, car il était bon chrétien — il avait même une petite chapelle dans sa propre maison. Mais il pardonnait à ses ennemis, comme Dieu pardonnait à tous les hommes : en les condamnant à leur inéluctable fin.

Dans le monde que Don Clericuzio avait créé, il était révéré comme un Dieu. Sa famille, ses sujets qui habitaient l'enclave du Bronx, les *brugliones* qui dirigeaient ses territoires et lui confiaient leur argent, tous venaient soumettre leurs doléances et attendaient son intercession lorsque survenaient des problèmes avec la société légale. Tous savaient que Don Clericuzio était juste. Qu'en temps de crise, de maladie ou de disette, ils pouvaient venir le trouver et lui demander de l'aide. Voilà pourquoi il était aimé.

Mais aux yeux de Don Clericuzio, l'amour n'était pas une valeur sûre, quelle que soit la profondeur ou l'intensité du sentiment. L'amour ne garantissait ni la gratitude, ni l'obéissance, ni l'harmonie et la paix dans un monde plein de fureur. Don Clericuzio le savait mieux que quiconque. Pour inspirer le véritable amour — l'inaltérable — il fallait être craint. L'amour seul n'était rien, une quantité négligeable s'il n'incluait pas la fidélité et l'obéissance. Dans son monde, l'amour n'avait droit de cité que s'il se pliait à sa loi.

Car Don Clericuzio était responsable de leur vie à tous, il était la racine nourricière de leur destin ; il ne pouvait donc faillir dans sa tâche. Il se devait d'être impitoyable dans ses jugements. Si un homme le trahissait, ébranlait les fondations de son monde, cet homme devait être puni, et mis hors d'état de nuire — même si, pour ce faire, il fallait prononcer son arrêt de mort. Aucune excuse n'était recevable. Aucune circonstance atténuante, aucune pitié. La sentence était appliquée. Son fils Giorgio prétendait que c'était un système archaïque. Peut-être bien, mais il ne pouvait en être autrement.

Aujourd'hui, il était temps de faire le point. Depuis la guerre contre les Santadio, vingt-cinq ans plus tôt, il avait bien mené sa barque. Don Clericuzio s'était montré avisé, clairvoyant, féroce quand il le fallait, miséricordieux lorsque la sagesse l'ordonnait. Les Clericuzio, aujourd'hui, étaient au sommet de leur puissance, apparemment hors d'atteinte. Bientôt la famille se fondrait dans les trames de la société légales et deviendrait invulnérable.

Mais Don Domenico n'aurait pas vécu aussi longtemps s'il s'était fié aveuglément à ce genre d'optimisme à court terme. Il savait repérer une graine maligne avant même qu'elle ne sorte de terre. Le grand danger venait aujourd'hui de l'intérieur, de Dante qui grandissait, devenait un adulte inquiétant à bien des égards.

Et il y avait Cross, enrichi par le legs de Gronevelt, qui pouvait désormais mener des opérations d'envergure sans le soutien de la famille. Le jeune homme était très doué et promettait de devenir un homme « qualifié » comme son père Pippi, jusqu'à ce que l'affaire Virginio Ballazzo fasse naître chez lui des réticences. Et soudain, après s'être fait porter pâle pour ce genre d'opérations à cause d'un excès de sentimentalité, voilà que Cross reprenait du galon pour son propre compte et exécutait un dénommé Skannet. Sans même lui demander la permission ! Don Clericuzio avait toutefois une certaine indulgence à l'égard de ce type d'actions en solitaire — c'était l'un des rares cas où il pouvait se laisser attendrir. Cross essayait d'échapper à son monde et d'entrer dans un autre. Mais il fallait rester vigilant, car c'était au cours de tentatives comme celle-là que risquaient d'éclore les germes de la trahison. Pippi et Cross, à eux deux, pouvaient représenter une menace pour la famille et, à ce titre, la haine de Dante pour les De Lena n'était pas sans fondement. Pippi l'avait compris, or Pippi était un homme dangereux. Il allait falloir garder un œil sur lui, même si sa fidélité restait jusqu'à ce jour au-dessus de tout reproche.

Les sentiments de Don Clericuzio pour les De Lena allaient de la tendresse pour Cross, à un amour sincère pour Pippi, son plus vieux et fidèle soldat, le fils de sa propre sœur. Après tout, les De Lena avaient du sang Clericuzio dans le corps. Il était en fait plus inquiet du danger que représentait Dante pour sa propre famille.

Don Clericuzio s'était toujours montré un grand-père aimant et attentionné. Le petit Dante et Don Domenico avaient été très proches, mais le charme s'était rompu lorsque le garçon avait passé dix ans. Le vieil homme discernait chez l'adolescent des traits de caractère inquiétants.

Dante était un enfant exubérant, malicieux et espiègle. Il était sportif, avec une bonne maîtrise de son corps. Il adorait parler, en particulier avec son grand-père, et avait de longues conversations secrètes avec sa mère, Rose Marie. Mais avec l'adolescence, Dante devint malveillant et cruel. Il tapait sur des garçons de son âge avec une férocité inutile. Il harcelait les filles sans merci, faisant preuve à leur égard d'une crudité choquante quoique désopilante. Il prenait un malin plaisir à torturer de petits animaux — pratique certes courante chez les petits garçons, mais une fois il avait tenté de noyer pour de bon l'un de ses camarades à la piscine. Avec les années, Dante devint désobéissant et insolent, même avec son grand-père.

Don Clericuzio n'attachait toutefois pas une importance démesurée à ce genre de choses. Après tout, les enfants étaient comme des petits animaux, c'est en leur chauffant l'arrière-train qu'on leur inculquait les bonnes manières. Des enfants aussi terribles que Dante s'étaient révélés des saints en grandissant. Ce qui tracassait le plus le vieil homme, c'était les longues conversations que Dante avait avec sa mère, et plus inquiétant encore, le fait de voir son petit-fils désobéir à ses propres ordres.

En outre, le mauvais tour que la nature avait joué à son petit-fils achevait de troubler le patriarche. En effet, passé l'âge de quinze ans, Dante cessa de grandir. Il ne dépassa pas le mètre cinquante-six. On consulta des médecins qui annoncèrent que Dante gagnerait au mieux cinq centimètres. On était loin du mètre quatre-vingts familial. La petitesse de Dante était un signe de mauvais augure aux yeux de Don Clericuzio, au même titre que la naissance de jumeaux. Pour le patriarche, la naissance d'un enfant était un miracle de la vie, mais la venue de jumeaux représentait, de la part de Dame Nature, un excès de zèle de mauvais aloi. Un soldat du Bronx avait eu un jour des triplés et Don Clericuzio, horrifié, leur acheta une épicerie dans l'Oregon. Ils vécurent heureux, mais exilés. Don Clericuzio était également superstitieux à l'égard des gauchers ainsi que des bègues. Personne, sur ce point, n'avait pu dissiper ses craintes. Or Dante était gaucher de naissance.

Tous ces préjugés ne réduisaient en rien l'affection qu'il portait à son petit-fils ; la loi du sang parlait. Mais plus Dante grandissait, plus il s'éloignait du rêve qu'avait conçu pour lui son grand-père.

Dante quitta l'école à l'âge de seize ans et mit aussitôt un pied dans les affaires familiales. Il travailla dans le restaurant de Vincent. Il était un serveur apprécié et gagnait de bons pourboires grâce à son adresse et à son humour incisif. Puis, lassé de cet emploi, il travailla deux mois avec Giorgio à Wall Street ; Dante détesta ce travail de paperasse et Giorgio, malgré tous ses efforts, ne put lui enseigner les arcanes de l'univers de la finance. Finalement, Dante rejoignit Petie dans son entreprise de bâtiment public ; il adorait travailler sur les chantiers avec les soldats de l'enclave. Il était fier de pouvoir exhiber son corps musclé. Au fil de ces diverses expériences, il acquit certaines des qualités de ses oncles qui faisaient la fierté de Don Clericuzio. Il avait la franchise de Vincent, le calme de Giorgio, la férocité de Petie. Mais dans le même temps, sa véritable personnalité s'affermit : il était rusé, sournois, pervers, avec un zeste toutefois d'humour qui lui donnait un charme particulier. C'est à cette époque que Dante se découvrit une passion pour ces espèces de chapeaux à la François Ier.

Personne ne savait où il se les procurait. Ils étaient confectionnés dans des tissus aux couleurs chatoyantes, certains ronds, d'autres carrés, et reposaient sur son crâne en molles ondulations, comme une cascade figée. Affublé de ces couvre-chefs, Dante paraissait plus grand, plus séduisant et un peu plus sympathique — sans doute parce qu'ils lui donnaient des airs lointains de clown, et parce qu'ils équilibraient ses deux profils. Ces chapeaux lui seyaient à merveille et cachaient ses cheveux bruns filasse qui étaient héréditaires chez les Clericuzio.

— Comment est-il mort ? demanda un jour Dante à son grand-père, en désignant la photo de Silvio qui trônait depuis toujours à la place d'honneur dans le bureau paternel.

— Un accident, répondit laconiquement le grand-père.

— C'était ton fils préféré, n'est-ce pas ?

Don Clericuzio était surpris et troublé par cette remarque. Dante n'avait alors que quinze ans.

— Qu'est-ce qui te fait croire ça ?

— Parce qu'il est mort ! rétorqua Dante avec un sourire malicieux.

Il fallut plusieurs instants au vieil homme pour se rendre compte que le garçon s'amusait et avait osé plaisanter sur ce sujet.

Il savait également que Dante furetait et fouillait dans son bureau lorsqu'il était en bas, en train de dîner. Cela ne le dérangeait pas outre mesure ; tous les enfants étaient curieux de nature, en particulier avec les gens âgés ; Don Clericuzio, de toutes façons, ne gardait jamais le moindre document compromettant. Le patriarche avait une grande ardoise rangée dans un coin de son cerveau où il consignait tout ce qu'il devait savoir, ainsi que la liste complète des péchés et hauts faits de ses proches.

Malgré ses inquiétudes croissantes, le grand-père montrait toujours plus d'affection pour son petit-fils, lui assurant qu'il serait un jour l'un des héritiers de l'empire familial. Il laissait à ses fils, en particulier à Giorgio, le soin de lui faire des remontrances.

Finalement, Don Clericuzio abandonna l'espoir de voir un jour Dante se fondre dans la société légale et accepta que son petit-fils se prépare à devenir un *martello* de la famille.

Le vieil homme entendit Rose Marie annoncer que le repas était prêt. Ils dînaient à la cuisine lorsqu'ils n'étaient que tous les deux. Don Clericuzio s'installa donc devant un grand bol de spaghettis couverts de tomates et de basilic du jardin. Rose Marie posa devant lui le ramequin d'argent empli de parmesan râpé. Le fromage était d'un jaune soutenu, signe de sa saveur noisette. Rose Marie s'assit en face de lui. Elle était d'humeur gaie et le vieil homme soupira d'aise. Il n'aurait pas ce soir à endurer l'une de ces terribles crises. Il retrouvait la femme qu'elle était avant la guerre contre les Santadio.

Quelle tragédie, cette guerre. Une victoire n'en avait parfois que les apparences; c'était l'une des rares erreurs d'appréciation qu'il avait commises dans sa vie. Qui aurait pu penser, toutefois, que Rose Marie resterait une veuve éplorée jusqu'à la fin de ses jours? On n'aimait pas qu'une seule fois dans la vie — c'est du moins ce que le patriarche avait toujours cru. Il regarda sa fille et se sentit envahi par une bouffée de tendresse. Comment lui reprocher les petits défauts de son fils? Rose Marie se pencha vers lui et caressa avec affection ses cheveux grisonnants.

Don Domenico plongea sa cuillère dans le parmesan et laissa fondre sa saveur noisette sur ses gencives. Il avala une gorgée de vin. Rose Marie découpa une tranche de gigot et déposa dans son assiette trois pommes de terre en papillote, ruisselantes de beurre et de crème. Une nouvelle sérénité le gagna.

Il était de tellement bonne humeur qu'il accepta de regarder la télévision avec Rose Marie dans le salon, pour la deuxième fois de la semaine.

Après quatre heures d'horreurs et de violences cathodiques, il se tourna vers sa fille :

— Comment est-il possible de vivre dans un monde où

chacun fait ce qu'il veut ? Personne n'est puni, ni par Dieu, ni par ses congénères. Personne ne cherche à mériter sa pitance. Les femmes n'en font qu'à leur tête, les hommes sont des attardés mentaux, incapables de résister à leurs envies, succombant à la moindre promesse de bonheur ! Où sont les maris honnêtes qui gagnent leur pain, qui cherchent à protéger leurs enfants des coups du sort et des dangers de ce monde ? Où sont les gens simples qui savent qu'un morceau de fromage, un verre de vin, une maison douillette, sont les plus belles récompenses à la fin d'une journée de travail ? Qui sont ces gens qui courent après ce mystérieux bonheur ? Que d'agitation, que de drame pour si peu de chose !

Le père tapota la joue de sa fille et montra du doigt l'écran de télévision, d'un geste méprisant.

— Qu'ils aillent tous servir de pâture aux poissons ! lança-t-il, avant de proférer une dernière pensée philosophique de son cru : Chacun est responsable de ses actes.

Ce soir-là, seul dans sa chambre, Don Clericuzio sortit prendre l'air sur le balcon, contemplant les fenêtres illuminées des diverses maisons de la propriété ; il entendait l'impact des balles de tennis sur le court et apercevait les joueurs dans le halo des projecteurs. Il était tard, tous les enfants étaient couchés. Au loin, il distinguait la silhouette des gardes postés à l'entrée ou faisant leur ronde le long du mur d'enceinte.

Que pouvait-il faire pour éviter une nouvelle tragédie ? Une bouffée d'amour pour sa fille et son petit-fils l'envahit, le submergea tout entier. A quoi bon vivre vieux sinon pour aimer les siens ? songea-t-il à regret. Il essaierait de les protéger, de son mieux... Mais une boule de révolte et de colère se forma aussitôt dans sa gorge. Pourquoi fallait-il qu'il imagine toujours le pire ? Il avait su régler tous les problèmes qui étaient survenus, il trouverait bien une solution pour celui-ci !

Mais son esprit restait en ébullition. Il se mit à songer au sénateur Wavven. Depuis des années, il lui avait donné des millions de dollars dans l'espoir de voir, un jour, les jeux légalisés dans le pays. Mais le sénateur était retors. Quel dommage que Gronevelt ne fût plus de ce monde ! Giorgio et Cross ne savaient pas manipuler Wavven. Peut-être que cette légalisation resterait à jamais un vœu pieux.

Il pensa ensuite à son vieil ami David Redfellow, qui vivait confortablement à Rome. L'heure était peut-être venue de le rappeler au sein de la famille ? Cross avait bien fait de se montrer magnanime avec ses amis de Hollywood. Après tout, il était jeune. Il ne savait pas encore qu'un simple signe de faiblesse pouvait se révéler fatal. Le vieil homme prit sa décision : il allait faire revenir David Redfellow et lui demander de s'intéresser de plus près à cette industrie du cinéma.

XI

Une semaine après la mort de Boz Skannet, Cross apprit, par l'intermédiaire de Claudia, qu'Athena Aquitane l'invitait à dîner. Un dîner, chez elle, dans sa maison de Malibu.

Cross prit l'avion pour Los Angeles, loua une voiture et pénétra dans l'enceinte protégée de la Malibu Colony, au moment où le soleil plongeait dans l'océan. Les hommes de garde avaient disparu. Il ne restait plus que son secrétaire particulier dans le pavillon d'ami. C'est lui qui ouvrit le portail commandé à distance. Cross traversa le jardin tout en longueur qui menait à la maison dominant la plage. La servante sud-américaine le conduisit ensuite dans le salon dont les baies semblaient donner directement sur les rouleaux du Pacifique.

Athena l'attendait. Elle était encore plus belle que dans son souvenir. Elle portait un chemisier vert, un pantalon de toile ; son image semblait flotter devant lui, se dissoudre dans l'air. Cross ne pouvait détacher son regard de ses yeux.

Elle lui serra la main pour l'accueillir, délaissant les accolades traditionnelles entre gens d'Hollywood. Elle avait préparé des rafraîchissements — des Évian-rondelles. Ils s'installèrent dans les deux grands fauteuils vert menthe face à l'océan. Le couchant jetait ses échardes d'or dans la pièce.

Cross était tellement envoûté par sa beauté qu'il dut se forcer à baisser la tête pour détacher son regard d'elle ; il y avait ses cheveux couleur blé, sa peau au teint de lait, son corps longiligne pelotonné gracieusement sur les coussins et ces reflets d'or tombant de temps à autre dans ses yeux, allumant çà et là des éclats iridescents. L'envie irrépressible de la toucher, de la caresser, de la prendre, l'envahit aussitôt.

Athena semblait inconsciente des émotions qu'elle suscitait chez Cross. Elle sirotait tranquillement son verre.

— Je voulais vous remercier, annonça-t-elle d'une voix posée. Grâce à vous, je peux continuer à faire mon métier.

Le son de sa voix acheva d'ébranler Cross. Il n'y avait aucun accent mielleux ou lascif, mais son ton avait quelque chose de velouté — l'assurance d'une reine mêlée à une douceur de timbre hypnotisante ; il aurait aimé l'entendre parler des heures. Qu'est-ce qui m'arrive ? songea-t-il, honteux de se voir aussi troublé en sa présence.

— Je croyais pouvoir vous convaincre de reprendre le tournage en jouant sur la corde financière.

— J'ai beaucoup de faiblesses, mais pas celle-là, répondit Athena.

Elle tourna la tête vers l'océan et Cross put la contempler de nouveau à loisir.

— Claudia m'a dit, poursuivit-elle, que le studio a renié sa part du contrat lorsqu'ils ont appris que mon mari s'était suicidé. Vous devez leur rendre le film et vous contenter d'un pourcentage.

Cross se composa un visage impassible, espérant refouler toutes ses émotions.

— Je crains de ne pas être très doué en affaires, annonça-t-il, préférant lui faire croire qu'il n'avait pas la moindre once de pouvoir.

— C'est Molly Flanders qui a rédigé votre contrat, précisa Athena. C'est la meilleure. Vous auriez pu ne pas céder.

Cross haussa les épaules.

— C'est une question de priorité. Je veux mettre un pied

dans le monde du cinéma et je ne tiens pas à me faire un ennemi aussi puissant que la LoddStone.

— Je pourrais vous aider. Je peux, par exemple, refuser de reprendre le film.

Cross sentit un frisson à l'idée qu'elle puisse faire un tel sacrifice pour lui. Il réfléchit un moment à son offre. Le studio pourrait toujours le poursuivre en justice. En outre, il n'avait aucune envie de se retrouver l'obligé d'Athena. Il ne fallait pas oublier que derrière cette beauté rare, se cachait un esprit vif et intelligent.

— Pourquoi feriez-vous une chose pareille? demanda-t-il.

Athena se leva de son siège et s'approcha de la baie vitrée. La plage n'était plus qu'une ombre grise, le soleil avait disparu derrière l'horizon et les montagnes de la chaîne côtière se miraient dans l'océan. Elle laissa errer son regard sur l'eau maintenant bleu nuit, parcourue de petites ondulations silencieuses.

— Pourquoi? répéta-t-elle sans quitter l'océan des yeux. Parce que je connais Boz mieux que personne. Il aurait pu laisser des centaines de lettres de suicide, jamais il ne se serait tué.

— Pourtant il est mort, répliqua Cross en haussant de nouveau les épaules.

— Certes, concéda Athena — Elle se tourna vers lui et le regarda dans les yeux. — Vous achetez le film et voilà que Boz se suicide, quelle coïncidence miraculeuse. Sur ma liste des tueurs possibles, vous êtes mon suspect numéro un.

Malgré son air sévère, la beauté d'Athena continuait à l'ébranler.

— Pourquoi pas la LoddStone? lança-t-il d'une voix trop chevrotante à son goût. Marrion est l'un des hommes les plus puissants de ce pays. Pourquoi pas Bantz, ou Skippy Deere?

Athena secoua la tête.

— Ils ont compris ce que je voulais, bien sûr. Tout comme vous. Mais ils n'ont rien fait et se sont contentés de vous vendre le film. Car, à l'inverse de vous, ils se fichaient que je puisse être tuée après la fin du film. Je savais que vous pouviez m'aider, même si vous prétendiez le contraire. Lorsque j'ai appris que vous aviez acheté le film, j'ai su ce que vous alliez faire; je n'imaginais pas, en revanche, que vous procéderiez avec autant de finesse.

Elle se dirigea soudain vers lui. Il se leva de son siège. Elle lui prit les mains. Il sentait son corps tout près, son haleine.

— C'est la seule chose de mal que j'ai jamais faite dans ma vie, souffla-t-elle. Demander à quelqu'un de commettre un meurtre. C'était terrible. J'aurais été moins vile si je l'avais commis moi-même. Mais c'était au-dessus de mes forces.

— Qu'est-ce qui vous laissait croire que je ferais quelque chose ?

— Claudia m'a beaucoup parlé de vous. J'ai vite compris qui vous étiez, mais votre sœur est si naïve qu'elle n'a toujours pas saisi. Elle croit encore que vous êtes un type rude en affaires et qui a le bras long.

Une sonnette d'alarme retentit en Cross. Elle essayait de lui faire admettre sa culpabilité. Il ne ferait jamais une chose pareille, même dans un confessionnal, pas même devant Dieu en personne.

— Et j'ai vu votre regard, poursuivit-elle. J'ai déjà vu ce regard chez beaucoup d'hommes. Je ne vais pas faire de la fausse modestie; je sais que je suis belle, tout le monde passe son temps à me le répéter depuis que je suis toute petite. J'ai toujours su que j'avais un certain pouvoir sur les autres, même si cela reste un mystère pour moi. Je ne suis pas vraiment heureuse d'avoir ce pouvoir, mais je m'en sers. Les hommes appellent ça « l'amour » et j'en joue.

Cross retira ses mains.

— Pourquoi aviez-vous si peur de votre mari ? Parce qu'il pouvait ruiner votre carrière ?

Pendant un moment, un éclair de colère traversa les yeux d'Athena.

— Cela n'a rien à voir avec ma carrière ! rétorqua-t-elle. Pas plus qu'avec la peur, même si je savais qu'il me tuerait un jour ou l'autre. J'avais une autre raison. Une raison supérieure. — Elle marqua un temps de silence puis reprit : — Je peux les forcer à vous restituer le film, si vous voulez. Je peux refuser de reprendre le tournage.

— Non, répondit Cross.

Athena sourit et lança avec une sorte de gaîté enfantine :

— Maintenant que nous nous sommes tout dit, nous pouvons aller au lit ! Je vous trouve très séduisant et je suis sûre que ce sera très plaisant.

La première réaction de Cross fut de la colère. Croyait-elle qu'on pouvait l'acheter aussi facilement, en faisant son petit numéro d'actrice, en se servant de ses atours de femme comme les hommes se servent de leur force ? Ce qui le vexait le plus cependant, c'était qu'il avait perçu une pointe de moquerie dans sa voix. Elle se moquait de son trouble, et faisait de son amour sincère pour elle une simple affaire de sexe. Une façon de lui dire que ses sentiments à son endroit étaient aussi factices que ceux qu'elle feignait de lui porter.

— J'ai eu une longue conversation avec Boz, annonça-t-il d'une voix glaciale, lorsque j'ai voulu négocier avec lui. Il m'a dit que vous vous envoyiez en l'air cinq fois par jour lorsque vous étiez mariés.

Il nota sa surprise avec satisfaction.

— Je n'ai pas compté, mais c'est possible. J'avais dix-huit ans et j'étais très amoureuse à l'époque. C'est drôle de voir qu'aujourd'hui, je voulais sa mort. — Elle se tut et fronça les sourcils, avant de reprendre sur un ton détaché — Il vous a parlé d'autre chose ?

Cross la considéra d'un air sinistre.

— Boz m'a dévoilé le secret qu'il y avait entre vous. Il m'a dit que vous aviez enterré votre enfant dans le désert pendant votre fuite.

Le visage d'Athena devint un masque, ses yeux verts pâlirent. Pour la première fois de la soirée, Cross eut l'impression de ne plus voir l'actrice, mais la femme. Son teint était trop blême pour que ce puisse être un artifice.

— Vous croyez vraiment que j'ai pu tuer mon enfant ? murmura-t-elle.

— C'est ce que prétend Boz.

— C'est effectivement ce que je lui ai dit, reconnut Athena. Mais je vous pose la question à vous : est-ce que vous croyez que j'ai pu tuer mon enfant ?

Il n'y a rien de plus terrible que de reconnaître coupable une jolie femme, songea Cross. S'il répondait avec honnêteté, il la perdait à tout jamais.

— Vous êtes trop belle, articula-t-il en l'entourant doucement de ses bras. Personne ayant une beauté comme la vôtre ne pourrait faire une chose pareille. — Il préférait croire au vieux mirage pour lequel tant d'hommes s'étaient égarés — Non, ajouta-t-il, je ne vous en crois pas capable.

Elle recula d'un pas.

— Même si vous me savez responsable de la mort de Boz ?

— Vous n'y êtes pour rien. Il s'est tué tout seul.

Athena le dévisagea un long moment.

— Et vous ? demanda Cross en lui prenant les mains. Vous croyez vraiment que j'ai tué Boz ?

Athena esquissa finalement un sourire. L'actrice venait de trouver la conclusion de la scène :

— Pas plus que vous croyez que j'ai tué mon enfant.

Ils échangèrent un sourire, se déclarant mutuellement innocents.

— Allez venez, je vais vous préparer à dîner, annonça-t-elle en lui prenant la main pour l'entraîner vers la cuisine. Après nous irons au lit.

Combien de fois avait-elle joué cette scène ? se demanda Cross avec une pointe de jalousie. La reine jouant les femmes d'intérieur modèles. Il la regarda cuisiner. Elle n'enfila pas de tablier et agissait comme une professionnelle. Elle lui parlait tout en coupant les légumes, mettant une poêle sur le feu et dressant le couvert. Elle lui donna une bouteille de vin à ouvrir ; leurs corps se frôlèrent à cet instant. Une demi-heure plus tard, ils passaient à table.

— J'ai joué le rôle d'une chef d'un grand restaurant au début de ma carrière, expliqua-t-elle en voyant son air admiratif. J'ai suivi des cours de cuisine pour être crédible. Un critique a même écrit : « Quand Athena Aquitane jouera aussi bien qu'elle cuisine, elle sera une vraie star. »

Ils dînèrent dans l'alcôve de la cuisine qui donnait sur l'océan. Le repas était délicieux — des carrés de bœuf avec des petits légumes et une salade d'endives. Il y eut un plateau de fromages et des toasts de pain brioché, suivi d'un café et d'une tarte au citron.

— Vous auriez dû être cuisinière, lança Cross. Mon cousin Vincent vous embaucherait comme chef dans ses restaurants quand vous voulez.

— Ça ou autre chose, mes talents sont sans limites, répondit-elle avec ironie.

Durant tout le dîner, elle ne cessa de le toucher, apparemment de façon anodine mais avec une étrange intensité, comme si elle essayait de sentir la flamme de la passion sous sa peau. Mais à chaque attouchement, Cross était au supplice, brûlant de sentir tout son corps contre lui. A la fin du repas, les aliments avaient perdu toute saveur pour lui. Lorsqu'ils eurent terminé, Athena le prit par la main, le fit se lever de table et le conduisit vers l'escalier qui menait à sa chambre. Elle l'entraîna avec beaucoup de grâce et de douceur, presque en rougissant, comme une jeune mariée aimante. Cross s'émerveilla une fois de plus de ses talents d'actrice.

La chambre à coucher se trouvait au dernier étage, et s'ouvrait sur l'océan par l'intermédiaire d'un petit balcon. La pièce était vaste et les murs étaient couverts de dessins aux couleurs bigarrées qui donnaient à la pièce une atmosphère étrange.

Ils se tinrent sur le balcon, contemplant le carré de lumière jaune se découper sur le sable, les autres maisons de la colonie, disséminées le long de la plage comme des petits lampions. Des oiseaux allaient et venaient au-dessus des vagues, comme s'ils jouaient avec les embruns.

Athena passa son bras autour des épaules de Cross et de son autre main, elle attira son visage vers le sien. Ils s'embrassèrent longuement, dans l'air moite et iodé de la mer, puis Athena le conduisit vers le lit.

Elle se dévêtit rapidement, faisant glisser sur sa peau son chemisier et son pantalon. Son corps blanc semblait luire dans la clarté lunaire d'une aura mystérieuse. Elle était plus belle encore que dans ses rêves — ses seins ronds, avec leurs pointes roses en forme de framboises, comme des pains de sucre, ses longues jambes, ses hanches pleines, sa toison blonde du pubis, ses courbes lisses, parfaites, baignées par l'air marin.

Cross s'approcha; sa peau était du velours, ses lèvres avaient un parfum de fleurs. Le simple fait de la toucher le comblait de bonheur, plus rien d'autre ne comptait. Athena commença alors à le déshabiller. Ses gestes étaient doux, ses mains couraient sur son corps, ses lèvres sur sa peau, tandis qu'elle l'attirait doucement sur le lit.

Cross lui fit l'amour avec une passion qu'il n'avait

jamais éprouvée auparavant, pas même en pensée. Il était si fougueux, si ardent qu'Athena dut lui caresser le visage pour l'apaiser. Il ne pouvait se résoudre à relâcher son étreinte, même après leur orgasme. Ils restèrent entrelacés un moment puis recommencèrent. Athena fit alors preuve, à son tour, d'une ardeur hors du commun, comme une sorte de fièvre, d'aveu retenu. Finalement, épuisés, ils sombrèrent dans le sommeil.

Cross se réveilla juste à l'aurore. Pour la première fois de sa vie, il avait la migraine. Il avança, nu, vers le balcon, et s'installa sur l'une des chaises en rotin, pour regarder le soleil sortir de l'océan et commencer son ascension dans le ciel.

Cette femme était dangereuse. Elle avait tué son propre enfant, dont les restes pourrissaient quelque part dans le sable du désert. Et elle était une diablesse au lit. Avec elle, il courait à sa perte. Il ne devait plus jamais la revoir.

Soudain, il sentit des bras autour de son cou, une main tirer son menton pour lui voler un baiser. Athena se tenait derrière lui ; elle avait enfilé une robe de chambre blanche à frou-frou, ses cheveux étaient retenus par des épingles qui scintillaient au soleil comme les joyaux d'une couronne.

— Prends une douche, je vais préparer le petit déjeuner.

Elle le conduisit dans une grande salle de bain où tout était en double ; deux lavabos, deux baignoires, deux cabines de douche. Il y avait des articles de toilette pour hommes — rasoirs, mousse à raser, lotion, brosse et peigne.

Une fois lavé, il s'installa de nouveau sur le balcon, et Athena apporta un plateau avec des croissants, du café et du jus d'orange.

— Je peux te faire des œufs au bacon si tu veux, proposa-t-elle.

— Inutile, c'est parfait.

— Je te verrai demain ?

— J'ai une foule de choses à faire à Las Vegas. Je t'appellerai la semaine prochaine.

Athena hocha la tête d'un air dubitatif.

— Cela veut dire « adieu » n'est-ce pas ? dit-elle. Je voulais te dire que c'était très bon cette nuit.

Cross haussa les épaules.

— Tu as remboursé ta dette.

Elle garda sa bonne composition et lui lança un sourire.

— Avec une bonne volonté évidente, tu ne trouves pas? Je n'ai pas eu l'air de faire ça à contrecœur.

— C'est vrai! concéda Cross en riant.

Elle semblait deviner ses pensées. La nuit dernière, ils s'étaient menti mutuellement, mais avec le matin, ils ne pouvaient plus se voiler la face. Athena savait que sa beauté inspirait à Cross de la méfiance. Il se sentait en danger avec elle, avec ce qu'elle lui avait avoué la veille. Athena mangea en silence, perdue dans ses pensées.

— Je sais que tu es très occupé, finit-elle par dire, mais je voudrais te montrer quelque chose. Est-ce que tu peux rester ici ce matin et ne prendre l'avion que cet après-midi? C'est important. Je veux t'emmener quelque part.

Cross ne put résister à l'idée de passer un dernier moment avec elle. Il accepta.

Athena le fit monter dans sa voiture, une Mercedes SL 300; ils prirent la route de San Diego. Juste avant d'arriver en ville, ils s'engagèrent sur une petite route de campagne qui s'insinuait entre les montagnes.

Au bout d'un quart d'heure, ils arrivèrent devant une propriété entourée de fils barbelés. Le domaine comprenait six bâtiments de brique séparés par de grandes pelouses, reliés entre eux par des allées de ciment bleu ciel. Sur l'une des pelouses, Cross aperçut un groupe d'enfants qui jouaient au ballon. Plus loin, un autre groupe s'amusait avec des cerfs-volants. Trois ou quatre adultes allaient et venaient, surveillant les ébats, mais une atmosphère étrange émanait de cette scène. Lorsque le ballon volait dans les airs, la plupart des enfants semblaient s'enfuir, et sur l'autre carré de pelouse, les cerfs-volants montaient dans le ciel, toujours plus haut, et finalement disparaissaient dans l'azur.

— Où sommes-nous? demanda Cross.

Athena lui jeta un regard suppliant.

— Suis-moi pour l'instant sans me poser de questions. Je t'expliquerai tout plus tard.

Athena se dirigea vers le portail et montra un badge doré au vigile. Une fois admis dans l'enceinte, ils se dirigèrent vers le bâtiment principal et se garèrent sur le parking.

Athena demanda quelque chose à voix basse à l'hôtesse

dans le hall de réception. Cross se tint en retrait, mais il entendit la réponse.

— Elle était dans un tel état ce matin qu'on lui a donné une machine.

— Qu'est-ce que c'est que ces histoires? s'impatienta Cross.

Athena ne répondit pas. Elle lui prit la main et l'entraîna dans un long couloir carrelé vers une aile du bâtiment qui semblait faire office de dortoir.

Une infirmière, assise à l'entrée, leur demanda leur nom. Les formalités terminées, Athena conduisit Cross dans un autre couloir, flanqué de portes. Finalement, elle s'arrêta devant l'une d'elles et l'ouvrit.

Ils se retrouvèrent dans une petite chambre douillette, pleine de lumière. Cross aperçut les mêmes dessins qui décoraient la chambre d'Athena, mais ici, ils jonchaient le sol en tout sens, parmi une collection de feuilles déchirées. Sur une étagère étaient alignées des poupées vêtues de costumes d'Amish amidonnés.

Il y avait un petit lit décoré d'un couvre-lit rose, et d'oreillers à motifs fleuris. Mais dans le lit, pas le moindre enfant.

Athena se dirigea vers une grande boîte noire sans couvercle, dont les parois étaient recouvertes d'un épais capiton bleu ciel. Cross tendit le cou et aperçut une fillette étendue à l'intérieur. Elle ne porta aucune attention à eux. Elle tripotait un bouton sur le haut de la boîte qui commandait le déplacement des parois. Cross la vit resserrer le capitonnage contre elle, écrasant à moitié son visage.

La fillette avait environ dix ans, la réplique miniature d'Athena, mais avec un visage lisse, impavide, ses yeux verts aussi inexpressifs que ceux d'une poupée de porcelaine. Cependant, à chaque fois qu'elle tournait le bouton de commande des parois pour comprimer son corps, son visage semblait rayonner d'une sérénité béate. Elle ne manifesta aucun signe montrant qu'elle avait remarqué leur présence dans la pièce.

Athena s'approcha du panneau de commande et desserra l'étreinte de la boîte pour pouvoir sortir l'enfant. La fillette semblait ne pas peser plus lourd qu'une plume.

Athena la prit dans ses bras comme un bébé. Elle voulut l'embrasser mais la fillette grimaça et détourna la tête.

— C'est ta maman, murmura Athena. Tu ne veux pas me faire un bisou ?

La voix vibrante d'Athena serra le cœur de Cross. C'était une supplique avilissante tandis que l'enfant se débattait dans ses bras de toutes ses forces. Finalement, la mère posa doucement la fillette à terre. L'enfant se laissa tomber aussitôt sur ses genoux et se mit à prendre ses pinceaux et un grand morceau de carton ; la seconde suivante, elle était totalement absorbée par sa peinture.

Cross resta à l'écart et observa Athena qui déployait tous ses talents d'actrice pour établir un contact avec la petite fille. Elle s'agenouilla d'abord à côté d'elle et joua les compagnons de jeu attentionnés, aidant sa fille à peindre, bien que l'enfant ne lui accordât pas le moindre regard.

Puis Athena s'assit sur le lit et se mit à lui raconter ce qui se passait dans le monde, comme une mère aimante, mais il n'y avait toujours aucune réaction chez l'enfant. Athena passa ensuite au registre de l'adulte flagorneur, s'émerveillant des talents de l'enfant. Toujours en vain. Athena ramassa alors un pinceau et voulut peindre avec la fillette, mais lorsque l'enfant s'en aperçut, elle prit le pinceau et l'envoya de l'autre côté de la pièce. Toujours sans prononcer un mot.

Finalement Athena abandonna.

— Je reviendrai demain, ma chérie, déclara-t-elle. On fera une promenade toutes les deux et je te rapporterai une boîte de peinture. Regarde ! poursuivit-elle alors que les larmes perlaient dans ses yeux, tu n'as plus de rouge.

Elle voulut faire un baiser d'adieu à sa fille, mais fut repoussée par deux petites mains.

Athena se leva et sortit de la chambre, suivie par Cross.

Athena lui donna les clés de la voiture pour qu'il les ramène à Malibu. Durant le voyage du retour, elle se tint la tête dans les mains et pleura. Cross était si bouleversé qu'il n'arrivait pas à articuler un mot.

Lorsqu'ils sortirent de la voiture, Athena sembla avoir repris une nouvelle contenance. Elle fit entrer Cross et se retourna vers lui.

— C'est le bébé en question, celui que Boz imaginait enterré dans le désert. Alors tu me crois maintenant ?

Pour la première fois, Cross eut l'impression qu'elle pourrait peut-être l'aimer.

Athena le conduisit dans la cuisine et lui fit du café. Ils s'assirent, silencieux, face à l'océan. Pendant qu'ils burent leur café, Athena se mit à lui raconter son histoire, sans émotion, ni dans sa voix, ni sur son visage.

— Lorsque je me suis enfuie pour échapper à Boz, j'ai laissé ma fille chez de lointains cousins, un couple vivant à San Diego. Elle semblait alors un bébé normal. Je ne savais pas qu'elle était autiste à l'époque, peut-être d'ailleurs ne l'était-elle pas ? Je l'ai confiée à ces cousins parce que je voulais mener ma carrière d'actrice. Il fallait que je gagne de l'argent pour nous deux. Je savais que j'avais du talent et tout le monde ne cessait de me dire que j'étais belle. J'avais toujours pensé que je la reprendrais avec moi dès que ma carrière serait lancée.

« Je travaillais donc à Los Angeles et j'allais la voir à San Diego, chaque fois que j'avais un moment de libre. J'ai commencé à avoir du succès et je passais la voir moins souvent, peut-être une fois par mois. Enfin, je fus prête à la reprendre avec moi ; c'était le jour de son troisième anniversaire, je suis arrivée les bras chargés de cadeaux, mais c'était trop tard, elle était partie dans un autre monde. Elle avait un visage sans expression, c'était comme si elle ne me voyait plus. J'ai paniqué. J'ai cru qu'elle avait une tumeur au cerveau ; une fois Boz l'avait laissée tomber par terre, peut-être son cerveau avait-il été touché et le mal se déclarait seulement maintenant ? Pendant des mois, j'ai fait la tournée des médecins, Bethany a subi tous les examens possibles et imaginables, et fut inspectée par un bataillon de spécialistes sous toutes les coutures. Puis un jour quelqu'un, je ne sais plus si c'était le professeur de Boston ou le psychiatre de l'hôpital pour enfants du Texas, m'a annoncé qu'elle était autiste. Je ne savais même pas ce que cela signifiait au juste, si ce n'était qu'elle était plus ou moins retardée. « Non, m'a répondu le médecin, elle est autiste, pas retardée. » Cela voulait dire qu'elle vivait dans son propre monde, qu'elle était insensible à la présence des personnes de son entourage, qu'ils n'avaient pas d'existence pour elle, et qu'elle ne pouvait éprouver aucun sentiment, pour rien ni personne. C'est lorsque je l'ai l'emmenée dans ce centre pour l'avoir près de moi que nous avons découvert qu'elle répondait à cette machine que tu as vue. Cela semblait lui faire du bien, alors j'ai été obligée de la laisser là-bas.

Cross resta silencieux. Athena reprit son récit.

— Son autisme fait qu'elle ne m'aimera jamais. Mais les docteurs disent que les autistes ont parfois des talents cachés, certains sont même des génies dans leur genre. C'est l'impression que j'ai avec Bethany. Pas seulement à cause de ses dessins. Il y a autre chose. Il paraît qu'après de longues années d'efforts, certains autistes parviennent à percevoir certaines choses, certaines personnes, parfois même avoir un semblant de vie normale. Pour l'instant, Bethany ne supporte pas la musique, ni le moindre bruit. Mais au début, elle ne supportait même pas que je la touche ; maintenant elle tolère ma présence, il y a donc un mieux.

« Elle me rejette toujours, mais pas aussi violemment. Nous avons fait des progrès toutes les deux. Je me disais avant que c'était une façon de me punir de ce que j'avais fait ; parce que je l'avais négligée quand elle était petite au profit de ma carrière. Les spécialistes prétendent que parfois, bien que cette maladie semble héréditaire, elle peut être acquise ; mais personne ne connaît les facteurs déclencheurs. Une chose est sûre, cela n'a rien à voir avec le fait que Boz l'ait fait tomber sur la tête quand elle était bébé, ou que je l'aie abandonnée dans sa prime enfance. Je ne demande qu'à le croire, mais j'aurai toujours un doute. Les médecins passent leur temps à tenter de me rassurer, à me dire que je ne suis pas responsable, que l'autisme fait partie de ces mystères de la vie, que son émergence est peut-être préprogrammée dans les gènes, avant même la naissance. Rien n'aurait pu empêcher son apparition, selon eux, et rien ne peut changer quoi que ce soit. Mais, encore une fois, au fond de moi, quelque chose me dit le contraire.

« Dès que j'ai appris sa maladie, j'ai eu ce pressentiment, et il ne m'a plus jamais quittée. J'ai dû faire des choix douloureux. Je savais que je serais incapable de l'aider sans argent. Alors je l'ai placée dans ce centre, et je passe la voir au moins un week-end par mois, parfois je fais un saut durant la semaine. Finalement, je suis devenue riche et célèbre, et tout ce qui me paraissait si important autrefois m'apparaît futile. Ce qui compte pour moi aujourd'hui, c'est d'être avec Bethany. Même si Boz n'était pas réapparu dans ma vie, je pensais de toute façon abandonner le cinéma une fois terminé le tournage de *Messalina*.

— Pourquoi ? demanda Cross. Qu'avais-tu décidé ?

— Il existe une clinique spécialisée en France, dirigée par un grand professeur, expliqua Athena. Je voulais me rendre là-bas après le film. Mais Boz est arrivé. Je savais qu'il allait me tuer et que Bethany resterait toute seule. Voilà pourquoi j'ai commandité d'une certaine façon sa mort. Bethany n'a que moi. Et tant pis, si je traîne ce péché toute ma vie derrière moi. — Athena reprit son souffle et esquissa un sourire. — C'est du mélo de la pire espèce, n'est-ce pas ?

Cross détourna les yeux vers l'océan. Il luisait comme de l'huile turquoise sous le soleil. Il revit la fillette, avec son visage comme un masque figé, à jamais fermé au monde extérieur.

— Qu'est-ce que cet engin de torture dans lequel elle était allongée ? demanda-t-il.

Athena poussa un petit rire.

— Ce qui me permet de tenir, de garder espoir, répondit-elle. C'est pathétique n'est-ce pas ? Une sorte de boîte à câlins. Beaucoup d'enfants autistes se servent de ce genre d'engins lorsqu'ils sont dépressifs. C'est comme si une personne les prenait dans ses bras, mais ils n'ont pas besoin d'être en contact avec un être humain pour ça. — Athena poussa un long soupir — Un jour, je remplacerai cette boîte. C'est le but de toute mon existence, désormais. Ma vie n'a pas d'autre sens. C'est risible, non ? Le studio m'annonce que j'ai des lettres de milliers d'amoureux transis, les gens se battent pour m'approcher, les hommes passent leur temps à me déclarer leur flamme — tout le monde sauf Bethany, et c'est la seule qui compte.

— Je ferai tout ce que je peux pour t'aider.

— Alors, appelle-moi la semaine prochaine. Voyons-nous le plus possible jusqu'à ce que *Messalina* soit terminé.

— Je t'appellerai, c'est promis. Je ne peux te prouver mon innocence, mais je t'aime plus que tout au monde.

— Parce que tu es vraiment innocent ? demanda Athena.

— Oui.

Maintenant qu'elle s'était révélée blanche comme neige, il n'était pas question de laisser planer la moindre ombre.

Cross songea à Bethany, à la beauté transparente de son visage, à ses yeux comme des miroirs — le seul humain à n'avoir jamais connu le péché.

De son côté, Athena avait également jugé Cross. Il était la première personne à qui elle montrait sa fille, depuis que sa maladie s'était déclarée. C'était une sorte de test.

Malgré sa beauté et son *immense* talent (ainsi qu'elle se plaisait à le dire avec une sorte d'autodérision), malgré sa gentillesse et sa générosité naturelles, ses amis intimes, ses soupirants transis et sa famille pleine d'amour se réjouissaient de ses malheurs. Et cette découverte lui causa l'un des plus grands chocs de sa vie.

Elle s'en aperçut le jour où Boz lui avait fait un œil au beurre noir; tout le monde la plaignait et traitait son mari d'horrible brute, mais elle voyait dans leurs yeux à tous s'allumer une lueur de satisfaction. Elle ne voulut d'abord pas y croire; ce devait être le fruit de son imagination, de son hypersensibilité. Mais lorsque Boz lui fit son second œil au beurre noir, il s'alluma la même lueur dans leur regard. Elle se sentie trahie, blessée au plus profond de sa chair. Cette fois, il n'y avait plus de doutes possibles.

Bien sûr tous l'aimaient sincèrement. Mais ils ne pouvaient s'empêcher de ressentir une certaine jubilation intérieure. La perfection engendre toutes les jalousies.

Si elle aimait tant Claudia, c'était, entre autres raisons, parce qu'elle n'avait jamais vu cette lueur dans ses yeux.

Voilà pourquoi Bethany était son secret, son secret connu de personne jusqu'à aujourd'hui. Elle ne voulait pas voir dans les yeux des gens qui lui étaient chers luire cette satisfaction sinistre, comme si le ciel s'était enfin décidé à lui faire payer sa beauté et sa réussite.

Sa beauté était une arme, une arme utile et méprisable. Elle attendait avec impatience que le temps rompe le bel agencement de son visage, que chaque ride creusant sa peau révèle chaque peine, chaque épreuve surmontée, que son corps épanoui, arrondi par les années, puisse offrir réconfort et tendresse à tous ceux qu'elle aimait, et que ses yeux se voilent de douceur en signe de toutes ses souffrances passées et de toutes ses larmes contenues. Des ridules apparaîtront autour de ses lèvres pour avoir trop ri d'elle-même et de la vie. La liberté, enfin! Elle n'aura plus rien à redouter des effets pervers de la beauté, et pourra goûter sans fin la paix et la sérénité.

Athena avait donc observé attentivement Cross lorsqu'elle lui avait présenté Bethany. Sitôt passé le premier mouvement de recul, il était resté le même. Elle comprit à cet instant que Cross l'aimait de tout son être et dans ses yeux aucune lueur maligne ne s'était allumée en apprenant son infortune.

XII

Claudia était bien décidée à profiter de sa courte intimité avec Eli Marrion ; elle ferait appel au sens de l'honneur du vieil homme pour qu'il accepte de donner à Ernest Vail ses points sur l'adaptation de son roman. Elle était prête à faire fi de tous ses principes, même si les chances de succès étaient infimes. Certes, Bobby Bantz était intraitable sur les questions d'argent, en particulier lorsqu'il s'agissait de pourcentage sur les recettes, mais Eli Marrion restait en ce domaine imprévisible et il avait toujours eu un petit faible pour elle. En outre, une tradition salutaire dans le milieu du cinéma voulait que toute participation sexuelle, si brève fût-elle, soit dignement récompensée — une sorte de code de courtoisie.

Les menaces de suicides de Vail étaient la raison évoquée pour précipiter la réunion. S'il passait aux actes, les droits devraient être reversés intégralement à son ex-femme et à ses enfants, et Molly Flanders serait une vraie tigresse dans la négociation. Personne ne prenait, en fait, très au sérieux les menaces de Vail, pas même Claudia, mais Bobby Bantz et Eli Marrion, pour qui l'argent était l'essence de toute chose, ne voulaient courir le moindre risque.

Lorsque Claudia, Ernest Vail et Molly arrivèrent à la LoddStone, Bobby Bantz était seul à les attendre dans le bureau. Il semblait mal à l'aise, bien qu'il tentât de dissimuler son embarras dans un flot de paroles de bienvenue, en particulier pour Vail.

— Voilà notre trésor national, lança-t-il en le prenant dans ses bras avec une affection pleine de respect.

— Où est Eli ? demanda aussitôt Molly Flanders, comprenant qu'il y avait anguille sous roche. Lui seul peut prendre une décision sur notre affaire.

La voix de Bantz se voulut rassurante.

— Eli est à l'hôpital, au Cedar Sinai. Rien de grave, juste un examen de routine. Mais cela doit rester entre nous. Car les actions de la LoddStone fluctuent selon les bulletins de santé du patron !

— A plus de quatre-vingts ans, tout est grave, rétorqua sèchement Claudia.

— Non, non, insista Bantz. Nous travaillons tous les jours dans sa chambre d'hôpital. Il est encore plus vif que de coutume. Présentez-moi donc votre problème et je lui en ferai part à ma prochaine visite.

— C'est hors de question ! coupa Molly.

— Parlons quand même à Bobby, ça n'engage à rien, suggéra Vail.

Ils exposèrent donc leurs doléances. Bantz était amusé, mais eut la décence de ne pas éclater de rire ouvertement.

— J'ai déjà vu beaucoup de choses dans cette ville de fous, mais celle-ci est la meilleure ! J'en ai touché deux mots à nos avocats ; ils disent que le décès d'Ernest ne changera rien à notre pourcentage. D'un point de vue juridique, c'est une situation très complexe.

— Va demander à tes types des relations publiques ce qu'ils en pensent ! lança Claudia. Si Ernest passe aux actes, et que la presse s'en mêle, la LoddStone aura une image déplorable. Et je doute qu'Eli apprécie. Il a un certain sens moral.

— Moi aussi, répondit calmement Bantz, cachant difficilement sa fureur.

Pourquoi personne ne se rendait-il compte qu'Eli était derrière lui, songea Bantz avec humeur, le soutenant à 100 p. 100 ?

— Tu comptes vraiment te tuer ? demanda-t-il à Vail. Qu'est-ce que tu as prévu ? Revolver, couteau, le grand saut dans le vide ?

Vail lui retourna un grand sourire.

— Me faire hara-kiri sur ton bureau, Bobby !

Tous éclatèrent de rire.

— Nous perdons notre temps ici, intervint Molly. Pourquoi n'irions-nous pas trouver Eli à l'hôpital ?

— Je ne veux pas parler d'argent avec un malade, objecta Vail.

Tous les autres le regardèrent avec sympathie. Bien sûr, la proposition de Molly Flanders pouvait paraître déplacée. Mais les hommes depuis leur lit de malade pouvaient ordonner des meurtres, fomenter des révolutions, frauder le fisc ou dénoncer leurs contrats. Un lit d'hôpital n'avait rien d'un sanctuaire et la protestation de Vail était purement formelle.

— Taisez-vous Ernest, si vous voulez que je continue de défendre vos intérêts. Eli a escroqué des centaines de gens depuis son lit d'hôpital. — Elle se tourna vers Bantz — Bobby, il faut trouver un accord équitable pour tout le monde. La LoddStone a une mine d'or en sa possession avec les suites possibles. Vous pouvez aisément vous permettre de donner à Ernest deux points sur les recettes brutes.

Le visage de Bantz se distordit d'horreur, comme si un tison ardent venait de lui traverser les entrailles.

— Deux points sur le brut ! s'écria-t-il. Plutôt mourir.

— Très bien, reprit Molly. Alors disons 5 p. 100 sur les bénéfices. Mais avant déduction des frais de publicité, des remboursements d'intérêt ou des pourcentages des acteurs.

— C'est pratiquement du brut ! lâcha Bantz avec mépris. Allons, nous savons tous que Ernest ne se tuera pas. Il est trop intelligent pour faire une bêtise pareille.

Dans le langage de Bobby Bantz, cela voulait dire que Vail était une mauviette.

— Pourquoi courir ce risque ? lança Molly. J'ai fait un rapide calcul : vous pouvez compter sur trois suites, au minimum. Cela représente, au bas mot, un demi-million de dollars de recettes en comptant les ventes à l'étranger, hors droits vidéo et T.V. Et Dieu sait la marge que vous vous faites en ce domaine ! Alors pourquoi ne pas donner à Ernest son pourcentage ? Cela va vous coûter vingt misérables millions. Vous donnez bien le double à la première starlette venue.

Bantz réfléchit un moment, refoulant sa colère pour passer au registre du charme.

— Ernest, commença-t-il, en tant que romancier tu es notre trésor national. Personne ne te respecte davantage que moi. Et Eli a lu tous tes livres. Nous sommes donc tout disposés à trouver un arrangement.

Claudia était irritée de voir Vail gober toute cette langue de bois ; le terme « trésor national » l'avait toutefois fait tiquer.

— Tu peux être plus précis ? demanda Vail au grand soulagement de Claudia.

Bantz se tourna alors vers Molly Flanders :

— Que dirais-tu d'un contrat sur cinq ans de dix mille dollars la semaine pour écrire des scénarios originaux et faire un peu de réécriture, sachant qu'on lui laissera pratiquement carte blanche. Pour chaque scénario remanié, il aura cinquante mille dollars de prime par semaine. Autrement dit, en cinq ans, il pourra se faire dans les dix millions.

— Double cette somme, rétorqua Molly, et on pourra commencer à discuter.

Vail perdit soudain sa patience légendaire.

— Vous me prenez pour un idiot ou quoi ! s'indigna-t-il. Je sais encore compter. C'est seulement deux millions et demi qui tomberont dans mes poches. Tu ne m'achèteras jamais un scénario original, et je n'en écrirai jamais. De plus, tu ne me confieras jamais de rewriting. Et si vous faites six suites avec mon bouquin ? C'est un milliard que vous allez gagner sur mon dos. — Vail se mit à rire de bon cœur — J'aurai l'air fin avec mes deux millions et demi !

— Qu'est-ce qui t'amuse à ce point ? lança Bobby.

Vail était pris à présent d'un véritable fou rire.

— Jamais je n'aurais espéré avoir ne serait-ce qu'un million de dollars, même dans mes rêves les plus fous, et voilà que je crache sur deux millions et demi parce que ça ne me sert plus à rien !

— Comment ça ? s'enquit Claudia qui connaissait le curieux sens de l'humour de Vail.

— Parce que je serai encore en vie, répondit Vail. Voilà pourquoi. Parce que ma famille a besoin de ces points sur le brut. Ils avaient confiance en moi, avant, et que je les ai abandonnés.

En d'autres circonstances, la tirade aurait pu être touchante, même aux yeux de Bantz, mais elle sonnait faux, ça sentait l'hypocrisie et la complaisance.

— Allons parler à Eli, intervint Molly Flanders

— Je ne suis pas de votre monde ! s'écria Vail, ne pouvant plus contenir sa colère. Je n'irai pas demander l'aumône à un homme dans son lit d'hôpital !

Et il sortit du bureau en claquant la porte.

— Quand je pense que vous vous décarcassez toutes les deux pour un type comme ça, grogna Bantz.

— Pourquoi pas ? répondit Molly. J'ai bien défendu un gars qui avait tué sa mère et ses trois gosses à coups de couteau. Ernest, à côté, est un enfant de chœur.

— Et toi Claudia, quelle est ton excuse ? demanda Bantz.

— Entre écrivains, il faut bien s'entraider, rétorqua-t-elle avec ironie.

Tout le monde éclata de rire.

— Je crois que l'on s'est tout dit, conclut Bantz. Vous avez vu, j'ai fait tout ce que j'ai pu pour lui faire plaisir.

— Bobby, pourquoi ne veux-tu pas lui donner un point ou deux sur le brut ; ce ne serait que justice, insista Claudia.

— Parce qu'il arnaque écrivains, acteurs et metteurs en scène depuis des lustres. A tel point que c'est devenu, chez lui, une question de principe, répondit Molly.

— C'est exact, concéda Bantz. Et quand ils ont de la carrure, ce sont eux qui nous arnaquent. Les affaires sont les affaires.

— Comment va Eli, s'enquit Molly avec une inquiétude feinte. Rien de sérieux, j'espère ?

— Non, il va très bien, répondit Bantz. Ne vends pas tes actions.

— Alors il peut nous recevoir, insista Molly Flanders.

— De toute façon, moi, je passe le voir, annonça Claudia. J'aime vraiment bien Eli. C'est lui qui m'a donné ma première chance.

Bantz haussa les épaules.

— Si Ernest se tue, tu vas t'en mordre les doigts, avertit Molly. Les recettes des suites seront encore plus mirifiques que ce que j'ai dit. J'ai allégé le tableau par égard pour toi.

— Ce couillon ne fera rien ! siffla Bantz. Il n'a pas les tripes pour ça.

— Il n'est pas resté longtemps ton « trésor national », nota Claudia avec amusement.

— Notre bonhomme est réellement dingue, annonça Molly Flanders. Il pourrait se tuer sans le faire exprès.

— Il touche à la drogue? demanda Bantz un peu inquiet.

— Non, répondit Claudia, mais Ernest est un homme plein de surprises. C'est un excentrique qui s'ignore.

Bantz sembla soupeser le problème un moment. Il y avait quelque chose de vrai dans ce que disaient les deux femmes. Il détestait, en outre, se faire des ennemis lorsque ce n'était pas nécessaire et n'avait aucune envie que Molly Flanders le prenne en grippe. Cette femme était une vraie diablesse en affaire.

— Je vais téléphoner à Eli. S'il me donne son accord, je vous emmène à l'hôpital, proposa-t-il, persuadé qu'Eli refuserait de les recevoir.

Mais à son grand étonnement, Eli Marrion accepta :

— Qu'ils viennent, qu'ils viennent tous ! s'exclama-t-il.

Ils se rendirent donc à l'hôpital dans la limousine de Bantz — un exemple de modernité, sans luxe ostensible toutefois. La voiture était simplement équipée d'un fax, d'un ordinateur et d'un téléphone cellulaire. Un garde du corps, fourni par la Pacific Ocean Security Agency, était assis à côté du chauffeur. Une autre voiture, avec deux autres gardes à bord, les suivait.

Derrière les vitres teintées de la limousine défilait une ville monochrome aux tons beiges; comme dans un vieux western. A mesure qu'ils s'enfonçaient dans le centre, les immeubles se firent de plus en plus grands, comme s'ils pénétraient le cœur d'une jungle d'arbres pétrifiés. Claudia était à chaque fois surprise par la rapidité avec laquelle on passait d'un monde bucolique et verdoyant à une métropole de verre et de béton.

A l'hôpital Cedar Sinai, les couloirs étaient larges comme des halls d'aéroports, mais les plafonds bas donnaient au lieu une atmosphère étouffante, comme dans un vieux film expressionniste allemand. Une chargée des relations publiques les accueillit — une jolie jeune femme vêtue d'un tailleur strict quoique très élégant; elle rappelait à Claudia les « hôtesses » des hôtels de Las Vegas.

Elle les conduisit vers un ascenseur qui les mena jusqu'aux suites du dernier étage.

Chaque appartement était fermé par une double porte de chêne sculptée qui montait du sol au plafond, nombrilée de poignées de cuivre étincelantes. Les portes donnaient dans un grand salon, équipé d'une table, d'un canapé et de fauteuils clubs, ainsi que d'une niche pour une secrétaire où se trouvait un ordinateur et un fax. On trouvait également un coin cuisine et une salle de bains pour invité en supplément de celle réservée au patient. Le plafond très haut, la cuisine ouverte sur la pièce principale, le coin bureau et la disposition du salon, donnaient au lieu des airs de plateau de sitcom.

Eli Marrion se trouvait dans un lit aux draps rêches et blancs, le dos redressé par une batterie d'oreillers. Il lisait un scénario broché à la couverture orange. Sur la desserte, à côté de lui, s'empilaient des dossiers contenant les budgets des films en production. Une charmante secrétaire, assise de l'autre côté du lit, prenait des notes. Eli avait toujours aimé être entouré de jolies femmes.

— Eli, tu as une mine superbe! lança Bobby Bantz en lui faisant une bise.

Molly et Claudia l'imitèrent. Claudia avait tenu à acheter des fleurs et elle déposa le bouquet sur le lit. De telles familiarités étaient acceptables uniquement parce que le grand Eli Marrion était malade.

Claudia nota tous les détails de la pièce, comme si elle était en train de faire des recherches en vue d'un scénario. Les drames dans le milieu médical faisaient presque toujours des succès.

Eli Marrion n'avait en fait pas du tout une mine superbe. Ses lèvres étaient striées de lignes bleues qui semblaient avoir été dessinées à l'encre, sa respiration était courte; il semblait manquer d'air lorsqu'il parlait. Deux canules vertes lui sortaient du nez et étaient reliées par l'intermédiaire d'un tuyau de caoutchouc à une bonbonne d'où s'échappaient des bulles de gaz.

Marrion suivit leur regard.

— De l'oxygène, souffla-t-il.

— C'est seulement temporaire, s'empressa d'ajouter Bantz. Pour l'aider à respirer.

Molly Flanders, ignorant ces précisions, revint à la raison de leur visite :

— Eli, commença-t-elle. J'ai expliqué la situation à Bobby et il a besoin de ton accord.

Marrion semblait étrangement de bonne humeur.

— Molly, répondit-il, tu es vraiment l'avocate la plus âpre en affaire de tout L.A. Te voilà prête à me harceler jusque sur mon lit de mort?

Claudia sentit une bouffée de panique monter en elle :

— Bobby nous a dit que tu allais bien, répondit-elle. Et nous avions tellement besoin de te voir.

Sa gêne était si visible que Marrion leva la main en geste de bénédiction.

— Je peux tout comprendre, articula-t-il.

Il fit signe à sa secrétaire de quitter la pièce. Son infirmière particulière, une femme à l'air sévère, lisait un livre sur un coin de la table de la salle à manger. Il voulut la congédier à son tour. Elle lui jeta un regard noir, secoua la tête, et poursuivit sa lecture.

Marrion poussa un rire, une sorte de plainte rauque.

— Je vous présente Priscilla, la meilleure infirmière de toute la Californie. Une spécialiste des soins intensifs; elle est intraitable! Mon docteur l'a embauchée spécialement pour jouer les anges gardiens. C'est elle la patronne ici.

Priscilla les salua d'un court hochement de menton et se replongea dans son livre.

— Je suis prête à limiter sa part à vingt millions de dollars, annonça Molly. Cela vous donne une garantie. Pourquoi prendre un quelconque risque? Pourquoi être aussi injuste envers lui ?

— Personne n'est injuste! rétorqua Bantz avec agacement. Il a signé un contrat.

— Ta gueule, Bobby! lança Molly.

Marrion les ignora et tourna la tête vers Claudia.

— Et toi, Claudia, qu'est-ce que tu en penses?

Les pensées se bousculaient dans sa tête. A l'évidence, Eli était plus mal en point qu'on ne le prétendait. Il était honteux de faire pression sur ce vieil homme malade; le simple fait de parler semblait lui demander des efforts surhumains. Elle était donc à deux doigts d'annoncer qu'elle s'en allait, quand elle comprit soudain qu'Eli ne les aurait jamais laissés entrer s'il n'avait eu une idée derrière la tête.

— Ernest est capable de tout, répondit-elle. Il veut assurer la sécurité de sa famille. Mais c'est un écrivain, et je sais que tu aimes les écrivains, Eli. Considère ça comme du mécénat. Tu as bien donné vingt millions de dollars au Metropolitan Museum. Pourquoi ne pas faire la même chose pour Ernest ?

— Et avoir ensuite tous les agents littéraires à nos basques ? répliqua Bantz.

Eli Marrion prit une profonde inspiration et les canules vertes semblèrent s'enfoncer plus profondément encore dans ses narines.

— Entendu, dit-il. Mais il faudra que cela reste entre nous. Ce sera notre petit secret... Je vais donner à Vail ses deux points sur le brut, jusqu'à concurrence de vingt millions. Et je lui verse un million d'avance. Vous êtes contentes ?

Molly réfléchit à la question un moment. Deux points sur les recettes brutes rapporteraient un minimum de quinze millions de dollars, voire davantage. Elle ne pouvait pas espérer mieux, et il était étonnant que Marrion se soit montré aussi généreux. Si elle commençait à discuter, il risquait de retirer son offre.

— C'est parfait, Eli. Merci, répondit-elle finalement en l'embrassant sur la joue. Je t'enverrai un contrat demain à ton bureau. Et j'espère te revoir rapidement sur pied.

Claudia avait du mal à cacher son émotion. Elle serra chaleureusement les mains de Marrion, remarquant les taches brunes sur la peau du vieil homme, la froideur de ses mains, signe de mort.

— Tu viens de lui sauver la vie, murmura-t-elle.

A ce moment-là, la fille de Marrion entra dans la chambre, accompagnée de ses deux enfants. Priscilla, l'infirmière, se leva brusquement, comme une chatte sentant une souris, et se précipita vers les enfants, pour les empêcher de s'approcher du lit. La fille de Marrion avait divorcé deux fois ; elle ne s'entendait plus avec son père, mais celui-ci lui avait concédé une société de production dans l'enceinte de la LoddStone parce qu'il adorait ses petits-enfants.

Claudia et Molly se retirèrent. Elles se rendirent au bureau de l'avocate et passèrent un coup de fil à Vail pour lui annoncer la bonne nouvelle. Il insista pour les emmener à dîner fêter l'événement.

La fille de Marrion et ses deux petits-enfants ne restèrent que quelques minutes — juste le temps nécessaire de lui faire promettre d'acheter les droits exorbitants d'un roman pour un prochain film.

— Tu as bien bon cœur ce soir, s'étonna Bantz une fois seul avec Marrion.

Eli Marrion sentit toute la fatigue de son corps tandis que l'air pulsé s'insinuait dans ses poumons. Il pouvait se laisser aller avec Bantz, être naturel. Ils en avaient tant vu tous les deux ; ils avaient usé de leur pouvoir ensemble, remporté des batailles, voyagé et négocié jusqu'aux confins de la planète. Ils se comprenaient sans parler.

— Ce roman que je vais acheter pour ma fille, on peut en faire un film qui se tienne ?

— Oui, mais à petit budget. Ta fille veut s'offrir un film intello...

Marrion leva la main d'un geste las.

— Tout le monde est plein de bonnes intentions, mais c'est toujours nous qui payons les pots cassés, soupira-t-il. Trouve-lui un bon scénariste, mais pas de stars. Elle sera contente et nous limiterons les dégâts.

— Tu comptes vraiment donner à Vail ses points sur le brut ? Notre avocat soutient que nous pouvons gagner en justice s'il se suicide.

— Oui, je lui donnerai ses points, si je m'en sors, répondit Marrion. Sinon, tu feras comme bon te semble. C'est toi qui seras aux commandes.

Cet accès de sentimentalité surprit Bantz.

— Allons, Eli, tu vas t'en sortir, évidemment.

Bantz était réellement sincère. Il n'avait aucune envie de succéder à Marrion, et redoutait le jour funeste de sa disparition. Il était prêt à renverser des montagnes tant qu'Eli le soutenait.

— Cela va bientôt être à toi de jouer, Bobby, poursuivit Eli. Je ne vais pas m'en tirer, cette fois. Les toubibs disent qu'il me faut un nouveau cœur et j'ai décidé de refuser. Je peux vivre encore six mois ou un an avec mon vieux cœur capricieux, peut-être beaucoup moins. De toute façon, je suis trop vieux pour recevoir une greffe.

Bantz était abasourdi.

— Ils ne peuvent pas faire un pontage?

Marrion secoua la tête.

— Allons, Eli, insista Bantz, ne sois pas ridicule. Il te faut faire cette greffe. La moitié de cet hôpital est à toi, ils sont obligés de te trouver un nouveau cœur. Tu auras encore au moins dix ans à vivre. — Il marqua un silence — Tu es fatigué, Eli, on reparlera de tout ça demain.

Marrion s'était déjà endormi. Bantz alla prier les médecins de faire le nécessaire pour dénicher un cœur sain pour Eli Marrion.

Ernest Vail, Molly Flanders et Claudia De Lena fêtaient leur victoire à La Dolce Vita de Santa Monica. C'était le restaurant favori de Claudia. Elle avait des souvenirs d'enfance ici. Son père l'y emmenait lorsqu'elle était petite. On la traitait alors comme une petite reine. Elle se rappelait les centaines de bouteilles de vin empilées un peu partout dans la salle — sous les alcôves des fenêtres, dans les casiers derrière les banquettes, dans le moindre recoin du restaurant. Il suffisait aux clients de tendre le bras pour se servir comme on cueille une grappe de raisin.

Vail était de bonne humeur. Personne, songeait Claudia, ne pourrait croire qu'Ernest était au bord du suicide. Il était fier comme un pape à l'idée que sa menace ait porté ses fruits. Le bon vin rouge les mettait dans une gaîté quelque peu tapageuse et ils se congratulaient mutuellement. La nourriture — de la solide cuisine italienne — leur donnait de l'énergie à revendre.

— La question qui se pose, lança Vail, c'est de savoir si deux points sur le brut suffisent, ou s'il ne vaudrait pas mieux en demander trois.

— N'ayez pas les dents trop longues, conseilla Molly. Le marché est conclu.

Ernest lui baisa la main comme dans les films romantiques.

— Molly, vous êtes un génie, lâcha-t-il. Un génie impitoyable. Comment avez-vous pu oser harceler un pauvre type sur son lit d'hôpital?

Molly trempa un morceau de pain dans la sauce tomate.

— Ernest, vous ne comprendrez jamais rien à cette ville. La pitié n'a pas cours ici — que vous soyez saoul, drogué, amoureux ou bout du rouleau. Pourquoi faire une exception avec la maladie ?

— Skippy Deere m'a dit un jour, intervint Claudia, qu'en matière de négociation si tu es l'acheteur, il faut emmener les gens dans un restaurant chinois et si tu es le vendeur il faut les emmener dans un restaurant italien. Tu comprends pourquoi ?

— Skippy est un producteur, répondit Molly. Il a dû lire ça quelque part. Mais sorti de son contexte, cela perd tout son sens.

Vail mangeait avec l'enthousiasme d'un prisonnier venant d'être libéré. Il avait commandé trois sortes de pâtes différentes ; il donna un échantillon de chaque à Molly et Claudia pour connaître leur avis.

— C'est la meilleure cuisine italienne que l'on puisse trouver hors de Rome ! lança-t-il. Pour revenir à Skippy, ce qu'il dit n'est pas complètement absurde. La cuisine chinoise n'est pas chère, les prix sont donc enclins à baisser. La nourriture italienne a tendance à te faire dormir, et donc à faire baisser la garde de l'adversaire. Moi j'aime bien les deux. Skippy ne quitte donc jamais sa peau de producteur, même lorsqu'il fait bonne chère ?

Comme à son habitude, Vail avait commandé trois desserts différents. Il ne les mangerait pas entièrement, mais il aimait goûter un peu à tout lorsqu'il dînait au restaurant. Cela n'avait pour lui rien d'excentrique. Pas plus que ne l'était, à ses yeux, sa façon de s'habiller. Le seul rôle des vêtements semblait être de le protéger du vent ou du soleil, rien de plus, et il n'accordait que peu d'attention à ses rasages du matin, laissant souvent une patte plus grande que l'autre sur ses tempes. Sa menace de suicide ne lui paraissait pas plus illogique ou saugrenue. De même que sa franchise entière et naïve qui pouvait blesser nombre de gens. Claudia était habituée aux excentricités de toutes sortes. Les dingues couraient les rues à Hollywood.

— Au fond, Ernest, tu n'es pas si éloigné que ça de notre petit monde, commença Claudia. Tu es aussi excentrique que les autres.

— Ce n'est pas vrai, se défendit Vail. J'ai un esprit bien trop simpliste pour ça.

— Vouloir te suicider pour un petit désaccord financier n'est pas légèrement excentrique, à tes yeux ?

— Pas du tout. Il s'agit d'une décision mûrement réfléchie, ma réponse en tant que citoyen de ce pays. J'en ai assez de n'être personne.

— Comment peux-tu dire une chose pareille ? s'irrita Claudia. Tu as écrit plus de dix romans et gagné le prix Pulitzer. Tu es connu sur toute la planète !

Vail avait terminé ses trois assiettes de pattes et contemplait son plat de résistance : des escalopes de veau nappées de sauce citron.

— Tout ça ne vaut pas tripette, répliqua-t-il en saisissant sa fourchette et son couteau. Je suis fauché comme les blés. Il m'a fallu cinquante ans pour comprendre que si tu n'as pas d'argent en ce bas monde, tu es de la merde.

— Vous n'êtes pas un excentrique, lança Molly Flanders, mais un malade ! Arrêtez donc de geindre sous prétexte que vous n'êtes pas riche. Vous êtes loin d'être pauvre, que je sache. On ne serait pas ici, sinon. Ne jouez pas à l'artiste maudit, c'est déplacé.

Vail posa ses couverts et tapota doucement le bras de Molly Flanders.

— Vous avez raison, admit-il. Ce que vous dites est la stricte vérité. Chaque instant de ma vie est un instant de bonheur. C'est le trajet parcouru qui me met le moral à zéro. — Il vida son verre de vin, et ajouta avec un étrange détachement : — Je vais arrêter d'écrire, c'est décidé. Être écrivain est une impasse, c'est comme être maréchal ferrant. Aujourd'hui, c'est le cinéma et la télévision qui font la pluie et le beau temps.

— C'est idiot, répliqua Claudia, les gens ont toujours lu et liront toujours.

— La vérité, c'est que vous êtes un grand paresseux, lança Molly. Cela vous donne une bonne excuse pour ne pas écrire. Voilà pourquoi vous vouliez vous tuer.

Tout le monde rit de bon cœur. Vail leur fit goûter ses escalopes puis ses trois desserts. C'était pendant les dîners que sa générosité s'exprimait ; Vail semblait adorer nourrir les gens.

— Pourquoi as-tu une telle dent contre le cinéma ? lança Claudia avec agacement. Je t'ai vu pleurer comme une madeleine bien des fois devant un écran. Les films peuvent être des œuvres d'art.

Ernest rayonnait de joie. Après tout, il avait gagné sa bataille contre la LoddStone ; il avait eu ses points sur les recettes.

— Je suis tout à fait d'accord. Le cinéma est un art. C'est la jalousie qui me fait dire ça. Les films rendent les livres caduques. A quoi bon écrire un passage lyrique sur la beauté de la nature, décrire un ciel flamboyant, un coucher de soleil, la beauté d'une chaîne de montagnes chapeautée de neige ou la force envoûtante des vagues de l'océan ? psalmodia-t-il comme un prêcheur devant ses ouailles, avec de grands gestes de bras. Comme écrire la passion, la beauté des femmes ? A quoi bon se donner tant de mal lorsqu'on peut avoir tout ça en Technicolor ? Songez à ces femmes fatales, avec leurs lèvres pulpeuses et sanguines, leurs yeux mystérieux et magiques, qui s'offrent nues sur l'écran, avec leurs fesses rondes et leurs nichons appétissants comme un pâté en croûte. Même la vie réelle ne fait pas le poids, alors de pauvres mots... Comment dépeindre les hauts faits de héros, massacrant leurs ennemis par centaines, surmontant tous les dangers et toutes les tentations, alors que ce sémillant spectacle vous est offert à l'écran, jusqu'à la moindre goutte de sang, jusqu'au moindre visage déformé par la souffrance. Les acteurs et la caméra touchent le cœur sans passer par le cerveau. Imaginez Stallone en Achille ! La seule chose que l'image ne peut capter, c'est ce qui se passe dans la tête des personnages, elle ne peut reproduire le processus de la pensée, toute la complexité de la vie. — Il se tut un moment avant d'ajouter, avec un regard plein de regret : — Mais le plus grave, c'est que je suis un affreux élitiste. Je voulais être un artiste unique en son genre. Si je hais tant le cinéma, c'est parce qu'il est l'art démocratique par excellence. Tout le monde peut faire un film. Tu as raison, Claudia, des films m'ont fait pleurer à chaudes larmes, mais je sais que les gens qui ont fait ces films sont des crétins obtus, au bord de l'illettrisme, sans la plus petite once de moralité. Le scénariste est un téléphage, le metteur en scène un egomaniaque, le producteur est un escroc et les acteurs passent leur temps à donner des coups de poings dans les murs ou à casser des miroirs pour montrer leur colère au public. Et pourtant ça marche. Et vous savez pourquoi ? Parce que le cinéma fait appel à la sculpture, à la peinture, à la musique, à la plastique humaine et à la technologie pour exister, alors que l'écrivain ne se sert que de mots, d'encre noire et de papier blanc. Mais, au fond, il n'y a pas de quoi fouetter un chat. C'est le progrès qui veut ça. Nous vivons l'avènement du nouvel art majeur. Un art démocratique, sans souffrance. Il suffit d'acheter une caméra et de réunir autour de soi une bande d'amis.

Vail regarda les deux femmes d'un air triomphant.

— Vous ne trouvez pas ça merveilleux? demanda-t-il. Voilà enfin un art qui ne requiert aucun talent ! C'est la messe planétaire, la grande thérapie de groupe ! Cela remplacera même le sexe. Je vais voir ton film et tu viens voir le mien. Un art capable de transformer la vie, de nous offrir le meilleur des mondes. Tu peux être fière Claudia, tu participes à ce qui sera notre futur.

— Vous n'êtes qu'un petit con imbu de vous-même, lança Molly Flanders. Claudia vous a défendu, bec et ongles, elle s'est battue pour vous. Quant à moi, j'ai montré plus de patience avec vous qu'avec n'importe quel meurtrier à qui j'ai eu affaire. Et pour tout remerciement, vous nous invitez à dîner pour nous cracher vos insultes à la figure.

Vail sembla tomber des nues.

— Mais je ne vous insulte pas. Je ne fais que définir une situation donnée. Non seulement je vous suis reconnaissant, mais je vous aime, toutes les deux. — Il se tut un instant, avant d'ajouter, avec une soudaine humilité : — Je n'ai jamais dit que je me croyais au-dessus de vous.

Claudia éclata de rire.

— Ernest, tu es impossible ! lança-t-elle.

— On ne se refait pas, concéda-t-il. On peut parler affaire une minute ? J'aimerais savoir une chose, Molly. Si je meurs et que ma famille récupère tous les droits, combien pourront-ils espérer de la LoddStone — cinq points sur le brut ?

— Au minimum, répondit Molly Flanders. Vous voilà prêt à vous tuer maintenant pour gagner quelques points supplémentaires ? Franchement, je ne vous suis plus.

Claudia regarda Vail avec inquiétude. Sa bonne humeur ne lui disait rien de bon.

— Ernest, tu n'es toujours pas content? On t'a obtenu un contrat en or, pourtant. J'étais ravie pour toi.

— Claudia, tu es complètement déconnectée de la vie réelle, répondit Vail avec tendresse. C'est pour cette raison que tu es une scénariste hors pair. Que je sois content ou non ne change rien à l'affaire. Le plus heureux des hommes aura toujours dans sa vie des moments tragiques. Des drames atroces. C'est vrai, je viens de remporter une grande victoire et je n'ai plus besoin de me suicider. Je passe une soirée agréable, et je suis heureux d'être en la compagnie de deux femmes aussi belles, intelligentes et sympathiques que vous. Et l'idée d'assurer une sécurité financière à ma femme et mes gosses me comble de joie.

— Alors pourquoi toutes ces jérémiades? lança Molly Flanders. Pourquoi voulez-vous à tout prix nous gâcher la soirée?

— Parce que je n'arrive plus à écrire, avoua Vail. Ce qui n'est pas en soi la fin du monde, je vous l'accorde. Mais c'est la seule chose que je sache faire.

Tout en parlant, il termina ses trois desserts avec un tel plaisir que les deux femmes éclatèrent de rire. Vail leur retourna un grand sourire :

— On a bien bluffé ce vieil Eli, hein?

— Tu prends l'angoisse de la page blanche un peu trop au sérieux, reprocha Claudia. Fais-toi une cure d'amphètes.

— Les scénaristes ne connaissent pas ça parce que ce ne sont pas des écrivains, répondit Vail. Je n'arrive plus à écrire parce que je n'ai plus rien à dire, c'est aussi simple que ça. Il y a une chose que je ne comprends toujours pas, poursuivit-il en se tournant vers Molly Flanders : comment, en ayant 10 p. 100 des bénéfices nets sur un film qui a rapporté plus de cent millions de dollars et qui en a coûté moins de quinze, ai-je pu ne pas toucher un sou? Voilà l'un des grands mystères de l'existence que j'aimerais percer avant de mourir.

Molly retrouva sa bonne humeur; elle adorait expliquer ce genre de choses. Elle sortit un calepin de son sac à main et commença à aligner des chiffres.

— C'est parfaitement légal, annonça-t-elle. Ils sont couverts par le contrat, soit dit en passant, que vous n'auriez jamais dû signer. Prenons, par exemple, vos cent millions de recettes brutes. Les cinémas et les exploitants en prennent la moitié ; il ne reste donc au studio que cinquante millions, ce qu'on appelle la recette part producteur.

« Bien, poursuivit Molly Flanders. Le studio retire les quinze millions qu'a coûté le film ; ça nous laisse donc trente-cinq millions. Malheureusement, selon les termes de votre contrat (et il s'agit d'une pratique courante chez les grands studios) la LoddStone prend 30 p. 100 sur les recettes pour les frais de distribution. Cela fait encore quinze millions qu'ils se mettent dans la poche. Il nous reste donc vingt millions. Ils déduisent alors le coût des affiches et de la publicité. Ce qui peut s'élever facilement à cinq millions. Reste donc quinze millions. Et voilà le plus beau : toujours par contrat, le studio prend 25 p. 100 du budget pour frais généraux, factures de téléphone, électricité, utilisation des auditoriums, etc. Reste en gros onze millions. Bon, vous allez me dire ; vous prenez votre part sur ces onze millions. Pas du tout ; car la vedette touche au moins 5 p. 100 sur ces recettes part producteur, ainsi que le metteur en scène et le producteur. Ce qui fait environ cinq millions encore à retirer. Bref, nous en sommes à six millions. Ce n'est pas si mal, vous vous obstinez à vous dire. Mais holà, pas si vite ! On vous compte alors tous les frais d'exploitation, cinquante mille dollars pour les copies du marché anglais, cinquante mille encore pour la France et l'Allemagne ; et pour finir, on déduit les intérêts des quinze millions que le studio a empruntés pour lancer la production du film. Le compte est bon ; les six millions restants ont disparu. Voilà ce qui arrive quand on ne me prend pas comme avocate. Je vous aurais obtenu un contrat qui vous aurait offert une belle concession sur cette mine d'or. On ne donne jamais de pourcentage sur les recettes brutes à un écrivain, mais on lui fait miroiter des merveilles sur les bénéfices nets. Vous saisissez à présent ?

Vail éclata de rire.

— Pas vraiment, avoua-t-il. Et les droits T.V. et vidéo ?

— Vous toucherez un peu de sous avec les droits T.V., répondit-elle. Mais personne ne sait combien ils se font sur la vidéo.

— Et mon accord avec Marrion, il porte bien sur le brut ? s'inquiéta Vail. Ils ne peuvent pas me gruger une nouvelle fois ?

— Pas avec le contrat que je vais leur faire signer, assura Molly Flanders. Ce sera un pourcentage exclusivement sur les recettes brutes.

— Alors je n'ai plus de raison de me plaindre, concéda Vail d'un air maussade. Je n'ai aucune excuse pour ne pas écrire.

— Tu es vraiment un excentrique, lança Claudia.

— Pas du tout. Je suis simplement un bon à rien! Les excentriques font des choses étranges pour surprendre les autres, leur faire oublier ce qu'ils sont, parce qu'ils ont honte de leur vie. Voilà pourquoi tous les gens dans le cinéma sont des excentriques.

Qui aurait cru que mourir fût si doux, que l'on puisse connaître cette paix, trépasser sans crainte, sans terreur? Et du même coup, lever le plus grand mystère de l'humanité...

Eli Marrion, dans son lit de malade, au fil des longues heures de la nuit, inspirait l'oxygène s'échappant du tube, et méditait sur sa vie. Priscilla, son infirmière particulière, faisait une garde supplémentaire et lisait un livre à la lueur d'une veilleuse à l'autre bout de la pièce. Il voyait ses yeux se lever par intermittence vers lui, comme si elle voulait s'assurer de son état après chaque fin de ligne.

Cette scène, dans un film, aurait été traitée de façon bien différente, songea Marrion. Il y aurait eu un climat de tension insoutenable parce que le héros oscillait entre la vie et la mort. L'infirmière aurait été penchée au-dessus de lui, un bataillon de médecins se serait activé à son chevet. Il y aurait eu du bruit, de l'angoisse. Mais ici le silence régnait, l'infirmière lisait, et le moribond respirait sans effort grâce à son tube de plastique.

Les suites de soins du dernier étage de l'hôpital étaient réservées aux patients de marque. Des politiciens influents, des milliardaires, des vedettes de cinéma — étoiles mourantes du monde du spectacle. Tous des rois dans leur royaume, devenus l'espace de quelques heures passées à l'hôpital d'humbles sujets devant Dame la mort. Ils gisaient dans leur couche, seuls, impuissants, réconfortés par des âmes uniquement intéressées, leur pouvoir mis en miettes.

Des corps hérissés de tubes et de tuyaux, attendant que le bistouri du chirurgien vienne récurer leur cœur défaillant ou, comme dans son cas, procéder à un échange standard. Étaient-ils tous aussi résignés que lui ?

Pourquoi une telle résignation d'ailleurs ? Pourquoi avait-il refusé une transplantation, pourquoi avoir dit aux médecins qu'il préférait vivre le peu de temps que son cœur fatigué lui octroierait ? Dieu merci, il était donc encore capable de prendre les décisions qui s'imposaient, sans se laisser aller à la moindre sensiblerie.

Tout lui avait paru limpide — comme s'il s'agissait de monter un film, de prévoir son coût de production, ses recettes probables, le montant des droits annexes, d'évaluer les chausse-trappes possibles avec les acteurs, les metteurs en scène et les imprévus.

Primo : il avait quatre-vingts ans, et on avait vu octogénaire plus fringant. Une transplantation cardiaque le mettrait hors course pendant au moins un an. Il ne reprendrait sans doute jamais son fauteuil de P.-D.G. à la LoddStone. Et son pouvoir sur la planète irait s'amenuisant.

Secundo : la vie sans la jouissance du pouvoir était intolérable. A quoi pouvait bien servir un cœur neuf dans un corps usé ? Il ne pourrait ni faire du sport, ni courir les filles, ni ripailler. Le seul plaisir des vieux était le pouvoir, et il n'y avait pas à en rougir. Le pouvoir pouvait servir le bien. Ne s'était-il pas montré généreux avec Ernest Vail, faisant fi de tous ses principes, de toutes ses règles morales en matière d'argent ? N'avait-il pas dit aux médecins qu'il ne voulait pas ôter à un enfant ou à un jeune homme la chance d'obtenir un cœur sain et de pouvoir recommencer ainsi une nouvelle vie ? C'était bien la preuve que le pouvoir pouvait servir de justes causes.

Mais une vie passée dans l'hypocrisie ne s'effaçait pas aussi facilement ; il savait parfaitement reconnaître la véritable nature de ses motivations. Il avait refusé ce cœur parce que c'était signer un contrat à perte — une décision d'économiste. Il avait accordé ses points à Vail parce qu'il voulait s'attirer la sympathie de Claudia et le respect de Molly Flanders — un accès de sentimentalité. Il tenait donc tant à laisser une bonne image derrière lui ?

Il était pourtant satisfait de la vie qu'il avait menée. Il

s'était élevé tout seul, à la force du poignet. Il avait goûté à tous les plaisirs de l'existence : les jolies femmes, les belles maisons, les tissus de luxe. Et il avait apporté sa pierre au grand temple de l'art. Il avait joui d'un immense pouvoir et d'une grande fortune, essayant de faire le bien autour de lui — il avait même fait un don de dix millions de dollars à cet hôpital. Mais par-dessus tout, il avait adoré lutter contre son prochain. Pourquoi en avoir honte? Comment voulez-vous avoir le pouvoir de faire le bien autrement? En ces instants ultimes, il regrettait sa faiblesse avec Vail. On ne pouvait céder ainsi ses biens acquis au prix d'une longue vie de combat, en particulier lorsque l'on vous faisait un odieux chantage. Mais Bobby rectifierait tout ça. Bobby s'occuperait de tout.

Bobby ferait savoir à la planète entière que le P.-D.G. de la LoddStone s'était sacrifié pour qu'un jeune homme puisse avoir un cœur neuf. Bobby récupérerait tous les points cédés sur les recettes brutes et se débarrasserait de la société de production de sa fille qui était un gouffre pour la LoddStone. Bobby redresserait la barre et paierait les pots cassés.

Il entendit au loin un petit bip, puis le fax se mit à tiqueter comme un serpent à sonnettes, transmettant les résultats du box-office sur New York. Le crachotis de la machine résonnait comme une berceuse pour son cœur malade.

La vérité maintenant — l'unique : il en avait assez de vivre. Ce n'était pas son corps qui flanchait, mais son esprit.

Il était déçu par les hommes. Il avait vu trop de trahisons, trop de faiblesses, trop d'avidité, que ce soit pour l'argent ou la gloire. L'hypocrisie était reine entre les amants, entre maris et femmes, entre pères et fils, mères et filles. Par bonheur, les films qu'il avait produits donnaient de l'espoir aux gens, par bonheur, il ne verrait pas ses petits-enfants grandir et reproduire les bassesses humaines.

Le fax continuait à crachoter ses chiffres, et Marrion sentit les tressaillements de son cœur malade. La lueur du petit matin emplit peu à peu la pièce. L'infirmière éteignit sa lampe de lecture et referma son livre. C'était si pathétique de mourir seul en compagnie d'une étrangère après avoir été adulé par tant de gens. L'infirmière lui souleva ses paupières, et posa son stéthoscope sur sa poitrine. Les grandes portes de sa suite s'ouvrirent comme les lourds battants d'un temple; le tintement des chariots emportant les plateaux du petit déjeuner lui parvint aux oreilles...

Soudain la chambre fut baignée d'une lumière aveuglante. Marrion sentit des poings presser sa poitrine, se demandant pourquoi ils faisaient une chose pareille. Une sorte de brume sembla s'insinuer dans son esprit. Derrière ce nuage incertain, il entendait des voix, des cris. Une réplique de film traversa ses neurones asphyxiés : « Est-ce ainsi que périssent les dieux ? »

Il sentit encore un choc électrique, les coups de poing sur sa poitrine, le fil de l'acier ouvrant sa peau pour pouvoir pratiquer un massage cardiaque à cœur ouvert.

Tout Hollywood le pleurerait, mais personne autant que Priscilla, l'infirmière de nuit. Elle avait fait une garde de plus parce qu'elle avait deux enfants à nourrir; elle détestait l'idée que Marrion ait décidé de mourir pendant son service. Elle était fière de passer pour l'une des meilleures infirmières de Californie. Elle détestait la mort. Le livre qu'elle avait lu l'avait emballée et elle comptait bien en toucher deux mots à Marrion pour le convaincre d'en faire un film. Elle ne voulait pas rester infirmière toute sa vie, elle écrivait à ses heures. Il fallait tenir et garder espoir. Il n'y avait que le gratin d'Hollywood à ce dernier étage de l'hôpital, dans ces chambres immenses, et elle était prête à les veiller des nuits entières pour les garder en vie.

Mais rien de tout ceci ne se produisit; ce n'étaient que les fabulations d'un esprit moribond, saturé par des milliers de films.

En réalité, l'infirmière s'était approchée de son lit un quart d'heure après sa mort; il avait trépassé sans bruit. Elle hésita trente secondes, se demandant s'il fallait donner l'alerte et tenter de le ramener à la vie. Elle était habituée à la mort, c'était presque une camarade de route pour elle. A quoi bon vouloir le faire revivre, songea l'infirmière avec compassion, lui infliger tout un autre cortège de souffrances ? Elle se dirigea vers la fenêtre et regarda le soleil se lever, les pigeons parader devant leurs femelles, roucoulant sur les corniches des bâtiments. Priscilla fut l'ultime être décidant du sort de Marrion, et son juge le plus clément.

XIII

Le sénateur Wavven avait de grandes nouvelles, et cela allait coûter aux Clericuzio la bagatelle de cinq millions de dollars. C'est ce que disait du moins la lettre de Giorgio. Un tas de paperasserie en perspective pour Cross. Il faudrait faire sortir cinq millions des caisses du casino et faire disparaître toute trace de ce retrait.

Cross avait également un message de Vail et Claudia. Ils étaient descendus au Xanadu, dans la même suite, et voulaient le voir au plus vite.

Il y avait aussi un appel de Lia Vazzi depuis la propriété de chasse de la Sierra Nevada, qui voulait un rendez-vous en privé. Il était évident que c'était urgent, sinon, il n'aurait pas appelé. A l'heure actuelle, Vazzi était sans doute déjà en chemin pour Las Vegas.

Cross commença à s'occuper des papiers pour assurer le transfert des cinq millions qu'il devait remettre au sénateur. L'argent ne pouvait tenir dans une mallette ou un sac de voyage. Il appela la boutique de souvenirs de l'hôtel; il se rappelait y avoir vu un vieux coffre chinois à vendre — l'objet était assez grand pour contenir la masse de billets. Il était vert sombre, orné de dragons rouges et de fausses émeraudes, le tout fermé par un mécanisme complexe.

Gronevelt lui avait montré comment procéder pour qu'un retrait d'argent des caisses du casino paraisse parfaitement légitime et anodin. C'était un travail de dissimulation fastidieux qui faisait intervenir des transferts vers différents comptes, des paiements de divers fournisseurs d'alcool et de nourriture, des frais de publicité et des stages de formation ainsi qu'une brochette de joueurs virtuels prétendus débiteurs du casino.

Cross travailla une heure d'affilée. Le sénateur Wavven n'arriverait pas à Las Vegas avant le lendemain — un samedi — et les cinq millions devaient lui être remis en main propre avant le mardi matin, jour de son départ. Sa concentration commença à s'émousser et il préféra faire une pause.

Il appela Claudia et Ernest Vail dans leur suite. C'est Claudia qui décrocha.

— J'ai de gros ennuis avec Ernest, expliqua-t-elle. Il faut absolument que je te voie.

— Très bien, répondit Cross. Allez donc faire un tour au casino, je passerai vous prendre à la table de crap dans une heure environ. — Il marqua un instant de silence : — Nous irons ensuite dîner tous les trois et tu me raconteras ce qui t'arrive.

— On ne peut pas jouer. Ernest a atteint la limite de son crédit et tu ne veux plus que j'aie de compte au Xanadu, si ce n'est dix mille malheureux dollars !

Cross poussa un soupir. Ernest devait donc au casino cent mille dollars ; autant dire qu'il n'en verrait jamais la couleur.

— Donnez-moi une heure et montez dans ma suite. Nous dînerons ici.

Cross passa un autre coup de fil — cette fois à Giorgio, pour lui confirmer par téléphone le paiement de Wavven. (Non pas qu'on se méfiât de l'acheminement du courrier, mais telle était la procédure chez les Clericuzio. Le nom était en outre remplacé par une série de numéros et la somme par une série de lettres.)

Cross tenta de poursuivre son travail de transfert, mais ses pensées s'égarèrent de nouveau. Pour mériter cinq millions de dollars, Wavven devait avoir quelque chose d'important sur le feu. Et si Lia Vazzi faisait le déplacement jusqu'au Xanadu, c'était qu'il se passait quelque chose de grave.

On sonna à la porte. La sécurité avait fait monter Vail et Claudia. Cross serra Claudia dans ses bras, avec une chaleur particulière ; il ne voulait pas qu'elle s'imagine qu'il lui en voulait d'avoir perdu de l'argent aux tables du casino.

Une fois dans le salon, Cross leur donna la carte du service de restauration d'étage. Claudia s'assit l'air mal à l'aise, sur le bord du canapé tandis que Vail se laissa aller de tout son long au fond des coussins.

— Ernest va très mal, commença Claudia. Il faut faire quelque chose pour lui.

Ernest ne semblait pas si mal en point à première vue. Il avait l'air détendu, les yeux mi-clos, un sourire béat aux lèvres. Une bouffée d'irritation gagna Cross.

— Bien sûr, répondit-il. La première chose, je coupe son crédit dans cette ville. Cela lui fera économiser son argent; je n'ai jamais vu un joueur aussi nul que lui.

— Il ne s'agit pas de jeu, insista Claudia.

Elle lui parla de l'accord conclu avec Marrion oralement, juste avant sa mort.

— Et alors? s'étonna Cross.

— Alors Bobby Bantz ne veut pas honorer la promesse de Marrion, rétorqua Claudia. Depuis que Bobby est aux commandes de la LoddStone, le pouvoir lui a fait tourner la tête. Il essaie d'imiter Marrion mais il n'a ni son intelligence, ni son charisme. Ernest se retrouve une fois de plus le bec dans l'eau.

— Qu'est-ce que tu veux que j'y fasse?

— Tu es associé avec la LoddStone sur *Messalina*. Tu dois avoir des moyens de pression sur eux. Je veux que tu obliges Bobby Bantz à tenir la promesse de Marrion.

C'était dans ce genre de situations que Claudia lui apparaissait d'une naïveté désespérante. Bantz ne céderait jamais, cela faisait partie de sa fonction et de son caractère.

— Impossible, répondit Cross. Je t'ai déjà expliqué tout ça. Je ne peux pas demander quelque chose si je ne suis pas sûr d'obtenir satisfaction. Or, ici, il n'y a pas la moindre chance.

— Ça me dépassera toujours! s'exclama Claudia en fronçant les sourcils. Ernest est sérieux. Il est vraiment prêt à se suicider pour que sa famille puisse récupérer les droits sur ses bouquins.

Vail manifesta soudain un intérêt pour la discussion, pour la première fois depuis leur arrivée.

— Claudia, il serait temps que tu ouvres les yeux à propos de ton frère. S'il demande quelque chose à quelqu'un et que celui-ci dit non, il sera obligé de le descendre, expliqua-t-il en lançant un grand sourire malicieux vers Cross.

Cross fulminait. De quel droit Vail osait-il dire ça à Claudia? Par chance, le service d'étage arriva dans le salon avec les chariots pour servir le dîner. Cross tenta de se contenir, mais ne put s'empêcher de lancer d'une voix glaciale :

— Si j'ai bien compris, Ernest, si tu te tues, tu règles tous tes problèmes? Je peux peut-être, dans ce cas, te donner un coup de main. Je t'offre une suite au dixième étage; tu n'auras plus qu'à sauter par la fenêtre.

Ce fut au tour de Claudia de prendre la mouche :

— Ce n'est pas une blague ! lança-t-elle. Ernest est un ami très cher. Tu es mon frère et tu n'arrêtes pas de dire que tu m'aimes et que tu ferais n'importe quoi pour moi.

Cross se leva et la prit dans ses bras.

— Allons Claudia, je ne peux rien faire. Je ne suis pas magicien.

Vail mangeait avec un bel appétit. Il semblait à mille lieues de commettre un suicide.

— Tu es trop modeste, Cross, reprocha-t-il. La vérité, c'est que je n'ai pas assez de cran pour sauter par la fenêtre. J'ai trop d'imagination, je mourrai mille fois avant de toucher terre, rien qu'à l'idée de me savoir en charpie au sol. Sans compter que je pourrais tomber sur un pauvre innocent ! Je suis par ailleurs trop émotif pour me couper les veines ; je ne supporte pas la vue du sang ; et les armes à feu ou les couteaux me fichent une peur bleue. Je ne veux pas me rater et finir comme un légume. J'imagine déjà Bantz et Deere me rire au nez en prenant tout mon fric. Il y a donc une chose que tu peux faire. Embauche quelqu'un pour me tuer. Ne me dis pas quand. Mais organise ça pour moi.

Cross éclata de rire. Il tapota l'épaule de Claudia pour la rassurer et se rencogna sur son siège.

— Nous ne sommes pas au cinéma, Ernest, lança-t-il. On ne tue pas quelqu'un comme on fait une bonne blague. Reviens sur terre !

Cross se leva et se dirigea vers son bureau. Il ouvrit le tiroir et en sortit un sac de plaques de jeu, qu'il lança sur les genoux de Vail.

— Tiens, voilà dix mille dollars. Accorde-toi une dernière chance au casino, qui sait, tu seras peut-être en veine ? Et cesse de dire des choses pareilles devant ma sœur. C'est insultant.

Vail retrouva un nouvel enthousiasme.

— Allez, viens Claudia ! Ton frère ne fera rien pour nous.

Il glissa le sac dans sa poche et se leva, impatient d'aller jouer.

Claudia semblait perdue dans ses pensées. Pas une bribe de ce qui s'était dit entre Cross et Vail ne lui avait échappé, mais elle refusait encore de faire l'analyse sémantique qui s'imposait. Elle contempla le visage serein et charmant de son frère. Ernest se trompait, Cross ne pouvait être la personne qu'il pensait.

— Je suis désolée de t'avoir dérangé, dit-elle en embrassant Cross sur la joue, mais j'étais inquiète pour Ernest.

— Tout ira bien, assura Cross. Ernest aime trop jouer au casino pour songer à mourir. Et c'est un génie, non?

— C'est ce qu'il prétend, du moins! répliqua-t-elle en riant. Mais, je le pense aussi. De toutes façons, c'est un tel pétochard, qu'il ne tentera rien, conclut-elle tout en touchant la joue de Vail avec affection.

— Je me demande ce que tu fais avec un type comme lui, s'étonna Cross. Pourquoi partages-tu sa chambre, d'abord?

— Parce que je suis sa meilleure et dernière amie, répliqua Claudia avec humeur. Et parce que j'aime ses livres.

Après leur départ, Cross passa le reste de la nuit à parachever le transfert de fonds pour le sénateur Wavven. Une fois le travail accompli, il appela le directeur du casino, un cadre de haut rang du clan Clericuzio, et lui demanda de monter l'argent dans sa suite.

L'argent fut livré dans deux énormes sacs par le directeur accompagné de deux vigiles, eux aussi membres de la famille. Ils aidèrent Cross à ranger les billets dans le coffre chinois.

— C'est une belle pièce, remarqua le directeur dans un sourire, en désignant le coffre.

Une fois les trois hommes partis, Cross prit le couvre-lit et enveloppa le coffre. Puis il demanda au service d'étage de lui apporter deux petits déjeuners. Quelques minutes plus tard, la sécurité l'appelait pour lui annoncer que Lia Vazzi était arrivé à l'hôtel. Cross leur donna le feu vert pour le laisser monter.

Il serra Lia dans ses bras, réellement heureux de le voir.

— Alors les nouvelles? Bonnes ou mauvaises? s'enquit Cross une fois que les serveurs eurent apporté les petits déjeuners.

— Mauvaises, répondit Vazzi. Tu te souviens de ce flic

qui nous a arrêtés avec Skannet dans le hall du Beverly Hills Hotel... ce Jim Losey... Il est venu me voir à la propriété et m'a posé des questions sur mes relations avec Skannet. Je l'ai envoyé balader, évidemment. Mais ce qui m'inquiète, c'est qu'il ait su que j'habitais là-bas. Je ne suis pas fiché, je n'ai jamais eu de problèmes avec la police. Cela signifie donc qu'il y a un informateur parmi nous.

Un frisson traversa Cross. Les donneurs étaient rares chez les Clericuzio et étaient éliminés sans merci.

— J'en toucherai deux mots à Don Domenico en personne, annonça Cross. Et toi ? Comment vas-tu ? Tu veux te faire oublier un peu, prendre des vacances au Brésil, le temps que l'on règle le problème ?

Lia Vazzi avait à peine touché à son café. Il se servit un cognac et prit le Havane que Cross lui offrit.

— Je ne suis pas inquiet, pas encore, répondit Lia. J'aimerais simplement que tu me donnes la permission de me débarrasser de ce type.

Cross eut une bouffée de panique.

— Lia, tu ne peux pas faire une chose pareille, s'exclama-t-il. Il est très dangereux de tuer un policier dans ce pays. Nous ne sommes pas en Sicile. Et puis il y a quelque chose que tu ne sais pas : Jim Losey fait partie de la famille. Une affaire de gros sous. Et j'ai dans l'idée qu'il te tourne autour dans l'espoir de monnayer le fait de te laisser tranquille.

— Alors ça va, répondit Vazzi. Mais il reste un problème. Il y a un indicateur dans nos rangs.

— Je vais m'en occuper. Mais ne te fais plus de soucis à propos de Losey.

Lia tira une bouffée de son cigare.

— Ce type est dangereux, Cross. Sois prudent.

— Je le serais. Mais pour le moment, ne bouge pas le petit doigt, entendu ?

— Entendu, assura Vazzi. — Il sembla alors se détendre et ajouta sur un ton conversationnel : — Qu'est-ce qu'il y a sous ce couvre-lit ?

— Un petit cadeau pour un homme très important. Tu veux passer la nuit à l'hôtel ?

— Non merci. Je rentre à la propriété. Dis-moi, à l'occasion, ce que tu auras appris. A mon avis, il vaudrait mieux se débarrasser de ce Losey tout de suite.

— J'en parlerai à Don Domenico, annonça Cross.

Le sénateur accompagné de ses trois secrétaires particuliers débarqua dans sa villa du Xanadu à trois heures de l'après-midi. Comme d'habitude, Wavven avait voyagé dans une limousine banalisée, sans la moindre escorte. A dix-sept heures, il fit appeler Cross.

Cross demanda à deux vigiles d'installer le coffre, toujours enveloppé dans le couvre-lit, à l'arrière d'une voiturette de golf. L'un des gardes était au volant, Cross, assis sur le siège passager, surveillait du coin de l'œil le coffre chinois qui occupait l'espace ménagé pour la glacière et les clubs de golf. Il fallut à peine cinq minutes pour rejoindre le domaine protégé des sept villas du Xanadu.

Cross adorait les voir s'élever devant lui, comme autant de symboles de puissance. Des châteaux de Versailles en miniature, chacun orné d'une piscine en forme de diamant, scintillant comme une émeraude, disposés tout autour du petit casino réservé aux heureux élus.

Cross porta lui-même le coffre jusqu'à la villa du sénateur. L'un des aides de Wavven le conduisit à la salle à manger où le sénateur et ses assistants se restauraient devant un buffet froid gargantuesque, débordant de victuailles et de carafes de limonade. Wavven avait définitivement arrêté l'alcool.

Le sénateur était aussi affable et charmant que d'habitude. Il avait grimpé les échelons de la classe politique, présidait de nombreuses commissions du Sénat et faisait figure d'outsider dangereux dans la course à la présidence. Il se leva pour accueillir Cross.

— Un petit cadeau de la part du Xanadu, sénateur, annonça Cross, en posant le coffre à terre et retirant le couvre-lit. Je vous souhaite un agréable séjour parmi nous.

Wavven lui serra chaleureusement la main. Il avait la peau lisse et douce.

— Quelle charmante attention ! Je vous remercie, Cross, lança-t-il avant d'ajouter : Puis-je avoir un petit entretien en privé avec vous ?

— Bien sûr, répondit Cross en lui donnant la clé du coffre.

Le sénateur la glissa dans sa poche et se tourna vers ses assistants :

— Allez porter ce coffre dans ma chambre, s'il vous plaît, et que l'un d'entre vous reste à côté pour le surveiller. Vous pouvez nous laisser, j'aimerais avoir un moment en tête à tête avec mon ami.

Les assistants s'en allèrent et Wavven se mit à arpenter la pièce de long en large, l'air soucieux.

— J'ai de bonnes nouvelles, naturellement, mais j'en ai aussi de moins bonnes.

— C'est souvent comme ça, répondit Cross dans un hochement de tête compréhensif, tout en se disant que pour cinq millions de dollars, les bonnes nouvelles avaient intérêt à surpasser de loin les mauvaises.

— Ainsi va la vie ! gloussa Wavven. Je commence par les bonnes. Ce sont en fait de très bonnes nouvelles. J'ai consacré tous mes efforts ces dernières années à la légalisation des jeux sur tout le territoire des États-Unis — y compris dans le domaine des paris sportifs. Je pense avoir maintenant le soutien du Sénat et de la Chambre des représentants. L'argent de ce coffre m'assurera quelques votes clés. Il y a bien cinq millions, n'est-ce pas ?

— Oui, cinq. Et ce sera de l'argent utilement dépensé. Passons maintenant aux mauvaises nouvelles.

Le sénateur secoua la tête d'un air affligé.

— Vos amis vont grincer des dents, commença-t-il. En particulier Giorgio qui est si impatient. Un sacré type ! Il n'y en a pas deux comme lui.

— C'est mon cousin préféré, répondit Cross avec aigreur.

De tous les membres de la famille Clericuzio, Giorgio était celui qu'il appréciait le moins et, à l'évidence, le sénateur avait la même aversion.

Wavven lâcha alors sa bombe :

— Le président m'a dit qu'il opposerait son veto à cet amendement.

Cross n'avait jusqu'alors jamais douté du succès du grand dessein de Don Clericuzio : édifier un empire légal fondé sur les jeux. A présent, il ne savait plus que penser. Qu'est-ce que c'était que ces salades ? Il croyait, il y a un instant encore, la législation à portée de main.

— Nous n'avons pas assez de voix pour aller contre le veto, expliqua le sénateur.

— Les cinq millions sont donc pour le président? demanda Cross, pour se donner le temps de reprendre contenance.

Le sénateur prit une expression horrifiée.

— Oh! non, non, bafouilla-t-il. Nous ne sommes pas du même parti. Et de toutes façons, le président sera très riche lorsqu'il se retirera de la politique. Tous les P.-D.G. des grandes multinationales voudront l'embaucher. Il n'a nul besoin d'argent de poche. — Wavven lança à Cross un sourire satisfait : — Lorsqu'on est président des États-Unis, on n'est plus tout à fait comme le commun des mortels.

— Alors nous sommes dans une impasse, à moins que le président ne soit battu, constata Cross.

— Exactement. Mais le président est très populaire, je suis bien forcé de le reconnaître même si nous n'appartenons pas au même parti. Il sera sûrement réélu. Il nous faut donc nous armer de patience.

— Si j'ai bien compris, nous devons attendre cinq ans encore et espérer que le prochain président ne mettra pas son veto?

— C'est un peu plus compliqué que ça, répondit le sénateur. — Il hésita un moment avant de poursuivre : — Je me dois de vous dire la vérité; en cinq ans, la composition du Congrès peut considérablement changer, et je risque de ne pas avoir les voix que j'ai aujourd'hui. — Il marqua une nouvelle pause : — De nombreux facteurs entrent en jeu, vous savez.

Cross était abasourdi. Où voulait donc en venir Wavven? Le sénateur dévoila enfin son jeu :

— Évidemment, si quelque chose arrivait au président, le vice-président signera la légalisation des jeux. Il nous reste donc à espérer, bien que cela ne soit guère charitable de notre part, que le président ait une crise cardiaque ou un accident d'avion, ou encore un infarctus qui ferait de lui un légume. C'est dans le domaine du possible. Nous sommes tous mortels.

Wavven lança à Cross un regard appuyé et soudain la vérité lui apparut.

Aussitôt, une bouffée de colère l'envahit. Par son intermédiaire, Wavven faisait passer un message aux Clericuzio ! Il avait fait sa part du boulot, c'était à eux à présent de descendre le président des États-Unis pour que puisse passer l'amendement. Wavven était si rusé, si habile, qu'à aucun moment il n'avait prononcé quoi que ce soit de compromettant. Don Domenico n'accepterait jamais de faire une chose pareille, et si d'aventure il cédait à la tentation, Cross romprait tout lien avec la famille.

— Cela peut sembler sans espoir, poursuivit le sénateur avec un sourire affable, mais on ne sait jamais. Le destin peut nous prêter main-forte et le vice-président est un ami proche, même si nous sommes issus de deux partis différents. Je sais qu'il soutiendra ma proposition de loi. Il faut attendre, et espérer, c'est notre seule solution.

Cross n'en revenait pas. Le sénateur Wavven était le symbole même du politicien vertueux, malgré son faible pour les femmes et le golf. Son visage inspirait confiance, il avait une voix de patricien romain et se faisait passer pour l'un des hommes les plus sympathiques de la planète. Et voilà qu'il était en train de demander aux Clericuzio d'assassiner son propre président ! Un chef-d'œuvre de duplicité, songea Cross.

Wavven se mit à piocher quelques petits fours sur le buffet.

— Je ne reste ici qu'une nuit, annonça-t-il. J'espère que vous pourrez convaincre quelques filles de la revue de venir dîner avec un vieux croûton comme moi.

De retour dans ses appartements, Cross appela Giorgio pour lui annoncer sa venue à Quogue le lendemain. Giorgio répondit qu'il enverrait le chauffeur de Don Domenico le prendre à l'aéroport. Il ne posa pas de questions. On ne parlait jamais affaires au téléphone chez les Clericuzio.

Lorsque Cross arriva à Quogue, il fut surpris par la composition du comité de réception. Dans le bureau aux murs aveugles, l'attendaient non seulement Don Domenico, mais ses trois fils, Giorgio, Petie et Vincent, ainsi que Pippi et Dante — affublé, cette fois, d'un chapeau bleu ciel.

Il n'y avait pas de collation prévue ; le dîner viendrait

plus tard. Comme de coutume, Don Domenico demanda à l'assistance de regarder la photo de Silvio ainsi que celle du baptême de Cross et Dante qui trônait sur le manteau de la cheminée. « Quelle belle journée ! » murmura Don Clericuzio. Ils prirent place ensuite dans les fauteuils et les canapés. Giorgio servit à boire à tout le monde et Don Domenico alluma un petit cigare italien.

Cross fit un rapport détaillé, décrivant comment il avait livré les cinq millions et répétant mot pour mot sa conversation avec le sénateur.

Il y eut un long silence. Tout le monde avait compris le message, sans autre explication. Vincent et Petie semblaient les plus soucieux. A présent que Vincent avait sa chaîne de restaurants, il était moins enclin à courir des risques. Petie, de son côté, bien que chef de l'armée de l'enclave du Bronx, avait sa grosse société de travaux publics à faire tourner. Ils n'avaient aucune envie de se lancer dans une opération aussi périlleuse, étant donné leur prospérité actuelle.

— Il est tombé sur la tête ou quoi ! gronda Vincent.

— Tu es sûr, demanda Don Domenico à Cross, que c'est bien le message que nous envoie Wavven ? Il veut vraiment que nous assassinions le président de son pays, l'un de ses confrères au gouvernement ?

— Le sénateur a dit qu'ils n'étaient pas du même parti ! lança Giorgio d'un ton acerbe.

— A aucun moment, Wavven ne s'est avancé, précisa Cross. Il s'est contenté de présenter les faits. A nous d'en tirer les conséquences et de faire le nécessaire.

Dante prit alors la parole, visiblement excité par cette affaire, et par la gloire et le profit qui pouvaient en résulter.

— On peut s'assurer la légalisation des jeux. Dans tout le pays ! Cela vaut le coup. C'est le *jackpot*, pour nous.

Don Clercuzio se tourna vers Pippi.

— Qu'en penses-tu toi, mon cher *martello* ? lui demanda-t-il avec une affection évidente.

Pippi était pour le moins agacé.

— Nous ne pouvons, ni ne devons, faire une chose pareille.

— Si tu n'es pas de taille, mon cher cousin, peu importe, moi je le suis, railla Dante.

— Tu es un débiteur de viande, répliqua Pippi avec un

regard méprisant, pas un organisateur. Tu ne saurais pas mettre au point une opération de cette envergure, même dans un million d'années. C'est une affaire trop complexe, trop risquée. Et son exécution est très délicate. Tu te ferais pincer.

— Grand-père, confie-moi ce travail, insista Dante avec arrogance. J'y arriverai, tu verras.

— Je n'en doute pas un seul instant, admit Don Domenico d'un ton affable. Il est vrai que les retombées seraient mirifiques. Mais Pippi a raison. Les conséquences sont trop hasardeuses pour la famille. On a le droit de faire des erreurs, mais jamais des erreurs fatales. Même si l'opération était un succès et que nous arrivions à nos fins. Nous aurions une épée de Damoclès au-dessus de la tête pour le restant de nos jours. Le crime commis serait trop grand pour être oublié. Nos existences ne sont pas en danger, seul un de nos objectifs est contrecarré. Nous pourrons l'atteindre en nous armant simplement de patience, j'en suis persuadé. En attendant, nous jouissons d'une position pour le moins confortable. Giorgio tu as tes entrées à Wall Street, Vincent ta chaîne de restaurants, Petie, ta société de construction, et Cross le Xanadu. Quant à nous Pippi, nous sommes âgés, et nous avons droit au repos et à la paix pour nos vieux jours. Et toi, Dante, mon petit-fils, il te faut apprendre la patience ; un jour tu régneras sur un empire du jeu, ce sera ton patrimoine. Mais lorsque ce jour heureux arrivera, aucun nuage menaçant ne flottera au-dessus de ta tête. Alors oublions le sénateur et qu'il aille servir de pâture aux poissons !

Tout le monde se détendit dans la pièce, la pression se dissipa dans la seconde. Tous, à l'exception de Dante, se félicitaient de la décision du patriarche et partageaient les vœux de Don Domenico. Que Wavven finisse au fond de l'eau pour avoir osé les plonger dans un tel dilemme !

Mais Dante faisait grise mine.

— Tu as un sacré culot de m'avoir traité de débiteur de viande, lança-t-il à Pippi. Pour qui tu te prends, toi, pour Florence Nightingale ?

Vincent et Petie éclatèrent de rire. Don Domenico secoua la tête d'un air réprobateur.

— Un détail encore, ajouta-t-il. Je crois que nous devrions poursuivre nos relations avec Wavven. Je ne regrette pas ces cinq millions de dollars, mais je considère insultant qu'il ait pu penser que nous accepterions de tuer le président de notre pays pour une vulgaire histoire d'argent. J'aimerais donc bien savoir quel lièvre il court exactement. Où est son intérêt dans cette affaire ? Il cherche visiblement à nous manipuler. Cross, lorsque notre sénateur reviendra au Xanadu, monte encore son crédit au casino. Veille à ce qu'il prenne du bon temps. Mieux vaut avoir Wavven dans son camp qu'en face de soi.

Tout était dit. Cross hésita un moment avant d'aborder l'autre point épineux qui motivait sa visite. Finalement, il se résolut à raconter l'épisode entre Lia Vazzi et Jim Losey.

— Il est possible qu'il y ait un traître dans la famille, conclut-il.

— C'était ton opération, rétorqua Dante d'un ton glacial. Débrouille-toi !

Don Domenico secoua de nouveau la tête.

— Il ne peut y avoir de traître parmi nous, affirma-t-il avec assurance. Ce policier a dû apprendre cette information par hasard et il veut monnayer son silence. Tu vas t'occuper de ça, Giorgio.

— Ça va encore coûter cinquante mille dollars, répondit Giorgio avec aigreur. Ce sera à toi de payer les frais, Cross.

Don Domenico ralluma son cigare.

— Maintenant que ceci est réglé et que nous sommes tous réunis, y a-t-il d'autres problèmes ? Vincent ? Comment tournent tes restaurants ?

Les traits durs de Vincent s'adoucirent.

— J'en ouvre trois autres, répondit-il. Un à Philadelphie, un à Denver et un autre à New York. Des restaurants trois étoiles. Tu te rends compte, p'pa, que je fais payer seize dollars un plat de spaghettis ? Lorsque j'en fais à la maison, cela me coûte à peine cinquante cents l'assiette. Il n'y a rien à faire, ça ne dépasse jamais le demi-dollar. Même en comptant le prix de l'ail ! Et je ne te parle pas des boulettes de viande. Je suis le seul restaurant italien huppé à servir des boulettes — je ne sais pas pourquoi, mais c'est comme ça — et je les fais à huit dollars l'unité. Des petites, en plus ! Alors qu'elles ne me coûtent que vingt cents !

Vincent aurait bien continué sur sa lancée, mais Don Clericuzio l'interrompit et se tourna vers Giorgio.

— Comment ça va à Wall Street ?

— Ça monte et ça descend, répondit laconiquement Giorgio. Mais les commissions que l'on se prend valent bien celles des usuriers youpins si on sait faire monter la sauce. Et il n'y a ni mauvais payeurs, ni risques de prison. Nous devrions laisser tomber toutes nos autres activités, à l'exception peut-être des jeux.

Don Domenico adorait entendre ce genre de discours ; réussir dans le monde légal était l'un de ses vœux les plus chers.

— Et toi Petie, demanda-t-il, ton affaire de construction ? J'ai entendu que tu avais eu des petits problèmes l'autre jour.

Petie haussa les épaules.

— J'ai plus de commandes que je n'ai de bras ! Tout le monde veut faire bâtir quelque chose et nous avons la mainmise sur les chantiers d'autoroutes. Tous nos soldats ont du boulot et ils ont la belle vie. Mais il y a une semaine, un bamboula se pointe sur mon plus gros chantier, avec une centaine de Noirs derrière lui, brandissant des banderoles à tout va sur les droits civils. Je le fais venir dans mon bureau et tout à coup il devient charmant. Il voulait que j'embauche 10 p. 100 de Noirs et que je lui refile de la main à la main vingt mille dollars.

— Les Clericuzio ne peuvent donc plus se défendre ? railla Dante, passablement agacé.

— J'ai essayé de penser comme p'pa, répondit Petie. Pourquoi ces gens n'auraient-ils pas droit de gagner leur vie ? Alors j'ai donné au type ses vingt mille dollars et ai annoncé que je prendrais 5 p. 100 de ses gars sur le chantier.

— Tu as bien fait, déclara Don Domenico. Tu as évité que ce petit problème prenne des proportions inquiétantes. Les Clericuzio ont toujours aidé les gens à améliorer leur sort et à faire avancer la civilisation.

— Moi j'aurais buté ce fils de pute ! rétorqua Dante. Il reviendra et demandera encore plus.

— Et nous lui donnerons davantage, répondit Don Domenico. Tant que cela reste dans des limites raisonnables. — Il se tourna vers Pippi — Et toi, as-tu des soucis ?

— Non, aucun, assura Pippi. Si ce n'est qu'aujourd'hui, la famille est pratiquement rentrée dans le rang et que je me retrouve au chômage technique !

— Tu devrais t'en féliciter, répondit Don Domenico. Tu as travaillé assez dur toute ta vie, non ? Tu as échappé à de nombreux périls ; tu as bien le droit de profiter maintenant du repos du guerrier.

— Je suis dans le même cas, lança Dante sans attendre que le patriarche l'interroge. Et je suis trop jeune pour prendre ma retraite !

— Joue donc au golf comme les *brugliones*, rétorqua Don Clericuzio. Et rassure-toi ; la vie se chargera bien de nous apporter son lot de problèmes. En attendant, sois patient. Je sais, malheureusement, que ton heure viendra — ainsi que la mienne.

XIV

Le jour même des funérailles d'Eli Marrion, Bobby Bantz piquait déjà une colère :

— C'est le monde à l'envers ! Voilà pourquoi Hollywood est en train de crever ! Comment as-tu pu laisser passer une énormité pareille ? hurlait-il en agitant un calepin sous le nez de Skippy Deere.

Il s'agissait des feuilles de route pour le transport d'une équipe de tournage à Rome.

— Quoi ? Qu'est-ce qu'il y a ? marmonna Deere.

Bantz était écarlate.

— Tout le monde voyage en première classe : l'équipe de tournage, les figurants, les petits rôles, les stagiaires, les n-ièmes assistants ; tout le monde sauf un. Et tu sais de qui il s'agit ? Du chargé de production de la LoddStone que nous envoyons là-bas pour surveiller les dépenses. Il vole en classe éco !

— Et alors ? Je ne vois pas le problème.

Bantz passa à l'indigo.

— Ce n'est pas tout; il est prévu dans le budget d'installer une école pour les gosses des membres de l'équipe. Il y a aussi un yacht, loué pour deux semaines, or seuls deux jours de tournage sont prévus. Je viens de lire le scénario. On a engagé douze acteurs et actrices pour des rôles qui ne dépassent pas dix lignes de dialogue! Tu peux m'expliquer comment tu as pu laisser passer ça?

Skippy Deere esquissa un grand sourire.

— Bien sûr, répondit-il. Notre metteur en scène est Lorenzo Tallufo. Il tient à ce que son équipe voyage en première classe. Des figurants et des petits rôles ont été insérés dans le scénario parce qu'ils sautent les vedettes du film. Et le yacht est réservé pour deux semaines parce que Lorenzo veut se rendre au festival de Cannes.

— Tu es le producteur, il faut que tu fasses entendre raison à Lorenzo! lança Bantz.

— Pas question. Taffulo a réalisé quatre films ayant rapporté plus de cent millions de dollars de recette et il a gagné deux oscars. Je suis prêt à lui porter sa valise lorsqu'il montera sur le bateau. C'est à toi de lui parler, pas à moi.

L'argument était implacable. Sur le papier, dans la hiérarchie d'Hollywood, le patron du studio était le plus haut placé. Le producteur ne faisait que rassembler les divers éléments nécessaires au film, supervisait le budget et l'écriture du scénario. Mais dans les faits, une fois le tournage commencé, le seul maître à bord était le metteur en scène. En particulier s'il avait à son actif une série de films à succès.

Bantz secoua la tête.

— Je ne peux pas parler à Lorenzo, c'est impossible maintenant qu'Eli n'est plus là pour me soutenir, expliqua-t-il à Deere. Il y a aussi une facture de cinq cent mille dollars dans un fast-food chinois. Personne, pas même ma femme ne pourrait dépenser un demi-million de dollars dans un restaurant chinois. Un restaurant français à la rigueur. Mais un restaurant chinois? Un fast-food qui plus est?

Skippy Deere devait trouver une explication très vite, Bantz l'avait coincé sur ce point.

— Il s'agit d'un restaurant japonais, servant du sushi. C'est la cuisine la plus chère du monde.

Bantz retrouva soudain son calme. Le sushi était une calamité dans le métier. Le patron d'un studio adverse avait emmené un investisseur japonais dans un restaurant de sushi. « J'y ai laissé vingt mille dollars pour deux, tout ça pour bouffer des têtes de poissons ! », lui avait-il raconté.

— Ça va, concéda Bantz. Mais il faut fermer le robinet, maintenant. Essaie d'avoir davantage de stagiaires étudiants sur ton prochain film.

Les étudiants travaillaient gratis...

Les funérailles d'Eli Marrion furent plus médiatiques encore que celles d'une star de cinéma. Marrion était craint des patrons de studio, des producteurs et des agents. Il était respecté — et quelquefois aimé — par les vedettes, les metteurs en scène et même par les scénaristes. Ses manières affables et son intelligence hors pair avaient fait sa réputation et lui avaient permis de surmonter moult crises à Hollywood. On le disait honnête et équitable, à juste titre d'ailleurs.

Durant les dernières années de sa vie, il était devenu un ascète. Il ne faisait nul étalage de son pouvoir et n'exigeait aucune faveur sexuelle de la part des jeunes starlettes. La LoddStone, sous la houlette de Marrion, avait produit plus de grands films que n'importe quel autre studio ; il n'y avait pas de plus belle preuve de vertu pour le microcosme d'Hollywood.

Le président des États-Unis envoya son vice-président prononcer un court panégéryque. La France mandata son ministre de la Culture, bien qu'il fût un fervent adversaire des films américains sur le territoire national. Le Vatican dépêcha un émissaire papal, un jeune cardinal, assez photogénique pour qu'on lui propose une apparition dans un film. Un groupe d'hommes d'affaires japonais, sortant de nulle part, assista à la cérémonie. Les plus grands producteurs des Pays-Bas, d'Allemagne, d'Italie et de Suède vinrent lui rendre un dernier hommage.

Les éloges commencèrent. Il y eut d'abord ceux d'un acteur et d'une actrice, puis d'un metteur en scène — même un écrivain, Benny Sly, y alla de son petit laïus. Vint ensuite le tour du vice-président. Pour que la cérémonie ne soit pas jugée trop pompeuse, deux comiques vinrent raconter des blagues à propos du flair légendaire d'Eli Marrion en affaire et de l'étendue immense de ses pouvoirs. Et pour terminer, Bobby Bantz, puis Kevin et Dora — les enfants de Marrion — se succédèrent derrière le pupitre.

Kevin Marrion dressa le portrait d'un père aimant, non seulement pour ses propres enfants, mais pour tous ceux qui travaillaient à la LoddStone. Il était celui qui insufflait la flamme de l'art sur un film, et Kevin promit qu'il reprendrait le flambeau paternel.

Dora, la fille de Marrion, prononça un discours plus poétique, écrit par Benny Sly — des paroles fortes et spirituelles dépeignant l'œuvre de Marrion avec un humour empreint de respect.

— J'ai aimé mon père plus que toute autre personne au monde, disait-elle, mais je suis heureuse de n'avoir pas eu à négocier avec lui ! Je n'avais affaire qu'à Bobby Bantz, qui, à côté de mon père, est du menu fretin !

Dora gloussa de satisfaction et laissa la place à Bobby Bantz, qui n'avait guère apprécié cette dernière plaisanterie.

— J'ai passé trente ans de ma vie avec Eli Marrion, à œuvrer pour que la LoddStone devienne un grand studio, commença-t-il. Marrion était l'homme le plus intelligent, le plus charmant que j'ai jamais connu. Travailler à son service pendant trente ans a été, pour moi, un bonheur de chaque instant. Et je ferai de mon mieux pour poursuivre son rêve. En me laissant la direction du studio pour les cinq prochaines années, il m'a montré toute sa confiance ; je saurai être digne de cet honneur, même si j'ai conscience qu'égaler le talent d'Eli est une tâche impossible. Il a donné du rêve et de l'espoir à des milliards d'individus sur la planète, et partagé son amour et sa fortune avec sa famille et tous les citoyens de notre pays. Pour nous tous, il est et restera une *lode stone*.

A l'évidence Bantz avait écrit son discours lui-même ; il avait fait passer clairement le message : c'était lui qui dirigerait la LoddStone pour les cinq prochaines années, et il attendait que tous lui montrent autant de respect qu'ils en avaient pour Marrion. Bobby Bantz n'était plus le fidèle bras droit, c'était désormais le numéro un.

Deux jours plus tard, Bantz convoqua Skippy Deere dans son bureau et lui offrit le poste de directeur général des productions de la LoddStone — fonction qu'il occupait lui-même avant que la mort de Marrion ne le propulse à la présidence. Les attraits financiers qu'il proposa à Deere étaient irrésistibles. Celui-ci aurait un pourcentage sur les recettes de tous les films maison et pourrait donner le feu vert pour toute production dont le budget ne dépasserait pas trente millions de dollars. Il pourrait faire entrer sa propre société de production dans la LoddStone et nommer la personne de son choix à la tête de sa société.

La générosité de cette offre surprit Skippy Deere. Pour lui, c'était le signe évident de l'inquiétude de Bantz. Bantz se savait fragile quant à l'aspect créatif et il comptait sur Deere pour l'épauler en ce domaine.

Il accepta l'offre et nomma Claudia De Lena à la tête de sa société de production — non seulement parce qu'elle était douée d'un point de vue artistique, mais aussi parce qu'elle savait tout de la fabrication d'un film et qu'elle était trop honnête pour lui faire un coup en traître. Avec elle dans ce fauteuil, Deere n'aurait pas à surveiller ses arrières. D'autre part, et c'était loin d'être négligeable dans ce métier, il appréciait sa compagnie et sa bonne humeur — et leur liaison appartenait définitivement au passé.

Skippy Deere se prit à songer à la fortune qui l'attendait. Il avait suffisamment d'expérience dans ce monde pour savoir que même les grandes stars pouvaient finir dans la misère. Il était riche, certes, mais il y avait au moins dix niveaux dans la richesse et il était encore au bas de l'échelle. Il pouvait vivre le restant de ses jours dans le luxe, mais ne pouvait s'offrir un jet privé, entretenir cinq maisons ou avoir un harem à demeure. Il ne pouvait se permettre de jouer au casino sans retenue, ni s'offrir le luxe de cinq autres divorces, pas plus que d'entretenir un bataillon de cent domestiques. Il ne pouvait financer ses propres films, s'acheter une collection d'œuvres d'art, avoir un Monet ou un Picasso dans son salon, comme Eli. Mais avec cette promotion soudaine, il pouvait espérer un jour quitter le premier échelon des nantis et se frayer un chemin jusqu'au sommet.

Il lui faudrait travailler dur, faire preuve de ruse et d'intelligence, et le plus important de tout, surveiller attentivement les faits et gestes de Bantz.

Bantz lui expliqua les grandes lignes de sa politique et Deere fut étonné par l'audace de ses projets. A l'évidence, Bantz désirait se tailler une place d'honneur dans la cour des grands.

Tout d'abord, il voulait passer un accord avec Melo Stuart de sorte que la LoddStone ait la priorité pour tous les artistes de ses fichiers.

— Ça peut se faire, répondit Deere. Je laisserai entendre que je suis prêt à donner le feu vert pour les projets qui lui tiennent le plus à cœur.

— Je tiens, en particulier, à avoir Athena Aquitane dans notre prochaine production, précisa Bantz.

Maintenant que Bobby avait les commandes de la LoddStone, il espérait à l'évidence mettre Athena dans son lit, songea Deere, tout en se disant qu'en tant que directeur général du département production il avait aussi ses chances.

— Je vais mettre Claudia sur le coup, répondit-il et lui demander de lui écrire un rôle sur mesure.

— Parfait, lança Bantz. Tu sais que j'ai toujours su ce que Eli voulait en son for intérieur même si par faiblesse, il n'osait le dire tout haut. Nous allons donc commencer par nous débarrasser des sociétés de production de Kevin et de Dora. Ces deux-là perdent trop d'argent ; en outre, je ne veux pas les avoir dans mes pattes.

— Il faut y aller avec des pincettes. Ils détiennent un sacré paquet d'actions.

Bantz esquissa un sourire malicieux.

— Peut-être, mais Eli m'a laissé les rênes pour cinq ans. Tu vas donc jouer le trouble-fête. Tu refuseras de produire tous leurs projets. J'imagine qu'après un an ou deux de ce régime, ils iront voir ailleurs, dégoûtés et pleins de haine à ton endroit. C'était la technique d'Eli. C'est moi qui prenais les coups pour lui.

— Je crois que nous aurons du mal à nous débarrasser d'eux, insista Deere. C'est leur second foyer ici ; ils ont grandi dans ces murs.

— On va essayer quand même ! Autre chose. La veille de

sa mort, Eli a accordé à Vail un pourcentage sur le brut, et un avaloir sur tous les films tirés de son livre à la manque. Eli a fait cette promesse parce que Molly Flanders et Claudia l'ont harcelé jusque sur son lit de mort; ce qui est honteux soit dit en passant. J'ai fait savoir à Molly par écrit que d'un point de vue juridique comme moral je n'étais pas tenu de suivre cette promesse.

Deere soupesa un moment la question.

— Il ne se tuera jamais, mais il peut toujours mourir de mort naturelle dans les cinq ans à venir. Nous devrions nous assurer contre cette éventualité.

— Non, Eli et moi avons consulté nos avocats; ils disent que Molly perdrait à coup sûr au tribunal. Je vais négocier une somme d'argent, mais pas question de pourcentage sur les recettes. C'est carrément du vampirisme à ce niveau-là!

— Qu'est-ce que Molly t'a répondu?

— Oh, les conneries habituelles d'avocats. Je l'ai envoyée se faire voir.

Bantz décrocha son téléphone et appela son psychanalyste. Sa femme le poussait depuis des années à faire une thérapie pour perdre son côté antipathique.

— Je voulais simplement confirmer mon rendez-vous de seize heures cet après-midi, annonça-t-il dans le combiné. Mais oui, c'est promis, nous parlerons de votre scénario la semaine prochaine.

Il raccrocha et esquissa un sourire torve.

Deere savait que Bantz avait rendez-vous avec Falene Fant dans un bungalow du Beverly Hills Hotel. Le psychanalyste lui servait de couverture car la LoddStone avait pris une option sur le scénario du médecin racontant les vicissitudes d'un tueur psychopathe. L'ironie de la chose, c'était que Deere considérait qu'on pouvait tirer un bon petit film de cette histoire, alors qu'aux yeux de Bantz elle ne valait pas tripette. Deere devrait donc convaincre Bantz de faire le film et celui-ci lui donnerait son accord en étant persuadé de lui faire une faveur.

Bantz et Deere se mirent à parler de Falene Fant, s'émerveillant du bon temps qu'ils prenaient avec elle. Ils reconnurent que c'étaient des occupations un peu puériles pour des gens de leur statut, mais le sexe avec Falene était réellement une fête; elle était si drôle, si spirituelle et ne leur demandait rien en échange. Bien sûr, le principe de la contrepartie était implicite, mais Falene avait du talent et lorsque le temps sera venu, ils sauraient lui donner sa chance.

— Ce qui m'inquiète, lança Bantz, c'est que si elle se fait un petit nom comme actrice, on n'aura plus droit à ses faveurs !

— C'est vrai, admit Deere. C'est toujours comme ça avec les artistes ! Mais à défaut de plaisir, elle nous rapportera de l'argent, c'est déjà ça.

Ils parlèrent ensuite des productions en cours et du planning des sorties en salle. *Messalina* serait achevé dans deux mois ; ce serait la locomotive pour les fêtes de Noël. Une suite de « Vail » était déjà en boîte. Ces deux superproductions LoddStone pourraient rapporter un milliard de dollars sur la planète, y compris les droits vidéo. Bantz toucherait une vingtaine de millions de dollars, Deere, sans doute cinq millions. Bantz serait porté aux nues, pour sa première année d'exercice dans le fauteuil d'Eli Marrion. Il serait alors reconnu comme le numéro un à Hollywood.

— C'est vraiment dommage que nous devions verser à Cross 15 p. 100 sur les recettes nettes de *Messalina*, regretta Deere d'un air songeur. Pourquoi ne pas lui rendre tout simplement son argent avec des intérêts ? S'il n'est pas content, il peut toujours nous poursuivre en justice. Mais j'ai dans l'idée que notre gaillard n'aime pas trop les tribunaux.

— On dit qu'il appartient à la Mafia.

Bantz n'avait décidément rien dans le ventre, songea Deere.

— Je connais Cross, insista Deere. Ce n'est pas un méchant. Sa sœur Claudia me l'aurait dit s'il était réellement dangereux. Celle qui m'inquiète, en revanche, c'est Molly Flanders. Nous allons faire une entourloupe à deux de ses clients au même moment. Elle risque de le prendre mal...

— Tant pis. On fonce. Nom de Dieu, voilà ce qui s'appelle une journée de boulot rondement menée ! Nous venons de gagner vingt millions avec Ernest et peut-être dix millions avec De Lena. Nos primes sont déjà payées. Nous allons être les héros du moment.

— Sans doute, répondit Deere, avant de regarder sa montre. Il est près de quatre heures. Tu vas être en retard à ton rendez-vous avec Falene.

A cet instant, la porte du bureau s'ouvrit brusquement et Molly Flanders apparut sur le seuil. Elle était en tenue de combat — pantalon, veste, chemisier blanc et chaussures à talon plat. Son visage aux traits harmonieux était écarlate de fureur. Il y avait des larmes dans ses yeux — jamais, elle n'avait eu un tel charme. Sa voix était vibrante d'un mélange de joie et de haine.

— Ça y est, bande de connards ! lança-t-elle. Ernest est mort. J'ai fait saisir le tribunal dans le but de vous interdire la sortie de votre suite tirée de son livre. Alors, vous êtes prêts à négocier maintenant ?

Le problème le plus délicat qu'avait à résoudre Ernest Vail, concernant son suicide, était d'éviter tout acte violent. Il était bien trop poltron pour utiliser les méthodes conventionnelles. Les armes à feu lui fichaient une peur bleue, les couteaux et les poisons étaient trop directs et loin d'être infaillibles. Se mettre la tête dans le four, s'asphyxier aux gaz d'échappement, étaient là aussi des moyens par trop hasardeux, tandis que se couper les veines exigeait de supporter la vue du sang — ce qui était au-dessus de ses forces. Non, il voulait une mort agréable, rapide, douce et garantie, laissant son cadavre indemne dans une posture parfaitement digne.

Cet acte mûrement réfléchi, se réjouissait-il, serait bénéfique à tout le monde, sauf à la LoddStone. Ce n'était qu'une question d'argent et d'amour-propre. Il redeviendrait ainsi maître de sa vie ; ce qui était plutôt cocasse puisqu'il s'agissait d'y mettre fin. Voilà encore la preuve, s'il en fallait, de sa bonne santé mentale ; il avait encore le sens de l'humour !

Aller se noyer dans l'océan était un cliché du cinéma, et se jeter sous un bus était trop douloureux et vaguement dégradant, comme s'il n'était qu'un vulgaire sans-abri. Une possibilité retint un moment son attention : il existait un somnifère particulier, tombé en désuétude — un suppositoire qu'il suffisait de s'enfoncer dans le rectum — mais encore une fois, c'était un procédé humiliant et pas totalement fiable.

Vail rejeta donc tous ces procédés ; il voulait trouver quelque chose qui lui garantirait une mort heureuse et certaine. La recherche de la solution miracle était si passionnante qu'il manqua d'oublier la finalité de son entreprise. Il se mit donc à écrire des brouillons de lettres de suicide. Il voulait utiliser tout son art pour que ses mots ne paraissent ni accusateurs, ni chargés d'apitoiement pour son auteur. Il tenait par-dessus tout à ce que son suicide paraisse une décision totalement rationnelle et responsable et en aucun cas un signe de lâcheté.

Il commença par rédiger la lettre pour sa première femme, celle qui avait été, à ses yeux, le seul et véritable amour de sa vie. Il voulait que sa première phrase fasse preuve d'objectivité et de sens pratique.

« Contacte Molly Flanders, mon avocate, dès que tu recevras cette lettre. Elle aura des nouvelles importantes à te communiquer. Je tiens à te remercier, toi et les enfants, de m'avoir donné toutes ces années de bonheur. Sache que mon acte n'est en rien une sorte de reproche à ton encontre, en aucune manière. Nous nous sommes lassés l'un de l'autre et nous nous sommes séparés, c'est tout. Sache, aussi, qu'il n'est le fruit d'un esprit ni dérangé, ni affligé. Mon geste est totalement rationnel et calculé. Mon avocate t'expliquera tout ça. Dis bien aux enfants que je les aime. »

Vail posa la lettre sur un coin du bureau. Elle aurait besoin d'être un peu remaniée. Il écrivit alors des lettres pour ses deuxième et troisième épouses, mais ses mots manquaient de chaleur, même à ses yeux ; il se contentait de leur annoncer qu'elles auraient une petite partie de ses biens et qu'il les remerciait pour les années de bonheur qu'elles lui avaient offertes, précisant une fois encore qu'elles n'étaient en rien responsables de son acte. Il n'était pas d'humeur romantique, c'est le moins que l'on pouvait dire. Il se mit donc à écrire une lettre pour Bobby Bantz — un lapidaire « Va te faire foutre ».

Il rédigea ensuite une petite note pour Molly Flanders où il disait : « Fais la peau à ces salauds. » Cette pensée posthume le mit en joie.

A Cross De Lena, il écrivit : « J'ai finalement fait ce que je devais faire », histoire de répondre à la pointe de mépris qu'il avait perçue chez Cross.

C'est à Claudia qu'il ouvrit finalement son cœur : « Tu m'as offert les plus beaux jours de ma vie et nous n'étions pas même amoureux l'un de l'autre. Comment expliquer un miracle pareil ? Comment expliquer aussi que tu fasses toujours les bons choix et moi toujours les mauvais ? — Jusqu'à aujourd'hui. Je t'en prie, oublie tout ce que j'ai pu dire sur tes talents d'écrivain, tout le mépris dont j'ai pu faire preuve à l'égard de ton travail, ce n'était que de la jalousie, la jalousie d'un vieil écrivain obsolète, totalement dépassé dans son monde. Merci encore de t'être battue pour mes pourcentages, même si au bout du compte tu as fait chou blanc. Tu as essayé, et c'est ça le plus important à mes yeux. »

Il empila ses lettres qu'il avait rédigées sur du papier brouillon. Elles étaient consternantes ; il devait les réécrire toutes. Le retravail, c'était encore et toujours la clé de tout !

Mais le fait d'avoir écrit ses notes avait malgré tout remué des choses dans son subconscient. C'est alors que l'illumination lui vint : il avait enfin trouvé le moyen idéal de mettre fin à ses jours.

Kenneth Kaldone était le plus grand dentiste de Hollywood, aussi célèbre qu'une vedette de cinéma dans ce petit monde. Il était particulièrement habile dans son métier, et un personnage haut en couleur dans la vie privée. Il détestait le portrait que la littérature et le cinéma faisaient des dentistes ; on les montrait toujours comme des gens extrêmement bourgeois en actes comme en pensées ; Kaldone faisait donc tout pour rompre avec cette image.

Il était charmant, dans ses manières et dans ses tenues vestimentaires, sa salle d'attente était luxueuse et offrait un assortiment des meilleurs magazines anglais et américains. Un autre présentoir proposait des revues en langues étrangères — allemandes, italiennes, françaises et même russes.

Des tableaux de peinture moderne décoraient les murs et dans le dédale de couloirs qui menaient aux diverses salles d'opération, étaient exposées des photos que lui avaient dédicacées les plus grands noms d'Hollywood — tous ses patients.

Il était toujours de bonne humeur, avec un petit air efféminé qui suscitait bien des questions. En vérité, il aimait les femmes, mais l'idée d'avoir une relation sérieuse avec l'une d'elles dépassait son entendement. Pour lui, le sexe n'était pas plus important qu'un bon dîner, un bon verre de vin ou un bon concert.

Le seul credo de Kaldone, c'était l'art dentaire. Il était, certes, un orfèvre en la matière, et se tenait à la pointe de la technologie. Il refusait de poser des bridges à ses patients, préférant leur proposer des inserts d'acier sur lesquels il pourrait monter, à demeure, un jeu de dents artificielles. Il faisait des conférences à divers colloques de stomatologie ; il avait une telle renommée qu'un jour, il fut appelé pour soigner une dent chez l'un des membres de la famille princière de Monaco.

Aucun patient de Kenneth Kaldone ne mettrait son dentier le soir dans un verre d'eau. Aucun patient ne souffrirait une fois qu'il aurait pris place dans son fauteuil de dentiste. Il était généreux avec les produits antidouleur, en particulier avec « le gaz hilarant », une combinaison de protoxyde d'azote et d'oxygène inhalée par les patients à travers un masque en caoutchouc. Ce mélange était un analgésique puissant et transportait le patient dans un état de béatitude proche de celui procuré par l'opium.

Vail avait sympathisé avec Kaldone lors de son premier séjour à Hollywood, près de vingt ans auparavant. Vail avait eu une rage de dents alors qu'il dînait chez un producteur qui voulait lui acheter les droits de l'un de ses livres. Le producteur avait appelé Kaldone à minuit et celui-ci était venu chercher Vail pour l'emmener dans son cabinet et soigner la dent infectée. Il avait ensuite raccompagné l'écrivain à son hôtel, en lui demandant de repasser le lendemain à son cabinet.

Vail lança plus tard au producteur qu'il devait avoir le bras étonnamment long pour faire sortir de chez lui un dentiste au beau milieu de la nuit ! Pas du tout, avait répondu le producteur. Kenneth Kaldone était comme ça avec tout le monde. Un homme souffrant devant lui d'une rage de dent était, à ses yeux, comme un homme en train de se noyer. Il estimait de son devoir de porter secours au malheureux. Il faut dire aussi que Kaldone avait lu tous les livres de Vail et qu'il était l'un de ses grands admirateurs.

Le lendemain, donc, Ernest Vail rendit visite à Kenneth Kaldone, et se confondit en remerciements. Kaldone leva la main pour couper court à ces effusions :

— C'est moi qui suis votre débiteur, pour tout le plaisir que vous m'avez procuré avec vos livres. Dites, on vous a déjà parlé des inserts en acier?

Le dentiste se lança alors dans un long sermon disant en substance qu'il n'était jamais trop tôt pour prendre soin de sa bouche. Vail allait perdre bientôt d'autres dents et seuls des inserts en acier lui éviteraient l'humiliation du dentier.

— J'y réfléchirai, affirma Vail.

— Si c'est comme ça, oubliez ce que je viens de dire, lança Kaldone. Je ne peux pas soigner un patient si celui-ci n'adhère pas à 100 p. 100 à ce que je fais.

Vail éclata de rire.

— Il est heureux que vous ne soyez pas romancier! répliqua-t-il. C'est bon, je marche.

Ils devinrent ainsi amis. Vail l'appelait pour dîner à chaque fois qu'il séjournait à Hollywood et de temps en temps, il faisait un saut à Los Angeles, juste pour recevoir une mufflée de gaz hilarant. Kaldone parlait avec intelligence des livres de Vail, il était presque aussi féru en littérature qu'en dentisterie.

Vail adorait le gaz hilarant. Il n'avait jamais mal sous la roulette de Kaldone et c'est dans cet état semi-comateux que lui venaient ses meilleures idées. Durant les cinq années qui suivirent, Vail et Kaldone se forgèrent une solide amitié; Vail en ressortit avec une rangée de dents toutes neuves, plantées sur des racines d'acier qui l'accompagneraient jusque dans la tombe.

Kaldone était aux yeux de Vail un personnage de roman. Chaque être humain, pensait-il, cachait en lui une déviance, une perversité. Kaldone avait montré la sienne; elle était d'ordre sexuel, mais nullement pornographique au sens usuel du terme.

Ils bavardaient toujours un peu avant de commencer les soins, avant que Vail ait droit aux vapeurs du gaz hilarant. Kaldone lui raconta un jour que sa première petite amie avait également des relations sexuelles avec son chien, un gros berger allemand.

Vail, qui commençait à succomber aux effets du gaz, retira le masque de caoutchouc et lança, sans réfléchir :

— Tu as couché avec une femme qui se fait baiser par un chien? Ça ne t'angoisse pas? ajouta-t-il, pensant aux complications médicales et psychologiques.

Kaldone ne saisit pas l'allusion.

— Pourquoi m'angoisserais-je ? répondit-il simplement. Un chien n'est pas un vrai rival.

Vail crut tout d'abord qu'il s'agissait d'une boutade, puis il comprit que Kaldone parlait sérieusement. Ernest Vail remit le masque sur son nez et se laissa emporter par les vapeurs éthérées du protoxyde d'azote ; aussitôt, son esprit entra en ébullition, et fit une analyse complète de son ami dentiste.

Pour Kenneth Kaldone, l'amour ne saurait avoir de dimension spirituelle. Le plaisir était prépondérant, du même ordre que son habileté à annihiler la douleur. La chair devait être gardée sous contrôle même lorsqu'elle s'abandonnait.

Ils dînèrent ensemble ce soir-là et ce que lui dit Kaldone confirma peu ou prou son analyse.

— Le sexe est encore meilleur que le protoxyde, expliqua-t-il. Mais là aussi, il faut veiller à garder 30 p. 100 d'oxygène pur — il eut un regard malicieux. Je vois bien que tu adores le gaz hilarant, ne dis pas le contraire. Je te donne le taux maxi, 70 p. 100, et ton organisme semble tolérer la dose sans problème.

— C'est dangereux ?

— Pas vraiment. A moins de garder le masque deux jours durant, et encore. Bien sûr, si c'était du protoxyde pur, tu y passerais en une demi-heure. Il se trouve que je donne, une fois par mois environ, une petite soirée dans mon cabinet, rien qu'avec de « belles personnes », triées sur le volet. Tous des clients à moi — je connais ainsi leur analyse sanguine ! Tous en parfaite santé. Le protoxyde les envoie au septième ciel. Tu ne t'es jamais senti tout émoustillé sous l'influence du gaz ?

Vail éclata de rire.

— A chaque fois qu'une de tes assistantes passe devant moi, j'ai envie de lui peloter les fesses !

— Elle adorerait ça, c'est sûr ! lança Kaldone avec ironie. Pourquoi ne viens-tu pas au cabinet demain soir, vers minuit ? Tu verras, c'est vraiment très amusant. — Voyant l'air choqué de Vail, Kaldone ajouta : — Rassure-toi. Le protoxyde n'a rien à voir avec la cocaïne. La cocaïne rend les femmes sans défense. Le protoxyde leur retire leurs blocages, nuance. Viens en toute sérénité, comme si tu te rendais à un simple cocktail. Tu n'es pas obligé de prendre part à quoi que ce soit.

Les chiens sont admis ? eut envie de demander Vail avec malice, avant de donner finalement son accord. Pour la paix de sa conscience, il se convainquit que cette expérience lui permettrait d'engranger de la matière pour un prochain roman.

Il s'ennuya ferme durant cette soirée et resta le plus clair de son temps à l'écart. Le protoxyde avait sur lui des effets plus spirituels que sexuels, comme si le gaz hilarant était une sorte de drogue transcendantale, à n'utiliser que pour vénérer un dieu plein de miséricorde. Les copulations entre invités avaient un caractère si bestial que Vail comprit pourquoi Kaldone avait réagi avec un tel flegme en apprenant la relation de sa petite amie avec son berger allemand. L'acte était si dénué d'humanité qu'il en devenait ennuyeux au possible. Kaldone, non plus, ne prit pas part aux festivités, trop occupé qu'il était à doser son mélange de protoxyde d'azote.

Mais aujourd'hui, des années plus tard, Vail sut qu'il tenait enfin le moyen idéal de mettre fin à ses jours. Ce sera aussi indolore qu'une petite séance de roulette de dentiste. Pas de souffrance, pas de meurtrissures, pas d'angoisse. Il quitterait ce monde sur un petit nuage. Et conformément à la maxime, il mourrait heureux.

Encore fallait-il parvenir à entrer dans le cabinet de Kenneth la nuit et à connaître le fonctionnement du mélangeur...

Vail prit rendez-vous avec Kaldone sous prétexte de se faire faire un bilan dentaire. Pendant que son ami étudiait les clichés des radiographies, Vail lui annonça que le personnage de son prochain roman serait un dentiste et qu'il avait besoin de savoir comment fonctionnait le mélangeur de protoxyde.

Kaldone, avec sa fibre de pédagogue, lui expliqua le maniement des manettes des bonbonnes, la lecture des cadrans avec leurs zones rouges, professant comme dans un amphithéâtre.

— Il n'y a vraiment aucun risque ? demanda Vail. Et si tu es ivre et que tu te trompes de bouton ? Tu pourrais me tuer, non ?

— Impossible. Le mélange est régulé automatiquement, de sorte que tu aies toujours 30 p. 100 d'oxygène, au minimum, affirma Kaldone.

Vail fit mine d'hésiter, faisant de son mieux pour paraître embarrassé.

— Tu sais que j'ai vraiment bien aimé cette fête, celle que tu as donnée ici, il y a des années. Il se trouve que je suis avec une fille à croquer en ce moment, mais elle est un peu timide. J'ai besoin d'un petit coup de pouce. Tu ne pourrais pas me laisser la clé de ton cabinet, pour que je puisse la faire venir ici une nuit ? Le protoxyde pourrait la décoincer un peu.

Kaldone étudiait attentivement les radios.

— Tu as la bouche d'un jeune homme ! s'exclama-t-il. Je suis définitivement un grand dentiste !

— Alors, cette clé ? insista Vail.

— Elle est vraiment à croquer ? Dis-moi quel soir tu veux venir et je viendrai m'occuper du mélange.

— Oh non, non ! C'est une fille très comme il faut. Elle ne voudra pas s'approcher du masque si tu es là. — Il marqua un temps de pause — C'est une fille de la vieille école, si tu vois ce que je veux dire.

— Sans blague ? rétorqua Kaldone en vrillant ses yeux dans ceux de Vail. — Attends-moi une minute, lança-t-il soudain, je reviens tout de suite.

Kaldone sortit de la pièce.

Lorsqu'il revint, il avait une clé dans la main.

— Emmène celle-là au clé-minute du coin et fais-en faire un double. Dis-leur bien qui tu es. Et reviens me rendre l'original.

— Ce n'est pas à la minute, tu sais, répondit Vail, un peu pris de court.

Kaldone rangea le paquet de radios dans un dossier et se tourna vers Vail. Pour la première fois depuis qu'ils se connaissaient, Kenneth Kaldone semblait avoir perdu son air jovial.

— Lorsque les flics te trouveront, annonça-t-il, mort dans mon fauteuil de dentiste, je ne veux être impliqué dans cette histoire en aucune manière. Je ne tiens pas à voir ma réputation ruinée et mes clients me fuir comme la peste ! Les flics trouveront le double de la clé et remonteront la piste jusqu'au magasin. Ils concluront que c'est toi qui auras monté tout seul ton affaire. J'imagine que tu as prévu de laisser une lettre ?

Vail était sous le choc et une vague de honte l'envahit. Il ne voulait pas blesser Kaldone, or celui-ci le regardait avec un sourire attristé, teinté de reproche. Vail prit la clé que lui tendait Kaldone, puis se laissa aller à un court moment d'émotion.

— Alors tu as compris, articula-t-il, en serrant fugitivement son ami dans ses bras. Sache que c'est une décision mûrement réfléchie.

— Bien sûr, répondit Kaldone. J'ai souvent songé à cette solution pour moi aussi, quand viendra le grand âge ou si les choses tournent mal. — Il lui sourit avec tendresse — La mort est reposante.

Ils rirent de bon cœur.

— Tu es au courant de ce qui m'est arrivé ? s'enquit Vail.

— Tout le monde est au courant à Hollywood, répondit Kaldone, Skippy Deere était à une fête l'autre jour ; quelqu'un lui a posé une question à propos d'un film et il a répondu : « Je le produirai lorsqu'il neigera en enfer ou lorsque Vail se suicidera ! »

— Et tu ne me dis pas que je suis tombé sur la tête ? Faire une chose pareille pour une simple question d'argent ?

— Pourquoi pas ? C'est moins idiot que de se tuer par amour. Mais la réalisation pratique n'est pas aussi simple. Il te faudra déconnecter ce tuyau dans le mur pour couper l'arrivée d'oxygène, cela trompera le régulateur et tu pourras dépasser le cap des 70 p. 100 de protoxyde. L'idéal, ce serait de le faire vendredi soir, après que la femme de ménage sera passée. On ne découvrira ton corps que le lundi matin. Il y aura ainsi moins de chances que l'on puisse te réanimer. Évidemment, si tu utilises du protoxyde pur, ce sera fini en une demi-heure. — Le dentiste esquissa à nouveau ce sourire un peu triste — Quand je pense à tout le travail que j'ai fait sur tes dents... quel gâchis !

⁂

Deux jours plus tard, un samedi matin, Ernest Vail se réveilla très tôt dans sa chambre du Beverly Hills Hotel. Le soleil sortait juste de l'horizon. Il se doucha, se rasa, et se contenta d'enfiler un T-shirt et un vieux jeans. Il passa sur ses épaules une veste de lin marron. Sa chambre était jonchée de vêtements sales et de vieux journaux, mais se soucier du ménage un jour comme celui-ci aurait été parfaitement déplacé.

Le cabinet de Kenneth Kaldone se trouvait à une demiheure de marche de l'hôtel et Vail descendit l'escalier du perron avec un sentiment de liberté. Personne ne marchait à Los Angeles. Il était affamé, mais préférait ne rien avaler de peur de vomir lorsqu'il serait sous l'effet du protoxyde d'azote.

Le cabinet dentaire se trouvait au quinzième étage d'un immeuble qui en comptait seize. Dans le hall, un simple vigile, et dans l'ascenseur, pas le moindre agent de sécurité. Vail glissa la clé dans la serrure et entra dans le cabinet. Il referma la porte derrière lui et rangea la clé dans la poche de sa veste. Il régnait dans l'enfilade de pièces un silence surnaturel, la cage de la standardiste luisait sous les rayons du petit matin et l'écran de son ordinateur était un œil noir et mystérieux.

Vail se dirigea vers l'aile des soins, longeant le couloir décoré des photos dédicacées des stars. Il y avait six salles d'opération, trois de chaque côté. Le bureau de Kaldone se trouvait tout au fond, attenant à une salle de réunion où ils avaient bavardé bien des fois. A côté, la pièce où officiait le plus souvent Kaldone était équipée d'un fauteuil hydraulique spécial réservé à sa clientèle fortunée.

Ce fauteuil de soin était d'un luxe et d'un confort saisissants, rembourré d'un capiton moelleux et tapissé de cuir délicat. Sur la desserte reposait le masque pour l'inhalation du gaz hilarant. Sur la console, les deux boutons commandant l'ouverture des valves reliées aux bouteilles de protoxyde et d'oxygène étaient positionnés sur le zéro.

Vail régla l'admission du mélange à 50 p. 100, s'installa dans le fauteuil et plaça le masque sur son visage. Il se détendit aussitôt. Kenneth n'allait pas cette fois lui planter ses scalpels dans les gencives. Toutes les tensions dans son corps s'évanouirent, son esprit se mit à s'élever et à embrasser le monde dans son ensemble. Il se sentait si bien, si épanoui que l'idée de mourir semblait ridicule.

Des bribes de futurs romans traversèrent son cerveau ; il sondait l'âme humaine, sans malice, et c'était cette absence de malignité qu'il aimait tant avec le protoxyde d'azote. Les lettres ! songea-t-il soudain. Il avait oublié de les réécrire ! A présent, il s'apercevait à quel point elles pouvaient paraître insultantes, malgré les fleurs de rhétorique et les bonnes intentions qu'il y avait mises.

Vail flottait dans une grande bulle colorée, au-dessus des siens et de ses proches. Il songea à Eli Marrion qui avait su diriger son destin, acquérir pouvoir et richesses, et forcer le respect de ses semblables parce qu'il était sage et sans pitié. Marrion était pourtant venu à la soirée qu'avaient organisée les éditeurs de Vail, lorsque son livre avait remporté le prix Pulitzer et avait été acheté par la LoddStone.

— Vous êtes un très grand écrivain, lui avait-il dit en venant lui serrer la main.

Le fait qu'il se soit rendu à cette petite fête avait défrayé la chronique. Le grand Eli Marrion lui avait même montré la plus grande marque de respect qui fut : un pourcentage sur les recettes brutes. Que Bantz y ait mis le holà après la mort de Marrion ne changeait rien à l'affaire.

Bantz n'était pas non plus le mal incarné. Sa soif de pouvoir et de profit était due à la pression du monde qui l'environnait. Skippy Deere était bien pire, à bien y réfléchir — avec son intelligence, son charme et son enthousiasme, il était le plus dangereux de tous, car il n'hésitait pas à trahir ses amis et frappait dans le dos.

Une nouvelle illumination envahit Vail. Pourquoi vouait-il une telle haine, un tel mépris envers Hollywood et le cinéma ? C'était de la jalousie pure, évidemment. Le cinéma était aujourd'hui l'art le plus vénéré de la planète et lui aussi, comme le commun des mortels, aimait le cinéma — quand le film était bon du moins. Mais il crevait de jalousie à l'idée qu'il ne connaîtrait jamais cette synergie particulière qui s'opérait lors de la fabrication d'un film — les acteurs, l'équipe, le metteur en scène, les vedettes et même les « complets-vestons », ces exécutifs à la bêtise crasse, tous marchaient main dans la main et formaient une véritable famille, peut-être pas toujours aimante, mais soudée, jusqu'à l'achèvement du film. Ils se faisaient des petits cadeaux, s'embrassaient à qui mieux mieux, et se juraient amour et dévotion éternels. Comme ce devait être merveilleux de connaître ça une fois dans sa vie ! Vail se souvint avec amertume du temps où il écrivait son premier scénario avec Claudia, où il pensait avoir un jour sa place dans cette grande famille.

Mais c'était chose impossible avec son caractère trempé, son esprit acerbe, son goût prononcé de la dérision — bercé par les vapeurs du protoxyde, Vail avait du mal à se trouver beaucoup de défauts... Il avait quand même écrit un certain nombre de chefs-d'œuvre (Vail était l'un des rares écrivains à être fier de ses livres) et à ce titre, il avait droit à quelque égard !

Grisé par le mélange, Vail sentit se dissoudre en lui tout désir de mourir. L'argent n'avait pas d'importance, Bantz pouvait toujours revenir sur sa décision, Molly ou Claudia trouver un moyen de débloquer la situation...

Mais soudain, toutes ses humiliations lui revinrent en mémoire. Aucune de ses femmes ne l'avait réellement aimé. Il avait toujours été le mendiant, jamais l'élu. Ses livres étaient respectés mais jamais adulés au point de faire de lui un écrivain à succès. Certains critiques l'avaient descendu et Vail avait fait mine de ne pas en prendre ombrage — il ne fallait pas leur en vouloir, ils faisaient simplement leur métier — peut-être, mais ça n'empêche qu'ils touchaient là où ça faisait mal. Il n'avait jamais eu d'amis. Certaines personnes appréciaient sa compagnie, son esprit incisif et son honnêteté intellectuelle, mais aucune d'elles ne devint réellement proche de lui, pas même Kenneth. Claudia l'estimait sincèrement, certes, mais Molly Flanders et Kenneth Kaldone n'éprouvaient pour lui que pitié.

Vail se redressa et coupa l'admission des gaz. Il ne lui fallut que quelques instants pour reprendre ses esprits. Il se leva et alla s'installer derrière le bureau de Kaldone.

Sa morosité revint aussitôt. Il se laissa aller contre le dossier et contempla le soleil qui s'élevait au-dessus de Beverly Hills. Il était tellement furieux que la LoddStone l'ait escroqué, que chaque seconde de son existence lui paraissait à présent viciée. Il détestait voir le jour se lever ; le soir, il avalait des somnifères pour dormir le plus longtemps possible... Être humilié par de tels gens, des gens si méprisables... Il n'avait même plus goût à ouvrir un livre — pour la première fois de sa vie, la lecture ne lui apportait plus aucun réconfort. Et, conséquence logique, il ne pouvait plus écrire. Sa prose élégante si souvent vantée, sonnait faux, emphatique et prétentieuse. Il n'avait même plus plaisir à aligner des mots sur le papier.

Depuis longtemps déjà il s'éveillait le matin en honnissant le jour naissant, trop las pour se laver ou se raser. Il était, de surcroît, fauché comme les blés. Il avait gagné des millions et les avait dépensés dans le jeu, les femmes et l'alcool, voire distribués autour de lui — l'argent n'avait jamais eu grande importance à ses yeux, jusqu'à aujourd'hui.

Ces deux derniers mois, il n'avait pu verser les pensions alimentaires de ses ex-femmes et de ses enfants. A l'inverse de la plupart des hommes, envoyer des chèques de pension le mettait en joie. Il n'avait pas publié de romans depuis cinq ans, et commençait à se lasser de sa propre compagnie. Il ne cessait de geindre, de gémir sur son sort. Il était comme une verrue sur le nez de la société. Cette dernière image le déprima au plus haut point. Quelle métaphore pitoyable pour un écrivain de son talent ! Une vague de mélancolie le submergea ; jamais, il ne s'était senti aussi misérable.

Il se leva et revint dans la salle de soin. Kaldone lui avait montré la procédure à suivre. Il débrancha le tuyau d'admission de l'oxygène pour ne laisser connecté à la machine que celui du protoxyde d'azote. Il s'installa de nouveau dans le fauteuil, tendit la main vers le panneau de commande et tourna le bouton, se convainquant qu'il pouvait encore passer un peu d'oxygène dans le tuyau de sorte que la mort n'était pas absolument certaine. Il ramassa alors le masque et le plaqua sur son visage.

Le protoxyde pur pénétra aussitôt dans son corps et Vail eut un moment d'extase, toute souffrance soudain dissoute, son cerveau emporté par une vague de bien-être. Le gaz inonda ses neurones, submergeant ses synapses. Vail fut traversé par une onde de plaisir absolu, juste avant de trépasser, et l'espace de cet instant fulgurant, il crut au bon Dieu et au paradis.

⁂

Molly Flanders attaqua Bobby Bantz et Skippy Deere bille en tête; elle y aurait mis plus de manières si Eli Marrion était encore de ce monde.

— Je sais qu'une nouvelle suite du bouquin d'Ernest est sur le pas de tir. Je vous préviens que j'ai déposé au tribunal une plainte pour en interdire le lancement ! Les droits appartiennent désormais à ses héritiers. Bien sûr, vous pouvez ignorer mon recours et sortir quand même le film, mais dans ce cas, je vous poursuis en justice illico. Si je gagne, la famille d'Ernest aura l'entière propriété du film et la majeure partie des recettes. De toutes façons, nous sommes d'ores et déjà en mesure de bloquer tout autre projet d'adaptation basé sur les personnages d'Ernest. Maintenant, nous pouvons encore éviter tout ça et nous épargner des années de procédures juridiques. Il vous suffit de lâcher cinq millions tout de suite et 10 p. 100 sur le brut de chaque film. Et cette fois, je veux un bilan net et précis des recettes sur les ventes vidéo !

Deere était horrifié et Bantz virait à l'indigo. Voilà qu'un simple écrivain allait gagner sur un film plus d'argent que tout le monde — à l'exception des super vedettes. Jamais ils n'accepteraient une telle humiliation !

Bantz appela immédiatement Melo Stuart et le chef du département juridique de la LoddStone. La demi-heure suivante, ils se retrouvaient dans la salle de réunion. Stuart était nécessaire à la discussion puisque c'est lui qui se chargeait de la distribution sur ces suites et qu'il touchait une commission sur les cachets de la vedette, du metteur en scène et du scénariste, Benny Sly. La situation exigeait peut-être qu'il abandonnât quelques points sur ses parts.

— Nous nous sommes penchés sur la question lorsque Mr. Vail a pour la première fois menacé le studio, commença l'expert juridique.

— Parce que se suicider est une menace pour la LoddStone ? lança Molly Flanders avec humeur.

— Oui, une menace, doublée d'une tentative de chantage, susurra l'expert d'un ton mielleux. Nous avons épluché le code juridique et la jurisprudence en la matière, ce qui n'est pas une mince affaire, croyez-moi, car la situation est très complexe. Ma position, à l'époque déjà, était de ne pas céder parce que nous pouvions gagner le procès. Auquel cas, les droits ne seront pas restitués aux héritiers.

— Quelles sont vos chances de réussite, selon vous? intervint Molly Flanders. 95 p. 100?

— Non, répondit l'expert. En matière juridique, rien n'est jamais aussi certain.

Molly était aux anges. Elle pourrait définitivement prendre sa retraite grâce aux honoraires qu'elle allait gagner sur ce procès.

— Allez tous vous faire foutre! lança-t-elle en se levant d'un bond. Rendez-vous au tribunal!

Bantz et Deere en restèrent bouche bée. C'était en ces instants que l'absence d'Eli Marrion se faisait cruellement sentir.

Melo Stuart fut le premier à réagir. Il se leva et tenta d'apaiser l'avocate en la prenant par les épaules d'un air affectueux et suppliant.

— Allons, Molly, nous n'en sommes qu'aux discussions préliminaires. Agissons en êtres civilisés.

Il reconduisit Molly Flanders sur son siège, remarquant qu'elle était au bord des larmes.

— Je suis sûr que nous allons parvenir à un accord. Je vais céder quelques points sur ma part, proposa-t-il.

— Vous préférez donc risquer de perdre tout, s'étonna Molly d'une voix sourde en se tournant vers Bantz. Votre avocat serait-il en mesure de vous garantir la victoire? Bien sûr que non! Tu es un homme d'affaires ou un de ces parieurs dégénérés de casino? Pour économiser trente ou quarante malheureux millions, tu es prêt à risquer un milliard de dollars?

Un accord fut donc conclu. La famille de Vail toucherait une avance de quatre millions de dollars et 8 p. 100 sur les recettes brutes du film en cours. Bantz verserait deux millions pour les autres suites à venir ainsi que 10 p. 100 sur les recettes nettes. Les enfants de Vail ainsi que ses trois ex-femmes seraient riches.

— Et si vous croyez que je suis dure en affaire, attendez de voir la réaction de Cross De Lena lorsqu'il apprendra que vous l'avez escroqué! lança Molly, en guise de dernière salve.

L'avocate savourait sa victoire. Des années plus tôt, elle avait emmené Ernest chez elle au sortir d'une fête. Elle était passablement saoule et se sentait très seule. Ernest était drôle, acerbe, et elle eut l'envie de passer la nuit avec lui.

Cela pouvait être amusant. Mais le voyage la dégrisa; une fois dans la chambre avec lui, elle sentit une bouffée de panique l'envahir. Ernest était si malingre, si timide vis-à-vis du sexe, parfaitement sans attrait. Et pour couronner le tout, il avait perdu sa belle verve!

Molly n'eut toutefois pas le cœur de le renvoyer dans ses pénates à cet instant critique. Alors elle se saoula de nouveau pour se donner du courage, et finalement, une fois au lit, dans le noir, ce ne fut pas si mal. Ernest montrait un tel enthousiasme qu'elle en fut flattée et lui apporta le lendemain matin le petit déjeuner au lit.

— Merci, articula-t-il avec un petit sourire, et merci encore...

Molly sut que rien ne lui avait échappé de son malaise de la veille; il la remerciait non seulement pour le petit déjeuner, mais aussi pour sa générosité de la nuit. Elle aurait préféré savoir dissimuler davantage ses sentiments, mais elle était avocate, pas actrice! Aujourd'hui elle s'était battue pour lui, c'était son geste d'amour à elle.

Dottore David Redfellow reçut la convocation de Don Clericuzio alors qu'il participait à une importante réunion à Rome. Il était le conseiller du Premier ministre d'Italie pour un projet de loi visant à imposer de lourdes peines aux membres corrompus du monde bancaire. Évidemment Redfellow s'opposait au projet. Il énonça rapidement ses arguments et sauta dans un avion pour les États-Unis.

En vingt-cinq ans d'exil en Italie, David Redfellow avait bien prospéré et sa réussite dépassait toutes les espérances. Don Clericuzio, au début, l'avait aidé à s'installer, lui achetant une petite banque à Rome; par la suite, grâce à l'argent provenant de son ancien réseau de drogue déposé sur des comptes en Suisse, Redfellow avait pu s'offrir d'autres banques ainsi que des chaînes de télévision. Mais c'étaient les amis de Don Clericuzio en Italie qui l'avaient aidé à bâtir son empire, à acheter des magazines, des journaux, des chaînes T.V., en sus de sa collection de banques.

David Redfellow était également satisfait des choses qu'il avait accomplies par lui-même. Il avait littéralement changé de peau : il avait acquis la citoyenneté italienne; sa femme, ses enfants, et la traditionnelle maîtresse, étaient tous de nationalité italienne; il s'était même offert un titre de docteur honoris causa d'une université italienne (au prix de deux millions de dollars). Il portait des costumes Armani, passait une heure chaque semaine chez le coiffeur, avait son cercle de vieux amis dans le café qu'il s'était acheté et commençait une carrière politique comme conseiller de cabinet auprès du Premier ministre. Néanmoins, une fois par an, il faisait le pèlerinage de Quogue pour exaucer les moindres vœux de son mentor, Don Clericuzio. Cette soudaine convocation ne lui disait donc rien qui vaille.

Un grand dîner en son honneur l'attendait à son arrivée; Rose Marie s'était surpassée sachant que Redfellow ne tarissait pas d'éloges sur les restaurants romains. Tout le clan Clericuzio était présent pour lui rendre hommage — Don Domenico en personne, ses fils, Giorgio, Petie et Vincent, son petit-fils Dante, ainsi que Pippi et Cross De Lena.

Un accueil digne d'un héros. David Redfellow — l'étudiant qui avait quitté l'université pour devenir un roi de la drogue, le malfrat à l'anneau d'oreille, la hyène avide de sexe, guettant dans l'ombre ses proies — s'était finalement métamorphosé, contre toute attente, en un pilier de la société respectable. Tous étaient fiers de lui. Don Clericuzio se sentait même redevable envers Redfellow; en effet, c'était lui qui, un jour, avait donné au patriarche une leçon dans le domaine de l'intégrité humaine.

Dans sa jeunesse, Don Clericuzio avait sur le monde une vision curieusement romantique. Il croyait que le droit et la loi ne pouvaient être corrompus en matière de drogues.

David Redfellow, en 1960, avait vingt ans; il avait commencé à faire du trafic de drogue, non pas pour l'argent, mais pour que lui et ses camarades d'université puissent se fournir à bas prix. C'était une entreprise amateur — juste un peu de cocaïne et de marijuana. En un an, ses affaires avaient pris tant d'ampleur qu'ils durent s'acheter un petit avion pour acheminer la marchandise d'Amérique du Sud. Ils ne tardèrent pas, évidemment, à avoir des problèmes avec la justice et c'est là que David Redfellow montra tout son génie. Son organisation faisait d'énormes bénéfices et laissait de gros pots-de-vin si bien que Redfellow eut rapidement dans son agenda une brochette de shérifs, de procureurs de district, de juges, et des centaines de policiers le long de la côte Est.

La méthode était enfantine, selon lui. Il suffisait de savoir combien gagnait le fonctionnaire en question et de lui offrir cinq fois son salaire.

Malheureusement, le Cartel des Colombiens arriva sur le marché, plus sauvages et cruels que les méchants Indiens des vieux westerns — ils ne se contentaient pas d'arracher le scalp, mais la tête entière ! Quatre de ses six associés furent ainsi tués. Redfellow alla donc trouver les Clericuzio pour demander leur protection, en leur offrant 50 p. 100 des bénéfices.

Petie Clericuzio et une équipe de soldats de l'enclave devinrent ses gardes du corps et cet arrangement perdura jusqu'en 1965, date à laquelle Don Clericuzio exila Redfellow en Italie — le commerce de la drogue étant devenu par trop dangereux.

Ce soir-là, à table, tous félicitaient Don Domenico de la sagesse de sa décision vingt-cinq ans plus tôt. Dante et Cross entendirent l'histoire de David Redfellow pour la première fois. Redfellow était un conteur né et ne tarissait pas d'éloges envers Petie.

— Quel combattant ! lançait-il. S'il n'avait pas été là, jamais je n'aurais revu la Sicile de mon vivant. — Il se tourna vers Cross et Dante — C'était le jour de votre baptême à tous les deux. Vous n'avez pas bronché lorsqu'ils ont failli vous noyer dans le bénitier ! Jamais je n'aurais imaginé que nous ferions des affaires ensemble, d'adulte à adulte.

— Tu ne feras pas d'affaires avec eux, coupa Don Clericuzio d'un ton sec, mais avec moi et Giorgio uniquement. Si tu as besoin d'aide, tu pourras appeler Pippi. J'ai décidé de pousser plus avant l'entreprise dont je t'ai parlé. Giorgio t'expliquera pourquoi.

Giorgio raconta à Redfellow les derniers événements à la LoddStone. Depuis qu'Eli Marrion était mort, c'était Bobby Bantz qui tenait les rênes ; il avait annulé les parts que détenait Cross sur *Messalina* et lui avait rendu sa mise avec simplement des intérêts.

— C'est un homme intelligent, admit Redfellow, amusé par cette histoire. Il savait que vous n'intenteriez pas de procès alors il vous a fait sauter. C'est bien joué.

Dante buvait une tasse de café et contemplait Redfellow avec une sorte de mépris. Rose Marie, assise à côté de lui, lui posa la main sur le bras.

— Tu trouves ça drôle ? jeta Dante à Redfellow.

Redfellow considéra un moment Dante, puis prit un air sévère.

— Oui, parce qu'en l'occurrence, dans ce genre d'affaires, il est dangereux d'être trop intelligent.

Don Domenico observa toutefois la joute d'un air amusé. Ses fils s'en réjouirent, car cette jovialité était rare chez leur père.

— Et toi, mon petit-fils, comment réglerais-tu le problème ? demanda-t-il à Dante.

— J'enverrais ce pourri au fond de l'océan, se faire bouffer par les poissons ! rétorqua Dante, qui reçut en retour un sourire de son grand-père.

— Et toi, Croccifixio ? Quelle solution proposerais-tu ? demanda Don Clericuzio.

— J'accepterais le fait tel qu'il est, répondit Cross, et j'en tirerais les leçons. Je me suis fait avoir parce que j'ai cru qu'ils n'auraient pas les tripes de faire ça.

— Et vous Petie, Vincent ? demanda Don Clericuzio.

Mais ils ne répondirent pas, sachant à quel petit jeu jouait leur père.

— Tu ne peux pas te contenter de faire l'autruche, expliqua Don Clericuzio à Cross. Tu passeras pour un idiot et plus personne sur la planète ne t'accordera le moindre respect.

Cross prenait les paroles de Don Clericuzio très au sérieux.

— Il y a chez Eli Marrion des tableaux de maître pour vingt ou trente millions de dollars. Nous pourrions les voler et demander une rançon ?

— Non, répliqua Don Domenico, cela nous exposerait trop et révélerait au grand jour notre véritable force ; même en prenant toutes les précautions nécessaires, cela pourrait se terminer mal. C'est trop compliqué. Tu as une solution à proposer, David ?

Redfellow tira une bouffée sur son cigare, l'air pensif.

— Achetons le studio. Faisons quelque chose d'économiquement et de légalement irréprochable. Par l'intermédiaire de nos banques et de nos boîtes de communication, offrons-nous la LoddStone!

Cross n'en croyait pas ses oreilles.

— La LoddStone est le plus grand et prestigieux studio du monde! Même si vous pouviez aligner les dix milliards nécessaires, ils ne vous la céderaient pas. C'est tout simplement inconcevable.

— Tu ne vas pas m'annoncer, David, que tu peux sortir dix milliards de dollars de ton chapeau? lança Petie d'un ton badin. Toi, l'homme à qui j'ai sauvé la vie et qui dit ne pas savoir comment rembourser sa dette envers moi!

Redfellow agita le bras pour le faire taire.

— Ça ne fonctionne pas comme ça, avec les gros sous. C'est le principe de la crème fouettée : vous prenez une petite mise de départ et vous commencez à battre énergiquement, jusqu'à ce que votre crème monte, fasse plein d'écume, et déborde de prêts, d'obligations et d'actions. Ce n'est jamais l'argent qui pose problème dans ces affaires-là.

— Le problème, en l'occurrence, c'est de se débarrasser de Bantz. Il a la mainmise sur le studio, et malgré tous ses défauts, il reste loyal envers Marrion. Il n'acceptera jamais de vendre la LoddStone.

— Et si j'allais leur rendre une petite visite? lança Petie.

Don Clericuzio avait pris sa décision. Il se tourna vers Redfellow :

— Mets au point ton plan. Et réalise-le. Mais pas d'imprudence. Pippi et Croccifixio seront à ton service.

— Une chose encore, précisa Giorgio. Bantz, selon les termes du testament, a le contrôle du studio pendant cinq ans. Mais le fils et la fille de Marrion détiennent davantage d'actions que lui dans la compagnie. Bantz ne peut être fichu à la porte, mais si le studio est vendu, les nouveaux propriétaires devront monnayer son départ. Voilà le problème que tu as à résoudre.

Redfellow sourit et tira une nouvelle bouffée sur son cigare.

— Comme au bon vieux temps! La seule aide dont j'ai besoin, c'est la vôtre, Don Clericuzio. Certaines banques en Italie risquent, en effet, de rechigner à l'idée de se lancer dans une telle aventure. Je vous rappelle qu'il nous faudra avancer une grosse somme étant donné la valeur réelle du studio.

— Ne te fais pas de soucis, assure Don Domenico. J'ai beaucoup d'argent dans ces banques.

Pippi De Lena avait suivi cet entretien d'un œil circonspect. Ce qui le troublait, c'était l'absence de confidentialité de la discussion. D'ordinaire, seuls Don Domenico, Giorgio et David auraient été présents. Pippi et Cross auraient reçu leurs instructions ultérieurement. Pourquoi les avait-on mêlés à ce secret ? Plus important encore, pourquoi Dante, Petie et Vincent avaient-ils été conviés à cette réunion d'affaire ? C'était contraire aux habitudes de Don Domenico, qui, par principe, gardait ses plans secrets le plus longtemps possible.

Vincent et Rose Marie aidèrent Don Domenico à monter se coucher dans sa chambre. Il refusait obstinément de faire installer un siège élévateur sur la rampe de l'escalier.

Sitôt qu'ils furent hors de vue, Dante se tourna vers Giorgio :

— Et qui dirigera la LoddStone lorsqu'elle sera à nous ? lança-t-il avec aigreur. Cross ?

— C'est à moi qu'appartiendra le studio, précisa Redfellow avec froideur. C'est moi qui le dirigerai. Et ton grand-père aura un intérêt financier dans l'affaire. Tout sera écrit noir sur blanc.

Giorgio acquiesça.

— Allons Dante ! intervint Cross en riant, personne ici ne saurait diriger un studio de cinéma. Nous ne sommes pas assez impitoyables en affaires.

Pippi les observa tour à tour. Il avait un mauvais pressentiment, et son sixième sens ne le trompait jamais. C'était pour cette raison qu'il avait vécu aussi longtemps. Mais il ne parvenait pas à savoir d'où venait le danger. Peut-être ce changement d'attitude chez Don Clericuzio était-il simplement dû à son grand âge ?

Petie raccompagna David Redfellow à l'aéroport où son jet privé l'attendait. Cross et Pippi étaient venus de Las Vegas en avion-taxi. Don Clericuzio interdisait formellement que le Xanadu ou toute autre de ses sociétés possède des jets privés.

C'est Cross qui prit le volant de la voiture de location pour retourner avec son père à l'aéroport.

— Je vais aller passer quelque temps à New York, annonça Pippi. Je garderai la voiture une fois arrivé à J.F.K.

Cross remarqua l'air soucieux de son père.

— Je n'ai pas été très brillant, reconnut Cross.

— Tu as été très bien, répondit Pippi. Mais Don Domenico a raison. Il ne faut laisser à personne la possibilité de te rouler deux fois de suite.

Une fois arrivé à Kennedy Airport, Cross sortit de la voiture et Pippi se glissa derrière le volant. Ils se serrèrent la main à travers la vitre baissée. Pippi contempla le visage séduisant de son fils, envahi par une bouffée d'affection. Il tenta de sourire, tout en tapotant gentiment la joue de Cross.

— Fais attention, dit-il.

— A quoi ? demanda Cross, ses yeux noirs cherchant le regard de son père.

— A tout, répondit Pippi, avant d'ajouter, à la grande surprise de Cross : — Au fond, j'aurais peut-être dû te laisser partir avec ta mère, mais j'ai été égoïste. Je voulais te garder avec moi.

Cross regarda la voiture s'éloigner et pour la première fois il comprit à quel point son père se faisait du souci pour lui, à quel point son père l'aimait.

XV

Pippi De Lena s'était finalement résolu à se remarier, non par besoin d'amour, mais par crainte de la solitude. Certes, il avait Cross, des amis au Xanadu, la famille Clericuzio et un vaste réseau de relations et de proches. Il avait trois maîtresses et mangeait avec un bel appétit. Il adorait le golf, jouant avec un handicap dix, et aimait toujours la danse. Mais comme disait Don Clericuzio, il ne danserait pas jusque sur son lit de mort.

Maintenant qu'il avait la cinquantaine bien tassée, qu'il était toujours solide comme un roc, vif et sanguin, riche et à demi retiré des affaires, Pippi avait envie de fonder un foyer paisible, et pourquoi pas d'avoir une nouvelle brochette d'enfants. Cette perspective le séduisait de plus en plus. Curieusement, il rêvait d'être encore une fois père. Ce serait drôle d'avoir de nouveau une fille; il avait adoré Claudia lorsqu'elle était enfant, même si aujourd'hui tous les ponts étaient rompus. Elle était si rusée et si franche à la fois; elle avait su se faire une place dans le monde et était devenue une grande scénariste. Qui sait, peut-être feraient-ils la paix un jour? Au fond, elle était aussi entêtée que lui. Il ne la comprenait que trop bien et admirait sa constance et sa fidélité envers ses convictions.

Cross avait joué et perdu face à Hollywood, mais d'une façon ou d'une autre son avenir était assuré. Il avait les parts du Xanadu et Don Clericuzio l'aiderait à rattraper l'erreur qu'il avait commise avec cette entreprise hasardeuse. Cross était un bon garçon mais il était jeune, et le propre de la jeunesse était de prendre des risques. C'était ainsi que tournait le monde.

Après avoir déposé Cross à l'aéroport, il prit la route de New York pour passer quelques jours avec sa maîtresse de la côte Est. C'était une jolie brunette, une conseillère juridique avec un esprit acerbe typiquement new-yorkais, doublée d'une grande danseuse. Elle ne mâchait pas ses mots, adorait la flambe et le grand train — elle aurait été une épouse dépensière. Elle était trop vieille de toutes façons — plus de quarante-cinq ans — et bien trop indépendante (ce qui pouvait être une qualité pour une maîtresse mais un défaut rédhibitoire pour une épouse).

Il passa un week-end agréable avec elle, bien qu'elle lût le *Times* tout le dimanche après-midi. Ils dînèrent dans de grands restaurants, allèrent danser dans des night-clubs et eurent deux belles nuits d'amour dans l'appartement de la belle. Mais Pippi recherchait quelque chose de plus paisible.

Il s'envola donc pour Chicago. Sa maîtresse là-bas était à l'image de cette ville bruyante et tapageuse. Elle buvait un peu trop, aimait faire la fête, et prenait la vie avec optimisme et insouciance. Mais elle était un peu paresseuse, un peu souillon. Or Pippi aimait avoir une maison propre. Elle aussi était trop vieille pour fonder une famille — elle annonçait quarante ans « passés ». Était-ce si important au fond? Était-il vraiment prêt à supporter une jeunette? Au bout de deux jours, toutefois, Pippi la raya de sa liste.

Avec ces deux-là, il aurait eu des problèmes à s'installer à Las Vegas. C'étaient des citadines dans l'âme et Las Vegas, Pippi ne le savait que trop bien, n'était qu'une bourgade de cow-boys où les casinos avaient remplacé les parcs à bestiaux. Pippi ne pouvait vivre qu'à Las Vegas; c'était le seul endroit sur terre où la nuit n'avait pas droit de cité. Les enseignes lumineuses chassaient tous les fantômes, la ville brillait comme un diamant rose dans son écrin de sable et à l'aurore, les rayons du soleil dissolvaient les ultimes démons ayant survécu aux feux des néons.

La meilleure pouliche de son écurie était sa maîtresse de Los Angeles; Pippi se félicitait de ses choix en termes géographiques. Aucune rencontre accidentelle n'était à redouter, aucun dilemme à devoir choisir entre elles trois. Chacune avait son rôle, sa fonction, et leur localisation sur la carte laissait le champ libre à toutes les aventures possibles. Tout bien considéré, il était ravi de la façon dont il avait conduit sa vie. Audacieux, mais prudent, courageux, mais pas téméraire, fidèle envers la famille et récompensé en retour au centuple. Sa seule erreur, peut-être, avait été d'épouser Nalene, et encore... quelle femme aurait pu lui donner autant de bonheur pendant onze années? De toutes façons, ils n'étaient pas légion ceux qui pouvaient se vanter d'avoir commis une seule erreur durant leur existence! Don Clericuzio ne disait-il pas lui-même : « Ce n'est pas grave de commettre des erreurs, tant que l'on n'en commet pas une fatale. »

Pippi décida donc de se rendre directement à Los Angeles sans faire étape à Las Vegas. Il appela sa maîtresse — une dénommée Michelle — pour la prévenir de son arrivée et refusa son offre de venir le chercher à l'aéroport.

— Contente-toi d'être prête à me recevoir, lui répondit-il. Tu me manques. Et j'ai quelque chose d'important à t'annoncer.

Michelle était encore assez jeune — trente-deux ans — et elle était plus tendre, plus généreuse, et plus facile à vivre, peut-être parce qu'elle était née en Californie. Et elle était un bon coup au lit — les deux autres aussi d'ailleurs puisque c'était son premier critère de sélection. Mais elle était d'une bonne nature et ne lui poserait pas de problèmes. Elle avait certes quelques petits côtés loufoques; elle croyait à ces foutaises New Age — le *channelling* comme elle disait, canaliser les énergies de l'univers, communiquer avec les esprits — et ne cessait de parler de ses vies antérieures; mais elle pouvait être drôle aussi. Comme bon nombre des beautés de Californie, elle avait rêvé de devenir actrice, mais cette idée lui était sortie de la tête. Elle était à présent versée dans le yoga et le *channelling*, une acharnée de la forme physique, du jogging et des salles de gymnastique. Et elle ne tarissait pas d'éloges sur le karma de Pippi! Bien évidemment, aucune de ces femmes ne connaissait la véritable vie de Pippi. Officiellement, il travaillait pour un consortium d'hôtels de Las Vegas.

Oui, avec Michelle, il pourrait vivre à Las Vegas; ils garderaient un appartement à Los Angeles et viendraient y passer quelques semaines lorsqu'ils se lasseraient des néons du Nevada. Pour l'occuper, il pourrait lui acheter une boutique de cadeaux au Xanadu. Cela pourrait marcher. A condition, toutefois, qu'elle accepte son offre.

Un souvenir lui revint brusquement en mémoire: Nalene en train de lire aux enfants *Boucles d'or et les Trois Ours*. Au fond, il était comme Boucles d'or. La maîtresse de New York était trop dure, celle de Chicago trop molle, mais celle de Los Angeles était *juste comme il faut*. Ce souvenir le fit sourire. Bien sûr, jamais rien dans la vie n'était « juste comme il faut ».

Lorsqu'il atterrit à Los Angeles, il inspira à plein poumon l'air parfumé de la Californie, sans même remarquer la pollution. Il loua une voiture et se rendit tout d'abord sur Rodeo Drive; il adorait acheter des petits cadeaux à ses maîtresses et se promener sur cette avenue débordant de tous les luxes de la terre. Il acheta une montre-bracelet Gucci, scintillante de diamants, un sac à main Fendi — bien qu'il le trouvât hideux —, un carré Hermès et une bouteille de parfum dans un flacon aux allures de sculpture moderne. Alors qu'il achetait un assortiment de lingerie fine, Pippi était de si bonne humeur qu'il raconta à la vendeuse, une petite blondinette, que ces dessous étaient pour lui. La fille lui jeta un regard furtif et se contenta d'un laconique « Bien sûr monsieur... ».

De retour dans sa voiture, trois mille dollars plus pauvre, il prit la route de Santa Monica, la pile de cadeaux sur le siège passager, débordant d'un sac Gucci aux couleurs printanières. En chemin, il fit une halte à Brentwood — c'était son endroit préféré. Il aimait les magasins qui bordaient cette place parsemée de tables de pique-nique où l'on pouvait se restaurer et boire une boisson fraîche. La nourriture dans l'avion s'était révélée immangeable et Pippi était affamé. Le réfrigérateur de Michelle était toujours vide puisqu'elle suivait tous les régimes possibles et imaginables.

Dans une boutique, il acheta deux poulets rôtis, une dizaine de travers de porcs grillés et quatre hot dogs avec sauce et accompagnement ad hoc. Chez un autre marchand, il acheta du pain de mie tout frais et du pain de seigle. Sur un étal, il s'offrit un grand verre de Coca Cola et alla s'installer à l'une des tables de pique-nique pour savourer ce dernier moment de solitude. Il avala deux des quatre hot dogs, la moitié d'un poulet rôti et quelques frites. Jamais repas ne lui sembla plus succulent. Il paressa un moment sous les rayons dorés du couchant, laissant l'air embaumé de la Californie lui chatouiller les narines. Il avait envie de rester là des heures, mais Michelle l'attendait. Elle devait s'être baignée, pomponnée et être un peu grise déjà. Elle voudrait l'entraîner au lit sans même lui laisser le temps de se laver les dents. Mais Pippi comptait lui faire sa proposition sitôt franchi le seuil de sa porte.

Le sac en papier contenant les denrées était décoré d'un petit laïus sur la nourriture, un sac à commission pour cultureux, à l'image de la clientèle de l'endroit. Lorsqu'il le déposa dans l'habitacle, il en parcourut les premières lignes : « Les fruits sont les plus anciens éléments de la consommation humaine. Dans le Jardin d'Eden, déjà... »

— Mon Dieu... soupira Pippi.

Il gagna finalement Santa Monica et se gara devant le lotissement de Michelle — un ensemble de bungalows d'un étage aux airs d'hacienda espagnole. Il sortit de la voiture, portant les sacs de cadeaux dans la main gauche, laissant sa main droite libre. Par réflexe, il surveillait du coin de l'œil les alentours. C'était une rue charmante, sans voiture le long des trottoirs, les maisons d'inspiration ibérique offraient de larges allées pour les automobiles et conféraient au lieu une sorte de paix vaguement religieuse. Les joggers sur les trottoirs étaient dissimulés par des haies fleuries, les arbres aux branches lourdes filtraient les rayons du soleil couchant.

Pippi devait emprunter une longue allée bordée d'une barrière de bois verte et parsemée de buissons de roses. L'appartement de Michelle donnait sur l'arrière — une relique du Santa Monica d'antan et de son côté bucolique. Les bungalows semblaient être faits de vieux bois, et chaque piscine était flanquée de sa collection de bancs blancs.

Devant lui, à l'autre bout de l'allée, Pippi entendit le ronronnement d'un véhicule à l'arrêt. Aussitôt tous ses sens furent en alerte — Pippi, par habitude, était toujours sur le qui vive. Il aperçut un homme assis sur l'un des bancs. Celui-ci se leva et vint à sa rencontre.

— Qu'est-ce que tu fous ici ? lança Pippi, sous le coup de la surprise.

La main de l'homme ne sortit pas de sa poche pour le saluer et dans la seconde, Pippi sut ce qui allait arriver. Son cerveau lui envoya tellement d'informations au même moment, qu'il resta un instant paralysé. Il vit le pistolet apparaître dans la main, si petit, si inoffensif, la tension creuser les traits du tueur. Pour la première fois, il comprit d'où venait cette expression particulière qu'avaient ses victimes au moment de faire le grand saut — un étonnement absolu, le refus de croire que la vie s'arrêtait là. Il allait finalement payer le prix de ses actions passées... Il eut même le temps de penser que le tueur avait mal préparé son coup, qu'à sa place il n'aurait pas procédé ainsi.

Pippi tenta l'impossible, sachant qu'il n'y aurait pas de pitié. Il lâcha ses emplettes et se jeta en avant, tout en plongeant la main sous sa veste pour attraper son arme. L'homme continua à avancer vers lui, tandis que Pippi fonçait tête baissée. Six balles propulsèrent alors le corps de Pippi dans les airs et le projetèrent dans un massif de fleurs au pied de la barrière. Leur parfum envahit ses narines. Il releva les yeux vers l'homme qui se tenait au-dessus de lui.

— Putain de Santadio ! articula-t-il.

Une dernière balle lui perfora le crâne. Pippi De Lena n'était plus.

XVI

Le matin du jour où Pippi De Lena devait être abattu, Cross vint prendre Athena à sa maison de Malibu et la conduisit à San Diego pour rendre visite à Bethany.

Les infirmières avaient habillé la fillette. Elle était le reflet brouillé de sa mère, et semblait plutôt grande pour son âge. Il restait néanmoins ce vide dans son regard et son corps paraissait mou, dépourvu de tonus. Ses traits semblaient ne pas avoir de contour précis, comme un morceau de savon laissé trop longtemps dans l'eau. Elle portait encore son tablier rouge qui servait à protéger ses vêtements lorsqu'elle peignait. Elle jouait avec ses couleurs depuis tôt le matin. Elle ne sembla pas reconnaître Cross et Athena et réagit aux baisers de sa mère par un rictus de dégoût.

Athena ignora ce rejet et la serra encore plus fort dans ses bras.

Ils avaient prévu d'aller pique-niquer sur le bord d'un lac dans la forêt. Athena avait à cet effet préparé un panier de victuailles.

Durant le court voyage jusqu'au lac, Bethany resta assise entre eux deux. Athena passa son temps à caresser les cheveux et les joues de sa fille tandis que celle-ci gardait les yeux rivés droit devant elle.

Cross songeait déjà au soir, lorsqu'elle et lui, de retour à Malibu, feraient l'amour. Il imaginait son corps nu étendu sur le lit, et lui, cambré au-dessus d'elle.

Brusquement, Bethany parla ; et ce fut pour s'adresser à

lui. Elle n'avait jamais manifesté, jusqu'alors, le moindre signe de reconnaissance à son égard. Elle le regarda fixement de ses yeux verts et vagues.

— Qui tu es, toi?

Athena répondit avec une nonchalance parfaite, comme si c'était la chose la plus naturelle du monde d'entendre Bethany poser cette question.

— Il s'appelle Cross et c'est mon meilleur ami, annonça-t-elle.

Bethany ne sembla pas entendre la réponse et se retira de nouveau dans son monde secret.

Athena gara la voiture le long des berges d'un lac niché au cœur de la forêt, une gemme turquoise sertie dans son écrin verdoyant. Cross prit le panier-repas et Athena installa le pique-nique sur une nappe rouge qu'elle avait étendue sur l'herbe. Elle sortit également des serviettes en papier vertes, des fourchettes et des cuillères. La nappe était décorée de dessins d'instruments de musique qui attirèrent l'attention de Bethany. Athena disposa ensuite un assortiment de sandwichs enveloppés dans des feuilles de cellophane. Il y avait une salade de pommes de terre et une salade de fruits, une assiette de choux à la crème, et du poulet rôti. Elle avait tout préparé avec un soin de restauratrice, sachant que Bethany adorait manger.

Cross alla chercher dans le coffre de la voiture une caisse de sodas. Il y avait des verres dans le panier et il servit des rafraîchissements à tout le monde. Athena voulut donner son verre à sa fille mais celle-ci lui repoussa la main. Elle regardait Cross, l'air captivé.

Cross fixa Bethany du regard. Son visage semblait si rigide qu'on aurait cru un masque de latex; toutefois, il y avait à présent une lueur dans ses yeux. On avait l'impression qu'elle était enfermée dans une grotte invisible, suffocante, incapable d'appeler à l'aide, que sa chair la brûlait de l'intérieur et qu'elle ne pouvait supporter le moindre contact sur sa peau.

Ils commencèrent à manger tandis qu'Athena jouait les moulins à parole, tentant désespérément d'arracher un sourire à sa fille. Cross s'émerveillait des talents d'Athena, qui bavardait gaiement comme si l'autisme de Bethany était la chose la plus naturelle du monde, feignant de ne pas remarquer que sa fille restait murée dans le silence. Ce soliloque inspiré n'avait d'autre but en fait que de soulager le chagrin de la mère.

Finalement, le moment du dessert arriva. Athena déballa un des choux à la crème et l'offrit à Bethany qui détourna la tête. Elle en proposa un à Cross qui refusa également. Cross devenait de plus en plus tendu; à l'évidence, Bethany, bien qu'elle avalât une quantité impressionnante de nourriture, était très en colère contre sa mère. Ce détail n'avait pas échappé non plus à Athena.

Athena se mit alors à manger son gâteau en s'extasiant sur sa saveur. Elle déballa deux autres choux et les posa devant Bethany. La fillette, d'ordinaire, ne pouvait résister aux pâtisseries. Bethany prit finalement les gâteaux dégoulinants de crème et les posa dans l'herbe. En quelques minutes, ils furent couverts de fourmis. Bethany ramassa alors les deux gâteaux, en fourra un dans sa bouche, et tendit le second à Cross. Sans la moindre hésitation, Cross mangea la pâtisserie. Il sentit un petit picotement étrange sur son palais et ses gencives. Il but une grosse gorgée de soda pour faire descendre le tout. Bethany regarda Athena avec une étrange intensité.

Ahena avait l'air renfrogné d'une actrice s'apprêtant à jouer une scène difficile. Puis elle éclata de rire, un rire chaleureux et communicatif.

— Je vous avais bien dit qu'ils étaient délicieux! lança-t-elle en claquant des mains.

Elle déballa un autre chou mais Cross et Bethany déclinèrent son offre. Elle lança le gâteau dans l'herbe puis, prenant sa serviette en papier, elle entreprit d'essuyer la bouche de Bethany ainsi que celle de Cross. Elle semblait s'amuser beaucoup.

Durant le trajet retour, elle s'adressa à Cross avec le genre d'infection dans la voix qu'elle avait pour parler à Bethany, comme s'ils étaient tous les deux autistes. Bethany regarda un moment sa mère puis se tourna vers Cross.

Lorsqu'ils arrivèrent à la clinique, Bethany prit la main de Cross un moment.

— Tu es beau, déclara-t-elle.

Mais lorsque Cross voulut l'embrasser pour lui dire au revoir, elle détourna la tête et s'enfuit en courant.

⁂

— Elle est sensible à ta présence, expliqua Athena durant le voyage retour à Malibu, c'est très bon signe.

— C'est uniquement pour mon physique ! rétorqua Cross, acerbe.

— Pas du tout, répondit Athena. C'est parce que tu peux manger des fourmis comme elle ! Je suis aussi belle que toi et elle me déteste.

Elle avait un sourire lumineux aux lèvres, et une fois de plus sa beauté donna le vertige à Cross ; il sursauta sous le choc.

— Elle a l'impression que tu es comme elle, expliqua Athena. Elle te croit autiste aussi.

Cross éclata de rire, séduit par cette idée.

— Elle a peut-être bien raison ! Tu devrais me laisser à la clinique avec elle.

— Pas question, répliqua Athena dans un sourire. Je veux pouvoir avoir ton corps sous la main ! De toutes façons, dès que j'aurai fini *Messalina*, je prendrai Bethany avec moi.

Une fois arrivés à Malibu, Cross la suivit chez elle. Ils avaient prévu de passer la nuit ensemble, mais Cross avait appris à connaître Athena : plus elle semblait gaie, plus elle était en fait déprimée.

— Si ça ne va pas, je peux rentrer directement à Las Vegas, proposa-t-il.

Un air de tristesse apparut sur son visage. Cross ne savait dire à quel moment il l'aimait le plus — lorsqu'elle laissait libre cours à son exubérance naturelle, lorsqu'elle était grave et sérieuse ou lorsqu'elle semblait mélancolique comme en ce moment ? Son visage pouvait présenter tant de facettes, tout en restant aussi beau, que Cross se sentait à chaque instant en osmose avec elle.

— Tu as eu une journée éprouvante, lui dit-elle avec tendresse, et tu as bien droit à ta récompense.

Il y avait une petite pointe de moquerie dans sa voix, mais c'était davantage de l'autodérision ; elle se moquait de son propre pouvoir de séduction sachant que sa beauté n'était qu'un miroir aux alouettes.

— Pas du tout. C'était une journée fort agréable, répondit Cross, en toute sincérité.

La joie qu'il avait ressentie durant ces quelques heures, le bonheur d'être tous les trois, seuls au monde au bord de ce lac, lui avait rappelé son enfance.

— Parce que tu es fan des choux aux fourmis, peut-être ? lança-t-elle d'un ton triste.

— Ce n'était pas mauvais du tout, assura-t-il. — Il se tut un instant, puis demanda : — Il n'y a aucune chance que Bethany puisse aller mieux ?

— Je ne sais pas, mais je vais continuer à me battre par tous les moyens, répondit Athena. Je vais avoir bientôt un long week-end. Je vais en profiter pour emmener Bethany en France. Il y a à Paris un grand professeur. Je vais demander qu'on l'examine une fois encore.

— Et s'il te dit qu'il n'y a pas d'espoir ?

— Il peut toujours se tromper. Et puis peu importe. Je l'aime comme elle est. Je m'occuperai d'elle.

— Jusqu'à la fin de tes jours ?

— Absolument, répondit Athena. — Elle claqua dans ses mains, et ses yeux pétillèrent de malice — En attendant, allons prendre un peu de bon temps ! Nous avons droit aussi à quelque réconfort. On file prendre une douche et hop, au lit ! Faisons l'amour pendant des heures... je nous concocterai ensuite un petit dîner de minuit.

Une bouffée de joie enfantine envahit Cross, comme lorsqu'il était petit et qu'il s'éveillait pour vivre une journée s'annonçant pleine de plaisirs — dévorer le petit déjeuner préparé par sa mère, jouer avec ses camarades, partir à la chasse avec son père, et souper en famille, tous réunis avant la rituelle partie de cartes du soir. C'était cette même excitation innocente qui l'envahissait. Il allait faire l'amour à Athena sous le crépuscule, contempler depuis le balcon le soleil fondre dans le Pacifique, le ciel se parer de rouge et de rose chatoyants, sentir sur sa peau le corps tiède et doux de son amante aimée, se noyer dans ses yeux, butiner ses lèvres. Un sourire apparut sur le visage de Cross. Il lui prit la main et l'entraîna dans l'escalier qui menait à la chambre à coucher.

Le téléphone se mit à sonner à l'étage. Athena courut décrocher.

— C'est pour toi, annonça-t-elle avec surprise, couvrant l'écouteur de la main. Un certain Giorgio.

Jamais Cross n'avait reçu d'appel chez Athena. Cela ne présageait rien de bon. C'est alors que Cross fit quelque chose dont il ne se serait pas cru capable : il secoua la tête, refusant de prendre la communication.

— Il n'est pas là, répondit Athena. Oui, je lui dirai de vous rappeler sitôt son retour. — Elle raccrocha. — Qui est ce Giorgio ? demanda-t-elle.

— Quelqu'un de ma famille, répondit évasivement Cross, encore abasourdi par sa réaction.

Il avait fait ça pour ne pas risquer de rater une nuit avec Athena... C'était affligeant et impardonnable ! Comment, d'ailleurs, Giorgio savait-il qu'il était là ? Quelle était la raison de cet appel ? Ce devait être important — mais cela attendrait jusqu'au lendemain, décida-t-il. En cet instant, la chose la plus importante au monde, c'était ces quelques heures qu'il allait passer à faire l'amour avec Athena.

Il avait attendu cet instant toute la journée, toute la semaine passée. Ils se déshabillèrent pour aller prendre leur douche ensemble, mais il ne put résister à l'envie de l'étreindre sur-le-champ, de sentir leurs corps encore moites de la chaleur de la journée. Elle lui prit ensuite la main et le conduisit dans la salle de bains.

Ils se séchèrent avec de grandes serviettes orange, les nouèrent autour d'eux et s'installèrent sur le balcon pour voir le soleil disparaître lentement derrière l'horizon. Puis ils rejoignirent le lit.

Lorsque Cross lui fit l'amour, il eut l'impression que toutes les cellules de son corps se disloquaient, qu'il était projeté dans une autre dimension, devenu une sorte de fantôme flottant sur des volutes d'extase, s'immisçant tout entier à l'intérieur d'elle. Il perdit rapidement toute retenue, toute lucidité ; il ne se soucia même plus d'observer le visage d'Athena pour voir si elle feignait le plaisir, si elle l'aimait vraiment ; l'instant sembla s'étirer, ne pas avoir de fin, jusqu'à ce qu'ils sombrent dans le sommeil, leurs corps enlacés. A leur réveil, ils étaient toujours dans les bras l'un de l'autre, éclairés par une lune éclatante comme un soleil.

— Tu aimes vraiment Bethany ? lui demanda Athena en l'embrassant.

— Bien sûr. Elle fait partie de toi.

— Tu crois qu'elle pourrait guérir ? Que je peux l'aider ?

Cross sut à cet instant qu'il était prêt à tout abandonner pour faire le bonheur de cette femme. L'envie de sacrifier sa vie pour elle l'étreignit, comme nombre d'hommes amoureux; c'était la première fois qu'il ressentait ce désir impérieux.

— Nous pouvons essayer tous les deux, répondit-il.

— Non. Je dois y arriver toute seule.

Le sommeil les emporta de nouveau. Lorsque le téléphone sonna, la brume du petit matin recouvrait l'océan. Athena décrocha, écouta sans rien dire et se tourna vers Cross.

— C'est le vigile à l'entrée. Il dit que quatre hommes dans une voiture veulent te voir.

Cross sentit un éperon de peur le traverser. Il prit le combiné.

— Passez-moi l'un d'eux, demanda-t-il au garde.

— Cross — il reconnut la voix de Vincent. — Petie est avec moi. Nous avons de mauvaises nouvelles à t'annoncer.

— Très bien. Repasse-moi le vigile. Je vais lui demander de vous laisser entrer.

L'appel de Giorgio lui était totalement sorti de la tête. Voilà les méfaits de l'amour, songea-t-il avec aigreur. Je ne passerai pas l'année vivant, si je continue comme ça.

Il enfila en hâte ses vêtements et descendit au rez-de-chaussée. La voiture venait de se garer devant la maison, le soleil, à moitié sorti de terre, jetait ses premiers rayons par-dessus l'horizon.

Vincent et Petie sortirent de la grande limousine noire. Cross aperçut le chauffeur et un autre passager à l'avant. Petie et Vincent suivirent la longue allée à travers la pelouse qui menait au perron et Cross leur ouvrit la porte.

Soudain Athena fut à ses côtés, en pull et jeans, sans rien dessous. Petie et Vincent la regardèrent fixement. Jamais, elle n'avait été aussi belle.

Athena les fit entrer dans la cuisine et entreprit de faire du café. Cross les présenta comme ses cousins.

— Qu'est-ce que vous faites ici? s'enquit Cross. Hier, vous étiez encore à New York.

— Giorgio nous a loué un avion, répondit Petie.

Athena observait les deux hommes tout en préparant le café. Aucun d'eux ne montrait le moindre signe d'émotion.

Ils semblaient être frères ; tous deux de grands gabarits, mais Vincent était pâle comme du marbre, tandis que Petie avait un visage cuivré, par le soleil ou l'alcool.

— Alors, ces mauvaises nouvelles ? demanda Cross.

Il s'attendait à apprendre que Don Clericuzio était mort, ou que Rose Marie était devenue irrémédiablement folle, ou encore que Dante avait commis une erreur si grave que la famille était en danger.

— Nous voulons te parler seul, annonça Vincent avec son tact habituel.

Athena leur servit le café.

— Je t'ai dit toutes mes mauvaises nouvelles, expliqua-t-elle à Cross. Je peux bien entendre les tiennes.

— Non, je vais sortir avec eux, répliqua Cross.

— Ne prends pas cet air condescendant avec moi ! Et ne t'avise pas de passer le seuil de cette porte.

Le visage de marbre de Vincent s'empourpra d'embarras et Petie esquissa un petit sourire, décidant qu'Athena était quelqu'un à surveiller de près. Voyant leur réaction, Cross éclata de rire.

— C'est bon, lança-t-il. Tu peux écouter.

Petie voulut adoucir le coup :

— Il est arrivé quelque chose à ton père, commença-t-il.

— Une petite ordure de négro a voulu braquer ton père ; il a tiré et il est mort, coupa Vincent sans prendre de gants. Le type aussi. Abattu par un flic. Un certain Losey, au moment où il prenait la fuite. Ils ont besoin de toi à L.A. pour identifier le corps et faire les papiers. Le vieux veut qu'il soit enterré à Quogue.

Le cœur de Cross cessa de battre. Il vacilla un moment sous le choc, un vent noir traversant son corps, puis il sentit les deux mains d'Athena se refermer sur son bras.

— Quand est-ce arrivé ? murmura-t-il.

— Vers huit heures. Hier soir, répondit Petie. Giorgio t'a appelé pour te prévenir.

Pendant que je faisais l'amour, s'indigna Cross, mon père gisait à la morgue ! Une vague de honte l'envahit à l'idée de sa faiblesse de la veille, une contrition sans fond.

— Je dois m'en aller, annonça-t-il à Athena.

— Je suis désolée, souffla-t-elle. Appelle-moi dès que tu peux.

Sur la banquette arrière de la limousine, Cross entendit les deux passagers lui présenter leurs condoléances. Maintenant, il les reconnaissait ; c'étaient des soldats de l'enclave du Bronx. Ils passèrent les portes de la Malibu Colony et s'engagèrent sur la Pacific Coast Highway. Cross perçut le lent roulis du véhicule — la voiture était blindée.

Cinq jours plus tard, les funérailles de Pippi De Lena avaient lieu à Quogue. La propriété des Clericuzio avait son propre cimetière, et la demeure abritait une petite chapelle privée. Pippi fut enterré à côté de la tombe de Silvio — un signe de respect de la part de Don Domenico.

Seuls les membres de la famille et les plus valeureux soldats de l'enclave assistaient à la cérémonie. Lia Vazzi avait fait le voyage depuis ses montagnes du Nevada à la demande de Cross. Rose Marie était absente ; à l'annonce de la mort de Pippi, elle avait eu une de ses terribles crises et avait été emmenée d'urgence à la clinique.

Mais Claudia De Lena était présente. Elle avait sauté dans un avion pour venir réconforter son frère et dire adieu à son père — puisqu'elle avait été incapable de le faire durant son vivant. Elle tenait également à revendiquer sa filiation, montrer aux Clericuzio que Pippi était tout autant son père qu'un membre de leur famille.

Au milieu de la pelouse, devant la maison, trônait une gigantesque couronne mortuaire de la taille d'un panneau d'affichage ; il y avait des buffets et des serveurs ; autour d'une table de fortune, un maître d'hôtel s'activait pour servir les invités. C'était un jour de deuil et aucune affaire de famille ne fut abordée.

Claudia versa des larmes amères à l'idée de toutes ces années où elle avait été séparée de son père, tandis que Cross recevait les condoléances de tout le monde avec une dignité silencieuse, sans montrer le moindre signe de chagrin.

La nuit suivante, Cross contemplait la symphonie de

couleurs du Strip depuis son balcon de l'hôtel Xanadu. Même de si haut, il entendait des bouffées de musique, la rumeur de la foule en quête d'un casino où la chance sourirait. Mais le bruit était suffisamment discret pour qu'il puisse réfléchir aux événements de ce dernier mois. Et à la mort de son père.

Impossible qu'il ait été tué par un vulgaire braqueur; il était inconcevable qu'un expert comme lui puisse connaître une fin aussi absurde.

Cross passa en revue tout ce qu'on lui avait raconté. Son père avait été abattu par un Noir nommé Hugh Marlowe. Le type avait vingt-trois ans et était fiché comme revendeur de drogue. Marlowe avait été tué au moment où il s'enfuyait par l'inspecteur Jim Losey qui le filait justement pour une histoire de drogue. Marlowe avait un pistolet à la main et l'avait pointé sur Losey; celui-ci l'avait donc abattu, un tir propre, une balle entre les deux yeux. En inspectant les alentours, Losey avait découvert le corps de Pippi De Lena, et avait immédiatement prévenu Dante Clericuzio — avant même d'appeler la police. Pourquoi donc avait-il agi ainsi, même s'il était dans les fichiers de la famille? Quelle ironie du sort : Pippi De Lena, l'expert des experts, le *martello* numéro un des Clericuzio pendant plus de trente ans, exécuté par un petit dealer de drogue.

Pourquoi, dans ce cas, Don Domenico avait-il demandé à Vincent et Petie d'assurer son transport dans une voiture blindée et de veiller sur sa sécurité jusqu'aux funérailles? Pourquoi le vieil homme avait-il pris toutes ces précautions? Cross lui avait posé la question pendant l'enterrement, mais Don Domenico s'était contenté de répondre qu'il était plus sage de se préparer à toute éventualité jusqu'à ce que toute la lumière soit faite. Il avait mené son enquête, disait-il, et il semblait que la version officielle était conforme à ce qui s'était passé. Un petit braqueur avait commis une erreur et un drame stupide s'était ensuivi — mais les drames n'étaient-ils pas tous stupides? avait ajouté Don Domenico.

Le chagrin du vieil homme était évident. Il avait toujours traité Pippi comme son propre fils, lui donnant parfois même sa préférence.

— Tu auras la place de ton père au sein de la famille, lui avait annoncé le patriarche.

Mais du haut de son balcon à Las Vegas, Cross essayait de sonder la face cachée des choses. Don Domenico n'avait jamais cru aux coïncidences, et dans cette affaire, elles étaient curieusement légion. Jim Losey était dans les papiers de la famille, et sur les milliers d'inspecteurs et de policiers de Los Angeles, c'était justement lui qui se trouvait sur la scène du meurtre! Quelles étaient les probabilités d'une coïncidence pareille? Mais passons; il y avait plus troublant; Don Domenico était bien placé pour savoir qu'il aurait été impossible à une vulgaire petite frappe de s'approcher aussi près de Pippi De Lena. Et quel braqueur tirerait six balles avant de prendre la fuite? Il était impossible que Don Clericuzio ait avalé ça.

Alors une question s'imposait : Les Clericuzio auraient-ils décidé que leur plus valeureux soldat représentait une menace pour eux? Pour quels motifs? Pouvaient-ils donc tirer ainsi un trait sur la loyauté de son père, sur sa fidélité de toujours, et faire fi de l'affection qui les unissait? Non, impossible. Ils étaient innocents. Le fait que Cross fût encore vivant en était la meilleure preuve. Don Domenico n'aurait jamais commis une telle erreur. S'il avait ordonné l'assassinat du père, il aurait également ordonné celui du fils. Mais Cross se savait toutefois en danger.

Il se mit alors à songer à son père. Il l'avait authentiquement aimé et était triste de voir que Claudia avait refusé tout rapprochement avec lui de son vivant, ce qui lui aurait fait tant plaisir. Elle était pourtant venue assister à ses funérailles. Pourquoi? Parce qu'elle était sa sœur et qu'elle voulait être avec lui? Certes, mais il devait y avoir autre chose. Elle avait été dans le camp de sa mère pendant trop longtemps, elle ne voulait plus avoir aucun contact avec les Clericuzio. Se serait-elle finalement souvenue comme ils étaient heureux tous ensemble, avant que leur famille ne vole en morceaux?

Le souvenir de ce jour de cauchemar lui revint en mémoire; Cross avait choisi de rester avec Pippi parce qu'il avait compris qui était réellement son père et qu'il aurait tué sa mère si elle s'était avisée de lui prendre ses deux enfants. Alors il avait fait un pas vers lui et lui avait pris la main; non pas par amour, mais à cause de la terreur qu'il avait vue dans les yeux de Claudia.

Cross croyait que son père resterait à jamais son ange gardien dans ce monde rempli de dangers, un être invulnérable — un expéditeur pour le Paradis, pas un prétendant au voyage. Mais aujourd'hui Cross était seul pour se protéger de ses ennemis, voire des Clericuzio. Il était riche, après tout, il avait un demi-milliard dans le Xanadu, sa vie pouvait effectivement susciter des convoitises.

Cette constatation l'amena à réfléchir sur son existence actuelle. A quoi bon cette vie ? Passer son temps comme son père à prendre tous les risques et finir, un jour ou l'autre, par être tué ? Certes, il en avait bien profité — le pouvoir, l'argent à profusion — mais à présent, tout cela lui paraissait vain. Son père n'avait jamais connu le bonheur d'aimer une femme comme Athena...

Cross n'avait que vingt-huit ans, il pouvait tout recommencer à zéro. Demain, pour la première fois, il verrait Athena travailler, jouer la comédie, son visage revêtir tous les masques possibles. Pippi l'aurait aimée ; il aimait toutes les jolies femmes... Cross se prit alors à penser à l'épouse de Virginio Ballazzo. Pippi l'adorait ; il avait mangé à sa table, l'avait serrée dans ses bras affectueusement, avait dansé avec elle, joué au *bocce* avec son mari, et pourtant il avait organisé sa mort sans sourciller.

Cross soupira et se leva, se préparant à rentrer dans ses appartements. L'aube pâlissait, semblant métamorphoser le ciel en un grand rideau du théâtre au-dessus des néons du Strip. En contrebas flottaient les drapeaux des grands casinos de Las Vegas — le Sands, le Caesar's, le Flamingo, le Desert Inn, et le Mirage, avec son volcan crachotant. Le Xanadu était le plus important de tous. Il contempla un moment les étendards qui faseyaient au-dessus des villas. Il avait vécu dans un rêve, un rêve qui se dissolvait avec la mort de Gronevelt et celle de son père.

De retour dans sa chambre, il décrocha le téléphone et appela Lia Vazzi pour lui proposer de venir prendre le petit déjeuner avec lui. Après les funérailles, ils avaient fait le voyage ensemble depuis Quogue et étaient descendus tous les deux au Xanadu. Il appela ensuite le service d'étage, en veillant à commander des pancakes. Malgré toutes ces années passées aux États-Unis, ces petites crêpes avaient encore un parfum d'exotisme pour Vazzi et il adorait ça. Le garde fit entrer Vazzi au moment où arrivait le serveur. Ils mangèrent ensemble dans la cuisine.

— Alors, qu'est-ce que tu en penses ? s'enquit Cross.

— Nous devrions descendre ce Losey, répondit Vazzi. Il y a longtemps que je te l'ai dit.

— Tu ne crois donc pas à la version officielle ?

Vazzi découpait ses pancakes en petites bandes.

— Cette histoire est une infamie. Jamais un homme comme ton père n'aurait laissé ce genre de racaille s'approcher de lui.

— Pourtant Don Domenico croit à cette version. Il dit avoir mené son enquête.

Vazzi prit un havane et le verre de cognac que Cross lui avait préparé.

— Je ne mettrai jamais en doute la parole de Don Clericuzio, mais laisse-moi régler son compte à ce flic, par sécurité.

— Et si les Clericuzio étaient derrière lui ? avança Cross.

— Don Clericuzio est un homme d'honneur. Un homme de la vieille école. S'il avait tué Pippi, il t'aurait fait tuer aussi. Il te connaît. Il sait que tu voudras venger ton père et c'est un homme prudent.

— Mais si c'était le cas, quel camp choisirais-tu ? Le mien ou celui des Clericuzio ?

— Je n'aurais pas le choix, répondit Vazzi. J'étais trop proche de ton père, et je suis trop proche de toi. Si tu tombes, je tombe avec toi.

Pour la première fois, Cross se servit un cognac au petit déjeuner.

— C'est peut-être un accident. Un stupide accident.

— Non, affirma Vazzi. C'est Losey qui est derrière toute cette histoire.

— Mais il n'avait aucune raison de faire ça ! Il reste encore trop de zones d'ombre. Forme une équipe de six hommes, parmi tes plus fidèles soldats, mais ne prends personne de l'enclave, et tiens-les prêts à intervenir.

— Tu sais que je n'ai jamais discuté tes ordres, mais cette fois, je te supplie de me consulter avant de lancer quelque opération que ce soit.

— C'est promis, répondit Cross. Je compte partir pour la France le week-end prochain. Essaie, pour mon retour, d'en savoir plus sur ce Losey.

Vazzi esquissa un sourire.

— Tu pars avec ta *fiancée* ?

La délicatesse de Vazzi amusa Cross.

— Oui, et avec sa fille.

— Celle à qui il manque un quart du cerveau ?

Vazzi ne se voulait pas offensant. C'était une expression italienne qui désignait également les gens brillants simplement distraits.

— Exactement, répondit Cross. Il y a un docteur là-bas qui peut peut-être l'aider.

— Magnifique ! Je te souhaite bonne chance. Dis-moi, cette femme, elle est au courant pour la famille ?

— Dieu m'en garde ! lança Cross avant d'éclater de rire tout en se demandant comment Vazzi pouvait en savoir autant sur sa vie privée.

XVII

Pour la première fois, Cross allait regarder Athena travailler sur un plateau de cinéma ; il allait la voir simuler des émotions, incarner une personnalité totalement différente de la sienne.

Il retrouva Claudia dans son bureau à la LoddStone, avant de se rendre tous les deux sur les lieux du tournage. Il y avait deux autres femmes.

— Cross, annonça-t-elle, je te présente Dita Tommey, la réalisatrice et Falene Fant, une de nos actrices.

Dita Tommey le regarda des pieds à la tête ; elle le trouvait suffisamment séduisant pour faire du cinéma, mais trop réservé, trop insondable ; il resterait d'un froid de glace sur l'écran. Dans la seconde, elle se désintéressa de lui.

— J'étais sur le point de m'en aller, déclara-t-elle en lui serrant la main. Toutes mes condoléances pour votre père. Vous êtes le bienvenu sur mon plateau ; Claudia et Athena disent que vous êtes quelqu'un de bien, même si vous êtes l'un des producteurs du film !

Cross reporta son attention sur l'autre femme. C'était une grande Noire au teint chocolat, avec un visage à l'expression insolente et un corps de déesse mis en valeur par des vêtements savamment choisis. Falene fut moins formelle que Dita Tommey :

— Je ne savais pas que Claudia avait un frère si séduisant, et riche par-dessus le marché ! Si vous vous sentez seul un de ces soirs, passez-moi un coup de fil.

— Promis, répondit Cross.

Il n'était pas surpris par cette avance. Toutes les filles des revues au Xanadu se montraient aussi directes. Elle avait visiblement goût à ce genre d'aventure, consciente de sa beauté, et n'allait certainement pas laisser passer un beau garçon à cause de ridicules conventions sociales.

— Nous venons de rallonger le rôle de Falene, annonça Claudia. Dita croit en son talent, et moi aussi.

Falene lança un grand sourire à Cross.

— Ouais ! Maintenant je trémousse les fesses dix fois au lieu de six dans le film ! Et j'ai l'insigne honneur de dire à Messaline : « Toutes les femmes de Rome vous aiment et espèrent votre victoire. » — Elle marqua un temps d'arrêt : — Puisque vous êtes l'un des producteurs, vous pourriez peut-être convaincre les autres de me faire remuer les fesses dix fois de plus ?

Cross perçut quelque chose en elle, quelque chose qu'elle essayait de cacher, malgré ses dehors espiègles.

— Je ne suis qu'un financier dans l'affaire, répondit-il. Tout le monde doit montrer ses fesses un jour ou l'autre. — Il esquissa un sourire et ajouta avec une simplicité désarmante : — Mais je vous souhaite bonne chance de tout cœur.

Falene se pencha et lui fit une bise. Cross sentit son parfum lourd et sensuel puis sa main, pressant son omoplate en un geste amical.

— J'ai quelque chose à vous confier, à vous et à Claudia,

mais cela doit rester entre nous, murmura-t-elle en relâchant Cross. Je ne veux pas avoir d'ennui, en particulier en ce moment.

Claudia, derrière son écran d'ordinateur, fronça les sourcils sans dire un mot, Cross recula d'un pas — il détestait les surprises.

Falene perçut ses signes dans la seconde.

— Je suis vraiment désolée pour votre père, poursuivit-elle, d'une voix moins assurée, mais il y a quelque chose, à mon avis, que vous devez savoir. Marlowe, vous savez le prétendu assassin, j'ai grandi avec lui ; je le connais très bien. On prétend que Jim Losey l'a abattu parce qu'il avait tiré sur votre père. Le problème, c'est que Marlowe n'a jamais eu de pistolet. Il avait une peur bleue des armes à feu. Marlowe traficotait un peu et jouait de la clarinette. Et c'était un grand poltron devant l'éternel. Jim Losey et Phil Sharkey, son associé, le ramassaient de temps en temps, et lui faisaient faire un petit tour, pour qu'il leur montre les dealers. Marlowe avait tellement la trouille d'aller en prison qu'il jouait les indics pour les flics. Et le voilà tout d'un coup transformé en braqueur et en tueur. Encore une fois, je connais Marlowe et il n'aurait pas fait de mal à une mouche.

Claudia ne desserra pas les dents. Falene lui adressa un petit signe et se dirigea vers la porte.

— Mais souvenez-vous, lança-t-elle sur le seuil, c'est un secret entre nous.

— C'est déjà oublié, répondit Cross avec son sourire le plus rassurant. De toutes façons ça ne change rien à l'affaire.

— Je ne voulais pas garder ça sur le cœur, confessa Falene. Marlowe était un gentil gars, ajouta-t-elle avant de s'en aller.

— Qu'est-ce que tu en penses, demanda Claudia une fois seule avec Cross. C'est quoi ces salades ?

Cross haussa les épaules.

— Avec les drogués, on a toujours plein de surprises. Il avait besoin d'argent pour sa dose. Il a tenté sa chance et cela a mal tourné.

— Oui, sans doute. Falene a tellement bon cœur qu'elle est prête à croire n'importe quoi. Mais quelle ironie du sort de voir notre père finir comme ça !

Cross regarda le visage sombre de sa sœur.

— Tout le monde a son heure de malchance, soupira-t-il.

Ils passèrent le reste de l'après-midi à suivre le tournage. Dans une scène, le héros, à mains nues, mettait en déroute trois hommes armés. Cross trouva cela ridicule et vaguement insultant. Un vrai héros ne se serait jamais mis dans une position pareille. Tout ce que cela prouvait, c'est qu'il était trop stupide pour mériter le titre de héros. Il assista ensuite à une scène d'amour et à une scène de dispute. Il fut un peu déçu. Athena paraissait effacée, comme si les autres acteurs lui faisaient de l'ombre. Cross ne pouvait savoir que la pellicule captait ses moindres inflexions de jeu, que la caméra opérait sa magie sur elle.

La véritable Athena ne se dévoila pas ce jour-là; elle jouait seulement quelques secondes, et passait de longs moments à attendre entre deux prises de vues. Il ne perçut nulle trace de cette aura qui crèverait plus tard l'écran. Athena semblait même moins belle sous les projecteurs.

Il ne dit rien de ses impressions du moment lorsqu'ils se retrouvèrent ensemble le soir chez elle à Malibu. Ils firent l'amour, puis elle leur prépara une petite collation nocturne.

— Je n'ai pas été très bonne aujourd'hui, n'est-ce pas? lança-t-elle en esquissant son petit sourire de chatte qui avait le don de le faire fondre. Je ne voulais pas te montrer toutes mes cartes, expliqua-t-elle. Je savais que tu allais m'observer sous toutes les coutures dans l'espoir de me mettre à nu.

Cross éclata de rire. La finesse de perception d'Athena le laissait toujours pantois.

— C'est vrai, tu n'étais pas vraiment dans le coup, répondit-il. — Il marqua un moment de silence — Tu veux que je vienne avec toi à Paris?

Athena encaissa le choc. Il lut sa surprise dans ses yeux, même si le reste de son visage resta impassible. Athena tentait toujours de cacher ses émotions.

— Tu pourrais m'être d'un grand secours, reconnut-elle après un moment de réflexion. Et nous pourrions visiter Paris tous ensemble.

— Nous serons de retour lundi?

— Oui. Je dois tourner mardi matin. Il nous reste très peu de temps pour finir le film.

— Et ensuite?

— Ensuite, je laisse tomber le cinéma et je m'occupe de ma fille. Je ne veux plus la cacher.

— Le médecin à Paris rendra un avis définitif ?

— Personne ne peut donner d'avis définitif, soupira Athena, pas en ce domaine. Mais il ne sera pas très loin de la vérité.

Le vendredi soir, ils s'envolèrent pour Paris en avion-taxi. Athena avait coiffé une perruque et un maquillage atténuait sa beauté jusqu'à rendre ses traits quasiment quelconques. Des vêtements amples dissimulaient ses formes, lui donnant presque des airs de matrone. Cross était médusé par cette métamorphose. Même sa façon de marcher avait changé.

Dans l'avion, Bethany regardait la terre ferme en contrebas, fascinée de se trouver dans les airs. Elle parcourait l'habitacle, collant son nez à tous les hublots. Parce qu'elle était un peu effrayée, son visage avait perdu de sa rigidité et semblait presque normal.

Au sortir de l'aéroport, ils se rendirent directement dans un hôtel de l'avenue Georges-Mandel. Ils avaient réservé une suite avec deux chambres séparées, une pour Cross et une pour Athena et Bethany. Il était dix heures du matin. Athena retira sa perruque et son maquillage et changea de vêtements. Pas question de ne pas briller dans la ville des Lumières !

A midi, ils se rendirent chez le professeur. Son cabinet se trouvait dans un petit hôtel particulier, protégé des alentours par une grille en fer forgé. Il y avait un vigile devant le portail. Après avoir vérifié leur identité, il les laissa entrer.

Ils furent accueillis par une gouvernante qui les conduisit dans un grand bureau à l'ameublement surchargé. Le médecin les attendait.

Le Pr Gérard Ocell était un homme de forte corpulence, qui soignait son apparence — un élégant costume marron, avec de discrètes rayures, une chemise blanche et une cravate de soie assortie. Il avait un visage rond. Une barbe aurait été la bienvenue pour cacher ses grosses joues rebondies. Ses lèvres étaient grasses et carmin. Il salua Cross et

Athena, mais ne porta aucune attention à l'enfant. Dans la seconde, ils eurent une mauvaise impression. Il semblait ne pas avoir la finesse et la sensibilité nécessaires à l'exercice de sa spécialité médicale.

Il y avait sur une petite table du thé et des petits fours. Une femme de chambre les servit. Ils furent bientôt rejoints par deux infirmières, — deux jeunes femmes à la mise strictement professionnelle — coiffe blanche et blouse beige. Les deux infirmières observèrent Bethany avec attention pendant tout l'entretien.

— Tout d'abord, commença le Pr Ocell, je tiens à vous remercier pour votre don généreux à notre institut. J'ai respecté scrupuleusement votre souhait de confidentialité et c'est la raison pour laquelle je vous reçois ici, dans mon cabinet privé. Dites-moi à présent ce que je peux faire pour vous.

Il avait une voix grave et ronde, presque hypnotique. Elle attirait l'attention de Bethany, qui ne cessait de le regarder, mais le professeur l'ignorait délibérément.

Athena était mal à l'aise; elle n'aimait décidément pas cet homme.

— J'aimerais que vous l'examiniez, expliqua-t-elle. Je voudrais qu'elle ait une vie à peu près normale si c'est dans le domaine du possible et je suis prête à tout abandonner pour y parvenir. Je veux que vous la preniez dans votre institut; je compte même m'installer en France afin d'être à ses côtés durant sa rééducation.

Elle parlait avec un mélange d'espoir et de résignation dans la voix, montrant une telle abnégation que les deux infirmières la regardèrent avec une sorte de respect. Athena utilisait tous ses talents d'actrice pour convaincre le médecin d'accepter Bethany dans son institut. Cross la vit tendre le bras pour serrer affectueusement la main de Bethany.

Mais le Pr Ocell resta parfaitement insensible à ces démonstrations d'amour et n'eut toujours pas un regard pour Bethany.

— Ne vous leurrez pas, dit-il à Athena. Tout l'amour de la terre ne saurait aider cette enfant. J'ai étudié son dossier médical; son autisme ne laisse aucun doute. Elle ne peut vous rendre l'amour que vous lui manifestez. Elle ne vit ni dans le monde des humains, ni dans celui des animaux. Elle est sur une autre planète, totalement seule.

« Vous n'êtes pas responsable de son état, poursuivit le médecin. Pas plus que le père, autant que je puisse en juger. Nous sommes devant l'un des mystères de la condition humaine. Voilà ce que je vous propose. Je vais procéder à un examen approfondi. Je vous dirai alors ce que nous pouvons entreprendre ou non. Si je ne peux rien pour elle, il faudra la reprendre avec vous. Si nous sommes en mesure de l'aider, vous la laisserez dans mon institut pendant cinq ans.

Il dit en français quelque chose à l'une des infirmières. La jeune femme sortit de la pièce et revint avec un gros livre renfermant des clichés de tableaux célèbres. Elle donna le livre à Bethany mais l'ouvrage était trop grand pour tenir sur ses genoux. Pour la première fois, le Pr Ocell lui adressa la parole. Il lui parla en français. Elle posa immédiatement le livre sur la table et commença à tourner les pages. En quelques instants, elle était tout entière plongée dans la contemplation des peintures.

— Je ne voudrais pas vous paraître offensant, reprit le professeur, mal à l'aise, mais je dois vous poser une question. Cela peut être très important pour votre enfant. Je sais que Mr. De Lena n'est pas votre mari, mais est-il possible qu'il soit le père de votre fille ? Si c'est le cas, je voudrais l'examiner aussi.

— Je ne connaissais pas Mr. De Lena lorsque ma fille est née.

— Bien, répondit le médecin, chassant son idée première d'un haussement d'épaules. C'était une éventualité comme une autre.

— Vous voyez donc des symptômes d'autisme chez moi ? lança Cross en riant.

Les grosses lèvres du médecin se pincèrent un instant puis s'ouvrirent en un sourire aimable.

— Vous présentez effectivement certains symptômes. Nous en avons tous. Qui sait ? Un petit pas de plus, et nous pourrions tous être autistes. — Il se tourna vers Athena — Je dois d'abord procéder à un examen complet de votre fille et lui faire passer certains tests. Cela prendra au moins quatre heures. Pourquoi n'allez-vous pas vous promener dans notre charmante capitale ? C'est votre première visite, Mr. De Lena ?

— Oui.

— Je veux rester avec ma fille, précisa Athena.

— A votre aise, répondit-il, avant de se tourner de nouveau vers Cross. Je vous souhaite une agréable visite. Moi, je déteste Paris. C'est une ville autiste, finalement!

On appela un taxi et Cross retourna à l'hôtel. Il n'avait aucune envie de visiter Paris sans Athena et préférait se reposer. Il avait fait le voyage également pour prendre du recul et faire le point.

Cross réfléchit à ce que lui avait dit Falene. Il se souvint que Losey était venu chez Athena seul, alors que d'ordinaire les inspecteurs travaillaient par paire. Il demanderait à Vazzi de mener sa petite enquête là-dessus.

A seize heures, Cross était de retour dans le cabinet du professeur. Ils l'attendaient. Bethany était plongée dans son livre de peinture, Athena était toute pâle — la seule manifestation d'émotion, à sa connaissance, qu'elle ne pouvait feindre. Bethany avait jeté également son dévolu sur une assiette de gâteaux. Le médecin la lui reprit en lui disant quelque chose en français. Bethany ne protesta pas. Une infirmière emmena finalement la fillette dans une salle de jeux à côté du bureau.

— Excusez-moi, commença le médecin en s'adressant à Cross, mais je vais devoir vous poser quelques questions.

— Je vous en prie.

Le professeur se leva de son siège et se mit à arpenter la pièce.

— Je vais vous répéter ce que j'ai expliqué à madame. Il n'y a aucun miracle à espérer dans ce genre de cas. Absolument aucun. Avec une longue rééducation, on peut obtenir parfois de bons résultats. Cela arrive, mais c'est rare. Avec cette enfant, en outre, il y a certaines limites. Elle devra donc demeurer dans mon institut à Nice pendant au moins cinq ans. Nous avons des professeurs là-bas, qui exploreront la moindre piste. Nous saurons alors s'il est envisageable qu'elle puisse mener une vie à peu près normale. Ou s'il lui faudra passer le reste de ses jours dans une institution.

Athena se mit à sangloter. Elle passa un petit mouchoir bleu sous ses yeux et Cross perçut à distance son parfum.

Le professeur la regarda d'un air impassible.

— Madame a accepté cet arrangement. Elle rejoindra l'institut et travaillera avec nous... voilà où nous en sommes.

Le Pr Ocell s'assit juste devant Cross.

— Il y a des signes très prometteurs. Elle a un réel talent pour la peinture. Certains de ses sens sont encore en éveil et elle réagit lorsque je parle français; elle ne peut pas comprendre ce que je dis mais elle est sensible aux intonations. C'est de très bon augure. Un autre signe positif c'est que l'enfant a réagi à votre absence et vous a cherché cet après-midi. Elle peut donc éprouver certaines choses pour un individu, et cette inclination peut être éventuellement étendue aux autres êtres humains. C'est très rare, mais cela peut s'expliquer finalement de façon assez triviale; lorsque je lui ai parlé de vous, elle m'a dit qu'elle vous trouvait beau... alors je dois vous poser une question, Mr. De Lena. Sachez que mes motivations sont purement médicales et que je ne porte en rien la moindre accusation à votre égard... Auriez-vous pratiqué des attouchements sur cette petite fille de quelque façon que ce soit, peut-être même sans le vouloir?

Ce fut un tel choc pour Cross qu'il en éclata de rire.

— J'ignorais qu'elle était sensible à moi dans ce sens-là! Et je n'ai jamais eu le moindre geste équivoque envers elle.

Les joues d'Athena s'empourprèrent de colère.

— C'est parfaitement ridicule! s'offusqua-t-elle. Il n'a jamais été seul avec elle.

Mais le professeur insista :

— L'avez-vous caressée à quelque moment que ce soit? Je ne parle pas de lui tapoter la main ou les cheveux, ni même d'une bise sur la joue. Cette fillette est pubère. Son corps est prêt à répondre à la moindre sollicitation. Vous ne seriez pas le premier homme tenté par une telle innocence.

— Peut-être a-t-elle senti la nature de mes relations avec sa mère? avança Cross.

— Elle se contrefiche de sa mère, rétorqua le médecin. Pardonnez ma crudité, madame, mais c'est l'une des choses qu'il vous faudra accepter. Elle se fiche également de votre beauté ou de votre célébrité. Tout cela n'existe pas pour elle. C'est vers vous, Mr. De Lena, qu'elle est attirée. Réfléchissez bien. Peut-être un geste de tendresse de trop, par inadvertance?

Cross le considéra d'un air de glace.

— Si j'avais fait quoi que ce soit, je vous le dirais. C'est trop important pour elle.

— Mr. De Lena, ressentez-vous de la tendresse pour cette enfant ? demanda le professeur.

Cross réfléchit un moment à la question.

— Oui, répondit-il finalement.

Le Pr Ocell se rencogna dans son siège et claqua des mains de satisfaction.

— Je vous crois, déclara-t-il. Et cela me donne beaucoup d'espoir. Si Bethany peut être sensible à votre présence, on pourra peut-être l'amener à être sensible à d'autres personnes, voire à tolérer sa mère un jour — ce qui serait un grand pas pour vous, n'est-ce pas madame ?

— Oh Cross ! lança Athena, j'espère que tu n'es pas trop furieux.

— Mais non, ce n'est rien, assura Cross.

Le Pr Ocell le considéra un moment.

— Vous n'êtes pas offensé, j'espère ? dit-il. La plupart des hommes prennent ce genre de questions très mal. Le père d'une patiente un jour m'a littéralement sauté dessus ! Mais je vois que vous n'êtes pas en colère. Dites-moi pourquoi.

Cross ne pouvait expliquer à cet homme, ni même à Athena, à quel point la vision de cette fillette dans cette boîte matelassée l'avait troublé. Elle lui rappelait cette sensation de vide qui l'étreignait après avoir fait l'amour à Tiffany ou aux autres filles du Xanadu, ce sourd désespoir dans lequel le plongeaient ses relations avec les Clericuzio ou même avec son propre père, ce sentiment de solitude sans fin quand il se prenait à songer aux morts qu'il avait laissés derrière lui, tous victimes d'un monde de chimère qui semblait n'avoir de réelle existence que dans ses rêves.

Il regarda le médecin droit dans les yeux.

— Peut-être parce que je suis autiste, moi aussi. Ou bien parce que je sais avoir commis des crimes plus terribles encore.

— Je vois, dit le médecin en se redressant. — Il esquissa un sourire pour la première fois — Vous voulez peut-être que je vous examine.

Ils rirent ensemble de bon cœur.

— Vous reprenez l'avion demain matin, pour les États-Unis, je crois ? reprit le Pr Ocell à l'adresse d'Athena. Pourquoi ne laisseriez-vous pas votre fille ici, avec moi ? Mes infirmières sont tout à fait compétentes et je puis vous assurer que votre fille ne s'ennuiera pas de vous.

— Mais c'est moi qui vais m'ennuyer d'elle! rétorqua Athena. Je pourrais peut-être la garder avec moi cette nuit encore et vous l'amener demain matin? Nous avons loué un avion privé, nous pouvons donc rentrer à l'heure que nous voulons.

— Entendu, répondit le médecin. Amenez-la-moi demain matin. Mes infirmières l'emmèneront à Nice. Vous avez le numéro de téléphone de l'institut; vous pourrez appeler aussi souvent que vous le voudrez.

Ils se levèrent pour prendre congé. Athena, dans un élan de reconnaissance, embrassa le professeur sur la joue. Le médecin rougit. Il n'était donc pas insensible à la beauté de la star, malgré ses dehors d'ours.

Athena, Bethany et Cross passèrent le reste de la journée à visiter Paris. Athena acheta des vêtements pour sa fille, une garde-robe complète. Elle se procura également des pinceaux et des couleurs, ainsi qu'une grande valise pour y ranger le tout. Ils firent livrer l'ensemble à l'hôtel.

Ils dînèrent dans un restaurant des Champs-Élysées. Bethany mangea comme une petite ogresse, en particulier les pâtisseries. Elle n'avait pas articulé un mot de toute la journée et n'avait répondu à aucun des gestes d'affection de sa mère.

Cross n'avait jamais vu un tel amour maternel. Sauf peut-être chez sa propre mère, lorsqu'il la regardait caresser les cheveux de Claudia.

Durant le dîner, Athena tenait la main de Bethany, essuyait les miettes de sa bouche, en lui expliquant qu'elle reviendrait en France dans un mois et qu'elle resterait avec elle à l'institut durant les cinq prochaines années.

Bethany ne prêtait aucune attention aux paroles de sa mère.

Elles apprendraient ensemble le français, lui disait Athena avec enthousiasme, elles iraient visiter les musées et les expositions de peinture. Bethany pourrait passer autant de temps qu'elle voudrait devant ses dessins. Elle lui parlait de l'Europe et de voyages — l'Espagne, l'Italie, l'Allemagne...

Soudain Bethany prononça ses premiers mots de la journée.

— Je veux ma machine.

Encore une fois, Cross fut envahi par une émotion mystérieuse. La fillette était comme la copie d'un tableau de maître, mais l'âme de l'artiste n'était pas passée, le corps était vide, abandonné à Dieu.

Il faisait nuit noire lorsqu'ils rentrèrent à l'hôtel. Bethany marchait entre eux deux; Athena et Cross soulevaient les bras de sorte que la fillette soit propulsée dans les airs. Non seulement, elle accepta le jeu, mais sembla y prendre du plaisir; l'instant était si rare qu'ils ne s'arrêtèrent pas devant l'hôtel et continuèrent à jouer avec Bethany.

C'est à ce moment précis que Cross ressentit le même sentiment de bonheur qu'il avait éprouvé quelques jours plus tôt durant leur pique-nique. Ils étaient tous les trois, ensemble, main dans la main. Rien de plus. Ce brusque accès de sensiblerie l'emplit d'angoisse et d'émerveillement.

Ils regagnèrent finalement leur chambre. Une fois Bethany mise au lit, Athena rejoignit Cross qui l'attendait dans le salon. Ils restèrent assis côte à côte sur le canapé mauve, en se tenant les mains.

— Paris, la ville des amoureux, articula-t-elle dans un sourire, et nous ne dormirons pas ensemble sur le sol de France!

— Tu es inquiète de laisser Bethany ici?

— Non. Elle ne s'ennuiera pas de nous.

— Cinq ans, c'est très long. Tu es prête à sacrifier cinq années de ta vie, ainsi que ta carrière?

Athena se leva et se mit à marcher de long en large dans la pièce.

— Ma fierté, c'est justement de pouvoir faire quelque chose sans jouer la comédie. Lorsque j'étais enfant, je rêvais d'être une grande héroïne — Marie-Antoinette montant à l'échafaud, Jeanne d'Arc brûlant sur le bûcher, Marie Curie sauvant l'humanité de quelque terrible épidémie, ou bien, summum du ridicule, la grande romantique abandonnant tout pour l'amour d'un homme. Je voulais vivre une vie exemplaire et avoir ma place réservée au paradis. Je comptais être pure, de corps et d'esprit. J'abhorrais l'idée de la moindre compromission, en particulier pour de l'argent. J'étais décidée, quelles que soient les circonstances, à ne jamais faire de mal à quelqu'un d'autre. Tout le monde m'aimerait, en commençant par moi-même. Je me savais intelligente, tout le monde me disait belle, et il s'avéra que j'avais non seulement des aptitudes, mais du talent.

« Et qu'est-ce que je fais ? Je tombe amoureuse de Boz Skannet ! Je couche avec des hommes, non par désir mais pour assurer ma carrière. Je donne la vie à un petit être qui risque de ne jamais aimer qui que ce soit, ni moi, ni personne. Et pour couronner le tout, je manœuvre insidieusement pour organiser le meurtre de mon mari ! Sans détour, je demande à qui veut l'entendre qu'on tue mon époux qui me terrorise — elle serra la main de Cross — Je te suis d'ailleurs reconnaissante d'avoir répondu à mon appel.

— Tu n'as rien fait de tout ça, affirma Cross pour la rassurer, c'était ta destinée, comme on dit dans ma famille. Et en ce qui concerne Skannet, c'était un caillou dans ta chaussure — c'est encore un autre dicton de la famille — tout le monde aurait voulu s'en débarrasser à ta place.

Athena lui fit un petit baiser sur les lèvres.

— Par bonheur, reprit-elle, j'ai maintenant mon prince charmant. Le seul problème c'est que tu ne tues pas seulement les dragons.

— Et si, dans cinq ans, les médecins te disent qu'il n'y a pas d'amélioration possible ?

— Peu importe ce que l'on peut me dire ! Rien n'est jamais totalement perdu. Je resterai avec elle jusqu'à la fin de mes jours.

— Ton travail ne te manquera pas ?

— Bien entendu qu'il me manquera, et toi aussi, tu me manqueras. Mais en définitive, je mènerai ma croisade à moi, sans plus me contenter d'être une héroïne de pacotille sur un écran. — Il y avait de l'amusement dans sa voix. Elle ajouta alors d'un ton monocorde : — Je veux qu'elle m'aime, voilà mon seul Graal.

Ils s'embrassèrent tendrement, se souhaitèrent bonne nuit et partirent se coucher chacun dans leur chambre.

***

Le lendemain matin, ils emmenèrent Bethany chez le Pr Ocell. Athena eut du mal à se résoudre à faire ses adieux. Elle serra sa fille dans ses bras et fondit en larmes, mais Bethany n'avait cure des émois de sa mère. Elle s'écarta d'Athena sans ménagement, et se retourna vers Cross, prête à le repousser aussi. Mais Cross ne fit pas un geste vers elle.

Pendant un moment, Cross fut agacé de voir Athena se laisser ainsi humilier par sa fille. Le médecin voyant ce spectacle affligeant intervint :

— Lorsque vous reviendrez, il vous faudra sérieusement vous entraîner à supporter ce genre de choses.

— Je serai de retour le plus vite possible, répondit Athena.

— Inutile de vous presser, annonça le professeur. Elle vit dans un monde où le temps n'existe pas.

Durant le vol de retour vers Los Angeles, il y avait eu un moment terrible, un seul. Pendant une demi-heure Athena avait été submergée par le chagrin et n'avait pu contenir ses larmes. Puis elle était parvenue à se calmer. Une fois arrivés à l'aéroport, Cross et Athena devaient se séparer. Cross prendrait un avion pour Las Vegas et laisserait Athena rentrer toute seule à Malibu.

Au moment de se quitter, Athena se tourna vers Cross.

— C'est dommage, nous n'aurons pas fait l'amour à Paris !

Il savait toutefois qu'elle disait ça par pure gentillesse. Étant donné les circonstances, la simple idée de coucher avec un homme l'aurait répugnée. Elle était comme sa fille, à présent, partie dans un autre monde.

Cross fut accueilli à Las Vegas par une limousine conduite par un soldat de la propriété de chasse du Nevada. Lia Vazzi l'attendait à l'arrière. Vazzi ferma la vitre de séparation de sorte que le chauffeur ne puisse entendre leur conversation.

— Losey est encore venu me voir, grogna-t-il. La prochaine fois, ce sera la dernière.

— Un peu de patience, lança Cross.

— Je sais reconnaître les signes quand ils sont là. Autre chose : une équipe de l'enclave du Bronx est arrivée à Los Angeles, je ne sais pas pour quelle mission. A mon avis, tu ferais bien de prendre des gardes du corps.

— Pas encore. Tu as rassemblé ton équipe de six gars ?

— C'est fait, confirma Vazzi. Mais ces hommes refuseront de faire quoi que ce soit contre les Clericuzio.

Un pli d'Andrew Pollard attendait Cross à son arrivée au Xanadu. Il contenait un dossier édifiant sur Jim Losey, ainsi qu'une information qui pouvait être mise immédiatement à profit.

Cross sortit alors de la caisse du casino cent mille dollars en coupures de cent. Puis annonça qu'il partait pour Los Angeles. Vazzi serait son seul homme d'escorte et jouerait les chauffeurs. Cross montra à Vazzi la lettre de Pollard. Ils prirent l'avion le lendemain et louèrent une voiture pour rejoindre Santa Monica.

Phil Sharkey tondait sa pelouse. Cross sortit de la voiture avec Vazzi et se présenta comme un ami de Pollard en quête de renseignements. Vazzi observa attentivement le visage de Sharkey et retourna vers la voiture.

Phil Sharkey n'avait pas un physique aussi impressionnant que celui de Losey, mais il était loin d'être un gringalet. Des années de service dans la police semblaient lui avoir retiré toute confiance dans le genre humain. Il avait cette suspicion naturelle, ce sérieux et cette gravité qu'affichaient les meilleurs flics. Mais il y avait quelque chose de triste dans son regard.

Sharkey fit entrer Cross dans sa maison qui ressemblait à un petit bungalow. A l'intérieur tout était sinistre et usé jusqu'à la corde; l'endroit était typique d'un foyer sans femme et sans enfants. La première chose que fit Sharkey fut d'appeler Pollard pour avoir confirmation de l'identité de son visiteur. Puis, sans le moindre geste de courtoisie — offrir un siège ou une boisson au visiteur —, il se tourna vers Cross :

— Allez-y, je vous écoute, annonça-t-il.

Cross ouvrit sa mallette et sortit une liasse de billets de cent dollars.

— Voilà dix mille, commença Cross. Pour le simple fait de bien vouloir m'écouter. Il n'y en a pas pour longtemps. Mais j'aimerais bien une bière et un coin de chaise pour m'asseoir.

Sharkey se fendit d'un sourire et se montra curieusement aimable ; l'homme était visiblement habitué à toucher des pots-de-vin, songea Cross.

Sharkey plongea la liasse de billets dans sa poche de pantalon d'un geste nonchalant.

— Vous me plaisez bien, lança Sharkey. Vous êtes intelligent. Vous savez que c'est le fric qui compte avant tout.

Ils s'installèrent autour d'une petite table sur la terrasse qui donnait sur l'avenue, face à la plage et à l'océan, tout en buvant chacun une bière à même la bouteille. Sharkey tapotait ses poches pour s'assurer que l'argent y était toujours.

— Si j'obtiens les bonnes réponses, poursuivit Cross, il y aura encore vingt mille autres dollars pour vous. Ensuite, si vous ne parlez à personne de ma visite, je reviendrai dans deux mois avec cinquante mille dollars supplémentaires.

Sharkey sourit de nouveau, mais il y avait de la méfiance dans ses yeux.

— Dans deux mois, vous vous ficherez de ce que je pourrai dire, c'est ça ?

— Exactement, répondit Cross.

Sharkey prit un air grave.

— Je refuse de révéler quoi que ce soit qui puisse incriminer quelqu'un.

— Je vois que vous ne savez pas qui je suis, gronda Cross. A votre place, je rappellerais Pollard pour éclairer ma lanterne.

— Je sais très bien qui vous êtes, rétorqua Sharkey avec aigreur. Jim Losey m'a dit que je devais veiller à être gentil avec vous. Toujours.

Puis il adopta l'attitude du bon flic prêtant une oreille compatissante à tous les malheurs de la terre.

— Vous et Losey avez fait équipe pendant plus de dix ans, je crois. Vous vous faisiez pas mal de fric avec les à-côtés du boulot. Et brusquement, vous quittez la police. J'aimerais savoir pourquoi.

— C'est donc après Jim que vous en avez, lança Sharkey. Vous risquez gros. C'est le flic le plus courageux et le plus rusé que j'ai jamais rencontré.

— Et le plus honnête ?

— Nous étions des flics, et, qui plus est, à Los Angeles, répondit Sharkey. Vous ne savez peut-être pas ce que cela signifie... si vous faites correctement votre boulot et que vous bottez le cul aux Chicanos et aux Blacks, vous risquez d'être condamné et de perdre votre poste. Les seuls que nous pouvions arrêter sans avoir d'ennui, c'était les couillons de Blancs qui avaient du flouze. C'est vrai quoi, je n'ai pas de préjugé, ni rien, mais je ne vois pas pourquoi j'enverrais des Blancs en taule si je n'ai pas le droit d'y envoyer les autres ! Ce n'est pas normal.

— Pourtant, je crois savoir que Jim est bardé de médailles, rétorqua Cross. Vous en avez, vous aussi, un certain nombre.

Sharkey haussa les épaules.

— Vous savez, un flic devient forcément plus ou moins un héros dans cette ville à partir du moment où il en a un peu dans le ventre. Beaucoup de types ne savent pas qu'ils pourraient faire affaire avec nous s'ils nous parlaient gentiment. Certains sont même des tueurs nés. Alors il faut bien que l'on se défende et c'est comme ça que l'on a des médailles. Mais croyez-moi, on ne cherche jamais la bagarre.

Cross n'en croyait pas un traître mot. Losey était une vraie brute, malgré ses vêtements de Californien oisif.

— Vous faisiez équipe tout le temps ? demanda Cross. Vous étiez au courant de tout ce qui se passait ?

Sharkey éclata de rire.

— Avec Jim ? Vous plaisantez. C'était lui le chef. Parfois je n'avais aucune idée de ce que nous faisions. Je ne savais même pas combien on allait toucher. Jim s'occupait de tout ça et il me donnait soi-disant la part qui me revenait. — Sharkey marqua un temps d'arrêt — Vous savez, il avait ses règles à lui.

— D'où venait l'argent ?

— On était dans les petits papiers de pas mal de grosses sociétés de jeu, répondit Sharkey. On palpait de temps en temps aussi un truc d'un dealer. Avant, Jim refusait de toucher à l'argent de la drogue, mais quand il a vu que tous les flics faisaient ça, on s'y est mis.

— Vous avez déjà fait appel à un dénommé Marlowe, un petit dealer noir, pour dépister des grosses huiles ? demanda Cross.

— Absolument. Un gentil gars ce Marlowe. Il avait même peur de son ombre ! On faisait appel à lui tout le temps.

— Quand vous avez appris que Losey l'avait abattu alors qu'il venait de commettre un meurtre, vous avez dû être passablement surpris.

— Pas du tout, rétorqua Sharkey. Tôt ou tard, les junkies pètent les plombs. C'est classique chez eux. Et Jim, dans ces cas-là, ne fait jamais les sommations d'usage. Il tire, point.

— C'est quand même une étrange coïncidence. Tous les deux, au même moment, au même endroit ?

Pour la première fois, les traits de Sharkey perdirent de leur dureté et un voile de lassitude parcourut son visage.

— Ça pue, je suis d'accord, admit-il. Toute cette histoire pue. Il est temps, je crois, de jouer franc jeu avec vous ; Jim était courageux, c'est vrai, les femmes l'adoraient et les hommes le respectaient. J'étais son associé et j'avais beaucoup d'estime pour lui. Mais la vérité, c'est que Losey n'était pas clair, pas clair du tout.

— A votre avis, cela pourrait être un coup monté ?

— Non, non. Il faut que vous compreniez une chose. Le boulot vous oblige à accepter des pots-de-vin, mais vous ne devenez pas pour autant un tueur à gage. Jim Losey n'aurait jamais fait ça. C'est impossible.

— Pourquoi alors avez-vous quitté la police après cette histoire ?

— Jim commençait à me ficher la frousse, avoua Sharkey.

— J'ai rencontré Losey à Malibu, il y a quelques semaines. Il était seul. Il opérait souvent en solo ?

Sharkey esquissa de nouveau son sourire malicieux.

— Ça lui arrivait, répondit-il. Je crois qu'il avait des vues sur une actrice. C'est pas croyable le nombre de stars qu'il a pu s'envoyer durant sa carrière. Il avait parfois aussi des réunions avec des gens, des déjeuners d'affaires auxquels il ne voulait pas que j'assiste.

— Une chose encore, poursuivit Cross. Losey est-il raciste? Est-ce qu'il a une aversion pour les Noirs?

Sharkey regarda Cross avec une expression amusée.

— Évidemment! Vous n'allez pas être choqué comme ces connards de libéraux! Faites donc un an ce boulot et vous verrez. Vous voterez pour qu'on les fiche tous au zoo!

— J'ai une autre question. Vous ne l'avez jamais vu en compagnie d'une espèce de nabot, portant un drôle de chapeau?

— Si, un Italien je crois. Nous étions en train de déjeuner quand l'autre s'est pointé. Jim m'a demandé d'aller faire un tour. Un type bizarre, à vous faire froid dans le dos.

Cross rouvrit sa mallette et sortit deux autres liasses de billets.

— Voilà vingt mille. Rappelez-vous, si vous tenez votre langue, vous aurez cinquante mille de plus. Ça marche?

— Je sais qui vous êtes, grogna Sharkey.

— Bien sûr. J'ai demandé à Pollard de vous le dire.

— Non, je sais qui vous êtes vraiment, insista Sharkey avec son sourire torve. C'est pour cette raison que je ne vous prends pas la mallette complète, et que je me tairai pendant deux mois. Entre vous et Losey, je ne sais pas lequel me tuera le premier.

A l'évidence, Cross était face à un problème épineux. Losey figurait sur les « cartons » des Clericuzio. La famille lui versait un salaire de cinquante mille dollars ainsi que des primes pour divers services rendus — mais en aucun cas, il ne s'agissait d'exécutions. Il n'en fallait donc pas plus à Cross pour en tirer les conclusions qui s'imposaient: Dante et Losey avaient tué son père. Un verdict d'autant plus aisé à prononcer qu'il n'avait nul besoin de rassembler des preuves comme l'exigeait la justice légale. Sa longue expérience avec les Clericuzio ne faisait que confirmer le bien-fondé de ce jugement. Il connaissait son père, sa personnalité, ses compétences — aucun vulgaire braqueur n'aurait pu l'approcher. Il connaissait Dante également, son caractère, ses capacités ainsi que la haine féroce qu'il vouait à Pippi depuis toujours.

Il restait néanmoins une grande question : Dante avait-il agi de son propre chef ou sur ordre de Don Domenico ? Les Clericuzio n'avaient certes aucune raison de vouloir éliminer son père ; il s'était montré loyal pendant plus de trente ans et avait été un facteur déterminant de leur ascension sociale, en particulier pendant la guerre contre les Santadio. Une fois de plus, Cross se demanda pourquoi personne ne lui avait encore raconté les détails de cette guerre — ni son père, ni Gronevelt, ni aucun des Clericuzio.

Plus Cross y songeait, plus une idée prenait corps en lui : Don Domenico n'était pour rien dans la mort de son père. Le patriarche était un homme d'affaires, de la vieille école, ultraconservateur. Il récompensait la loyauté, il n'irait jamais la réprimer. Son sens de l'équité était si vif, qu'il ne reculait devant aucune cruauté pour que règne la justice. De toutes façons, il existait un argument imparable en faveur de cette thèse : jamais Don Clericuzio n'aurait laissé vivre le fils s'il avait tué le père. C'était là la preuve indéniable de son innocence.

Don Domenico croyait en Dieu, parfois au destin, mais en aucun cas au hasard. Il ne pouvait penser que la présence de Jim Losey sur les lieux du meurtre de Pippi puisse être une simple coïncidence. Il avait forcément mené sa propre enquête et découvert les liens qui existaient entre Dante et Losey. Il connaissait donc non seulement la culpabilité de Dante, mais également ses motifs.

Et Rose Marie, la mère de Dante, savait-elle aussi ? En apprenant la mort de Pippi, elle avait eu une crise terrible ; elle s'était mise à hurler comme une forcenée et à pleurer toutes les larmes de son corps, tant et si bien que Don Clericuzio avait été dans l'obligation de la faire interner à la clinique psychiatrique d'East Hampton, dont il avait subventionné la construction voilà des années. Elle resterait hospitalisée au moins un mois.

Don Domenico interdisait toute visite à Rose Marie ; seuls Dante, Giorgio, Vincent et Petie étaient autorisés à la voir. Cross lui envoyait toutefois régulièrement des fleurs ou des corbeilles de fruits. Qu'est-ce qui pouvait bien mettre Rose Marie dans cet état ? Savait-elle Dante coupable ? Connaissait-elle les raisons de son acte ? Don Domenico avait dit que Dante serait son successeur. C'était de très mauvais augure. Cross décida donc d'aller rendre visite à Rose Marie, malgré l'interdiction de Don Domenico. Il lui apporterait des fleurs, des fruits, des chocolats et des bonbons avec une affection sincère, mais dans le but secret de lui tirer les vers du nez.

⁂

Deux jours plus tard, Cross pénétrait dans le hall de la clinique psychiatrique d'East Hampton. Il y avait deux vigiles à l'entrée ; l'un d'eux l'escorta jusqu'à la réception.

La femme derrière le comptoir était âgée d'une cinquantaine d'années, et vêtue de façon élégante. Lorsqu'il déclara l'objet de sa visite, elle lui répondit avec un charmant sourire qu'il lui faudrait patienter une demi-heure car Rose Marie était en train de recevoir des soins. On lui ferait savoir sitôt qu'elle serait visible.

Cross s'installa donc dans la salle d'attente, juste à côté du hall d'entrée, une pièce parsemée de tables et de fauteuils confortables. Il prit sur la pile de magazines un numéro d'une revue de cinéma. En le feuilletant, il tomba sur un article qui parlait de Jim Losey, le « célèbre inspecteur de Los Angeles ». On racontait dans le menu ses hauts faits, avec en légende son intervention sur le meurtrier Marlowe. Deux points amusèrent Cross : son père était présenté comme le président d'une société de crédits — victime innocente et sans défense face à la pègre urbaine ; et on pouvait lire dans un encadré que s'il y avait davantage de policiers de la trempe de Losey, la sécurité dans les rues serait enfin assurée.

Une infirmière vint lui tapoter l'épaule. Elle avait un air sévère, presque revêche, mais son sourire atténua la dureté de ses traits.

— Si vous voulez bien me suivre, annonça-t-elle.

Cross ramassa sa boîte de chocolats ainsi que son bouquet de fleurs et lui emboîta le pas. Ils montèrent un escalier, suivirent un long couloir flanqué de portes. L'infirmière s'arrêta devant l'une d'elles et plongea une clé dans la serrure. Elle fit entrer Cross et referma la porte derrière lui.

Rose Marie, vêtue d'une robe grise, ses cheveux soigneusement brossés, regardait la télévision. Lorsqu'elle aperçut

Cross, elle se leva d'un bond et se jeta dans ses bras. Elle fondit en larmes. Cross l'embrassa sur la joue et lui donna ses présents.

— Tu es venu me voir, comme c'est gentil ! bredouilla-t-elle. Je croyais que tu me détestais à cause de ce que j'ai fait à ton père.

— Tu n'as rien fait du tout à mon père, répondit Cross, en la faisant asseoir sur le canapé.

Il éteignit la télévision et s'agenouilla auprès d'elle.

— Je m'inquiétais pour toi, ajouta-t-il.

Elle lui caressa les cheveux.

— Tu étais si mignon quand tu étais petit, articula-t-elle. Je regrettais vraiment que Pippi soit ton père. J'ai souhaité mille fois sa mort. Mais j'ai toujours su que des choses terribles arriveraient. Je l'ai maudit de toutes mes forces et papa ne me le pardonnera jamais.

— Don Domenico est un homme juste. Il ne te reprochera jamais rien.

— Il t'a trompé, comme il a trompé tous les autres, rétorqua Rose Marie. Méfie-toi de lui. Il a trahi sa propre fille, trahi son petit-fils, et Pippi, son neveu... et maintenant il va te trahir aussi.

Elle s'était mise presque à crier et Cross craignait une nouvelle crise.

— Calme-toi, tante Roe. Dis-moi plutôt ce qui te hante autant.

Il vrilla ses yeux dans les siens. Comme elle devait avoir été jolie dans sa jeunesse; une sorte d'innocence brillait encore dans ses prunelles.

— Demande-leur donc de te parler des Santadio, murmura-t-elle. Tu comprendras alors.

Elle releva les yeux et regarda derrière Cross, puis se cacha le visage dans les mains. Cross se retourna. La porte était ouverte. Vincent et Petie se tenaient sur le seuil, silencieux. Rose Marie se leva et courut s'enfermer dans la chambre à coucher.

Un air de pitié et de désespoir se lisait sur le visage de granit de Vincent.

— Seigneur ! articula-t-il en allant frapper à la porte de la chambre. Ouvre, Roe ! Ouvre cette porte ! Nous sommes tes frères. Nous ne te voulons pas de mal...

— Quelle coïncidence! s'étonna Cross. Je suis venu moi aussi rendre une petite visite à Rose Marie.

Vincent allait toujours droit au but :

— Nous ne sommes pas venus pour Rose Marie, mais pour toi. Le vieux veut te voir à Quogue.

Cross évalua la situation. A l'évidence, la réceptionniste avait prévenu Quogue. C'étaient ses instructions. Don Clericuzio ne voulait donc pas qu'il puisse parler à Rose Marie.

Le fait que Petie et Vincent aient été envoyés ici signifiait qu'ils n'avaient pas l'intention de le tuer — ils n'auraient pas pris le risque de s'exposer de la sorte.

Vincent apporta une confirmation aux suppositions de Cross :

— Je vais monter avec toi dans ta voiture, annonça-t-il. Petie suivra derrière.

Chez les Clericuzio, on n'exécutait jamais un contrat en solo.

— On ne peut pas laisser Rose Marie comme ça, rétorqua Cross.

— Bien sûr que si, répondit Petie. L'infirmière lui fera une piqûre.

Cross tenta de bavarder pendant le voyage.

— Vous avez sacrément foncé pour venir à la clinique.

— C'est Petie qui conduisait, répondit Vincent. C'est un fou du volant. — Il marqua un silence et reprit, d'une voix un peu tendue — Tu connais les règles, Cross. Comment as-tu osé rendre visite à Rose Marie?

— Roe était ma tante préférée quand j'étais gosse, se défendit Cross.

— Le vieux n'aime pas ça. Il était fou de rage. Il dit que cela ne te ressemble pas.

— J'expliquerai tout ça, répondit Cross. Mais j'étais vraiment inquiet pour ma tante. Comment va-t-elle?

Vincent soupira.

— Cette fois, elle risque d'être enfermée pour longtemps. Elle était si gentille avec le vieux quand elle était jeune. Qui aurait pu croire que la mort de Pippi la mettrait dans cet état?

Cross perçut le mensonge dans le ton de sa voix. Vincent savait quelque chose. Mais Cross fit comme si de rien n'était.

— Papa aimait beaucoup tante Rose Marie, se contenta-t-il de préciser.

— Dans le passé, elle ne l'a pas toujours porté dans son cœur, répliqua Vincent. En particulier, lorsqu'elle avait ses crises. Il fallait entendre ce qu'elle disait sur lui !

— Tu as participé à la guerre contre les Santadio ? demanda Cross d'un air faussement nonchalant. Comment se fait-il que personne ne m'en ait jamais parlé ?

— Parce que nous ne parlons jamais des opérations passées, répondit Vincent. Le vieux nous a appris que l'on n'en retire jamais rien de bon. Il faut regarder vers l'avenir. On a bien assez de problèmes maintenant.

— Mon père a été un grand héros durant cette guerre, non ? insista Cross.

Vincent esquissa un sourire et pendant un bref instant son visage perdit de sa dureté.

— Ton père était un stratège de génie, répondit-il. Il pouvait mettre au point des plans de bataille dignes de Napoléon. Il n'y avait jamais le moindre accroc lorsque c'était lui qui organisait. A part une fois ou deux, par simple malchance.

— C'est donc lui qui a organisé la guerre contre les Santadio ?

— Va donc poser toutes ces questions au vieux ! rétorqua Vincent. Parlons d'autre chose.

— Très bien, répondit Cross. — Il marqua un temps de silence. — Vous comptez me régler mon compte comme mon père ?

Le visage d'ordinaire de marbre de Vincent s'empourpra de colère. Il saisit le volant d'une main et força Cross à se garer sur le bas-côté de l'autoroute.

— Tu es dingue ou quoi ! lança-t-il d'une voix vibrante d'émotion. Tu crois les Clericuzio capables de faire une telle chose ? Ton père avait de notre sang dans les veines. Il était notre meilleur soldat, il nous a sauvés. Le vieux l'aimait comme un fils. Nom de Dieu, qu'est-ce qui te met des idées pareilles en tête ?

— J'ai eu peur lorsque je vous ai vus débarquer comme ça, avoua Cross avec humilité.

— Redémarre ! ordonna Vincent d'un air dégoûté. Ton père, Giorgio, Petie et moi, avons combattu ensemble bien des fois à des moments particulièrement pénibles. Jamais, nous ne ferions quoi que ce soit contre l'un ou l'autre. Pippi a simplement joué de malchance, il est tombé sur un dingue de camé.

Le reste du voyage se poursuivit dans le silence.

Comme de coutume, il y avait deux gardes devant le portail de la propriété et un homme de faction sur le perron. Il ne semblait pas régner dans les lieux une activité particulière.

Don Clericuzio, Giorgio et Petie les attendaient dans le bureau. Sur le bar trônait une boîte de havanes et un pot rempli de cigarillos italiens tout tordus.

Don Clericuzio était assis dans l'un des grands fauteuils club. Au moment où Cross s'apprêtait à aller le saluer, le vieil homme se leva de son siège, avec une agilité impensable pour son âge, et vint le serrer affectueusement dans ses bras. Le patriarche l'entraîna ensuite vers une grande table basse où étaient disposées des assiettes de fromage et de viande séchée.

Cross sentit que Don Domenico n'avait pas envie d'entrer dans le vif du sujet et il se fit un sandwich prosciutto-mozzarella. Le jambon était rouge sombre, lardé de fines bandes de gras. La mozzarella était si fraîche que des gouttes de lait en perlaient encore. Elle avait la forme d'une boule blanche, fermée à son sommet par un petit nœud saturé de sel. La seule chose dont Don Domenico se vantait ouvertement, c'était de n'avoir jamais mangé une mozzarella datant de plus d'une demi-heure.

Vincent et Petie se servirent à leur tour, tandis que Giorgio jouait les barmans, apportant du vin au patriarche et des sodas aux autres convives. Don Domenico ne mangea que de la mozzarella, laissant fondre chaque morceau dans sa bouche. Petie lui donna ensuite l'un de ses cigarillos et lui offrit du feu. Le vieil homme avait un estomac à toute épreuve ! songea Cross.

— Croccifixio, commença Don Domenico à brûle-pourpoint, tout ce que tu voulais savoir de la bouche de Rose Marie, je vais te le dire. Je sais que tu as des doutes quant aux véritables circonstances de la mort de ton père. Tu as tort. J'ai mené mon enquête, et c'est bien comme ça que les choses se sont passées. Pippi a joué de malchance. C'était l'homme le plus prudent dans sa branche, mais des accidents stupides sont toujours possibles. Je veux apaiser ton esprit. Ton père était mon neveu et un Clericuzio, ainsi que l'un de mes plus chers amis.

— Parle-moi de la guerre contre les Santadio, dit Cross.

SEPTIÈME PARTIE

La guerre contre les Santadio

XVIII

— Il est toujours dangereux de se montrer raisonnable avec des gens stupides, commença Don Domenico, en avalant une lampée de vin. — Il posa son cigarillo — Écoute-moi de toutes tes oreilles. L'histoire est longue et pleine de faux-semblants. Les faits datent de trente ans... — il se tourna vers ses trois fils — si j'oublie quelque chose d'important, corrigez-moi.

Giorgio, Petie et Vincent sourirent; il n'était guère probable que leur père ait le moindre trou de mémoire.

La lumière dorée baignait le petit bureau, tamisée par les volutes de fumée. Les arômes mêmes de la nourriture semblaient en affecter la texture.

— C'est l'un des grands enseignements de cette guerre, reprit Don Domenico en avalant une nouvelle gorgée de vin. Il fut un temps où les Santadio étaient aussi puissants que nous. Mais les Santadio avaient trop d'ennemis, ils attiraient par trop l'attention des autorités et n'avaient aucun sens de la justice. Ils créaient un monde sans valeur, un monde sans aucune équité.

« J'ai voulu proposer des arrangements avec eux et j'ai fait des concessions; je voulais la paix. Mais ils avaient, comme tous les gens violents, une soif inextinguible de pouvoir. Ils pensaient que la puissance personnelle prévalait à toutes choses dans la vie. C'est ainsi qu'il y a eu la guerre entre nous.

— Pourquoi raconter tout ça à Cross? intervint Giorgio. Quel bénéfice pour lui, et pour nous?

Vincent détourna les yeux de Cross, Petie regarda Giorgio, la tête de côté, d'un air approbateur. Aucun des trois fils n'avait envie que leur père raconte cette phase de l'histoire de la famille.

— Parce que nous le devons à la mémoire de Pippi, répliqua Don Domenico avant de se tourner vers Cross. Pense ce que tu voudras, mais sache que mes fils et moi sommes innocents du crime que tu suspectes. Pippi était comme un fils pour moi, et toi, tu es comme mon petit-fils. Nous sommes tous du même sang.

— Cela ne nous rapportera rien de bon, insista Giorgio.

Don Domenico agita la main avec impatience.

— Pour l'instant, tout ce que j'ai dit est la stricte vérité, n'est-ce pas ? demanda-t-il à ses fils.

Les trois hommes acquiescèrent.

— On aurait dû les éliminer tout de suite ! lança Petie.

Don Domenico haussa les épaules et se tourna vers Cross.

— Mes fils étaient jeunes à l'époque, pas un d'entre eux n'avait encore trente ans. Je ne voulais pas risquer leur vie dans une grande guerre de clan. Don Santadio, que Dieu ait son âme, avait six fils, mais il était davantage un général d'armée qu'un père. Jimmy Santadio était l'aîné ; il travaillait avec notre vieil ami Gronevelt, que Dieu ait son âme également. Les Santadio possédaient alors la moitié du Xanadu. Jimmy était le plus intelligent du lot, le seul qui avait compris que la paix était la meilleure solution pour nos deux familles. Mais le vieux Santadio et ses autres fils voulaient du sang.

« Non, je n'avais vraiment aucun intérêt à engager une guerre sanglante. J'espérais leur faire entendre raison avec le temps, les convaincre du bon sens de mes propositions. Je leur laissais tout le réseau de la drogue, et ils me cédaient leurs implantations dans le domaine des jeux et des paris. Je prenais leurs parts dans le Xanadu, et en retour ils contrôlaient tout le marché de la drogue dans le pays — un sale boulot qui exigeait une main de fer et des manières fortes. C'était une offre tout à fait raisonnable. Il y avait bien plus d'argent à gagner avec la drogue et c'était un domaine qui ne nécessitait aucune stratégie à long terme, simplement beaucoup d'opérations sur le terrain. Tout cela aurait assis la puissance des Santadio. Je voulais que les Clericuzio aient le contrôle de tout le marché des jeux ; un domaine moins risqué que celui de la drogue; on y faisait certes moins de profits mais bien géré, il pouvait se révéler très rentable à long terme. Cela aussi aurait assis la puissance des Clericuzio. Mon but a toujours été de me fondre dans la société, et les jeux risquaient de devenir un jour une véritable mine d'or parfaitement légale, sans prise de risque ni travail rebutant. En cela, j'avais vu juste...

« Malheureusement, les Santadio voulaient tout. Tout le gâteau. Il faut se replacer dans le contexte, mon neveu; c'était très dangereux pour nous. Le F.B.I. savait que les familles existaient et s'entraidaient. Le gouvernement, avec ses moyens en hommes et sa technologie, avait causé la chute de nombreuses familles. Le mur de *l'omertà* commençait à se fissurer.

« Les jeunes, nés en Amérique, étaient prêts à coopérer avec les autorités pour sauver leur peau. Par bonheur, j'avais créé l'enclave du Bronx, et je faisais venir des gens de Sicile pour gonfler mes troupes de soldats.

« Le seul point que je n'ai jamais su contrôler dans ma vie, ce sont les femmes — et tous les ennuis qu'elles pouvaient causer. Ma fille, Rose Marie, avait dix-huit ans à l'époque. Comment a-t-elle pu s'amouracher ainsi de Jimmy Santadio? Elle disait qu'ils étaient comme Roméo et Juliette. Qui sont ces deux-là? Sûrement pas des Italiens, c'est sûr! Quand j'ai eu vent de l'affaire, j'ai mis de nouveau de l'eau dans mon vin. J'ai réouvert les négociations avec les Santadio; j'ai baissé le niveau de mes exigences afin que nos deux familles puissent coexister. Mais dans leur stupidité, les Santadio ont interprété mon geste comme un signe de faiblesse. Et c'est ainsi qu'a débuté la tragédie qui nous empoisonne l'existence depuis trente ans.

Don Clericuzio se tut un moment. Giorgio se servit un verre de vin, prit une tranche de pain, un morceau de mozzarella et vint se poster derrière son père.

— Pourquoi lui raconter tout ça aujourd'hui? grogna-t-il.

— Parce que mon petit-neveu se pose des questions sur la mort de son père et que je veux dissiper le moindre doute qu'il pourrait avoir sur nous, répondit Don Clericuzio.

— Je n'ai aucun doute sur toi, Don Domenico, précisa Cross.

— Tout le monde soupçonne tout le monde, rétorqua Don Domenico, c'est dans la nature humaine... mais laisse-moi continuer... Rose Marie, donc, était jeune; elle n'avait aucune idée des affaires. Elle eut le cœur brisé lorsqu'au début les deux familles s'opposèrent à leur union. Elle se mit donc en tête de rassembler tout le monde; elle croyait que l'amour pouvait renverser toutes les montagnes, comme elle me le confia naïvement plus tard. Elle était très amoureuse. Et elle était la lumière de ma vie. Ma femme était morte jeune et je ne m'étais pas remarié parce que je ne voulais pas partager ma fille avec une étrangère. Je ne lui refusais jamais rien et fondais de grands espoirs sur elle. Mais un mariage avec les Santadio, cela je ne pouvais l'accepter! Je m'y suis donc opposé. J'étais jeune, moi aussi. Je croyais que mes ordres seraient suivis par mes enfants. Je voulais qu'elle aille à l'université, qu'elle se marie avec quelqu'un hors de notre milieu. Giorgio, Vincent et Petie devaient encore m'aider dans cette vie, j'avais besoin d'eux. Mais j'espérais bien que leurs enfants pourraient échapper à cette société et connaître une vie meilleure. Ainsi que mon benjamin, Silvio, précisa Don Domenico en désignant le portrait trônant sur le manteau de la cheminée.

Cross n'avait jamais regardé attentivement cette photographie de Silvio, il ne connaissait pas non plus son histoire. On y voyait un jeune homme de vingt ans, ressemblant étonnamment à Rose Marie, avec un visage encore plus doux, des yeux plus pâles, et plus pétillants. Une sorte de gentillesse émanait de tous les traits de ce visage, à tel point que Cross se demandait si le cliché n'avait pas été retouché.

L'air dans la pièce sans fenêtre commençait à être saturé de fumée. Giorgio s'alluma néanmoins un gros havane.

— J'avais pour Silvio, continua Don Domenico, des espoirs encore plus grands que pour Rose Marie. Il avait le cœur sur la main, et avait réussi son concours d'entrée à l'université avec une bourse d'étude. Un bel avenir s'ouvrait devant lui, mais il était trop innocent...

— Il n'avait aucun sens des réalités, siffla Vincent. Aucune personne sensée ne serait sortie comme ça, toute seule, sans protection.

— Rose Marie et Jimmy Santadio se retrouvaient dans une chambre du Commack Motel, poursuivit Giorgio.

Rose Marie avait dans l'idée que si Jimmy et Silvio se parlaient, ils pourraient amener les deux familles à faire la paix. Elle appela Silvio et il se rendit au motel sans prévenir personne. Ils discutèrent tous les trois de la stratégie à suivre. Avant de quitter la chambre, Silvio lança à Rose Marie : « Ne t'inquiète pas, Roe. Tout ira bien. Papa m'écoutera. »

⁂

Mais Silvio ne parla jamais à son père. Deux autres fils Santadio, Fonsa et Italo, jouaient les gardes du corps de Jimmy...

Les frères Santadio, dans leur paranoïa galopante, crurent que Rose Marie attirait Jimmy dans un piège. Ou du moins qu'elle essayait de mettre le grappin sur lui afin d'affaiblir leurs positions au sein de leur famille. Rose Marie les dérangeait avec son courage de sauvageonne et sa détermination à épouser leur frère. Elle avait même osé défier son propre père, le grand Don Clericuzio. Rien ne semblait l'arrêter.

Reconnaissant Silvio qui quittait la chambre du motel, ils le suivirent et l'abattirent à coups de pistolet sur la digue Robert Moses. Ils prirent soin de le dépouiller de son portefeuille et de sa montre pour faire croire à un crime crapuleux. Une attitude typique de la mentalité des Santadio; c'étaient des barbares.

Don Clericuzio ne crut pas un seul instant à ce maquillage grossier. C'est alors que Jimmy Santadio se présenta à la veillée mortuaire, sans garde ni arme, et demanda une audience privée avec Don Domenico.

— Don Clericuzio, commença-t-il, mon chagrin est presque égal au vôtre. Je remets ma vie entre vos mains si vous pensez que les Santadio sont responsables de ce crime. J'ai parlé à mon père et il m'assure qu'il n'a jamais donné un tel ordre. Il m'envoie vous dire qu'il est prêt à reconsidérer toutes vos propositions. Et m'autorise à épouser votre fille.

Rose Marie s'était approchée pour prendre le bras de Jimmy. Elle avait un air si pathétique qu'un instant, Don Clericuzio se sentit désarmé. Le chagrin et la peur lui donnaient une beauté tragique. Ses yeux roulaient dans leurs orbites, noirs et brillants de larmes. Et il y avait sur son visage une expression ébahie, presque égarée.

Elle tourna la tête et regarda Jimmy Santadio avec un tel amour que Don Clericuzio fut tenté, pour une des premières fois de son existence, de faire preuve de miséricorde. Comment pourrait-il faire souffrir davantage sa propre fille ?

— Jimmy était absolument horrifié, articula Rose Marie, à l'idée que sa famille puisse être pour quelque chose dans la mort de Silvio. Je sais qu'ils n'y sont pour rien. Jimmy m'a promis que sa famille accepterait un arrangement avec nous.

Don Clericuzio avait déjà condamné les Santadio. Il n'avait besoin d'aucune preuve pour leur créditer ce meurtre. Et il n'était guère enclin à la clémence.

— Je te crois, assura Don Clericuzio — il croyait effectivement en l'innocence de Jimmy, mais cela ne changeait rien à la situation — Rose Marie, tu as ma bénédiction pour te marier, mais pas dans cette maison, et aucun membre de notre famille ne sera présent à la fête. Jimmy, tu diras à ton père que nous nous verrons après le mariage et que nous discuterons affaires.

— Merci, Don Clericuzio, répondit Jimmy. Je comprends vos réserves. Les noces auront lieu dans notre maison de Palm Springs, dans un mois. Toute ma famille sera là, et notre porte sera grande ouverte pour tous les membres de votre famille. Mais si les vôtres décident de ne pas venir, je respecterai leur choix.

— Dans un mois ? s'offusqua le père en désignant le cercueil de la main. Si vite ?

Brusquement Rose Marie se jeta dans les bras de son père. Il sentit toute la terreur de sa fille.

— Je suis enceinte, murmura-t-elle.

— Je vois, souffla Don Clericuzio, en lançant un sourire à Jimmy Santadio.

— Je l'appellerai Silvio, murmura encore Rose Marie. Il sera tout comme lui.

Le père tapota ses cheveux bruns et l'embrassa sur la joue.

— Parfait, conclut-il. Parfait. Mais je n'assisterai pas aux noces.

Rose Marie retrouvait un peu de courage. Elle releva la tête et embrassa son père.

— Papa, il faut que quelqu'un de chez nous soit là. Pour m'accompagner jusqu'à l'autel.

Don Clericuzio se tourna vers Pippi qui se tenait auprès de lui.

— Pippi, tu représenteras la famille au mariage. C'est mon neveu et il adore danser. Tu accompagneras ta cousine à l'autel, et puis vous pourrez fêter ça et danser jusqu'au jour du jugement dernier.

Pippi se baissa pour embrasser Rose Marie.

— Je viendrai, annonça-t-il, et si Jimmy ne se présente pas à l'église, je t'emmènerai avec moi.

Rose Marie leva les yeux vers lui avec reconnaissance et se jeta dans ses bras.

Un mois plus tard, Pippi De Lena prenait l'avion à Las Vegas pour Palm Springs afin d'assister aux noces. Mais il avait passé toutes les semaines précédentes chez Don Clericuzio à Quogue, à tenir des réunions de travail avec Vincent, Giorgio et Petie.

Don Domenico avait nommé Pippi responsable de l'opération. « Ses ordres devront être suivis à la lettre, comme s'ils émanaient de ma propre personne, avait précisé le patriarche — quels qu'ils soient. »

Seul Vincent osa avancer une critique :

— Et si les Santadio n'ont pas tué Silvio ?

— Peu importe, répondit Don Clericuzio. Ils sont d'une stupidité trop crasse ; elle risque de nous faire courir des risques dans l'avenir. Un jour ou l'autre, nous devrons les mettre hors d'état de nuire. Ils sont coupables, de toutes façons ! La mauvaise volonté est en elle-même un crime. Si les Santadio étaient blancs comme neige, alors c'est que le destin serait contre nous. Et cela, je ne peux pas le croire.

Pour la première fois de son existence, Pippi remarqua la détresse du patriarche. Il passait de longues heures dans la chapelle en sous-sol, mangeait à peine et buvait plus que de coutume. Il plaça le portrait de Silvio dans sa chambre à coucher pendant quelques jours. Un dimanche, il demanda au prêtre de venir dire une messe et d'entendre sa confession.

Le dernier jour avant le départ de Pippi, Don Clericuzio eut un entretien en tête à tête avec lui.

— C'est une opération très délicate, commença Don Domenico. Il peut toujours se présenter une situation où tu pourrais être tenté d'épargner Jimmy Santadio. Ne cède pas. Mais veille à ce que personne ne sache que l'ordre vient de moi. La faute devra reposer sur tes seules épaules. Ni sur les miennes, ni sur celles de Giorgio, Vincent ou Petie. Tu es prêt à en supporter toutes les conséquences ?

— Oui, répondit Pippi. Tu ne veux pas que ta fille te haïsse ou te blâme. Ni toi, ni ses frères.

— Rose Marie peut se retrouver en danger, on ne sait jamais, annonça Don Domenico.

— C'est possible, oui.

Le chef de clan soupira.

— Fais tout ce qui est en ton pouvoir pour protéger la vie de mes enfants, articula-t-il. C'est toi qui devras prendre les décisions finales. Mais souviens-toi, je ne t'ai jamais demandé de tuer Jimmy Santadio.

— Et si Rose Marie apprend que..., demanda Pippi.

Don Clericuzio vrilla son regard dans celui de Pippi.

— C'est ma fille et la sœur de Silvio. Jamais, elle ne nous trahira.

La propriété des Santadio à Palm Springs comptait quarante chambres sur seulement trois étages : un édifice d'inspiration espagnole pour s'harmoniser avec le désert environnant. L'endroit était protégé des étendues de sable par un mur d'enceinte de pierres rouges. Le domaine renfermait également une piscine gigantesque, un court de tennis et un boulodrome.

Pour l'occasion, un énorme barbecue avait été dressé au milieu de la pelouse, ainsi qu'une estrade pour l'orchestre et une piste de danse. Des grandes tables de banquets avaient été disposées autour de la piste. Garés à côté du portail en fer forgé, on apercevait trois grands fourgons de traiteur.

Pippi De Lena arriva tôt le samedi matin, avec une valise contenant ses habits de noces. On lui donna une chambre au deuxième étage ; la lumière dorée du désert filtrait à travers les fenêtres. Il commença à déballer ses affaires.

La cérémonie à l'église devait avoir lieu à Palm Springs dans moins d'une demi-heure. Les formalités religieuses devaient se terminer vers midi, puis les convives retourneraient à la propriété pour faire la fête.

On frappa à la porte. C'était Jimmy Santadio. Son visage rayonnait de bonheur et il serra chaleureusement Pippi dans ses bras. Il n'était pas encore habillé pour les noces mais il était charmant dans son pantalon blanc et sa chemise de soie grise. Il garda la main de Pippi dans la sienne en signe d'affection.

— Je suis très heureux que tu sois venu, annonça-t-il. Roe est ravie que ce soit toi qui la conduises à l'église. Avant de partir, le vieux voudrait te voir.

Tenant toujours sa main, il conduisit Pippi au premier étage, et lui fit emprunter un long couloir jusqu'à la porte de Don Santadio. Le vieil homme était étendu sur le lit, dans un pyjama bleu. Il était bien plus décrépi que Don Clericuzio, mais il avait la même lueur dans le regard, la même vivacité d'esprit. Il avait une tête ronde et chauve comme un ballon. Il fit signe à Pippi de s'approcher et écarta les bras pour l'embrasser.

— C'est bien que tu sois ici, déclara le vieil homme, avec une voix éraillée. Je compte sur toi pour aider nos deux familles à se rapprocher. Tu es notre colombe de la paix. Que Dieu te bénisse. — Il se laissa aller contre l'oreiller et ferma les yeux — Comme je suis heureux aujourd'hui.

Une infirmière se trouvait dans la chambre, une forte femme d'une cinquantaine d'années. Jimmy la présenta comme une cousine. A voix basse, l'infirmière leur demanda de s'en aller. Il fallait que Don Santadio se repose s'il voulait pouvoir se joindre à la fête plus tard. Un doute saisit soudain Pippi. A l'évidence, Don Santadio n'en avait plus pour longtemps à vivre. Jimmy prendrait alors naturellement la direction des affaires de la famille; les choses pourraient peut-être s'arranger... Mais Don Clericuzio ne pardonnerait jamais le meurtre de son fils, Silvio; la paix était impossible entre les deux familles. De toutes façons, Don Domenico lui avait donné des ordres.

Pendant ce temps, deux des fils Santadio, Fonsa et Italo, fouillaient la chambre de Pippi à la recherche d'armes ou de système de communication. La voiture qu'avait louée Pippi fut également examinée jusqu'au dernier boulon.

⁂

Les Santadio avaient fait les choses en grand pour le mariage de leur prince. De gigantesques paniers débordant de fleurs exotiques étaient disséminés sur la pelouse. Sous des tentes multicolores, des bataillons de serveurs distribuaient aux invités des coupes de champagne. Un bouffon en habit médiéval faisait des tours pour amuser les enfants et une multitude de haut-parleurs diffusaient de la musique dans toute la propriété. Une loterie avait été organisée parmi les convives. Le prix était de vingt mille dollars ; le tirage était prévu pour le soir. Rien ne manquait à la fête.

De grandes tentes colorées avaient été dressées pour protéger les invités de la chaleur du désert ; il y avait également une toile verte au-dessus de la piste de danse, une rouge au-dessus de l'orchestre et des dais bleus tendus au-dessus du court de tennis qui abritait la montagne de cadeaux de mariage. Une Mercedes gris argent faisait partie du lot pour la mariée, et un petit avion privé pour le marié — cadeau de Don Santadio en personne.

La cérémonie à l'église fut courte et simple. Au retour des invités, l'orchestre jouait déjà. Les buffets et les trois bars étaient installés sous des tentes distinctes, décorées de scènes de chasse aux sangliers — des alignements de coupes de jus de fruits exotiques scintillaient au soleil.

Les jeunes mariés ouvrirent le bal, comme isolés dans une petite sphère de bonheur. Ils valsaient à l'ombre du dais, le soleil rouge du désert illuminant leurs visages radieux, éclaboussés par les flaques de lumières. Leur amour était si visible que l'assistance lança des vivats et applaudit à tout rompre. Rose Marie n'avait jamais paru aussi belle, et Jimmy Santadio semblait à peine sorti de l'enfance.

Lorsque l'orchestre s'arrêta de jouer, Jimmy prit Pippi par le bras et le présenta aux deux cents invités.

— Voici Pippi De Lena qui a accompagné la mariée à l'église, annonça-t-il ; il représente la famille Clericuzio et c'est mon plus cher ami. Ses amis sont mes amis, ses ennemis sont mes ennemis. — Il leva son verre — Buvons tous à sa santé. C'est à lui que reviendra l'honneur d'avoir la première danse avec la mariée.

— Tu vas réunir les familles, n'est-ce pas Pippi ? lui souffla Rose Marie à l'oreille pendant qu'ils valsaient.

— C'est promis, répondit Pippi en la faisant virevolter.

Pippi fit la joie de tout le monde ; jamais un invité à des noces ne fut plus convivial. Il fit toutes les danses, et son pied était plus léger et alerte que tous les jeunes du cru. Il dansa avec Jimmy et ses frères, Fonsa, Italo, Benedict, Gino et Luis. Il dansa avec les enfants et avec les *mamas*. Il valsa avec le chef d'orchestre, chanta avec le groupe des chansons à boire en patois sicilien. Il but et mangea avec un tel enthousiasme que son smoking était constellé de taches de sauce tomate, de jus de fruits et de vin. Il lança ses boules de pétanque avec un tel entrain que la piste devint le centre d'attraction de l'assemblée pendant une heure.

Après la partie, Jimmy Santadio entraîna Pippi à l'écart.

— Je compte sur toi pour que tout se passe bien, annonça-t-il. Une fois nos deux familles réunies, plus rien ne pourra nous arrêter. Ce sera toi et moi, main dans la main.

Jimmy Santadio déployait des trésors de charme.

Pippi tenta de se montrer le plus sincère possible.

— On y arrivera, c'est sûr, affirma-t-il, tout en se demandant si Jimmy Santadio était aussi honnête qu'il en avait l'air.

Il ne pouvait plus ignorer que quelqu'un de sa famille avait tué Silvio.

Comme par une transmission de pensée, Jimmy répondit à ses interrogations :

— Je te le jure, Pippi. Je ne suis pour rien dans tout ça. — Il lui prit la main — Nous n'avons rien à voir avec la mort de Silvio. Rien du tout. Je le jure sur la tête de mon père.

— Je te crois, répondit Pippi en serrant la main de Jimmy.

Il eut un moment de doute, mais le chassa aussitôt de son esprit. Il était trop tard, de toutes façons.

Le soleil rouge du désert s'évanouit derrière l'horizon et les lumières s'allumèrent un peu partout dans la propriété. C'était l'heure du dîner officiel. Les frères Santadio — Fonsa, Italo, Gino, Benedict et Luis — portèrent un toast aux deux jeunes mariés, aux joies du mariage, aux nobles vertus de Jimmy et à Pippi De Lena, leur grand et nouvel ami.

Le vieux Don Santadio était trop faible pour quitter son lit, mais il fit transmettre ses meilleurs vœux aux jeunes mariés, en mentionnant l'avion qu'il offrait à son fils pour l'occasion. Tout le monde applaudit. Puis la mariée coupa une grosse tranche de gâteau et l'apporta au vieil homme. Mais Don Santadio s'était déjà endormi. Elle la confia donc à l'infirmière qui lui promit de lui donner dès son réveil.

Vers minuit, la fête prit fin. Jimmy et Rose Marie se retirèrent dans la chambre nuptiale; ils partiraient le lendemain matin, passer leur lune de miel en Europe, et ils avaient besoin de repos. Les invités ne se privèrent pas de se moquer d'eux et de lancer des remarques salaces. Tout cela dans une atmosphère joyeuse et bon enfant.

Des centaines de voitures quittèrent la propriété et s'évanouirent dans le désert. Les fourgons traiteur furent chargés. Le personnel rangea les tentes, empila tables et chaises, démonta la piste et l'estrade, puis passa la pelouse au peigne fin, veillant à ce qu'il ne reste aucun détritus. Une fois effectués ces travaux de première urgence, ils s'en allèrent, sachant qu'ils reviendraient le lendemain finir les derniers détails.

A la demande de Pippi, une rencontre officielle avait été organisée avec les cinq frères Santadio, après le départ des invités. Ils échangeraient des cadeaux pour célébrer la nouvelle amitié entre les deux familles.

A minuit, ils se retrouvèrent donc dans la grande salle à manger de la bâtisse. Pippi avait une valise pleine de Rolex (des montres authentiques et non pas des fac-similés). Il y avait également un grand kimono japonais décoré de motifs érotiques.

— Apportons-le tout de suite à Jimmy! s'exclama Fonsa.

— C'est trop tard, lança Italo, ils en sont déjà au troisième service!

Tous rirent de bon cœur.

Au-dehors, la lune du désert jetait sur la propriété une lumière laiteuse. Des lampions chinois éclaboussaient le mur d'enceinte de flaques rougeoyantes.

Un gros camion, avec le nom d'un traiteur dessiné en

lettres d'or, se présenta devant les portes de la propriété. L'un des deux gardes s'approcha et le chauffeur lui annonça qu'il avait oublié de récupérer un groupe électrogène.

— A cette heure? s'étonna le garde.

Pendant que le chauffeur s'expliquait, son collègue descendit de la cabine et s'approcha de l'autre garde. La nourriture et l'alcool avaient émoussé la vigilance des deux hommes.

Tout se passa très vite.

Le chauffeur plongea la main sous son siège pour en sortir un pistolet équipé d'un silencieux et tira trois balles dans le visage du premier garde, tandis que dans le même instant, son compère empoignait l'autre garde et lui tranchait la gorge avec un grand couteau.

Les deux hommes tombèrent raides morts. La plateforme arrière du camion s'abaissa dans un ronronnement métallique et une vingtaine de soldats des Clericuzio sautèrent du fourgon — masqués de bas, habillés de noir, armés de pistolets à silencieux. Emmenés par Giorgio, Vincent et Petie, les hommes s'essaimèrent à travers la propriété. Une équipe se chargea de couper les lignes téléphoniques; une autre partit occuper les points clés du domaine. Dix hommes masqués, conduits par les trois frères Clericuzio, firent irruption dans la salle à manger.

Les frères Santadio avaient leurs verres levés, portant un toast à Pippi. Celui-ci s'écarta d'un bond. Aucun mot ne fut échangé. Les assaillants ouvrirent le feu et les cinq fils Santadio furent déchiquetés par une pluie de plombs. L'un des hommes masqués — Petie — s'approcha de chacun d'eux et leur donna le coup de grâce, une balle sous le menton. Le sol scintillait d'éclats de verre.

Un autre homme masqué — Giorgio — donna à Pippi un masque et une tenue noire. Pippi se changea rapidement et jeta ses vêtements de soirée dans un sac que lui présentait un autre assaillant.

Pippi, toujours sans arme, conduisit Giorgio, Vincent et Petie dans le long couloir qui menait à la chambre du patriarche. Ils ouvrirent la porte à la volée.

Don Santadio s'était finalement réveillé et était en train de manger sa part de gâteau. Il regarda les quatre hommes un moment, fit un signe de croix et plaqua son oreiller sur sa figure. L'assiette de gâteau tomba au pied du lit.

L'infirmière lisait dans un coin de la chambre. Petie fondit sur elle comme un félin ; il la bayonna et l'attacha à sa chaise avec une corde de nylon.

Giorgio s'avança vers le lit. Il souleva doucement l'oreiller. Il hésita une seconde puis tira deux fois. Une balle dans l'œil, l'autre, sous le menton du vieil homme, faisant éclater le sommet de son crâne dégarni.

Le petit groupe se rassembla. Vincent donna enfin une arme à Pippi : une fine corde d'acier.

Pippi leur fit reprendre le couloir en sens inverse et les conduisit au troisième étage, jusqu'à la chambre nutiale. Le couloir était parsemé de bouquets de fleurs et de corbeilles de fruits.

Pippi fit pression contre la porte. Elle était fermée à clé. Petie retira l'un de ses gants et sortit un passe-partout. La serrure céda facilement ; les quatre hommes s'introduisirent dans la chambre.

Rose Marie et Jimmy étaient étendus sur le lit. Ils venaient de faire l'amour et leurs corps semblaient encore luisants de plaisir. Le négligé transparent de Rose Marie était remonté au-dessus de ses hanches, les bretelles, tombées sur ses bras, laissaient voir ses seins nus. Sa main droite était refermée sur les cheveux de Jimmy, la gauche reposait sur son ventre. Jimmy était complètement nu, mais il se leva dès que les assaillants pénétrèrent dans la pièce, tirant les draps à lui pour se couvrir. Dans l'instant, il saisit la situation.

— Non, pas ici, souffla-t-il, en avançant vers eux. Dehors.

Rose Marie, pendant une fraction de seconde, ne comprit pas ce qui se passait. Elle voulut retenir Jimmy, mais celui-ci se libéra de son étreinte. Il sortit de la chambre, entouré de Giorgio, Vincent et Petie, toujours masqués.

— Non Pippi ! Ne fais pas ça ! s'écria soudain Rose Marie. — Les trois hommes masqués se retournèrent pour la regarder et c'est à cet instant que Rose Marie sut que ses frères étaient là aussi — Giorgio, Petie, Vincent, non, je vous en prie...

Ce fut le moment le plus pénible pour Pippi. Si Rose Marie parlait, les Clericuzio étaient perdus. Son devoir était de la tuer même si Don Domenico ne lui en avait pas donné explicitement l'ordre — comment aurait-il pu ordonner le meurtre de sa propre fille ? Et comment réagiraient ses frères ? Obéiraient-ils à cet ordre ? Comment Rose Marie avait-elle pu deviner que c'était eux ? Pippi prit sa décision. Il referma la porte derrière lui et rejoignit Jimmy et les trois frères dans le couloir.

Pour Jimmy, en revanche, les instructions de Don Domenico étaient claires ; il devait être étranglé. Il fallait peut-être voir dans ce choix une forme de miséricorde : laisser le corps intact pour recevoir les larmes des proches ; ou le respect d'une tradition ancestrale interdisant de faire couler le sang d'un ennemi digne d'estime.

Brusquement Jimmy Santadio lâcha le drap qui couvrait sa nudité et arracha le masque de Pippi. Giorgio et Petie lui prirent chacun un bras ; Vincent plongea au sol et lui empoigna les deux jambes. Pippi avait déjà enroulé son câble autour de la gorge de Jimmy et le faisait s'agenouiller au sol. Jimmy avait un curieux sourire aux lèvres, empreint de pitié, tandis qu'il regardait le visage de Pippi — comme s'il savait que cet acte serait vengé par le destin ou quelque Dieu mystérieux.

Pippi tira sur la corde, Petie l'aida à maintenir la pression et ils s'effondrèrent tous au sol. Le drap blanc du lit nuptial accueillit le cadavre de Jimmy tel un linceul. Dans la chambre des jeunes époux, Rose Marie se mit à hurler...

Don Clericuzio avait terminé son récit. Il alluma son cigarillo et but une gorgée de vin.

— Pippi avait tout organisé. Nous en sommes sortis sans une perte et les Santadio avaient été éliminés. C'était un plan brillant.

— Cela a tout réglé. Nous n'avons plus eu le moindre problème depuis, précisa Vincent.

— C'était ma décision mais j'avais fait le mauvais choix, soupira Don Clericuzio. Qui aurait pu savoir que Rose Marie sombrerait dans la folie ? Nous vivions une grave crise et c'était notre seule chance de porter un coup fatal. Il faut se souvenir qu'à l'époque je n'avais que soixante ans, j'étais obsédé par mon pouvoir, et je me surestimais. Je savais que ce serait une tragédie pour ma fille... mais les veuves ne portent pas le deuil toute leur vie, du moins c'est ce que je croyais. Et ils avaient tué Silvio. Comment pouvais-je tirer un trait là-dessus ? Peu importait alors le chagrin possible de ma fille. Mais j'ai retenu la leçon : il est impossible de trouver une solution raisonnable avec des gens stupides. J'aurais dû les rayer de la carte dès le début. Avant que ces deux-là ne s'amourachent. J'aurais ainsi sauvé du même coup mon fils et ma fille.

Le vieil homme resta un moment silencieux.

— Maintenant tu sais, reprit-il. Dante est le fils de Jimmy Santadio. Et tu as partagé son berceau lorsque vous étiez bébés. Durant toutes ces années, j'ai essayé de faire oublier à Dante la mort de son père, j'ai essayé d'aider ma fille à surmonter son chagrin. Dante a donc été élevé comme un Clericuzio et il sera, avec mes fils, mon héritier.

Cross tenta d'analyser la situation. Tout son corps frémit de répulsion pour les Clericuzio et leur monde. Il songea à son père, jouant le rôle de Satan dans l'affaire, séduisant les Santadio pour les mener à leur perte. Comment son père avait-il pu être un monstre pareil ? Il pensa à sa tante Rose Marie, passant toutes ces années le cœur et l'âme brisés, sachant que son mari avait été assassiné par son père et ses frères, que sa propre famille l'avait trahie. Il songea même à Dante avec une vague pitié; sa culpabilité ne faisait plus aucun doute désormais. Mais l'attitude de Don Domenico était toujours aussi énigmatique. Le vieil homme ne pouvait croire à cette histoire de dealer dans la mort de Pippi. Pourquoi feignait-il alors d'accepter cette explication, lui qui prétendait ne pas croire au hasard ? Quel message essayait-il de lui transmettre ?

Cross n'avait jamais pu saisir Giorgio. Était-il possible qu'il gobât lui aussi cette histoire de crime crapuleux ? Vincent et Petie, eux, y croyaient dur comme fer, c'était évident. Cross comprenait désormais le lien particulier qui unissait Pippi aux Clericuzio. Ils avaient participé ensemble au massacre des Santadio. Et il avait épargné Rose Marie.

— Et tante Roe n'a jamais rien dit ?

— Non, répondit Don Clericuzio d'un air sardonique. Elle a fait encore mieux. Elle est devenue folle. — Il y avait une pointe de fierté dans sa voix — Je l'ai envoyée en Sicile et l'ai fait revenir pour la naissance de Dante. Je voulais qu'il naisse sur le sol américain. Qui sait, il aurait pu devenir président des États-Unis ? J'avais de grands desseins pour ce petit, mais avoir dans les veines du sang Clericuzio et du sang Santadio est sans doute trop pour un seul homme.

« Et le plus terrible, reprit Don Clericuzio, c'est que Pippi, ton père, a commis une erreur; il n'aurait jamais dû épargner Rose Marie, même si à l'époque je lui en ai été reconnaissant. — Il poussa un soupir, but une gorgée de vin et regarda Cross dans les yeux — Souviens-toi, Cross. On ne change ni le monde, ni les hommes.

Pendant le vol retour à Las Vegas, Cross réfléchit à ces derniers événements. Pourquoi Don Clericuzio lui avait-il raconté la guerre contre les Santadio ? Pourquoi maintenant ? Était-ce pour l'empêcher d'aller rendre visite à Rose Marie et entendre une autre version des faits ? Ou bien pour le prévenir de quelque chose, lui dire de ne pas chercher à venger la mort de son père parce que Dante y était impliqué ? Don Clericuzio restait décidément un mystère. Mais une chose était établie : si Dante avait tué son père, Dante devait le tuer aussi. Et Don Domenico ne pouvait ignorer ce détail.

XIX

Cette histoire n'aurait jamais dû parvenir aux oreilles de Dante. Mais sa mère la lui avait racontée à voix basse depuis sa plus tendre enfance — à chaque fois qu'elle avait l'une de ses crises, à chaque fois que le chagrin la détruisait, qu'elle se souvenait de la perte de son mari et de Silvio, et que la terreur qu'elle éprouvait à l'égard de Pippi et de ses propres frères la submergeait.

C'était seulement durant ses accès de folie les plus terribles qu'elle osait accuser son père de la mort de son mari. Don Clericuzio niait toujours avoir donné cet ordre, comme il niait que Pippi et ses fils eussent accompli le massacre. Mais la deuxième fois qu'elle l'accusa ouvertement, il la fit interner pendant un mois. Après ça, elle ne pesta plus que de façon inintelligible, sans plus jamais accuser son père.

Dante, toutefois, n'avait pas oublié ce qu'elle lui avait murmuré à l'oreille si souvent. Enfant, il aimait son grand-père et croyait en son innocence. Mais il vouait une haine féroce à l'encontre de ses trois oncles, bien que ceux-ci l'aient toujours traité avec gentillesse. Il rêvait, en particulier, de vengeance contre Pippi, s'imaginant que cela pourrait améliorer la santé de sa mère.

Lorsque Rose Marie était dans son état normal, elle s'occupait de Don Clericuzio avec tendresse et montrait à l'égard de ses trois frères une affection sincère. Mais avec Pippi, elle restait distante. A l'époque, elle avait un visage si doux qu'il lui était difficile d'arborer un masque de méchanceté convaincant. La structure de ses os faciaux, la courbe de sa bouche, la douceur de ses yeux d'un brun liquide l'empêchait de laisser transparaître sa haine. Elle reportait sur Dante tout l'amour qu'elle n'avait pu donner. Elle le couvrait de cadeaux, comme son grand-père et ses oncles — mais les motifs de ces derniers étaient moins purs, il s'agissait d'un amour teinté de culpabilité.

Lorsque Rose Marie allait bien, elle ne parlait jamais à Dante de cette tragédie. Mais pendant ses crises, sa langue se déliait, sa bouche proférait mille malédictions, son visage se distordait de fureur. Dante ne savait plus que penser. Mais à l'âge de sept ans, le doute commença à s'immiscer dans son esprit.

— Comment sais-tu qu'il s'agissait de Pippi et de mes oncles ? lui demanda-t-il un jour.

Rose Marie poussa un gloussement. Elle ressemblait à une sorcière sortie tout droit d'un livre de contes.

— Ils se croyaient plus intelligents que les autres ! Ils pensaient avoir tout prévu, avec leurs masques, leurs vêtements noirs et leurs chapeaux, mais ils avaient oublié un détail : Pippi avait encore aux pieds ses chaussures de danse. Des souliers vernis avec des lacets noirs ! Et tes oncles avaient une façon de se tenir l'un à côté de l'autre qui était reconnaissable à dix kilomètres : Giorgio en tête, Vincent légèrement en retrait et Petie, à sa droite. Il fallait voir la façon dont ils ont regardé Pippi, au moment où ils ont cru qu'il allait leur donner l'ordre de me tuer parce que je les avais reconnus ! Ils chancelaient sur place, comme s'ils allaient s'écrouler. Mais ils m'auraient tuée, ils l'auraient fait ! Mes propres frères !

Rose Marie fondit alors en sanglots, un chagrin si violent que Dante en eut le frisson.

Malgré son jeune âge, Dante voulut consoler sa mère :

— Grand-père les aurait tous tués si jamais ils avaient fait ça, commença-t-il. Et oncle Petie ne te ferait jamais de mal.

Il n'en était pas si sûr en ce qui concernait l'oncle Giorgio, ou même l'oncle Vinnie, mais dans son cœur d'enfant, c'était Pippi le responsable.

A dix ans, Dante attendait avec impatience les crises de sa mère ; lorsqu'elle l'appelait pour lui raconter de nouveau l'histoire des Santadio, il l'entraînait rapidement dans sa chambre à coucher afin que son grand-père et ses oncles ne puissent l'entendre.

Avec l'adolescence, Dante ne se laissa plus berner par les simagrées de la famille. Il était si malicieux de nature qu'il s'arrangea pour faire comprendre à son grand-père et à ses oncles qu'il savait la vérité. Il sentait également que Giorgio, Vincent et Petie ne l'aimaient pas tant que ça. Dante, selon les plans du grand-père, devait se fondre dans la société légale, et succéder par exemple à Giorgio dans le monde de la finance, mais le jeune homme ne montra aucun intérêt en ce domaine, annonçant même à ses oncles qu'il n'avait que mépris pour ce travail de femmelette. Giorgio écouta cette tirade avec un regard de glace qui inquiéta un moment le jeune Dante alors âgé de seize ans.

— Très bien, oublions ça, annonça finalement Giorgio, avec un mélange de tristesse et de colère dans la voix.

Lorsque Dante sortit du lycée, il fut envoyé dans l'enclave du Bronx, pour travailler dans la société de construction de Petie. Dante était un travailleur acharné. Il se fit de beaux muscles et rencontra sur les chantiers les soldats de l'enclave. Finalement, Don Clericuzio annonça que le garçon rejoindrait les rangs de l'armée secrète de Petie.

Don Clericuzio se résolut à prendre cette décision après avoir consulté Giorgio et appris certains faits et traits de caractère de son petit-fils. Le jeune garçon avait été accusé de viol par une camarade de classe du lycée et avait agressé un autre élève — un garçon de son âge que Dante avait attaqué avec un petit couteau. Dante avait supplié ses oncles de ne pas le dire à son grand-père ; ils avaient promis et bien évidemment s'étaient empressés d'aller tout raconter au patriarche. Il fallut verser de fortes sommes d'argent aux familles pour qu'elles acceptent de retirer leur plainte et que Dante ne soit pas poursuivi en justice.

Ce fut pendant l'adolescence que sa jalousie à l'égard de Cross atteignit son paroxysme. Cross était devenu un jeune homme séduisant, affable et charmant. Toutes les femmes du clan Clericuzio l'adoraient et lui tournaient autour. Ses cousines voulaient toutes flirter avec lui, alors que Dante, avec ses bérets à la François Ier, son humour sarcastique, son petit corps râblé et musclé, leur faisait peur. Ce détail ne lui avait évidemment pas échappé.

Lorsque Dante partait dans le pavillon de chasse familial dans la Sierra Nevada, il préférait poser des pièges que chasser au fusil. Lorsqu'il tomba amoureux de l'une de ses cousines, ce qui était parfaitement prévisible dans le microcosme restreint des Clericuzio, il fit fuir la belle par la crudité de ses avances. Il était également trop familier avec les filles des soldats de l'enclave du Bronx et les effarouchait. De guerre lasse Giorgio, qui assumait l'autorité paternelle, le fit embaucher dans un bordel huppé de New York.

Mais grâce à sa curiosité inexpugnable, à son intelligence et à sa ruse, Dante était le seul de sa génération à connaître les dessous de la famille. C'est ainsi qu'il fut décidé que Dante serait formé pour les opérations sur le terrain.

Avec le temps, Dante sentit se creuser le fossé entre lui et la famille. Don Clericuzio l'aimait toujours aussi tendrement, lui assurant qu'il hériterait un jour de son empire, mais il ne partageait plus avec lui ses pensées, ne lui confiait plus ses vues sur le monde et sur l'avenir — ces petites leçons de sagesse dont il avait le secret — et ne soutenait plus les suggestions et les choix stratégiques de son petit-fils devant le reste de la famille.

Ses oncles, Giorgio, Vincent et Petie, étaient plus froids et distants que du temps de son enfance. Petie, certes, restait le plus chaleureux des trois, mais c'était peut-être la simple affection d'un professeur pour son élève.

Peut-être la faute lui incombait-elle ? songeait parfois Dante — peut-être parce qu'il leur avait laissé entendre qu'il était au courant du massacre de son père et des Santadio ? Il avait même posé des questions à Petie sur Jimmy Santadio et son oncle lui avait répondu à quel point la famille le respectait et regrettait sa mort. Ce ne fut jamais dit explicitement, jamais admis, mais Don Clericuzio et ses fils savaient que Dante connaissait la vérité, que Rose Marie, pendant ses crises, avait rompu le sceau du secret. Ils voulaient tous se faire pardonner, et traitaient Dante comme le fils d'un roi.

Mais ce qui avait véritablement forgé la personnalité de Dante, ce fut l'amour et la pitié que lui inspirait sa mère. Durant ses crises, elle insufflait en lui une haine féroce à l'encontre de Pippi De Lena et absolvait père et frères.

Tout ceci aida Don Clericuzio à prendre sa décision finale, car il lisait dans l'esprit de son petit-fils aussi clairement que dans un missel. Dante ne pourrait jamais se faire une place dans la société. Son sang Santadio et Clericuzio formait un mélange trop détonant. Dante rejoindrait donc le monde de Vincent et de Petie, de Giorgio et de Pippi De Lena. Ils mèneraient le dernier combat ensemble.

Dante se révéla un bon soldat, quoiqu'un peu trop impétueux. Son indépendance le faisait violer les règles familiales, et parfois passer outre les ordres. Sa férocité était précieuse quand un *bruglione* égaré, ou un soldat indiscipliné franchissait le point de non-retour et devait être envoyé dans un monde plus paisible. Personne ne pouvait maîtriser Dante, à l'exception de Don Clericuzio, mais, curieusement, le patriarche refusait de faire usage de son autorité et d'ordonner quelque châtiment que ce soit.

Dante avait peur pour sa mère. Son avenir dépendait de Don Clericuzio et plus les crises maternelles se répétaient, plus le père perdait patience. En particulier lorsque Rose Marie, renvoyée en clinique par Don Clericuzio, traçait sur le perron un cercle avec son pied et crachait au milieu en hurlant qu'elle ne franchirait plus jamais le seuil de cette maison.

Dante consolait sa mère pendant ses crises, la réconfortait et tentait de faire revenir sa tendresse et sa gentillesse naturelles. Mais il y avait une épée de Damoclès au-dessus de sa tête ; un jour, Dante ne pourrait plus la protéger — à moins, bien sûr, qu'il ne devienne aussi puissant que le grand-père lui-même.

Don Clericuzio était la seule personne sur terre que Dante redoutait. Cette crainte s'était peu à peu ancrée en lui au fil des années — même les propres fils de Don Domenico semblaient éprouver pour lui un mélange d'affection et de peur ; ce qui laissait Dante pour le moins perplexe. Don Clericuzio était octogénaire et physiquement sur le déclin, il ne quittait plus que rarement la propriété familiale et son pouvoir avait diminué. Pourquoi le craignait-on encore à ce point ?

Certes, il avait encore bel appétit et une posture imposante ; le seul effet du temps avait été de lui émousser les dents au point que son régime alimentaire se réduisait dorénavant à pâtes, fromage râpé, légumes bouillis et soupe — la viande étant hachée et incorporée aux sauces.

Mais Don Domenico allait bien finir par mourir un jour ou l'autre, et il y aurait une redistribution des pouvoirs. Que se passerait-il si Pippi devenait le bras droit de Giorgio ou prenait les commandes par un coup de force ? Qu'adviendrait-il de la famille si l'ascension de Cross se poursuivait à ce rythme, en particulier depuis qu'il avait hérité de ses parts du Xanadu ?

Il existait donc des raisons d'ordre pratique, se convainquait Dante, ce n'était pas sa haine à l'égard de Pippi qui motivait ses actes, même si celui-ci osait le critiquer en public.

Dante avait fait la connaissance de Jim Losey lorsque Giorgio, décidant de lui donner quelques miettes de pouvoir, le chargea de porter la rétribution que la famille octroyait à Losey.

Bien entendu, on avait pris des mesures de protection

pour le cas où Losey se révèlerait un traître. On avait signé des contrats, attestant que Losey était embauché comme expert-conseil auprès d'une société de surveillance contrôlée par la famille. L'accord promettait la confidentialité pour Losey et un paiement en liquide. Mais dans la comptabilité de la société, le nom de Losey apparaissait comme quelqu'un se servant d'une société tampon pour dissimuler des fonds.

Cela faisait plusieurs années que Dante apportait l'argent à Losey lorsqu'il se mit à entretenir avec lui une relation plus intime. Dante n'était pas intimidé par la réputation du policier ; il le considérait comme quelqu'un au tournant de sa vie, songeant à s'assurer un confortable matelas de billets pour ses vieux jours. Losey touchait à tout. Il protégeait les dealers, se servait de l'argent des Clericuzio pour couvrir les tripots clandestins, jouait même les gros bras pour racketter certains magasins.

Dante déployait des trésors de charme pour faire bonne impression à Losey, affichait un humour acerbe, un mépris pour tout principe moral. Dante était tout ouïe lorsque Losey se mettait à déverser son fiel à l'égard des Noirs et racontait ses faits d'armes contre cette communauté qui sapait, selon lui, les fondements de la société occidentale. Dante n'avait pas de préjugés raciaux particuliers. Les Noirs n'avaient aucune incidence dans sa vie et s'ils s'avisaient de pointer leur nez, ils seraient éliminés sans pitié.

Dante et Losey avaient tous les deux la même soif de puissance. C'étaient des dandys, soucieux de leur apparence, et ils avaient la même attitude à l'égard du sexe ; il s'agissait moins d'une quête du plaisir que d'un exercice de pouvoir. Ils passaient de longs moments ensemble lorsque Dante venait sur la côte Ouest. Ils dînaient au restaurant, faisaient la tournée des boîtes de nuit. Dante ne prit toutefois jamais le risque de le faire venir au Xanadu ; lui faire connaître leur mainmise à Las Vegas n'aurait servi en rien ses desseins.

Dante adorait raconter à Losey comment, avec la gent féminine, il se faisait passer d'abord pour le soupirant pitoyable, pétri d'amour, face à ces femmes arrogantes, sûres de leur beauté et de leur pouvoir, puis comment il jouait avec cette arrogance pour les amener dans une situation où elles ne pourraient lui refuser le moindre de ses désirs. Losey, méprisant les tactiques contournées de Dante, se vantait, quant à lui, de mettre les femmes à ses pieds dès le début, grâce à un machisme d'airain, et de les humilier ensuite à loisir.

Tous les deux déclaraient qu'ils n'avaient aucune envie de forcer une femme à avoir une relation sexuelle avec eux si celle-ci restait insensible à leur cour. Athena représenterait donc un trophée de grande valeur à ajouter à leur tableau. Lorsqu'ils traînaient dans les boîtes de nuit de Los Angeles et ramassaient des filles, Dante et Losey comparaient leurs impressions et se moquaient de ces petites pimbêches qui pensaient pouvoir les allumer et se refuser à eux au dernier moment. Parfois elles protestaient trop ostensiblement et Losey exhibait sa plaque de policier en les menaçant de les coffrer pour prostitution. Comme la plupart d'entre elles tapinaient à leurs moments perdus, la menace portait toujours ses fruits.

Ils passaient des soirées en camarades, savamment orchestrées par Dante. Lorsque Losey ne déversait pas son fiel contre les « nègres », il se lançait dans l'inventaire de tous les types de prostituées possibles.

Il y avait d'abord les *pros*, celles qui prenaient les billets d'une main, et votre queue de l'autre. Il y avait ensuite les *dilettantes* qui vous attiraient dans leurs serres, se laissaient gentiment sauter, puis vous demandaient au matin un petit chèque pour les aider à payer le loyer.

Il fallait distinguer un sous-groupe : les *dilettantes amoureuses*. Celles qui vous aimaient et en aimaient d'autres aussi, qui établissaient une relation à long terme, ponctuée de cadeaux et de bijoux à la moindre opportunité de célébration, y compris le jour de la fête du travail.

Il y avait également les *free-lance* — des secrétaires, des hôtesses de l'air, des vendeuses dans des boutiques de gadgets, qui vous invitaient chez elles pour boire un café après s'être fait payer un repas dans un grand restaurant, et qui tentaient ensuite de vous jeter dehors, sans même vous offrir une petite branlette. Celles-là, c'étaient ses préférées. Le sexe avec elles revêtait une dimension particulière, touchait à la tragédie antique, avec larmes et suppliques ad hoc — on arrivait ainsi, avec un peu de patience, à obtenir quelque chose de bien plus jouissif que l'amour.

Une nuit, après avoir dîné chez Le Chinois, un restaurant de Venice, Dante proposa une petite promenade sur le front de mer. Ils s'assirent sur un banc et regardèrent le flot humain passer devant eux, les belles filles en roller, les proxénètes de toutes couleurs leur lançant des mots tendres, des vendeuses de T-shirts décorés de maximes qui leur restaient incompréhensibles, des Krishnas faisant la quête, des groupes de barbus avec des guitares, des familles avec leurs appareils photos, et derrière, le grand miroir noir de l'océan. Sur la plage, un couple isolé tapi sous une couverture tentait de dissimuler leur fornication.

— Je pourrais pratiquement arrêter tout le monde, ici, lança Losey, en riant. Quelle faune !

— Même ces jolies filles en patins ?

— Je pourrais les coffrer pour port de chattes dangereuses sur la voie publique !

Losey alla soulager sa vessie sur la plage.

— Je crois que j'ai été trop dur avec mes frères de couleur, lança-t-il à son retour en prenant l'accent du Sud. Comme disent ces cons de libéraux : tout le mal vient du fait qu'ils ont été esclaves...

Dante attendait patiemment la salve finale.

Losey passa les mains derrière sa nuque et s'étira, montrant son holster à d'éventuelles fripouilles en mal de distraction. Personne ne prêta attention à lui. Tout le monde savait que Losey était un flic, sitôt qu'il avait fait un pas sur le front de mer.

— L'esclavage ! s'exclama Jim Losey. Tu parles ! C'était la belle vie pour eux, on en a fait des assistés. La liberté était trop pénible. Sur les plantations de coton, ils avaient tout à disposition ; trois repas par jour, logement gratuit, nourris, blanchis et soins médicaux en pagaille parce qu'ils avaient une valeur commerciale. Ils n'avaient même pas besoin de s'occuper de leurs enfants. Imagine un peu ça ! Les propriétaires sautaient leurs filles et donnaient aux marmots un emploi pour le restant de leur vie. Bien sûr, ils travaillaient, mais ils passaient leur journée à chanter. Faut pas me raconter qu'ils bossaient dur ! Je suis sûr que cinq Blancs auraient pu faire le boulot de cent Nègres.

Dante était amusé. Était-ce du lard ou du cochon ? Peu importait que son laïus fût davantage subjectif qu'objectif, il exprimait sa réelle vision du monde.

Ils passaient une agréable soirée, la nuit était douce et parfumée, le monde qui s'offrait devant eux leur donnait un sentiment de sécurité. Ces gens ne seraient jamais un danger pour eux.

— J'ai une affaire importante à te proposer, annonça Dante. Qu'est-ce que tu veux savoir en premier, l'argent ou les risques ?

— L'argent, répondit Losey dans un sourire. Toujours l'argent.

— Deux cent mille dollars tout de suite. Dans un an, la direction de la sécurité du Xanadu. Avec un salaire cinq fois supérieur à celui que tu touches en ce moment. Tous frais payés. Limousine, chambre, nourriture et boissons, et toutes les femelles que tu voudras. Tu sauras tout sur les filles de la revue. Sans compter les primes, comme en ce moment. Et ce ne sera même pas toi qui appuieras sur la gâchette.

— Cela me semble bien, mais quelqu'un doit se faire descendre. Le risque est là, non ?

— Le risque sera pour moi. Ce sera moi le tireur.

— Pourquoi ? demanda Losey. J'ai une plaque qui rendrait ça légal.

— Parce que tu ne vivrais pas six mois après ça.

— Qu'est-ce que je dois faire, au juste ? s'enquit Losey. Te chatouiller le cul avec une plume ?

Dante lui exposa toute l'opération. Losey siffla d'un air admiratif pour l'audace et l'habileté de son plan.

— Pourquoi Pippi De Lena ?

— Parce qu'il est sur le point de trahir, rétorqua Dante.

Losey semblait toujours perplexe. Ce serait la première fois qu'il commettrait un crime de sang-froid. Dante décida de lui donner un petit bonus pour achever de le convaincre.

— Tu te souviens du suicide de Boz Skannet ? C'est Cross qui a fait le coup, avec un dénommé Lia Vazzi.

— A quoi ressemble ce type ?

Lorsque Dante lui décrivit Lia, Losey reconnut l'homme qui accompagnait Skannet lorsqu'il leur avait parlé dans le hall de l'hôtel.

— Où on peut trouver ce Vazzi ? demanda-t-il.

Pendant un long moment, Dante pesa le pour et le contre. En répondant, il allait violer la seule loi réellement sacro-sainte de la famille — et de Don Clericuzio. Mais cela pouvait écarter Cross de son chemin et il faudrait se méfier du fils lorsque le père serait mort.

— Je ne dirai à personne d'où je tiens l'information, insista Losey.

Dante hésita encore un instant, puis céda finalement :

— Vazzi vit dans une propriété de chasse que ma famille possède dans la Sierra Nevada. Mais ne fais rien tant qu'on n'en aura pas fini avec Pippi.

— Entendu, promit Losey, tout en sachant qu'il n'en ferait qu'à sa tête. Et je touche mes deux cent mille tout de suite, c'est ça ?

— Exact.

— Cela me paraît bien, conclut Losey. Un détail encore. Si les Clericuzio me tombent dessus, je te donne sans la moindre résistance...

— Ne te fais pas de soucis, répondit Dante d'un air affable. Si ça tourne mal, je te tuerai d'abord. Maintenant au boulot. Nous avons des tas de choses encore à régler.

Les deux hommes se mirent au travail.

Lorsque Dante tira six balles dans le corps de Pippi De Lena et qu'il entendit celui-ci murmurer « putain de Santadio », il éprouva la plus forte exaltation de son existence.

XX

Lia Vazzi, pour la première fois, désobéit délibérément à un ordre de Cross De Lena.

Il n'avait pas le choix. L'inspecteur Jim Losey lui avait fait une nouvelle visite dans la Sierra Nevada et lui avait posé encore des questions à propos de la mort de Skannet. Vazzi nia connaître Skannet, prétendant se trouver par hasard ce jour-là dans le hall de l'hôtel. Losey lui tapota l'épaule, et lui donna une petite claque.

— Comme tu voudras, espèce de petit enculé, annonça-t-il. Mais j'aurai ta peau bientôt.

Losey venait de signer là son arrêt de mort. Vazzi savait ses jours en grand péril et quoi qu'il pût se passer, il devait s'assurer du sort de Losey. Mais il devait agir avec beaucoup de prudence. La famille Clericuzio avait des règles strictes. Il était formellement interdit de toucher à un policier.

Vazzi avait accompagné Cross chez ce Phil Sharkey, l'ex-partenaire de Losey. Il n'avait pas cru un seul instant que Sharkey tiendrait sa langue dans l'espoir de gagner cinquante mille dollars. Sharkey avait, à l'évidence, prévenu Losey de cette visite; il l'avait sans doute aperçu en train d'attendre dans la voiture. Si tel était le cas, Cross était également en danger. A l'inverse de Cross, Vazzi n'avait aucune confiance dans les représentants de la loi; les policiers se tenaient les coudes comme des mafiosi. Ils avaient leur propre *omertà*.

Vazzi recruta deux de ses hommes pour le conduire à Santa Monica, où habitait Phil Sharkey. Une simple entrevue avec Sharkey suffirait à Vazzi pour savoir s'il avait averti Losey de leur précédente visite.

Les abords de la maison étaient déserts, sur la pelouse gisait une tondeuse abandonnée. Mais la porte du garage était ouverte, une voiture parquée à l'intérieur. Vazzi longea la petite allée dallée jusqu'au perron et enfonça la sonnette. Pas de réponse. Il sonna encore, puis tourna la poignée. La porte n'était pas fermée à clé. Que faire? Entrer ou s'en aller tout de suite? Il essuya ses empreintes du bouton de porte et la sonnette avec le pan de sa cravate. Il pénétra alors dans le petit hall d'entrée et appela de nouveau Sharkey. Toujours aucune réponse.

Lia Vazzi se mit à explorer la maison; les deux chambres étaient vides, rien dans les placards ou sous les lits. Il passa dans le salon, regarda sous le canapé, entre les coussins. Rien non plus dans la cuisine. Sur la table de jardin, une boîte de lait et une assiette en carton avec un sandwich entamé, sur les bords des tranches de pain, des coulées jaunes de mayonnaise caillée.

Dans la cuisine, une porte à lattes de bois brunes donnait dans une petite cave, deux marches en contrebas, une sorte de débarras aux murs aveugles.

Vazzi descendit les deux marches et regarda derrière un tas de vieilles bicyclettes puis ouvrit une armoire fermée d'une paire de lourdes portes. Il y avait à l'intérieur un uniforme de policier suspendu à un cintre, sur le fond une paire de chaussures noires, et posée en équilibre, une casquette de policier. Rien d'autre.

Vazzi se dirigea vers un coffre trônant dans un coin de la pièce et souleva le couvercle. Il était rempli à ras bord de couvertures grises, soigneusement pliées.

Vazzi retourna à l'étage et s'arrêta dans le jardin, pour contempler l'océan. Enterrer le corps sur la plage aurait été trop dangereux ; il chassa cette idée de son esprit. Peut-être quelqu'un était-il venu chercher Sharkey ? Mais s'il s'agissait d'un assassin, il risquait de se faire remarquer. Sharkey n'était pas une proie très facile. Donc, si l'homme était mort, conclut Vazzi, il devait se trouver dans la maison. Il retourna aussitôt à la cave, et retira du coffre le paquet de couvertures. Il y avait la grosse tête de Sharkey au fond, et son corps maigre. Un trou dans l'œil droit, avec une petite capsule de sang séché, comme une pièce de cinq cents. La peau du visage était d'un jaune cireux, constellée de taches noires. La mort ne datait pas de la veille. Vazzi, en expert, savait exactement ce qui s'était passé. Quelqu'un de connaissance était venu ici, et avait pu s'approcher assez près pour tirer à bout portant une balle dans l'œil. Les taches noires étaient des traces de poudre.

Soigneusement, Vazzi replia les couvertures, les reposa sur le cadavre, puis sortit de la maison. Il n'avait laissé aucune empreinte, mais des fragments de couvertures avaient toujours pu rester accrochés à ses vêtements. Il devrait s'en débarrasser rapidement. Ses chaussures aussi. Ses hommes le conduisirent à l'aéroport. Son avion ne décollait pas tout de suite ; il en profita pour acheter des vêtements neufs et une paire de chaussures dans la galerie marchande. Il acheta également un sac et y rangea ses vêtements usagés.

Une fois à Las Vegas, il prit une chambre au Xanadu et laissa un message pour Cross. Il se doucha soigneusement, passa de nouveau ses vêtements neufs et attendit l'appel de Cross.

Lorsque le téléphone sonna, il annonça à Cross qu'il montait le voir dans sa suite. Il apporta avec lui son sac de vieux vêtements.

— Tu viens d'économiser cinquante mille dollars, déclara Vazzi tout de go.

Cross le regarda avec un petit sourire. Vazzi, qui d'ordinaire soignait ses tenues vestimentaires, arborait une chemise à fleurs, un pantalon de toile bleu et une petite veste, bleue elle aussi. Il ressemblait à un joueur de casino de bas étage.

Vazzi lui annonça la nouvelle de la mort de Sharkey. Il voulut présenter ses excuses pour son initiative, mais Cross ne le laissa pas finir.

— Tu es mouillé comme moi dans cette histoire. Il est normal que tu cherches à te protéger. Mais qu'est-ce que cela signifie ?

— C'est simple, répondit Vazzi. Sharkey était le seul à pouvoir faire le rapprochement entre Dante et Losey. Il a dû parler de ta petite visite et Dante a demandé à Losey de tuer son ancien partenaire.

— Comment Sharkey a-t-il pu être aussi stupide ?

Vazzi haussa les épaules.

— Il s'imaginait sans doute pouvoir extorquer un peu d'argent à Losey, tout en touchant tes cinquante mille dollars. Il savait que Losey devait être sur un gros coup pour que tu lui offres une telle somme. Après tout, il n'a pas été policier pendant vingt ans pour rien. Il a compris tout ça. Il n'imaginait pas que Losey, son vieux collègue, pouvait le tuer. Mais il ne connaissait pas Dante.

— Ils ont choisi la solution extrême.

— Dans ce genre de cas, on ne peut se permettre d'avoir un troisième joueur. Je suis toutefois surpris que Dante ait pressenti le danger. Il a dû pas mal insister pour que Losey accepte d'éliminer son ancien associé. On a tous un cœur.

— Alors Losey est sous la coupe de Dante. Je croyais Losey plus fort que cela.

— Il s'agit de deux espèces d'hommes radicalement différentes, précisa Vazzi. Losey est dangereux, Dante est fou.

— Dante sait donc que je suis au courant, conclut Cross.

— Ce qui signifie que je dois agir vite, répondit Vazzi.

Cross hocha la tête.

— Ce devra être une communion, annonça-t-il. Il faut les faire disparaître.

Lia Vazzi éclata de rire.

— Tu ne crois tout de même pas que cela suffira à tromper le vieux ?

— Si nous jouons bien le coup, personne ne pourra nous faire porter le chapeau, répondit Cross.

Vazzi passa les trois jours suivants avec Cross à échafauder des plans de bataille. Vazzi en profita pour brûler ses vêtements dans l'incinérateur de l'hôtel, en se chargeant lui-même de l'opération. Cross joua au golf tout seul, Vazzi se contentant de suivre en voiturette. Il ne comprenait pas la popularité de ce sport dans toutes les grandes familles du pays. Pour lui, ce jeu était une aberration.

Le soir du troisième jour, ils s'installèrent au balcon de sa suite directoriale. Cross avait sorti le cognac et les havanes. Ils contemplaient la foule en contrebas, déambulant sur le Strip.

— Peu importe ce qu'ils ont prévu, ma mort aussi rapprochée de celle de mon père compromettrait trop Dante auprès de Don Clericuzio. Nous avons donc un peu de temps devant nous.

Vazzi tira une bouffée sur son cigare.

— Ne tardons pas trop, toutefois. Ils savent que tu as parlé à Sharkey.

— Il faut les coincer tous les deux au même moment, annonça Cross. On ne doit pas retrouver leurs corps.

— Ne mettons pas la charrue avant les bœufs. Il faut déjà s'assurer de pouvoir les tuer.

Cross soupira.

— Cela risque d'être difficile. Losey est dangereux et prudent. Et Dante peut nous donner du fil à retordre. Il faut les isoler quelque part. Tu crois que c'est possible à Los Angeles ?

— Non, répondit Lia Vazzi. C'est le territoire de Losey. Il est trop connu là-bas. Il faut agir ici, à Las Vegas.

— Et violer les règles de la famille.

— Si c'est une communion, personne ne saura où ils

auront été tués. Et nous violons déjà les règles en tuant un policier. Alors une fois de plus ou de moins...

— Je crois savoir comment les attirer ici, annonça Cross avant d'expliquer son plan.

— Il va falloir utiliser un gros appât. Il faut absolument être sûr que Dante et Losey viendront ici au moment ad hoc.

Cross but un autre cognac.

— J'ai l'appât qu'il nous faut, lança-t-il.

Il exposa son idée et Vazzi acquiesça.

— Leur disparition sera notre salut, conclut Cross. Tout le monde se laissera duper.

— Sauf Don Clericuzio, précisa Lia Vazzi. C'est de lui seul que peut venir le danger.

Huitième partie

La communion

XXI

Ce fut un miracle que Steven Stallings ait attendu pour mourir que les derniers gros plans de *Messalina* soient mis en boîte. Le retournage aurait coûté des millions de dollars...

La dernière scène à tourner était une bataille qui s'insérerait au milieu du film. Une ville avait été construite à soixante kilomètres de Las Vegas, pour simuler la base de l'armée perse que l'empereur Claude (Steven Stallings) devait détruire, accompagné de son épouse, Messaline (Athena).

A la fin de la journée, Steven Stallings rentra dans son hôtel. Il avait sa cocaïne, sa bouteille et deux filles pour la nuit. Il était d'une humeur de dogue. D'une part, parce que sa participation sur le film avait été réduite à celle d'un simple second rôle ; une carrière de second plan s'ouvrait devant lui — destin inévitable des stars vieillissantes. Et d'autre part, parce qu'Athena s'était montrée distante avec lui durant tout le tournage. Il espérait mieux d'elle. Il était agacé aussi, même s'il savait qu'il s'agissait là d'enfantillages, qu'on ne lui ait pas réservé un traitement de star pour la fête de fin de tournage où serait projeté un premier montage du film. Il n'aurait pas l'une des célèbres villas de l'hôtel Xanadu !

Après ces longues années de carrière, Steven Stallings connaissait tous les rouages du monde du cinéma. Lorsqu'on était une grande vedette, tout le monde était à nos pieds. Sur le papier, le directeur du studio était le patron, c'est lui qui donnait le feu vert pour un film. Mais le producteur qui « apportait » le film aux studios était le seul maître à bord. C'était lui qui rassemblait les talents et faisait prendre la mayonnaise — vedettes, metteur en scène, scénariste. Il supervisait l'écriture du scénario, trouvait des fonds auprès de gens qui seraient affublés du titre ronflant de producteurs associés, mais qui n'auraient aucun pouvoir. Pendant cette période de préparation, le vrai patron, c'était le producteur.

Mais sitôt que le tournage démarrait, c'était le réalisateur le chef — à condition que celui-ci soit un réalisateur de renom qui rassemblait foule et vedettes.

C'était sur les épaules du metteur en scène que reposait tout le poids du film — costumes, musique, techniciens, direction d'acteurs. L'association des réalisateurs était le syndicat le plus puissant d'Hollywood. Aucun metteur en scène n'accepterait de remplacer l'un de ses confrères mis à la porte.

Mais tous ces gens, aussi puissants soient-ils, étaient contraints de s'incliner devant une star vedette du box-office. Avoir deux stars de cet acabit sur un film revenait pour le metteur en scène à chevaucher une paire de chevaux sauvages. Il avait le fondement en compote et sa carcasse pouvait se retrouver éparpillée aux quatre vents.

Steven Stallings avait été une star de cette trempe. Mais son temps était désormais révolu.

La journée de tournage avait été éprouvante et Stallings avait besoin de se détendre. Il se doucha, avala un gros steak, et lorsque les deux filles montèrent dans sa suite (deux starlettes locales au physique loin d'être ingrat) il les gava de champagne et de cocaïne. Pour une fois, il oublia sa prudence légendaire; après tout, il abordait le versant descendant de sa carrière, il n'avait plus besoin de prendre des précautions. Il força donc sur les doses de cocaïne.

Les deux filles portaient des T-shirts estampillés « Steven Stallings Ass Kissers » en hommage à son célèbre arrière-train qui faisait l'admiration de ses fans à travers le monde, hommes et femmes confondus. Elles affichèrent la réserve et la timidité de circonstance et ce n'est qu'après quelques lignes de cocaïne qu'elles retirèrent leur T-shirt et sautèrent sur Stallings. Cette démonstration remonta un peu le moral de l'acteur. Pour fêter l'événement, il sniffa une autre dose. Les filles le caressaient, tout en le déshabillant. Stallings rêvassait tandis qu'elles s'activaient sur lui, se détendait sous leurs mains expertes.

Demain, à la fête de fin de tournage, il reverrait toutes

ses conquêtes du passé. Il avait eu Athena Aquitane, Claudia De Lena, Dita Tommey, des années plus tôt, alors qu'elle était encore hésitante quant à ses inclinaisons sexuelles. Il avait couché également avec la femme de Bobby Bantz, ainsi qu'avec celle de Skippy Deere, quoiqu'il n'osait pas la compter dans le lot puisqu'elle était morte depuis. Il était toujours envahi par une sorte de fierté vertueuse lorsqu'à une soirée il recensait ces femmes assises sagement à côté de leurs maris ou de leurs amants du moment, car il avait été un intime de toutes.

Un geste rompit le fil de ses pensées. L'une des deux filles lui enfonçait le doigt dans l'anus et il n'aimait pas ça. Il avait des hémorroïdes. Il se leva pour sniffer une autre ligne de cocaïne et boire une grande rasade de champagne, mais le vin pétillant lui vrilla l'estomac. Il se sentit nauséeux, pris de vertige. Il ne savait plus très bien où il se trouvait.

Soudain, une immense fatigue s'abattit sur lui, ses jambes chancelèrent et la coupe lui glissa entre les doigts. Il y avait une expression interdite sur son visage. Loin, très loin, il entendit l'une des filles hurler, une bouffée de colère le traversa à l'idée qu'elle puisse rameuter le quartier, puis, et ce fut la dernière chose dont il eut conscience, il y eut un grand éclair dans sa tête, comme si quelque chose se déchirait sous son crâne.

Seules la bêtise et la malignité pouvaient expliquer les événements qui suivirent. La fille avait hurlé parce que Stallings s'était écroulé sur elle et qu'il gisait là, bouche ouverte, immobile, les yeux écarquillés. La mort était si évidente que les deux filles paniquèrent et hurlèrent de concert. Les cris attirèrent le personnel de l'hôtel ainsi que plusieurs clients du petit casino attenant, qui n'offrait qu'une table de crap, une table de poker et quelques machines à sous. Tous, entendant les hurlements, s'étaient précipités sur les lieux.

Il y eut bientôt une foule, amassée sur le seuil de la chambre, contemplant le corps nu de Steven Stallings gisant sur le lit. D'autres gens arrivèrent; ils furent bientôt des centaines. La foule s'engouffra soudain dans la chambre pour toucher le corps d'Apollon de Stallings.

Au début, c'étaient des attouchements empreints de respect, en signe de compassion pour l'homme qui avait fait se pâmer tant de femmes à travers la planète. Puis certaines filles se mirent à l'embrasser, d'autres lui touchèrent les testicules, le pénis ; une femme sortit une paire de ciseaux de son sac à main et lui coupa une grosse mèche de cheveux, laissant apparaître la peau grise de son crâne.

La malveillance eut le temps de s'installer, parce que Skippy Deere, arrivé le premier sur les lieux, n'avait pas appelé la police. Il regarda la première femme s'approcher du corps de Steven Stallings. De l'endroit où il se trouvait, Skippy avait un bon point de vue sur la scène. Stallings avait la bouche ouverte, comme s'il était en train de pousser une chansonnette, et il avait une expression étonnée sur le visage.

La première femme lui ferma doucement les yeux et la bouche avant de déposer un baiser sur son front. Mais elle fut rapidement poussée par une autre fille qui n'afficha pas la même réserve. Deere sentit une bouffée d'excitation le gagner. Il sentait les cornes que Stallings lui avait offertes des années plus tôt fourmiller au-dessus de sa tête ; il laissa donc l'invasion se poursuivre. Stallings se vantait qu'aucune femme ne pouvait lui résister, et il disait sans doute vrai — même mort, les femmes le caressaient et se pâmaient devant son corps.

Ce ne fut que lorsqu'un pan d'oreille fut prélevé et son corps retourné sur le ventre pour exhiber ses fesses de légende, sa peau blanche comme la mort, que Deere se décida à appeler la police, et prit la situation en main. C'était le rôle des producteurs de régler les problèmes, c'était même leur point fort.

Skippy Deere prit tous les arrangements nécessaires pour qu'une autopsie soit immédiatement pratiquée, puis renvoya le corps à Los Angeles où les funérailles auraient lieu dans trois jours.

L'autopsie révéla que Stallings était mort d'un anévrisme cérébral ; l'artère avait cédé et causé une hémorragie fatale.

Deere retrouva les deux filles qui avaient été témoins de la mort de Stallings. Il leur promit qu'elles ne seraient pas poursuivies pour consommation de cocaïne et qu'elles auraient des petits rôles dans le prochain film qu'il produirait. Elles toucheraient mille dollars par semaine pendant deux ans. La seule clause suspensive à cet accord étant qu'elles ne devaient raconter à qui que ce soit les circonstances de la mort de Steven Stallings.

Deere prit même le temps de téléphoner à Bobby Bantz à Los Angeles pour lui annoncer les arrangements qu'il avait conclus. Il prévint également Dita Tommey et lui demanda de passer la nouvelle à toute l'équipe du film, petit personnel et gros bonnets, afin de s'assurer qu'ils assisteraient tous à la fête à Las Vegas. Plus ébranlé qu'il ne voulait bien le reconnaître, il avala deux Halcion et alla se coucher.

XXII

La mort de Steven Stallings n'affecta en rien la fête, grâce aux talents de Skippy Deere et grâce aussi à la puissance émotionnelle du film. Certes, Stallings était toujours une vedette, mais il n'était plus une locomotive pour une production. Certes, il avait fait l'amour avec beaucoup de femmes — en pensées, avec des millions à travers la planète — mais ses liaisons n'avaient jamais dépassé le stade du plaisir réciproque. Même les femmes de l'équipe, Athena, Claudia, Dita et trois autres consœurs, furent moins peinées que Deere ne le supposait, trompé qu'il était par quelque inclinaison romantique. Tout le monde s'accordait à dire que Stallings aurait voulu que la fête continue, rien ne l'aurait plus déprimé que de voir une soirée de fin de tournage annulée à cause de sa mort.

Dans l'industrie du cinéma, on disait au revoir à ses maîtresses à la fin du film aussi poliment qu'au bon vieux temps, à la fin du bal.

C'était Skippy Deere qui avait eu l'idée, du moins le prétendait-il, d'organiser la fête au Xanadu et de projeter, le même soir, un premier montage du film en avant-première. Il savait qu'Athena allait quitter le pays dans quelques jours et il voulait s'assurer qu'il n'y avait pas de scène à retourner avec elle.

En réalité, c'était Cross qui avait suggéré d'organiser cette fête et cette projection au Xanadu. Il l'avait demandé à Skippy Deere comme une faveur personnelle.

— Ce sera une grande publicité pour l'hôtel, avait expliqué Cross. Voilà ce que je te propose. J'invite toute l'équipe du film pour la nuit, ainsi que tous ceux que tu voudras convier. Tous frais payés, chambre, nourriture et boissons. Et je vous offre, à toi et à Bantz, une villa. J'en offre une aussi à Athena. Je m'occupe également de la sécurité afin qu'aucune personne indésirable — en particulier les journalistes — ne puisse voir le premier montage du film. Cela fait des années que tu geins pour avoir une villa, tu devrais être content !

Deere mit un bémol :

— Tout ça pour la publicité ? demanda-t-il d'un air soupçonneux.

Cross lui retourna un grand sourire.

— Tu vas venir aussi avec des gens bourrés aux as. Le casino y trouvera son compte.

— Bantz ne joue pas, rétorqua Deere. Mais moi, oui. C'est mon argent que tu vas prendre !

— Je t'offre cinquante mille dollars de crédit, annonça Cross. Si tu perds, on ne te pressera pas de payer.

Ce dernier point acheva de convaincre le producteur.

— Entendu, dit-il. Mais ce sera officiellement mon idée, sinon le studio ne marchera pas.

— Comme tu voudras, répondit Cross. Mais nous avons tenté déjà pas mal de choses ensemble, Skippy. J'ai pour l'instant toujours fait chou blanc avec toi. Mais cette fois, il faut que ça marche. — Il esquissa un sourire — Tu n'as pas le droit de me décevoir.

Deere sentit un frisson d'appréhension lui traverser l'échine. C'était une sensation inhabituelle chez lui et il ne pouvait dire les raisons de cette angoisse soudaine. Cross ne proférait aucune menace. Son ton était affable ; il ne faisait qu'exposer les faits.

— Ne t'inquiète pas, répondit Skippy Deere. Nous aurons fini le tournage dans trois semaines. Tu peux lancer la machine pour cette date-là.

Cross devait maintenant s'assurer qu'Athena viendrait à la fête et à la projection du premier montage...

— Il faut vraiment que j'organise cette soirée pour la renommée de l'hôtel, et ce sera une occasion de se voir, lui expliqua-t-il.

Elle accepta. Restait encore à s'assurer de la présence de Dante et de Losey...

Il invita Dante à Las Vegas pour discuter du projet d'un film de la LoddStone, devant mettre en scène les aventures policières de Losey. Tout le monde savait à présent que Losey et Dante étaient amis.

— Je voudrais que tu parles pour moi à Losey, annonça-t-il à Dante. Je veux être le co-producteur de son film, et je suis prêt à investir la moitié du budget.

Dante ne cacha pas son amusement.

— Tu tiens vraiment à mettre le pied là-dedans ? Pourquoi donc ?

— Pour le fric. Et pour les filles.

Dante éclata de rire.

— Tu as déjà les deux !

— Mais là c'est une autre classe. Ce sont des montagnes de fric et des filles comme tu n'en as jamais vu.

— Pourquoi ne m'invites-tu pas à la sauterie de tes petits copains ? lança Dante. Tu pourrais même m'offrir enfin une de tes chères villas !

— Arrange-moi le coup avec Losey, répondit Cross, et tu auras une invitation pour les deux. Amène Losey avec toi. Et si tu veux prendre un peu de bon temps, je pourrais t'avoir un rendez-vous avec Tiffany. Tu la connais ? Tu l'as vue dans le spectacle...

Pour Dante, Tiffany était l'incarnation ultime de toutes les luxures, avec ses seins plantureux, son visage ovale, sa grande bouche aux lèvres pleines, ses jambes interminables, ses cuisses galbées. Pour la première fois, Dante afficha un certain enthousiasme.

— Sans blague ? Elle est deux fois plus grande que moi. Tu imagines le tableau ! Marché conclu !

La supercherie était quelque peu grossière, mais Dante

ne pouvait imaginer que Cross était prêt à violer l'édit familial interdisant de perpétrer tout acte violent à Las Vegas.

— Athena sera également à la fête, ajouta Cross en passant. C'est elle la principale raison qui m'incite à vouloir faire carrière à Hollywood.

***

Bantz, Melo Stuart et Claudia arrivèrent à Las Vegas à bord du jet privé de la LoddStone. Dita Tommey, Athena et le reste de l'équipe firent le trajet par la route, avec la caravane du film. Le sénateur Wavven représenterait l'État du Nevada, en compagnie de son gouverneur — un homme choisi par le sénateur en personne.

Dante et Losey occuperaient deux appartements dans une villa. Lia Vazzi et ses hommes s'installeraient dans les quatre appartements restants.

Une autre villa serait attribuée au sénateur et au gouverneur, accompagnés de leur suite. Cross avait organisé un dîner privé en leur honneur, avec une brochette de filles de revue. Il espérait que leur présence ce soir-là permettrait d'étouffer toute enquête éventuelle et que Wavven ferait usage de son influence pour empêcher toute publicité et poursuite judiciaire.

Cross violait toutes les règles de la famille. Athena avait une villa, mais la partageait avec Claudia, Dita Tommey et Molly Flanders. Les deux appartements restants étaient occupés par quatre soldats de Vazzi dont la mission était d'assurer la sécurité d'Athena.

La quatrième villa était offerte à Bantz, Skippy Deere et leurs proches — les trois dernières villas échéant à vingt soldats de Vazzi qui viendraient prendre la place des vigiles habituels. Aucun de ces hommes ne prendrait part directement à l'opération; ils n'en connaissaient d'ailleurs pas la teneur exacte. Vazzi et Cross devaient être les seuls et uniques acteurs.

Cross ferma le casino privé des villas pour les deux jours. Peu de gens d'Hollywood, quelle que soit leur réussite sociale, ne pouvaient soutenir les mises d'usage au Pearl. Les clients huppés ayant déjà retenu des villas furent avertis que celles-ci étaient en réfection, et ne pouvaient offrir le luxe et le confort dus à leur rang.

Cross devait tuer Dante, Vazzi devait tuer Losey. Si Don Clericuzio avait vent de leur action et découvrait que Vazzi avait exécuté Dante, il risquait de massacrer toute sa famille par représailles. Si c'était Cross qui commettait l'acte, le patriarche n'étendrait pas sa vengeance à Claudia. Du sang Clericuzio coulait dans ses veines.

Vazzi avait, de plus, une vendetta personnelle à mener contre Jim Losey. Il vouait une haine féroce à l'égard de tout représentant du gouvernement et cette opération allait donc lui permettre de satisfaire un petit plaisir personnel.

Le véritable problème était d'isoler les deux hommes et de faire disparaître les corps. Une règle répandue dans toutes les familles mafieuses du pays stipulait qu'une exécution ne devait jamais être perpétrée à Las Vegas, afin de ne pas ternir l'image des jeux et des casinos. Don Clericuzio était, évidemment, un ardent défenseur de cette règle fondamentale.

Cross espérait que Dante et Losey ne se douteraient pas du piège. Ils ignoraient que Vazzi avait découvert le corps de Sharkey, et ne pouvaient soupçonner leurs intentions. Le point épineux était de se préparer à une éventuelle attaque de Dante contre Cross. Vazzi avait, à cet effet, placé un espion dans le camp adverse.

Molly Flanders arriva dans la matinée au Xanadu — Cross avait, en effet, des affaires à régler. Elle était accompagnée d'un juge de la cour suprême de Californie et d'un évêque du diocèse de Los Angeles. Ils serviraient de témoins lorsque Cross signerait le testament qu'il avait fait rédiger. Cross savait que ses chances de s'en sortir étaient faibles et il avait longuement réfléchi quant à la meilleure façon d'utiliser ses parts de l'hôtel. La somme s'élevait à cinq cents millions de dollars et la chose méritait qu'on s'y attarde.

Il y aurait une confortable pension pour la femme et les enfants de Lia Vazzi. Le reste serait partagé entre Claudia et Athena — la part d'Athena devant être conservée pour sa fille Bethany. Curieusement, Cross n'avait pas d'autre personne chère dans sa vie à qui léguer ses biens.

Lorsque Molly, le juge et l'évêque arrivèrent dans la

suite directoriale du Xanadu, le juge félicita Cross pour cet acte de prévoyance de la part d'un homme aussi jeune. L'évêque contempla d'un œil silencieux la suite luxueuse, comme lieu de tous les péchés.

Les deux hommes étaient des amis de Molly; chacun avait eu recours à ses services. Elle avait fait appel à ses connaissances à la demande expresse de Cross, qui tenait à avoir des témoins pour son testament qui ne risquaient pas d'être achetés par les Clericuzio.

Cross leur offrit à boire et les documents furent dûment signés. Les deux hommes quittèrent ensuite l'hôtel; ils avaient été invités à rester aux festivités du soir, mais aucun des deux ne voulait qu'on apprenne qu'il avait assisté à une fête de fin de film dans ce cloaque du jeu et de la débauche qu'était Las Vegas. Ils tenaient à leur réputation et n'avaient aucune fonction officielle dans l'État du Nevada.

Cross et Molly restèrent seuls dans la suite. Elle lui rendit l'original du testament.

— Vous avez gardé une copie? s'enquit Cross.

— Bien entendu, répondit Molly. Je dois dire que vous m'avez passablement surprise. Je ne vous savais pas aussi proche d'Athena. Elle est, en outre, loin d'être dans la misère.

— Elle peut avoir besoin de liquidités dans un futur proche, expliqua Cross.

— Pour sa fille? Je suis au courant, bien sûr. Je vous rappelle que je suis son avocate. Vous avez raison, la santé de Bethany peut exiger des sommes exorbitantes. Je vous avais mal jugé.

— Ah oui? Et quel homme étais-je selon vous?

— J'avais dans l'idée que c'était vous qui vous étiez occupé de Boz Skannet, répondit tranquillement Molly Flanders. Que vous étiez un type de la Mafia, sans cœur et sans pitié. Je me souviens de ce pauvre môme que j'avais sorti d'un mauvais pas et qui s'est fait tuer dans une sombre histoire de drogue. Curieusement, vous avez fait référence à lui, l'autre fois.

— Et maintenant, vous avez changé d'avis sur mon compte, reprit Cross en souriant.

Molly le regarda avec des yeux de glace.

— Là où j'ai vraiment été soufflée, c'est lorsque vous avez laissé Bobby Bantz vous voler vos parts sur *Messalina*.

— C'étaient des peccadilles, répondit Cross, songeant à l'action souterraine de Don Clericuzio et de David Redfellow.

— Athena part pour la France après-demain, annonça Molly. Et pour un bon bout de temps. Vous êtes du voyage ?

— Non, répondit Cross. J'ai trop de choses à faire ici.

— Je comprends. Je vous reverrai à la projection et à la fête ce soir. Peut-être qu'en découvrant le premier montage du film, vous aurez une idée de la fortune dont Bantz vous a spoliée.

— Ça n'a aucune importance, rétorqua Cross.

— Dita a fait insérer un carton au début du montage. Une dédicace à Steven Stallings. Bantz va être fou de rage !

— Pourquoi donc ?

— Parce que Stallings a sauté toutes les femmes que Bantz rêvait de mettre dans son lit. Les hommes sont vraiment des cons ! lança-t-elle avant de quitter la pièce.

Cross s'installa sur le balcon. Le Strip en contrebas était noir de monde, une foule compacte s'engouffrait dans les hôtels-casinos bordant l'avenue. Les enseignes au néon clignotaient — le Caesar's, le Sands, le Mirage, l'Aladdin, le Desert Inn, le Stardust —, délivrant leur message en indigo, en rouge, en vert, formant un arc-en-ciel sans fin devant le désert et les montagnes. Même le soleil blanc de l'après-midi ne parvenait à en atténuer l'éclat.

L'équipe de *Messalina* n'arriverait pas avant trois heures. Si les choses tournaient mal, Cross verrait alors Athena pour la dernière fois. Il appela Vazzi au téléphone, lui annonçant qu'il voulait de nouveau passer à la loupe les détails de l'opération.

Le tournage de *Messalina* prit fin à midi. Dita Tommey avait voulu tourner le dernier plan à l'aube, lorsque la lumière rasante du soleil levant découvre l'indescriptible charnier du champ de bataille romain. Athena et Steven Stallings devaient contempler le spectacle. On utilisa une doublure pour Stallings, en demandant à l'opérateur de laisser son visage dans l'ombre. Il était près de trois heures lorsque le camion de matériel, les grandes caravanes qui faisaient office de loges mobiles, les fourgons de cantine, les véhicules transportant costumes et accessoires, entrèrent à Las Vegas. Ils étaient tous venus parce que Cross avait organisé la fête dans la pure tradition du Las Vegas d'antan.

Tout le monde était invité, du plus humble, à la star, tous frais payés. La LoddStone avait produit une liste de plus de trois cents noms. C'était, certes, un geste généreux de la part de Cross, un signe manifeste de sa bonne volonté, mais ces trois cents personnes laisseraient une part non négligeable de leur salaire dans les caisses du casino. C'était l'une des grandes leçons de Gronevelt. « Lorsque les gens sont heureux et veulent faire la fête, ils jouent au casino. »

La projection du premier montage de *Messalina* devait débuter à vingt-deux heures — sans musique et sans effets spéciaux. La fête commencerait sitôt la fin de la séance. La grande salle de réception du Xanadu où s'était tenue la soirée de Big Tim avait été divisée en deux parties. L'une pour la projection du film, l'autre, plus grande, pour accueillir buffets et orchestre.

Vers quatre heures de l'après-midi, tous les invités étaient installés dans les chambres ou les villas du Xanadu. Il ne manquait personne à l'appel : tout était gratuit pour célébrer la rencontre des deux industries du rêve, Las Vegas et Hollywood.

La presse bouillait de rage devant les cordons de sécurité. L'accès aux villas et à la salle de réception était interdit. Impossibilité totale de photographier les convives à cette réunion mondaine. Ni les stars, ni la réalisatrice, ni le sénateur et le gouverneur, ni le producteur et le directeur de la LoddStone. Impossible également d'assister à la projection du premier montage. Les journalistes rôdaient donc dans les allées du casino, offrant de gros billets aux joueurs pour qu'ils leur prêtent leur invitation afin de pouvoir pénétrer dans la salle de réception.

Quatre membres de l'équipe — deux cascadeurs pragmatiques et deux filles de la cantine — vendirent leur carte d'accréditation à des journalistes pour mille dollars pièce.

***

Dante Clericuzio et Jim Losey savouraient le luxe et le confort de leur villa.

— Un voleur pourrait vivre un an rien qu'en refourguant l'or de la salle de bains ! s'exclama Losey en secouant la tête incrédule.

— Impossible, rétorqua Dante. Il ne resterait pas vivant six mois.

Ils étaient installés dans le salon de la suite de Dante. Ils n'avaient pas appelé le service de restauration parce que le réfrigérateur débordait de sandwiches, de toasts au caviar, de bières étrangères et de grands crus.

— Il n'y a plus qu'à passer à l'action, annonça Losey.

— Ouais. Une fois que ce sera fini, je demanderai l'hôtel à mon grand-père. A nous alors la belle vie !

— L'important, c'est d'attirer Cross ici, tout seul.

— Je m'en charge, ne te fais pas de soucis. Au pire, nous l'emmènerons dans le désert.

— Comment comptes-tu y parvenir ? C'est le point crucial de notre plan.

— Je vais lui dire que Giorgio est arrivé incognito et qu'il veut le voir. Je ferai le travail, et tu nettoieras derrière moi. Tu as l'habitude, tu sais ce qu'il faut faire disparaître comme indices.

Dante prit un air songeur.

— Le meilleur moyen c'est de l'enterrer dans le désert, précisa-t-il. Avec un peu de chance, jamais on ne le retrouvera — il marqua un temps —, Cross a refusé de répondre à l'appel de Giorgio la nuit où Pippi est mort. Il n'osera pas faire ça deux fois.

— Et si l'envie lui en prenait ? Qu'est-ce que je fais ? Je passe ma nuit ici, à me taper des branlettes ?

— Athena est dans la villa à côté. Tu n'auras qu'à aller toquer à sa porte et tenter ta chance.

— C'est trop risqué, répondit Losey.

Dante esquissa un grand sourire.

— On pourrait l'emmener avec nous dans le désert ?

— Tu es dingue ou quoi ? lança Losey, tout en prenant soudain conscience que c'était le cas.

— Et pourquoi pas ? rétorqua Dante. On a bien droit à un peu de bon temps ? Le désert est bien assez grand pour tous les deux !

Losey imagina le corps d'Athena, son visage de rêve, sa voix chaude, son port de princesse. Oui, lui et Dante pourraient s'amuser un peu. Il était déjà un meurtrier, il pouvait bien être un violeur. Marlowe, Pippi De Lena, et son vieil équipier, Phil Sharkey — trois meurtres, pourquoi hésiter à commettre un viol ? Il devenait comme ces pourritures qu'il avait arrêtées durant sa carrière. Tout ça pour une femme qui montrait son cul à toute la planète. Il n'empêchait que cette petite ordure devant lui, attifée de ce chapeau ridicule, était un vrai dingue.

— Je vais tenter le coup, annonça finalement Losey. J'irai l'inviter à prendre un verre ; si elle accepte, c'est elle qui l'aura cherché...

Dante était amusé par la logique toute personnelle de Losey.

— C'est ce qu'elles cherchent toutes, lança-t-il. Et nous aussi.

Ils passèrent en revue les détails de leur plan, puis Dante partit se faire couler un bain, ayant l'intention d'utiliser les précieux parfums de la villa. Tandis qu'il paressait dans l'eau chaude et parfumée, sa crinière noire chapeautée d'une couronne de mousse blanche, il réfléchit à son avenir. Lorsqu'ils auraient enterré le cadavre de Cross dans le désert, à des kilomètres de Las Vegas, le plus difficile resterait à faire : convaincre son grand-père de son innocence. Au pire, il avouerait également le meurtre du père, et le patriache lui offrirait son pardon. Le vieux Domenico lui avait toujours manifesté une affection particulière.

Aujourd'hui, Dante était le *martello* de la famille. Il demanderait à être le *bruglione* de la région, et le nouveau maître du Xanadu. Giorgio s'y opposerait, mais Vincent et Petie resteraient neutres — ils étaient trop heureux de s'être fondus dans la société légale. Le vieux ne vivrait pas éternellement et Giorgio de toutes façons n'était qu'un col blanc. Il était temps qu'un guerrier reprenne les rênes. Il ne se retirerait jamais dans la société et rendrait à sa famille sa gloire d'antan. Jamais il n'abandonnerait ce pouvoir de vie et de mort qu'il avait sur son prochain.

Dante sortit du bain et prit une douche pour retirer tout le shampooing de son épaisse chevelure. Il se passa sur le corps des eaux de toilettes présentées dans leurs drôles de flacons, se mit du gel dans les cheveux, sculptant savamment chaque mèche. Il ouvrit ensuite sa valise contenant sa collection de chapeaux et en choisit un qui avait la forme d'une crème renversée, incrusté de diamants dans une trame or et pourpre. Dans sa main, la coiffe avait l'air parfaitement grotesque, mais une fois posée sur sa tête, elle était du meilleur effet. Elle lui donnait des airs de prince de la Renaissance, grâce, en particulier, à la rangée de pierres vertes sur le devant. Voilà comment il se présenterait à Athena ce soir, ou à défaut, à Tiffany. Mais il avait d'abord une affaire plus urgente à régler.

Une fois habillé, Dante songea à la nouvelle vie qui allait s'offrir à lui. Il aurait une villa — un petit palais miniature ; il aurait à sa disposition des réserves inépuisables de jolies filles, un harem de danseuses et de chanteuses grâce au cabaret du Xanadu. Il pourrait manger au choix dans six restaurants, proposant six cuisines de nationalités différentes ; il pourrait ordonner la mort d'un ennemi, récompenser un ami. Il serait un empereur romain des temps modernes. Seul Cross se trouvait en travers de son chemin.

Jim Losey, enfin seul dans sa suite, méditait sur le cours qu'avait pris son existence. Il avait été, pendant la première moitié de sa carrière un grand flic, un preux chevalier défendant la société. Il haïssait tous les criminels, en particulier les Noirs, mais, peu à peu, il avait changé. Il commença à nourrir de la rancune parce que les médias accusaient les flics d'être brutaux, parce que la société ne le soutenait plus dans son combat, parce que ses supérieurs, avec leurs beaux uniformes brochés d'or, marchaient main dans la main avec ces politiciens qui racontaient n'importe quoi aux gens. Pourquoi ne fallait-il pas haïr les Noirs ? Où était le mal ? C'était eux qui commettaient la plupart des crimes ! Il avait, en tant que citoyen américain, le droit de haïr qui bon lui semblait ! Les Noirs étaient les cafards de la société ; ils sapaient les fondements de la civilisation. Ils ne voulaient ni travailler, ni faire des études et n'étaient pas du genre à faire des heures sup — sauf pour jouer au basket au clair de lune ! Ils agressaient de pauvres gens sans défense, faisaient tapiner leurs femmes, et avaient un irrespect inné de la loi et de ses représentants. Son boulot à lui était de protéger les riches de la malveillance des pauvres. Et son rêve était de se faire une place au soleil. A lui les vêtements de luxe, les belles voitures, les gueuletons, l'alcool, et surtout les légions de filles que les riches pouvaient s'offrir. Voilà le rêve de tout Américain qui se respecte.

Il avait commencé par accepter des pots-de-vin pour protéger des tripots clandestins, puis par contraindre des dealers à payer le prix de sa protection. Il était fier de son image de « flic justicier », de cette reconnaissance pour son courage sur le terrain, mais cela ne remplaçait pas l'argent, sonnant et trébuchant. Il portait des vêtements minables, devait se serrer la ceinture les fins de mois. Lui, qui protégeait le riche contre le pauvre, ne recevait aucune récompense de son labeur, et restait un miséreux comme les autres. Le coup de grâce lui fut assené lorsqu'il s'aperçut que l'opinion publique n'était pas de son côté, mais de celui des criminels.

Certains de ses amis, des représentants de la loi comme lui, avaient été poursuivis en justice et jetés en prison ou honteusement limogés pour avoir fait simplement leur devoir. Violeurs, meurtriers, braqueurs de magasins, avaient davantage de droits que les flics.

Au fil des ans, Jim Losey finit par se convaincre du bien-fondé de ces assertions. La presse, la télévision tournaient les représentants de l'ordre en ridicule. Les droits Miranda[1], l'A.L.C.L.U.[2], quelle foutaise ! Si les avocats faisaient six mois de patrouille à sa place, ils seraient les premiers à demander le lynchage !

Pour faire avouer une ordure et la mettre au ban de la société, tous les moyens étaient bons pour Losey — la ruse, la menace ou la force. Mais il ne pouvait renier tous ses principes. Il restait dans l'âme un bon flic. Impossible pour lui d'endosser sans douleur la peau d'un meurtrier.

Mais il fallait oublier tout ça; dans quelque temps, il

1. Décision de la cour suprême de justice en 1966 (lors du procès Miranda contre l'État de l'Arizona) reconnaissant au suspect, lors de son arrestation, le droit de rester silencieux et d'avoir recours à un avocat. *(N.d.T.)*

2. American Civil Liberties Union, organisation veillant au respect des droits civils du citoyen, en particulier des Noirs. *(N.d.T.)*

serait riche. Il lancerait sa plaque et ses médailles à la figure des politiciens et du public. Il serait le chef de la sécurité du Xanadu et gagnerait cinq fois son salaire. Depuis ce morceau de paradis perdu au milieu du désert, il contemplerait avec délectation la chute de Los Angeles, ravagée par ces hordes de criminels courant les rues, libres comme l'air. Ce soir, il irait voir *Messalina* et se rendrait à la fête. Peut-être aurait-il une ouverture avec Athena ? Son corps, comme son esprit, se mit à fourmiller à l'idée de savourer un tel instant de pouvoir. Il verrait aussi Skippy et lui parlerait de ce projet de film basé sur son propre personnage — Jim Losey : le plus grand flic de Los Angeles. Dante lui avait dit que Cross voulait investir dans l'affaire. Quelle ironie du sort ! Pourquoi tuer un type qui allait mettre des billes dans votre film ? songeait Losey avec amertume. Parce que Dante lui ferait la peau s'il faisait marche arrière, c'était aussi simple que ça. Et Losey, tout costaud qu'il était, ne pouvait tuer Dante. Il connaissait trop bien les Clericuzio.

Durant un bref instant, il pensa à Marlowe, un bon nègre celui-là, un gentil gosse, vraiment, toujours souriant, toujours coopératif. Il aimait bien Marlowe ; dommage qu'il ait dû le tuer ; c'était son seul regret dans cette affaire.

La projection et la fête n'auraient pas lieu avant plusieurs heures. Losey, pour tuer le temps, envisagea un moment d'aller jouer au casino, mais les jeux d'argent étaient des distractions de bandits. Pas question. Il avait une longue nuit devant lui. D'abord la projection, puis la réception, et enfin, à trois heures du matin, il devrait aider Dante à occire Cross De Lena et à l'enterrer dans le désert.

Vers dix-sept heures, Bobby Bantz invita les grands noms du film à boire un verre dans sa villa, pour fêter la fin du tournage — Athena, Dita Tommey, Skippy Deere et, par politesse, Cross De Lena. Cross déclina cependant l'invitation, prétextant des obligations urgentes pour la réception du soir.

Bantz avait amené avec lui sa dernière « conquête », une jeune fille à l'air innocent et juvénile prénommée Johanna. Une actrice découverte par un chercheur de talent dans l'Oregon. Elle avait, avec la LoddStone, un contrat de cinq cents dollars par semaine pendant deux ans. Elle était belle, jouait complètement faux, mais montrait une telle naïveté que cela lui donnait un certain charme. Toutefois, avec une sagacité surprenante pour son âge, elle avait refusé de coucher avec Bobby Bantz jusqu'à ce que celui-ci accepte de l'emmener avec lui à Las Vegas pour assister à la fête de fin de film de *Messalina*.

Skippy Deere, bien qu'il disposât d'une suite dans la villa, s'installa dans l'appartement de Bantz, empêchant ainsi le directeur de la LoddStone de jouir des douceurs de Johanna. Bantz était donc d'une humeur de cochon. Deere essayait de lui vendre un film fondé sur un personnage existant. Il avait eu un vrai coup de cœur pour cette histoire, disait-il — les producteurs étaient toujours très émotifs lorsqu'ils voyaient l'opportunité d'acquérir les droits d'un scénario.

Le personnage en question n'était autre que Jim Losey, le célèbre flic de la police de Los Angeles. Une espèce de grosse brute, séduisante au possible, qui pourrait même tenir son propre rôle. C'était l'une de ces grandes et belles histoires vraies, où l'on pouvait fabuler à son gré.

Deere et Bantz savaient tous deux que proposer le rôle à Losey n'était qu'une astuce pour obtenir à bas prix les droits sur son histoire et pour accrocher le public. Skippy Deere raconta le scénario dans ses grandes lignes. Personne n'aurait pu vendre mieux la peau d'un ours marchant encore sur ses quatre pattes. Dans un moment d'exaltation absolue, il décrocha le téléphone et avant que Bantz n'ait eu le temps de protester, il invita l'inspecteur chez Bantz pour le cocktail. Losey demanda s'il pouvait venir accompagné. Deere, supposant qu'il s'agissait d'une fille, accepta sans l'ombre d'une hésitation. Skippy Deere, en producteur digne de ce nom, aimait mélanger les genres. On ne savait jamais quel miracle cela pouvait produire.

Cross De Lena et Lia Vazzi se trouvaient dans la suite directoriale du Xanadu, examinant dans le menu les détails de leur mission du soir.

— Tous mes hommes sont en place, annonça Vazzi. J'ai le contrôle de toutes les villas. Aucun d'eux ne sait ce que nous allons faire, ils resteront totalement extérieurs à l'opération. Mais j'ai appris que des hommes de Dante sont en train de creuser une tombe pour toi dans le désert. Il va falloir être sur nos gardes cette nuit.

— C'est pour la suite que je me fais du souci, répliqua Cross. Nous aurons affaire à Don Clericuzio. Tu crois qu'il va gober notre histoire ?

— Non, il y a peu de chance, répondit Vazzi. Mais c'est notre seul espoir.

Cross haussa les épaules.

— Je n'ai pas le choix. Dante a tué mon père et maintenant, il est obligé de me tuer aussi. — Il marqua un temps d'arrêt et ajouta : — J'espère que Don Clericuzio n'est pas du côté de Dante depuis le début ; sinon, nous n'avons aucune chance de nous en sortir.

— Nous pouvons encore tout arrêter, proposa Vazzi, et aller exposer la situation à Don Domenico. C'est lui qui décidera quoi faire.

— Pas question, rétorqua Cross. Il ne pourra jamais agir contre son petit-fils.

— C'est vrai, tu as raison, concéda Vazzi. Mais Don Domenico s'est pas mal ramolli ces derniers temps. Il a laissé ces types d'Hollywood t'escroquer, et ça, autrefois, il ne l'aurait jamais laissé passer. Non pas pour l'argent, mais pour le manque de respect.

Cross remplit le verre de cognac de Vazzi et alluma son cigare. Il ne lui parla pas de David Redfellow.

— Ta chambre te plaît ? demanda-t-il pour plaisanter.

Vazzi tira une longue bouffée sur son cigare.

— Quelle absurdité ! Tout ce luxe... à quoi bon ? Pourquoi des gens tiennent-ils à se payer ce genre de choses ? C'est trop. Cela te pompe toutes tes forces et suscite la convoitise. C'est une preuve de bêtise que d'insulter les pauvres gens comme ça. Comment veux-tu qu'ils n'aient pas envie de te faire la peau ? Mon père était un homme riche en Sicile, mais il n'a jamais vécu dans le luxe.

— Tu ne comprends pas l'Amérique, Lia, répondit Cross. Tout homme misérable visitant une villa se rejouirait. Parce qu'au fond de son être, il sait qu'un jour il vivra dans un tel endroit.

Le téléphone sonna dans le salon. Cross décrocha et son cœur tressauta dans sa poitrine. C'était Athena.

— On peut se voir avant la projection ? demanda-t-elle.

— Oui, mais à condition que tu montes ici. Je ne peux vraiment pas quitter le bureau.

— Quelle galanterie ! rétorqua Athena avec froideur. On se verra alors après la réception. Je m'en irai tôt et tu me retrouveras à la villa.

— C'est impossible.

— Je m'en vais demain pour Los Angeles. Et le jour d'après, je m'envole pour la France. Nous n'aurons pas d'autres occasions de nous voir en tête à tête si tu ne viens pas ici... c'est à toi de décider.

Cross regarda Lia qui secoua la tête en fronçant les sourcils.

— Tu peux venir ici ? Tout de suite ? demanda alors Cross à Athena.

Il y eut un long moment de silence.

— Entendu. Donne-moi une heure, répondit-elle finalement.

— Je t'envoie une voiture et une escorte, annonça Cross. Ils t'attendront devant la villa. — Il raccrocha et se tourna vers Vazzi — Il va falloir veiller sur elle. Avec Dante, je m'attends à tout.

Le petit cocktail chez Bantz s'inscrivit sous le signe de la beauté.

Melo Stuart vint accompagné d'une jeune actrice qui avait déjà une belle réputation sur les scènes de théâtre. Lui et Skippy prévoyaient de lui confier le premier rôle féminin sur le film de Losey. Elle avait une beauté à la Cléopâtre, un visage volontaire et arrogant. Bantz présenta sa nouvelle recrue, Johanna quelque chose — son nom de scène n'ayant pas encore été arrêté —, la vierge innocente. Jamais Athena n'avait paru plus radieuse, entourée de ses amies — Claudia, Dita Tommey et Molly Flanders. Elle était curieusement silencieuse, mais Johanna et Liza Wrongate, la jeune protégée de Stuart, la regardaient avec un mélange de crainte et de jalousie. Elles s'avancèrent finalement vers Athena, vers la reine qu'elles rêvaient de détrôner.

— Tu n'as pas invité mon frère ? s'enquit Claudia auprès de Bantz.

— Si, bien sûr, répondit-il. Mais il avait trop de travail pour venir.

— Merci, au fait, d'avoir donné à la famille d'Ernest ses points sur les recettes, souffla Claudia avec un grand sourire malicieux.

— Molly m'a saigné à blanc tu veux dire ! rétorqua Bantz.

Il aimait bien Claudia (peut-être en hommage à l'amitié que lui portait Marrion) et il ne se formalisa de cette taquinerie.

— Elle m'a mis le couteau sous la gorge.

— Mais tu aurais pu rechigner, précisa Claudia. Eli t'aurait approuvé.

Bantz la regarda droit dans les yeux, sentant une brusque montée de rage le gagner. Jamais il n'arriverait à la cheville de Marrion et sa disparition lui pesait.

Pendant ce temps, Skippy Deere avait coincé Johanna et lui parlait de son nouveau film où une jeune fille innocente était sauvagement violée puis assassinée par un trafiquant de drogue.

— Tu serais parfaite dans ce rôle. Tu n'as pas beaucoup d'expérience mais si j'arrive à convaincre Bobby, tu pourras venir tourner un bout essai. — Il réfléchit un moment, puis ajouta sur le ton de la confidence pleine de sollicitude : — Tu devrais changer de nom. Johanna, ça fait trop bourgeois pour une actrice — sous-entendant ainsi qu'elle irait loin dans le métier.

Elle rougit ; il était touchant de voir toutes ces jeunes filles croire en leur beauté, et rêver de devenir actrices avec la même ferveur que les filles du Moyen Age rêvaient de devenir des saintes. Le visage sardonique de Vail lui apparut en pensée. *Moque-toi, Ernest ! Il n'empêche que leur désir est pur !* pesta Deere. Dans les deux cas, certes, cette profession de foi conduisait plus souvent au martyre qu'à la gloire, mais cela faisait partie du jeu. Un jour ou l'autre, la chance leur sourirait, à lui comme aux autres.

Johanna partit aussitôt retrouver Bantz. Deere rejoignit Melo Stuart flanqué de sa nouvelle petite amie. Quoique son talent fût reconnu sur les planches, Skippy avait des doutes quant à l'avenir de Liza sur les écrans de cinéma. La caméra était trop cruelle pour son type de beauté. Et son intelligence lui interdirait certains rôles. Mais Melo Stuart tenait à ce qu'elle ait le premier rôle féminin sur le film de Losey — et la sagesse, parfois, exigeait que l'on accède aux requêtes d'un agent. Le rôle féminin était sans intérêt de toutes façons — un simple faire-valoir pour le héros.

Skippy Deere fit la bise à Liza.

— Je vous ai vue à New York, commença-t-il. Vous étiez formidable. — Il marqua un silence — J'espère que vous jouerez dans mon nouveau film. Melo est persuadé que cela vous mettra le pied à l'étrier.

Liza esquissa un sourire de glace.

— Il faut d'abord que je lise le scénario, précisa-t-elle.

Deere sentit un éperon de colère le traverser. Il lui donnait la chance de sa vie, et elle voulait lire le scénario ! Stuart suivait la scène du coin de l'œil, hilare.

— Certes, répondit Deere. Mais soyez sûre que je ne saurais vous proposer un scénario qui ne soit digne de votre talent.

Melo Stuart, qui n'était jamais aussi amoureux que lorsque des enjeux économiques étaient sur la sellette, se tourna vers la jeune femme.

— Liza, il s'agit du premier rôle féminin sur un film de série A. Le scénario n'est pas la chose sacrée que tu connais au théâtre. On peut le modifier à ta guise.

Liza afficha un sourire un peu moins glacé.

— Ne me dis pas que tu crois toi aussi à ces conneries ? Les pièces sont évidemment réécrites. C'est pour cette raison que l'on fait d'abord une tournée en province.

Alors que Melo s'apprêtait à répondre, Jim Losey et Dante Clericuzio firent leur entrée. Deere accourut pour les accueillir et les présenter aux autres convives.

Losey et Dante formaient une paire comique. Losey, le géant, en costume trois pièces irréprochable, chemise et cravate assorties malgré la chaleur de juillet, et Dante le nain, avec ses muscles rebondis saillant sous son T-shirt et son béret à la François Ier, planté sur sa tignasse noire. Tous les convives, faiseurs de mondes de chimères, savaient que ces deux-là étaient bel et bien réels, malgré leur apparence curieuse. Leurs visages étaient trop pâles et froids, et cette onde glaciale qui émanait d'eux n'aurait pu être reproduite par aucun jeu de lumière à l'écran.

Losey se tourna immédiatement vers Athena et lui dit qu'il attendait avec impatience de la voir dans *Messalina*. Il avait délaissé la timidité au profit de la flagornerie. Les femmes avaient toujours succombé à ses charmes, pourquoi Athena ferait-elle exception ?

Dante se servit à boire et s'installa sur le canapé. Personne ne lui adressa la parole, seule Claudia s'approcha de lui. Ils ne s'étaient pas vus plus de trois fois durant toutes ces années ; tout ce qu'ils avaient en commun, c'était leurs souvenirs d'enfance. Elle lui fit une bise. Lorsqu'ils étaient enfants, Dante passait son temps à la tourmenter ; mais elle gardait une sorte de tendresse pour lui.

Dante se leva pour la serrer dans ses bras.

— Chère cousine, tu es magnifique ! Si tu avais été aussi jolie quand nous étions gosses, je t'aurais moins tapé dessus !

Claudia lui prit son béret de la tête.

— Cross m'a souvent parlé de tes chapeaux. Tu es mignon avec ça. — Elle posa la coiffe sur sa propre tête — Même le pape n'en a pas d'aussi beau !

— Et pourtant, il en a des tas ! C'est dingue ! Qui aurait pu imaginer que tu deviendrais une grosse huile d'Hollywood ?

— Qu'est-ce que tu fais, en ce moment ?

— Je dirige une usine d'emballage de viande, répondit Dante. Nous fournissons les hôtels, précisa-t-il dans un sourire. Dis-moi, tu pourrais me présenter à ta jolie vedette ?

Claudia l'entraîna vers Athena toujours coincée par Losey qui poursuivait son numéro de charme. Athena ne put s'empêcher de sourire en apercevant le béret de Dante. C'était sa force à lui ; faire sourire les femmes, ça brisait leur défense.

Losey, quant à lui, continuait imperturbablement sur le registre des flatteries :

— Je suis sûr que *Messalina* sera un énorme succès, ânonnait-il. Après la fête, peut-être me laisserez-vous être votre garde du corps et vous escorter jusqu'à votre villa ?

Nous pourrions en profiter pour boire un dernier verre? avançait-il, en jouant le rôle du bon flic dévoué.

Athena excellait à repousser les avances des hommes.

— J'adorerais ça, minauda-t-elle avec un sourire cajoleur. Mais je ne vais rester malheureusement qu'une petite demi-heure à la réception et je ne voudrais pas vous priver des festivités. Je dois prendre un avion demain matin très tôt, avant de partir pour la France. J'ai vraiment une foule de choses à faire.

Dante était admiratif. Elle méprisait et avait visiblement peur de Losey, mais elle lui laissait croire qu'il aurait pu avoir sa chance.

— Je peux rentrer avec vous à L.A., insista Losey. A quelle heure est votre vol?

— C'est très gentil de votre part, répondit Athena, mais c'est un petit jet privé et toutes les places sont prises.

Une fois de retour dans sa villa, ayant pu échapper enfin à ces mondanités, Athena appela Cross pour lui annoncer qu'elle était prête à venir le rejoindre.

La première chose que remarqua Athena, ce fut l'importance du dispositif de sécurité. Il y avait des gardes devant l'ascenseur qui conduisait à la suite de Cross, une clé spéciale pour déverrouiller le panneau de commande et des caméras de surveillance dissimulées dans le plafond de la cabine. Les portes s'ouvrirent sur une antichambre où étaient postés cinq hommes. L'un d'eux l'accueillit à sa sortie de l'ascenseur, un autre était installé derrière une rangée de moniteurs, deux autres jouaient aux cartes dans un coin de la pièce et un dernier lisait dans le canapé un numéro de *Sports Illustrated*.

Tous la regardèrent avec une lueur admirative dans les yeux — une sorte d'étonnement qu'elle connaissait bien —, signe que sa beauté était hors norme. Mais il y avait longtemps que ce genre de réactions avait cessé de flatter son ego; elle sentit, au contraire, sonner en elle une sorte de signal d'alarme.

L'homme derrière les écrans pressa un bouton qui commandait l'ouverture de la porte de la suite directoriale de Cross. Elle entra. La porte se referma derrière elle.

Elle se trouvait dans la partie bureau de la suite. Cross vint à sa rencontre et la conduisit vers ses appartements privés. Il l'embrassa rapidement et l'entraîna dans la chambre à coucher. Sans dire un mot, ils se déshabillèrent et s'enlacèrent. Pour Cross c'était un tel soulagement de sentir sa peau contre la sienne, de contempler ce visage rayonnant de beauté qu'il poussa un long soupir.

— Je voudrais te regarder sans fin, et ne rien faire d'autre jusqu'à la fin de mes jours.

En réponse, elle le caressa, lui offrit ses lèvres et l'attira au lit. Cross l'aimait vraiment, comprenait-elle, il ferait n'importe quoi pour elle, et en retour, elle exaucerait tous ses désirs. Pour la première fois depuis des années, tout son être répondait à cet amour. Elle l'aimait dans sa chair et son âme. Cross, toutefois, était un homme dangereux, même pour elle, d'une certaine façon.

Une heure plus tard, ils se rhabillèrent et sortirent sur le balcon.

Las Vegas exhibait ses enseignes, le soleil déclinant couvrait les rues et les hôtels au luxe criard d'une poudre d'or. Au-delà, le désert et les montagnes du Nevada. Ils étaient hors du temps, seuls au monde. Derrière eux, les drapeaux verts des villas flottaient mollement dans l'air moite.

Athena lui prit la main.

— Je te verrai à la projection et à la fête ? demanda-t-elle.

— Je regrette, mais je ne pourrai pas y aller répondit Cross. Mais je te rejoindrai en France.

— C'est un vrai parcours du combattant pour venir te voir ! L'ascenseur à codes, tous ces gardes.

— C'est seulement pour quelques jours ; il y a une faune étrange en ville en ce moment.

— J'ai rencontré ton cousin Dante, annonça Athena. Losey semble être son grand copain. Ils forment un couple charmant tous les deux. L'inspecteur était particulièrement intéressé par mon bien-être, et par mon emploi du temps. Dante aussi. Tous deux semblent vouloir se charger de ma sécurité jusqu'à mon retour à L.A.

— Tu n'as rien à craindre, la rassura Cross en lui prenant la main.

— C'est Claudia qui m'a présenté Dante, précisa Athena. Pourquoi est-il affublé de ces chapeaux ridicules ?

— Dante est un gentil garçon.

— Claudia m'a pourtant dit que vous étiez des frères ennemis depuis votre enfance.

— C'est vrai, reconnut Cross de bonne grâce. Mais cela ne fait pas de lui quelqu'un de mauvais.

Ils restèrent un moment silencieux; les rues étaient noires de voitures et de gens, migrant d'hôtel en hôtel pour jouer ou se restaurer, tous en quête de grands frissons.

— C'est donc la dernière fois que nous nous voyons, annonça Athena en pressant sa main dans la sienne, comme pour conjurer le sort.

— Je t'ai dit que je te rejoindrai en France, répéta Cross.

— Quand?

— Je ne sais pas. Si je ne viens pas, c'est que je serai mort.

— La situation est si grave que cela?

— Oui.

— Et tu ne peux rien me dire? insista Athena.

Cross hésita quelques instants avant de répondre.

— Tu seras en sécurité, assura-t-il finalement. Et je ferai tout pour l'être aussi. Je ne peux pas t'en dire davantage.

— Alors je t'attendrai, répondit Athena.

Elle l'embrassa et s'en alla. Cross revint sur le balcon et la regarda sortir sous les colonnades de l'hôtel. La voiture avec son escorte de gardes du corps la raccompagna jusqu'à sa villa. Cross décrocha alors le téléphone et appela Vazzi, pour lui demander de resserrer la sécurité autour d'elle.

Vers vingt-deux heures, la salle de réception du Xanadu était comble. Le public s'était massé pour voir le premier montage de *Messalina*. Une section avait été réservée pour les invités de marque — une rangée de gros fauteuils moelleux, flanquée d'une console-téléphone. Il y avait un siège vide, décoré d'une couronne de fleurs au nom de Steven Stallings — les autres fauteuils étant occupés par Claudia, Dita Tommey, Bobby Bantz et sa compagne Johanna, Melo Stuart et Liza et Skippy Deere qui prit aussitôt possession du téléphone.

Athena fut la dernière à s'installer. Elle fut acclamée par

toute l'équipe, des techniciens aux cascadeurs. Les huiles et grands noms du film installés dans les fauteuils réservés l'embrassèrent tour à tour, tandis qu'elle se frayait un chemin jusqu'à son siège. Skippy Deere décrocha le téléphone et demanda à la cabine de lancer la projection.

Sur un fond noir, apparut une dédicace en lettres blanches : « A Steven Stallings » et le public applaudit en signe de respect. Bobby Bantz et Skippy Deere s'étaient opposés à l'insertion de ce carton, mais Dita Tommey en faisait une affaire d'honneur. Bantz avait cédé. Il ne s'agissait que d'un premier montage et cet accès de sentimentalité pouvait faire son petit effet.

Enfin, le film commença...

Athena était médusée ; elle avait à l'écran une sensualité torride qu'elle n'avait pas dans la vie réelle ; en revanche l'esprit incisif du personnage ne surprendrait personne de son entourage. Claudia avait, en effet, écrit les dialogues pour mettre en avant cet aspect de la personnalité d'Athena. On n'avait reculé devant aucune dépense, et les grandes scènes de sexe étaient de bon goût.

A l'évidence, *Messalina*, malgré tous les problèmes survenus pendant le tournage, serait un grand succès — même sans musique ni effets spéciaux. Dita Tommey était aux anges. Elle faisait désormais partie des réalisateurs vedettes ; Melo Stuart calculait déjà quel cachet il demanderait pour Athena lors de son prochain film ; Bantz ne se montrait pas joyeux outre mesure, sachant justement les calculs que faisait Melo Stuart ; Skippy Deere faisait les comptes — il pourrait enfin s'offrir son jet privé !

Claudia était la plus impressionnée de tous. Son œuvre avait pris vie à l'écran. Elle était l'unique auteur et c'était un scénario original. Grâce à Molly Flanders, elle avait un pourcentage sur les recettes et non sur les bénéfices. Certes, Benny Sly avait réécrit quelques scènes, mais pas assez pour revendiquer quoi que ce soit.

Tout le monde se pressait autour d'Athena et de Dita Tommey pour les féliciter. Mais Molly Flanders observait du coin de l'œil l'un des cascadeurs — c'étaient souvent des dingues, mais aussi de grands coups au lit.

La couronne de Steven Stallings était tombée par terre et tout le monde la piétinait. Molly vit Athena s'écarter de la foule pour ramasser la couronne et la replacer sur le siège. Leurs regards se croisèrent et Athena esquissa un sourire mi-figue, mi-raisin, comme pour dire « *the show must go on...* ».

La foule passa dans l'autre partie de la salle. Le petit orchestre jouait mais tout le monde se rua sur les buffets. Enfin, le bal commença. Molly s'approcha du cascadeur qui regardait autour de lui d'un air mal à l'aise ; c'était dans ces grandes assemblées mondaines qu'ils étaient les plus vulnérables. Les cascadeurs considéraient que leur travail n'était pas reconnu à sa juste valeur et ils vivaient mal le fait de devoir se faire boxer par un jeune premier alors qu'ils auraient pu le mettre K.O. dans la seconde dans la vie réelle. Molly sentit la verge de l'homme durcir alors qu'elle l'entraînait sur la piste — encore un qui ne manquait pas à la tradition, songea Molly Flanders avec satisfaction.

Athena ne resta qu'une heure à la soirée. Elle reçut les félicitations de tout le monde avec amabilité et gentillesse, tout en détestant ce rôle. Elle dansa avec le *Best Boy*[1], et d'autres membres de l'équipe, ainsi qu'avec un cascadeur dont la fougue la décida à quitter la fête.

La Rolls Royce du Xanadu l'attendait dehors, avec un chauffeur armé et deux gardes du corps. Lorsqu'elle descendit de la voiture devant sa porte, elle vit avec surprise Losey sortir d'une villa voisine.

— Vous êtes magnifique dans ce film, gloussa-t-il. Je n'ai jamais vu une femme aussi bien roulée que vous. En particulier des fesses.

Athena aurait été inquiète si le chauffeur et les gardes n'étaient pas déjà sortis de la voiture, et ne s'étaient mis en position. Grâce à son séjour sur les planches de théâtre, elle avait acquis un sens aigu de l'espace et sentait d'instinct la place de chacun sur scène ; les gardes s'étaient placés de sorte à ne pas se gêner mutuellement en cas de tir. Elle remarqua également le regard chargé de mépris de Losey à leur encontre.

— Pour votre gouverne, sachez qu'il ne s'agissait pas de mes fesses, répondit Athena dans un sourire, mais merci quand même du compliment.

---

1. Sorte de régisseur-chef-électricien dans les équipes de tournage américaines, se chargeant de l'organisation de l'installation lumière sur les plateaux. *(N.d.T.)*

Losey lui prit brusquement la main.

— Vous êtes la plus belle femme que j'ai jamais rencontrée, annonça-t-il. Pourquoi ne pas essayer un vrai mec au lieu de tous ces rigolos d'acteurs ?

Athena retira sa main.

— Il se trouve que je suis actrice aussi, et nous faisons un travail tout à fait sérieux. Bonsoir.

— Vous m'offrez un verre ? tenta Losey.

— Je n'ai pas le temps, désolée, répondit Athena en sonnant à la porte de la villa.

Un maître d'hôtel qu'elle n'avait encore jamais vu apparut sur le seuil.

Losey fit un pas pour entrer avec elle ; à la grande surprise d'Athena, le maître d'hôtel sortit sur le perron et la poussa à l'intérieur. Les trois gardes formèrent aussitôt un mur entre la porte et Losey. Le policier les regarda avec dédain.

— Qu'est-ce que ça veut dire ?

— Sécurité de miss Aquitane, répondit le maître d'hôtel. Je vous prie de vous en aller.

Losey sortit sa plaque de policier.

— Vous voyez qui je suis ! s'écria-t-il. Je peux vous faire mordre le pavé et vous jeter au trou.

Le maître d'hôtel examina la plaque de Losey.

— Vous êtes de Los Angeles. Ce n'est pas votre juridiction, ici, répondit-il avant de sortir sa propre plaque. Moi, je suis du comté de Las Vegas.

Athena Aquitaine était restée sur le seuil de la porte. Elle découvrit avec surprise que son maître d'hôtel était un policier.

— C'est bon, n'en faisons pas toute une histoire, lâcha-t-elle avant de refermer la porte.

Les deux hommes remisèrent leurs plaques.

Losey leur lança à chacun d'eux un regard mauvais.

— Vous entendrez parler de moi, les gars !

Personne ne bougea. Losey s'en alla ; il avait d'autres chats à fouetter. Dans moins de deux heures, Dante allait faire venir Cross De Lena dans leur villa.

Dante Clericuzio, son béret Renaissance planté sur ses

cheveux filasse, prenait du bon temps à la soirée. Il avait l'habitude de s'amuser avant d'accomplir un travail sérieux... Une fille travaillant sur la régie du film lui avait tapé dans l'œil, mais celle-ci n'avait pas répondu à ses avances parce qu'elle avait des vues sur l'un des cascadeurs. Celui-ci avait d'ailleurs lancé à Dante des regards menaçants. Il a de la chance que j'aie du travail ce soir ! grogna Dante. Il consulta sa montre — peut-être que ce brave Jim avait réussi son coup avec Athena. Tiffany ne s'était toujours pas montrée, alors qu'elle avait promis de venir à la fête. De dépit, Dante quitta la soirée une demi-heure plus tôt que prévu. Il appela Cross sur sa ligne privée.

Cross décrocha.

— Il faut que je te voie tout de suite, déclara Dante. Je suis dans la salle de réception.

— Très bien. Monte, répondit Cross.

— Non. J'ai des ordres ; ni au téléphone, ni dans ta suite. Descends, toi.

Il y eut un long moment de silence.

— J'arrive, annonça finalement Cross.

De son poste d'observation, Dante regarda Cross se frayer un chemin parmi les danseurs. Il semblait n'y avoir aucun service de sécurité avec lui. Dante rajusta son chapeau sur son front et songea à leur enfance commune. Cross avait été le seul garçon à lui faire peur, et c'était justement pour conjurer cette peur qu'il provoquait si souvent des bagarres entre eux deux. Mais il avait toujours bien aimé Cross, son charme, sa sérénité tranquille... C'était vraiment dommage...

En tuant Pippi, Dante savait qu'il ne pourrait laisser Cross en vie. Une fois la chose faite, il y aurait la confrontation avec Don Clericuzio. Mais Dante était certain de l'amour de son grand-père, il lui avait toujours manifesté tant de tendresse. Don Domenico n'apprécierait sûrement pas son geste, mais il n'appellerait jamais les foudres du ciel sur la tête de son petit-fils chéri.

Cross se tenait à présent devant lui. Il restait encore à l'attirer dans la villa où Losey l'attendait. Ce serait un jeu d'enfant. Losey abattrait Cross et ils iraient ensuite enterrer son cadavre dans le désert. Il fallait toujours chercher la simplicité, comme le répétait Pippi De Lena. La voiture était déjà garée derrière la villa, prête à partir.

— Qu'est-ce qui se passe ? demanda Cross tout de go. — Il ne semblait ni suspicieux, ni sur ses gardes — Joli chapeau, ajouta-t-il en souriant.

Dante avait toujours envié ce sourire — on eût dit que Cross pouvait lire dans les pensées.

Dante joua son petit rôle tranquillement, prenant tout son temps. Il saisit le bras de Cross et le conduisit dehors, sous la grande enseigne colorée qui avait coûté au Xanadu la bagatelle de dix millions de dollars. Les néons baignaient les deux hommes de rouge, de bleu et d'indigo sous la clarté laiteuse de la lune du désert.

— Giorgio vient d'arriver, murmura Dante. Il est dans ma villa. C'est top secret. Il veut te voir sur-le-champ. C'est pour ça que je ne pouvais rien te dire au téléphone.

Dante exultait en voyant la mine inquiète de Cross.

— Il m'a demandé de ne rien te dire, mais il est fou de rage. Je crois qu'il a appris quelque chose à propos de ton vieux.

A ces paroles, Cross lança à Dante un regard encore plus sombre, presque menaçant.

— Très bien, allons-y, annonça-t-il.

Il conduisit Dante à travers le domaine du Xanadu en direction des villas.

Les quatre gardes au poste de contrôle du complexe des villas reconnurent Cross et les laissèrent entrer.

Dante ouvrit la porte d'un geste théâtral et ôta son chapeau en un simulacre de révérence.

— Après toi, dit-il avec un sourire torve qui lui donnait des airs de lutin malicieux.

Cross s'exécuta.

Jim Losey bouillait de colère lorsqu'il retourna dans sa villa, après avoir été éconduit par les gardes du corps d'Athena. Une part de son cerveau, analysant la situation, tirait un signal d'alarme intérieur. Qu'est-ce que faisaient tous ces types ? C'était peut-être normal, après tout. Athena était une star et sa mésaventure avec Skannet avait dû lui fiche une sacrée frousse...

Il sortit sa clé pour entrer dans la villa qui semblait

déserte. Tout le monde était à la fête. Il avait plus d'une heure devant lui pour se préparer à recevoir Cross. Il se dirigea vers sa valise et l'ouvrit. Il y avait à l'intérieur son Glock, luisant, immaculé. Il ouvrit son autre valise qui était pourvue d'un double fond. Il y avait un chargeur à l'intérieur. Il réunit les deux éléments, enfila son holster d'épaule et glissa l'arme dans l'étui. Il était prêt. Losey n'était pas nerveux, il était toujours calme dans ce genre de situations. C'est pour cette raison qu'il était un bon flic.

Losey sortit de la chambre à coucher et se rendit dans la cuisine. La villa était un vrai dédale de couloirs. Il prit dans le réfrigérateur une bouteille de bière étrangère et un plateau de canapés. Il mordit dans l'un d'eux — du caviar ! Il poussa un petit soupir de satisfaction ; il n'avait jamais rien mangé d'aussi bon. Voilà la vraie vie ! Et ce sera la sienne pour le restant de ses jours — le caviar, les filles, et Athena, un jour, pourquoi pas ? Tout ce qu'il avait à faire, c'était d'accomplir son travail ce soir.

Il prit la bouteille, le plateau de toasts, et se dirigea vers l'immense salon.

La première chose que Losey remarqua en entrant ce furent les bâches de plastique qui recouvraient le sol et les meubles et plongeaient la pièce dans une lueur laiteuse. Il aperçut ensuite dans un fauteuil, lui aussi protégé d'un film plastique, un homme en train de fumer un petit cigare, un verre de cognac à la main. C'était Lia Vazzi.

Qu'est-ce que c'est que ce bordel ? pesta Losey. Il posa le plateau et la bouteille de bière sur la table basse et se tourna vers Vazzi.

— Je me demandais où t'étais passé, toi ?

— Eh bien, vous voyez, je suis là, répondit Vazzi en se levant de son siège. Vous voulez peut-être me fiche une nouvelle claque ?

Losey avait trop d'expérience pour être réellement inquiet. Son esprit était en ébullition. Il s'était demandé pourquoi les autres appartements de la villa étaient vacants, cela lui avait paru étrange sur le moment. Il déboutonna tranquillement sa veste et lança un grand sourire à Vazzi. Ce n'est pas une claque que tu vas avoir, songea-t-il. Dante et Cross n'arriveraient pas avant une heure, il avait tout le temps d'abattre un peu de boulot. Maintenant qu'il était armé, il ne craignait pas un face à face avec Vazzi.

Brusquement, un flot d'hommes se déversa dans la pièce. Il en sortait de partout — de la cuisine, du couloir, de la salle T.V. Tous dépassant Losey d'une bonne tête. Seuls deux d'entre eux avaient sorti une arme.

— Vous savez que je suis un flic ? lança Losey.

— Nous savons, répondit Vazzi d'une voix rassurante, en faisant un pas vers Losey.

Aussitôt les deux hommes plaquèrent leur arme dans le dos du policier.

Vazzi glissa la main sous le pan de la veste de Losey et s'empara du Glock. Il le tendit à l'un de ses complices et tapota la joue de Losey.

— Alors ! Tu avais des questions à me poser. Vas-y. Je t'écoute.

Losey n'avait toujours pas peur. Il était juste tracassé à l'idée que Dante arrive avec Cross. Il ne pouvait concevoir qu'un homme de sa trempe, protégé par sa bonne étoile durant toutes ces années, puisse un jour tomber sur plus fort que lui.

— Je sais que le suicide de Skannet c'est toi, commença Losey. Et je te coincerai, tôt ou tard.

— Il va falloir te dépêcher, répondit Vazzi. Parce que tu n'as plus beaucoup de temps devant toi. Mais oui, tu as raison, c'est moi ; tu vas pouvoir mourir heureux.

Losey ne croyait toujours pas que l'on puisse abattre un flic de sang-froid. Bien sûr, les dealers n'hésitaient pas à faire feu, un négro maboule pouvait toujours vous faire faire le grand saut, parce que vous sortiez votre plaque, ou encore un braqueur de banque acculé, mais aucun type de la Mafia n'oserait exécuter un officier de police. Ce serait trop risqué.

Il s'avança pour repousser Vazzi, comptant reprendre la direction des opérations. Mais, brusquement, un trait de feu traversa son estomac et ses jambes se mirent à trembler. Il s'écroula lentement sur les genoux. Quelque chose d'épais heurta le côté de son crâne et son oreille, sous le choc, se mit à siffler. Le tapis sous ses genoux semblait mou comme un coussin. Il releva les yeux. Lia Vazzi se tenait au-dessus de lui, une corde de nylon dans les mains.

***

Vazzi avait passé les deux jours précédents à confectionner des sacs pour emporter les deux cadavres. Ils étaient faits de toile brune, avec une cordelette au sommet pour les fermer. Chaque sac pouvait accueillir un corps de forte corpulence. Aucun écoulement de sang ne pouvait traverser l'épaisseur de la toile et une fois la cordelette nouée, on pouvait transporter l'ensemble sur son épaule comme n'importe quel sac de marin.

Losey n'avait pas remarqué les deux sacs posés sur le canapé. Les hommes de Vazzi glissèrent le corps dans l'un d'eux. Lia noua la cordelette et le laissa adossé contre le canapé. Il demanda à ses hommes de surveiller les abords de la villa, mais de ne pas se montrer sauf ordre explicite de sa part. Chacun savait ce qu'il avait à faire.

Cross et Dante marchaient à pas rapides vers la villa. L'air nocturne était étouffant, encore chaud du soleil du désert. Les deux hommes transpiraient. Dante remarqua que la veste de Cross était boutonnée ; il devait avoir une arme sur lui...

Les sept villas, leurs drapeaux verts alanguis sur leurs mâts, se profilaient devant la lune dans toute leur splendeur. Elles semblaient tout droit sorties d'un autre âge, avec leur balcon en fer forgé, leurs stores verts à volants devant les fenêtres, leurs portes monumentales blanches, enluminées d'or.

— Regarde ça, lança Dante en prenant le bras de Cross. Quelle merveille ! Au fait, il paraît que tu t'envoies la beauté qui joue dans le film. Félicitations, vieux. Lorsque tu en auras marre, fais-moi signe !

— Promis, répondit Cross. Je crois qu'elle t'aime bien, toi et ton chapeau.

— Tout le monde aime mes chapeaux. Elle m'aime bien, c'est vrai ? demanda-t-il avec ardeur.

— Elle est sous le charme, affirma Cross avec une pointe d'irritation.

— Sous le charme, répéta Dante d'un air songeur. C'est génial.

Il se demanda un instant si Losey était parvenu à faire venir Athena dans leur villa. Quelle jolie cerise sur le gâteau !

Dante était ravi d'avoir ébranlé Cross; il avait remarqué la pointe d'agacement dans la voix de son cousin.

Ils arrivèrent devant la porte de la villa. Apparemment, il n'y avait aucun garde dans le secteur. Dante appuya sur la sonnette, attendit, sonna de nouveau. Voyant que personne ne répondait, il sortit sa clé et ouvrit la porte. Ils entrèrent dans la suite de Losey.

Dante songea un moment que Losey pouvait être au lit avec Athena. Ce serait une drôle de façon d'organiser une opération, mais à sa place, il ne se serait pas gêné non plus.

Dante conduisit Cross dans le salon et découvrit avec étonnement les bâches de plastique recouvrant les meubles et le sol. Un grand sac de marin était adossé contre le canapé. Sur les coussins, il aperçut un autre sac, vide celui-ci. Le tout enrubanné de plastique.

— Qu'est-ce que c'est que ça? lança-t-il.

Dante se retourna vers Cross. Celui-ci avait à la main un tout petit pistolet.

— C'est pour ne pas tacher de sang le mobilier, répondit Cross. Il faut que je te dise un truc, Dante; j'ai toujours trouvé tes chapeaux parfaitement ridicules et je n'ai jamais cru qu'un dealer avait tué mon père.

Les pensées se bousculaient dans la tête de Dante. Où était passé Losey? Il l'appela, tout en se disant qu'une arme de si petit calibre ne pourrait jamais l'arrêter.

— Toute ta vie, tu es resté un Santadio, poursuivit Cross.

Dante se mit de profil, pour offrir une cible plus petite, et s'élança vers Cross. Sa tactique porta ses fruits; la balle l'atteignit à l'épaule. L'espace d'un instant, une bouffée de joie l'envahit; il allait gagner — mais la balle explosa, emportant la moitié de son bras. Il sut qu'il était perdu. C'est alors qu'il surprit véritablement Cross. De son bras valide, il arracha brusquement la bâche de plastique couvrant le sol, la roula en boule, et tandis que le sang coulait à flot de son épaule, il s'éloigna en titubant, tenant la masse de plastique devant lui comme un bouclier.

Cross avança vers lui et tira délibérément à travers le plastique. Une fois, deux fois. Les balles explosèrent et le visage de Dante se couvrit de minuscules particules de plastique, se teintant aussitôt de rouge. Au troisième tir, la cuisse gauche de Dante parut sur le point de se détacher du buste. Dante s'écroula, le tapis blanc était constellé de taches écarlates. Cross s'agenouilla à côté de Dante, recouvrit son visage d'une bâche de plastique et tira de nouveau. Le chapeau Renaissance soubresauta sous l'impact, mais resta attaché au sommet du crâne, arrimé aux cheveux par un système de clips. Il reposait désormais sur une boîte crânienne éventrée, comme suspendu dans le vide.

Cross se releva, rangea l'arme dans son holster, niché dans le creux de ses reins. Vazzi entra dans la pièce. Ils se regardèrent.

— C'est fini, annonça Vazzi. Va te laver dans la salle de bains et retourne à l'hôtel. Et débarrasse-toi de tes vêtements. Je vais prendre le pistolet et tout nettoyer.

— Et pour le tapis et les meubles ? Comment vas-tu faire ? s'enquit Cross.

— Je m'occupe de tout, répondit Vazzi. Va te laver et retourne à la fête.

Après le départ de Cross, Vazzi alluma un cigare qui traînait sur une desserte de marbre, cherchant à tout hasard des traces de sang. Il n'y en avait aucune sur la tablette ; en revanche le sol et le canapé dégouttaient de sang. Il allait falloir trouver une solution.

Il enveloppa de plastique le corps de Dante et avec l'aide de deux de ses hommes, il glissa le cadavre dans le deuxième sac de toile. Il ramassa ensuite toutes les bâches et les fourra également dans le sac, puis ferma solidement la cordelette. Ils emportèrent le sac contenant Losey dans le garage de la villa et le jetèrent dans la camionnette. Ils firent un autre voyage avec les restes de Dante.

Le véhicule avait été spécialement équipé par Vazzi d'un double fond assez vaste pour y loger les deux corps.

Ses hommes y cachèrent les deux sacs et retournèrent dans la maison.

En spécialiste, Vazzi s'était préparé à toute éventualité. Il y avait dans la camionnette deux jerrycans d'essence. Il les rapporta à l'intérieur et en versa le contenu sur le sol et le mobilier. Il alluma une mèche qui lui donnerait cinq minutes de délai pour s'en aller. Il grimpa dans la camionnette et prit la direction de la lointaine Los Angeles.

Ses hommes ouvraient et fermaient le convoi dans leurs voitures.

Il arriva au petit matin sur le port où un yacht l'attendait. Il déchargea les deux sacs et les monta à bord. Le bateau s'éloigna ensuite silencieusement vers le large.

Il était près de midi lorsqu'en pleine mer, il regarda la cage d'acier contenant les deux corps sombrer lentement dans les eaux. La communion était faite.

Molly Flanders disparut avec son cascadeur. Elle préféra aller dans la chambre de l'homme plutôt que dans sa villa — Molly, qui n'avait pas le moindre préjugé contre les gens modestes, conservait malgré tout un zest de snobisme du vieux Hollywood et ne voulait pas que l'on sache qu'elle s'envoyait en l'air avec le petit personnel...

La fête prit fin à l'aurore, lorsqu'un soleil d'un rouge inquiétant darda ses premiers rayons. Un filet de fumée bleue montait à sa rencontre.

Cross avait changé de vêtements, s'était douché, et était retourné à la réception. Il était assis avec Claudia, Bobby Bantz, Skippy Deere et Dita Tommey, pour trinquer au succès du film. Brusquement, il y eut des cris dehors. Tout le monde sortit voir ce qui se passait; Cross suivit le mouvement.

Une étroite colonne de feu s'élevait glorieusement dans le ciel, masquant les enseignes lumineuses du Strip, semblant vouloir manger le soleil et la lune évanescente. Un gros nuage rose flottait devant les montagnes.

— Oh mon Dieu! souffla Claudia, en prenant le bras de Cross. Cela vient d'une de tes villas.

Cross restait silencieux, contemplant le drapeau vert de la villa transformé en torche, écoutant les sirènes des pompiers résonnant sur le Strip. Vingt millions de dollars partaient en fumée pour masquer le sang qu'il avait fait couler. Lia Vazzi ne mégotait pas sur les moyens!

XXIII

Losey étant officiellement en congé, sa disparition ne fut constatée que cinq jours après l'incendie au Xanadu. En revanche, aucune autorité n'eut vent de la disparition de Dante Clericuzio.

Au cours de l'enquête, la police découvrit le corps de Phil Sharkey. Les suspicions s'orientèrent vers Losey et on supposa qu'il avait pris la fuite pour échapper aux poursuites.

Des inspecteurs de Los Angeles vinrent interroger Cross, puisque c'était au Xanadu qu'on avait aperçu Losey pour la dernière fois. Mais rien ne permettait d'établir quelque lien que ce soit entre les deux hommes. Cross expliqua qu'il l'avait seulement entr'aperçu le soir de la réception.

Ce n'était pas la police qui inquiétait Cross. Mais la réaction de Don Domenico.

La famille était forcément au courant de la disparition de Dante et la dernière fois qu'on l'avait vu vivant, c'était au Xanadu. Pourquoi ne l'avait-on toujours pas contacté pour avoir des informations ? Se pouvait-il que tout soit passé inaperçu ? Cross n'y croyait pas un seul instant.

Il continua à s'occuper du Xanadu comme d'habitude, travaillant sur les plans de reconstruction de la villa détruite. Aucune trace de sang n'avait effectivement résisté à Vazzi !

Claudia vint lui rendre visite. Elle était excitée comme une puce. Cross organisa un dîner dans sa suite pour qu'ils puissent se parler en privé.

— Tu ne le croiras jamais ! annonça-t-elle. Ta petite sœur va être à la tête de LoddStone !

— Félicitations, répondit Cross en la serrant dans ses bras. Je savais qu'en affaire, tu étais la plus redoutable des Clericuzio.

— Je suis allée à l'enterrement de papa uniquement

pour toi ! Et je ne me suis pas privée de le leur faire savoir, rétorqua Claudia en se renfrognant.

Cross rit de bon cœur.

— C'est le moins que l'on puisse dire ! Tout le monde était outré, sauf Don Clericuzio qui a dit : « Laissons-la faire du cinéma et que Dieu la bénisse. »

— Je me fiche de ce qu'ils peuvent penser, insista Claudia en haussant les épaules. En revanche, il faut que je te raconte ce qui s'est passé, c'est vraiment incroyable. Lorsque nous avons quitté Vegas dans le jet privé de Bobby, tout allait bien. Mais à notre atterrissage à L.A., le ciel nous est tombé sur la tête. Des policiers ont arrêté Bobby. Et tu sais pourquoi ?

— Pour avoir fait des bides ? la taquina Cross.

— Mais non. C'est complètement dingue, reprit Claudia. Tu te souviens de Johanna, cette fille qu'avait amenée Bantz avec lui à la soirée ? Tu te rappelles comment elle était ? Eh bien, elle avait quinze ans ! Ils ont arrêté Bobby pour viol, détournement de mineur et kidnapping parce qu'il l'avait emmenée avec lui. — Les yeux de Claudia étaient exorbités d'excitation — Mais c'était un coup monté. Le père et la mère de Johanna étaient là, en train de hurler que leur pauvre petite avait été violée par un homme quarante ans plus vieux qu'elle.

— C'est vrai qu'elle faisait plus vieille que son âge, concéda Cross. Mais elle sentait l'arnaqueuse à plein nez.

— Cela risquait de faire un terrible scandale, poursuivit Claudia. Mais ce bon vieux Skippy a tout pris en main comme à son habitude. Il a réussi à sortir Bantz du pétrin. Il a pu éviter l'arrestation et étouffer l'affaire. Tout semblait donc réglé.

Cross souriait. Ce brave David Redfellow n'avait rien perdu de ses talents d'antan.

— Ce n'est pas drôle, protesta Claudia. Le pauvre Bobby a été victime d'un coup monté. La fille a juré qu'il l'avait forcée à coucher avec lui à Vegas. Le père et la mère ont dit qu'ils ne voulaient pas d'argent, mais que justice soit faite, pour éviter que d'autres jeunes filles innocentes ne subissent le même sort. C'était la panique générale au studio. Dora et Kevin Marrion étaient tellement affolés qu'ils parlaient de vendre la LoddStone. Skippy a alors de nouveau pris les choses en main. Il a engagé la fille pour un premier rôle dans un film de série B, le scénario étant écrit par le père — avec une coquette somme à la clé. Il a demandé ensuite à Benny Sly de réécrire le scénario en une journée pour une somme tout aussi rondelette — c'était pas si mal, soit dit en passant. Benny est un petit génie dans son genre. Nous nous croyions donc tous sortis d'affaire. C'est alors que le procureur du district de L.A. a fait savoir qu'il tenait à poursuivre Bantz en justice. Un procureur que la LoddStone avait élu, un procureur qui avait été traité comme un prince par Eli Marrion ! Skippy lui offrit même une place au studio dans le département financier pour un million de dollars par an pendant cinq ans et il a refusé ! Il voulait que Bantz saute. Alors ils ont négocié et sont parvenus à un accord. Mais personne ne sait pourquoi ce type s'est tant acharné sur Bantz.

— C'était peut-être l'un de ces nobles magistrats incorruptibles, avança Cross dans un haussement d'épaules. On en trouve encore.

Il songea de nouveau à David Redfellow. Il aurait certainement très mal supporté de tomber sur un oiseau de cet acabit. Redfellow avait tout manigancé. Il avait sans doute dit au procureur : « Ce n'est pas de la corruption, puisque je vous demande uniquement de faire votre travail ! » Et en ce qui concernait l'argent, il avait dû mettre la barre tout de suite très haut. Vingt millions sans doute, supposait Cross. Par rapport aux dix milliards que pesait la LoddStone, vingt millions étaient des roupies de sansonnets. Il agirait dans un contexte strictement légal. C'était vraiment du grand art.

Claudia continuait son récit d'une voix rapide et hachée.

— Bantz a donc été obligé de céder. Dora et Kevin étaient ravis de vendre. Non seulement ils avaient le feu vert pour cinq de leurs films, mais ils repartaient avec un milliard de dollars en poche. C'est alors que ce petit Italien a débarqué au studio. Il a tenu une assemblée générale et a annoncé qu'il était le nouveau propriétaire. Et aussitôt, sans me demander quoi que ce soit, il m'a propulsée à la présidence. Skippy était vert de rage. Maintenant, c'est moi le patron. C'est dingue, non ?

Cross la considéra avec amusement.

Soudain Claudia recula d'un pas et regarda fixement son frère — un regard plus sombre que de coutume, plus inquisiteur — mais sa gentillesse naturelle reprit bien vite le dessus.

— J'ai pris la place d'un homme! lança-t-elle dans un sourire. Je la leur ai soufflée sous le nez et je n'ai eu besoin de coucher avec personne pour ça... incroyable, non?

Cross fut surpris par ce ton aigre-doux.

— Qu'est-ce qui se passe, Claudia? demanda-t-il. Je croyais que cela te faisait plaisir...

— Je suis contente, mais je ne suis pas complètement crétine, répondit-elle en souriant. Parce que tu es mon frère et parce que je t'aime, je tiens à ce que tu saches que je ne suis pas dupe.

Elle se leva et vint s'asseoir à côté de lui sur le canapé.

— J'ai menti quand j'ai dit que je venais aux funérailles uniquement pour toi. Je suis venue aussi parce que je ne voulais pas être étrangère à ce qui avait été sa vie, à ce qui fait la tienne. Je suis venue parce que je ne voulais plus rester à l'écart plus longtemps. Mais je n'aime pas ce qu'ils représentent, Don Clericuzio et tous les autres.

— Cela signifie donc que tu ne veux pas diriger le studio? s'étonna Cross.

Elle éclata de rire.

— Bien sûr que si! Je tiens à revendiquer que je suis toujours une Clericuzio. Et je veux faire du bon cinéma et gagner beaucoup d'argent! Les films sont les grands réunificateurs de notre monde, Cross. Je monterai de grands films sur de grandes héroïnes... Voyons ce que je suis capable de faire si j'utilise les talents de la famille pour le bien et non pour le mal...

Ils rirent ensemble, complices. Cross la prit dans ses bras et l'embrassa sur la joue.

— C'est magnifique, réellement magnifique!

Il parlait tant pour lui-même que pour elle. Si Don Clericuzio avait placé Claudia à la tête du studio, c'est qu'il n'avait pas fait le rapprochement entre Cross et la disparition de Dante. Son plan avait donc marché au-delà de ses espérances.

Ils finirent de dîner et bavardèrent pendant des heures. Lorsque Claudia se leva pour s'en aller, Cross sortit une bourse de plaques de jeu de son bureau.

— Va donc tenter ta chance aux tables de la maison! proposa-t-il.

Il lui donna une petite tape sur la joue.

— A condition que tu saches te tenir et que tu ne m'appelles pas à la rescousse comme une gamine avec son grand frère. La dernière fois, je t'aurais étripée !

Il la prit dans ses bras. C'était si bon de la savoir auprès de lui. Dans un moment de faiblesse, il ajouta :

— Tu sais, je t'ai laissé le tiers de mes parts de l'hôtel dans mon testament au cas où quelque chose m'arriverait. Et je suis très riche. Alors tu peux toujours faire un bras d'honneur au studio si le cœur t'en dit.

— Cross, c'est très gentil de ta part de te soucier de moi, répondit-elle avec des yeux brillants, mais je leur ferai un bras d'honneur si ça me chante, avec ou sans tes parts du Xanadu... — Une inquiétude traversa soudain son visage — Pourquoi me dis-tu ça ? Quelque chose ne va pas ? Tu es malade ?

— Non, non, assura Cross. Je voulais simplement que tu le saches.

— Parfait. Maintenant que j'ai réintégré les rangs de la famille, tu pourrais peut-être prendre le large, couper les ponts. Vivre libre.

Cross éclata de rire.

— Mais je suis libre ! Et je vais m'en aller très prochainement. En France, vivre avec Athena.

L'après-midi du dixième jour, Giorgio Clericuzio arriva au Xanadu. Cross sentit son estomac se nouer et une bouffée de panique monter en lui.

Giorgio laissa ses gardes du corps avec les vigiles de l'hôtel devant la porte de la suite, mais Cross ne se faisait pas d'illusion : son propre service de sécurité suivrait les ordres de Giorgio. De plus l'allure de l'émissaire des Clericuzio ne lui disait rien qui vaille ; Giorgio semblait avoir perdu du poids et son visage était d'une pâleur cadavérique. C'était la première fois que Giorgio n'offrait pas cet air imperturbable qui faisait sa réputation.

Cross l'accueillit avec des démonstrations de joie ;

— Giorgio ! Quelle bonne surprise ! Attends, je vais te faire préparer une villa !

Giorgio lui retourna un sourire fatigué.

— Dante est introuvable. — Il marqua un temps d'arrêt — Il a disparu de la surface du globe et la dernière fois qu'on l'a vu, il était au Xanadu.

— Mon Dieu ! lança Cross. C'est inquiétant. Mais tu connais Dante, il n'en a toujours fait qu'à sa tête.

Giorgio ne se donna même pas la peine de sourire pour répondre.

— Il était avec Jim Losey et Losey a disparu, lui aussi.

— C'était un drôle de couple, rétorqua Cross. Je me demande ce qu'ils fichaient ensemble ces deux-là.

— Ils étaient potes. Le vieux n'aimait pas ça, mais Dante était le convoyeur de Losey.

— Je ferai tout ce que je peux. Je vais enquêter auprès de tous les employés de l'hôtel. Mais tu sais que Dante et Losey n'étaient pas enregistrés officiellement. C'est la coutume lorsque nous offrons une villa.

— Tu feras ton enquête à ton retour, répliqua Giorgio. Don Domenico veut te voir. Il a même loué un avion pour te ramener à Quogue.

Cross resta silencieux un long moment.

— Je fais mes bagages, annonça-t-il finalement. C'est aussi grave que ça, Giorgio ?

Giorgio le regarda droit dans les yeux.

— Je n'en sais rien, répondit-il.

Pendant le vol vers New York, Giorgio resta le nez plongé dans ses papiers. Cross préféra demeurer silencieux, bien que l'attitude de Giorgio n'augurât rien de bon. De toutes façons, il était inutile d'essayer de lui tirer les vers du nez, Giorgio était une tombe.

Trois voitures aux vitres fumées et six soldats des Clericuzio les attendaient à l'aéroport. Giorgio se dirigea vers l'une des limousines et ordonna à Cross de monter dans la suivante. Encore un signe de mauvais augure. L'aube pâlissait dans le ciel lorsque le convoi franchit les portes de la propriété familiale.

Deux gardes se tenaient sur le perron de la maison. D'autres patrouillaient dans les allées. Pas la moindre femme ou enfant en vue.

— Où sont-ils tous? A Disneyland? lança Cross.

Giorgio resta de marbre devant cette tentative d'humour.

Huit hommes se tenaient en cercle dans le salon, rassemblés autour de deux autres personnes en train de bavarder d'un ton amical. Son cœur tressauta dans sa poitrine; c'était Petie et Lia Vazzi. Vincent, à l'écart, les regardait d'un air revêche.

Petie et Vazzi semblaient en très bons termes. Mais Lia était en chemise et pantalon — ni veste, ni cravate. Cela signifiait que Vazzi, qui d'ordinaire était vêtu de façon impeccable, avait été fouillé et désarmé. Il faisait figure de petite souris encerclée par une bande de matous enjoués. Vazzi salua Cross d'un hochement de tête empreint de tristesse. Petie ne lui adressa même pas un regard. Mais lorsque Giorgio conduisit Cross dans le bureau, Petie se leva et leur emboîta le pas, suivi de Vincent.

Don Domenico les attendait à l'intérieur, assis dans un gros fauteuil de cuir, un de ses petits cigarillos planté au coin de la bouche. Vincent lui apporta un verre de vin. On n'offrit rien à Cross. Petie resta sur le seuil, adossé à la porte. Giorgio s'assit sur le canapé, à côté du patriarche et fit signe à Cross de le rejoindre.

Le visage de Don Clericuzio, la peau rendue translucide par l'âge, ne laissait transparaître aucune émotion. Cross l'embrassa sur la joue. Le vieil homme leva les yeux vers lui et son visage s'adoucit, comme voilé de tristesse.

— Je dois reconnaître, Croccifixio, commença Don Domenico, que tout a été mené de main de maître. Mais à présent, il faut nous donner tes raisons. Je suis le grand-père de Dante, ma fille est sa mère. Giorgio, Vincent et Petie sont ses oncles. Tu nous dois, à tous, des explications.

Cross essaya de garder une certaine contenance.

— Je ne comprends pas de quoi vous parlez...

— On te parle de Dante! lança Giorgio avec brusquerie. Où est-il?

— Comment pourrais-je le savoir? s'exclama Cross en feignant la surprise. Il ne me disait jamais rien. Il est peut-être descendu au Mexique faire la fête?

— Je ne me fais pas bien comprendre, s'impatienta Giorgio. Ne joue pas les innocents. Tu es déjà reconnu coupable. Dis-nous simplement où tu l'as enterré?

Derrière le bar, Vincent détourna la tête, comme s'il ne voulait pas croiser le regard de Cross. Petie s'approcha du canapé.

— Qu'est-ce qui te prouve une chose pareille? rétorqua Cross. Qui dit que j'ai tué Dante?

— Moi, répondit Don Domenico. Sache que je t'ai déclaré coupable. Et ce verdict est sans appel. Je t'ai fait venir ici pour que tu puisses plaider ta cause, mais j'espère que tu as une bonne raison d'avoir tué mon petit-fils.

En entendant cette voix posée, ce ton calme et mesuré, Cross sut que tout était fini. Pour lui et Lia. Vazzi le savait déjà à son arrivée; il l'avait vu dans ses yeux.

Vincent se tourna vers Cross, avec une expression douce sur son visage de pierre.

— Dis la vérité à notre père, Cross; c'est ta seule chance.

Don Clericuzio hocha la tête.

— Croccifixio, annonça le vieil homme, ton père était plus qu'un neveu pour moi, il était de mon sang, tout comme toi. Pippi était mon ami de toujours. C'est pour cette raison que je suis prêt à entendre ta défense.

Cross rassembla ses forces.

— Dante a tué mon père. Je l'ai reconnu coupable, de la même manière que toi tu m'as reconnu coupable. Il a tué mon père par vengeance et ambition personnelle. C'était un Santadio dans l'âme.

Don Domenico garda le silence.

— Comment aurais-je pu ne pas venger mon père? poursuivit Cross. C'était renier sa mémoire, l'homme qu'il avait été et qui avait veillé sur moi toute sa vie. J'avais trop de respect pour la famille, comme mon père, pour suspecter sa participation dans ce meurtre. Mais je crois que vous saviez que Dante était coupable et que vous avez choisi de ne rien faire. Dans cette situation, comment aurais-je pu venir vous trouver pour réclamer justice?

— Quelle preuve as-tu? demanda Giorgio.

— Un homme comme Pippi ne se serait jamais laissé surprendre ainsi, répondit Cross. Et la présence de Losey sur les lieux était une coïncidence trop miraculeuse. Personne dans cette pièce ne croit aux coïncidences. Nous savons tous que Dante était coupable. Et c'est toi, Don Domenico, qui m'as raconté l'histoire des Santadio. Qui d'autre était sur sa liste, une fois qu'il m'aurait tué ? Car il n'avait pas le choix : Ses oncles ? — Cross n'osa pas citer le nom de Don Clericuzio — Dante comptait sur ton affection, conclut-il au patriarche, pour se faire pardonner.

Don Domenico avait posé son cigarillo. Son visage était insondable, mais il y avait dans ses yeux une lueur mélancolique.

Petie prit alors la parole — c'est lui qui avait été le plus proche de Dante.

— Où as-tu enterré son corps ? insista-t-il.

Cross ne pouvait lui répondre, les mots refusaient de sortir de sa bouche.

Il y eut un long silence. Finalement, Don Clericuzio releva la tête et les regarda tous les quatre tour à tour.

— Les funérailles sont superflues pour les jeunes, déclara-t-il. Qu'ont-ils accompli de si noble pour qu'on leur rende cet hommage ? Quel grand respect ont-il mérité ? Les jeunes n'ont ni compassion, ni gratitude. Et ma fille est déjà folle. Pourquoi aggraver sa douleur et annihiler chez elle tout espoir de guérison ? On lui dira que son fils s'est enfui ; il lui faudra des années pour apprendre la vérité.

Tout le monde sembla se détendre. Petie s'avança et vint s'asseoir sur le canapé à côté de Cross. Vincent, derrière le bar, portant son verre de cognac à ses lèvres, sembla esquisser un fugitif signe de salut.

— Que tes motifs soient justes ou non, il n'empêche que tu as commis un crime contre la famille, reprocha Don Domenico. Et cet acte exige châtiment. Pour toi, ce sera de l'argent, pour Lia Vazzi, ce sera la vie.

— Lia n'a rien à voir dans la mort de Dante. Il ne s'est occupé que de Losey. Laisse-moi payer une rançon pour lui. Je possède la moitié des parts du Xanadu. Je te donnerai la moitié de mes parts en paiement, pour moi et Lia.

Don Domenico réfléchit un moment.

— C'est honnête, admit-il, avant de se tourner vers ses fils. Si vous êtes d'accord tous les trois, j'accepte.

Personne ne répondit.

Don Clericuzio soupira comme avec regret.

— Tu nous donneras la moitié de tes parts mais tu devras quitter notre monde. Vazzi retournera en Sicile avec sa famille ou non, à sa guise. Je ne peux pas aller plus loin.

Toi et Vazzi ne devrez plus jamais avoir le moindre contact. Et j'ordonne à mes fils, en ta présence, de ne jamais chercher à venger la mort de leur neveu. Tu as une semaine pour mettre tes affaires en ordre et signer les papiers nécessaires avec Giorgio.

Puis le vieil homme poursuivit d'une voix plus douce :

— Mais je veux que tu saches que je n'avais aucune connaissance des plans de Dante. Maintenant, va en paix et souviens-toi que j'aimais ton père comme un fils.

Lorsque Cross quitta la propriété, Don Clericuzio se leva de sa chaise.

— Au lit ! annonça-t-il, à Vincent.

Vincent l'aida à monter l'escalier car le vieux patriarche avait les jambes flageolantes à présent. Le temps finissait par faire son œuvre.

ÉPILOGUE

Nice, Quogue

La veille de quitter Las Vegas, Cross De Lena s'installa à son balcon et contempla le Strip baigné de soleil. Les enseignes des grands hôtels — le Caesar's Palace, le Flamingo, le Desert Inn, le Mirage et le Sands — clignotaient de mille feux, défiant la lumière du désert.

Le bannissement prononcé par Don Clericuzio était sans appel. Cross ne devrait jamais remettre les pieds à Las Vegas. Son père avait connu le paradis ici, Gronevelt avait fait de cette ville son Walhalla, mais Cross n'avait jamais savouré pleinement cette opulence. Certes, il avait goûté aux plaisirs de Las Vegas, mais ceux-ci laissaient dans son cœur la froideur de l'acier.

Les drapeaux verts des sept villas pendaient dans l'air immobile du désert; l'un d'eux flottait au-dessus d'une ruine calcinée, un squelette noir — le spectre de Dante. Mais bientôt, tout cela serait loin.

Il avait aimé le Xanadu, il avait aimé son père, Gronevelt et Claudia. Et pourtant, il avait l'impression de les avoir trahis — Gronevelt, parce qu'il n'était pas resté fidèle au Xanadu, son père, parce qu'il n'avait pas été totalement loyal envers les Clericuzio, et Claudia, parce qu'elle croyait en son innocence. Les ponts étaient désormais rompus avec eux tous. Une nouvelle vie s'ouvrait à lui.

Qu'allait-il faire de cette passion pour Athena? Gronevelt l'avait averti des dangers du grand amour; même son père et le vieux Don Domenico l'avaient mis en garde. L'amour était le talon d'Achille de ceux qui voulaient être maîtres de leur destinée. Pourquoi faisait-il donc la sourde oreille ? Pourquoi avait-il placé son destin entre les mains d'une femme ?

Tout simplement parce que la vue de sa beauté, le son de sa voix, ses gestes et sa démarche, sa joie et ses émotions l'emplissaient de bonheur. Le monde devenait une source infinie d'extase. La nourriture devenait délicieuse, le soleil réchauffait son corps, et cette langueur dans son cœur donnait à chaque instant de sa vie un caractère sacré. Et lorsqu'il dormait à ses côtés, il n'avait plus ces cauchemars qui hantaient autrefois ses nuits.

Un jour, elle l'aimerait vraiment, elle lui rendrait son amour au centuple ; Cross en était persuadé. Elle ne le jugerait jamais, et tel un ange tombé du ciel, elle le sauverait des Enfers.

Athena Aquitane était sans doute la seule femme sur le sol de France à se maquiller et se vêtir pour atténuer sa beauté. Elle ne cherchait pas à être laide — elle n'était pas masochiste ! — mais considérait que la beauté physique était un atour trop dangereux. Elle honnissait le pouvoir que cela lui donnait sur ses semblables, la vanité insidieuse qui polluait son esprit. C'était un obstacle, un élément perturbateur, à l'accomplissement du grand œuvre de sa vie.

Le premier jour de travail à l'Institut des Enfants autistes à Nice, Athena voulut ressembler aux pensionnaires du centre, marcher comme eux, réagir comme eux, cherchant désespérément à se faire accepter. Ce jour-là, elle détendit tous ses muscles faciaux, donnant à son visage un aspect lisse et sans âme, une dissymétrie étrange qu'on observait chez certains enfants paralysés.

Le Pr Ocell, observant cette attitude, lança d'un ton sardonique :

— C'est une belle performance d'actrice, mais vous allez dans la mauvaise direction. — Il lui prit la main et ajouta plus gentiment : — Il ne faut pas chercher à ressembler à votre malheur. Il faut lutter contre lui.

Athena se sentit honteuse et humiliée. C'était encore sa vanité d'actrice qui l'avait induite en erreur. Mais elle se sentait enfin en paix avec elle-même lorsqu'elle s'occupait de ces enfants. Peu importait que son français soit vacillant, ils ne comprenaient pas le sens de ses paroles.

Même la dure réalité ne la décourageait pas. Les enfants étaient parfois destructeurs et ne reconnaissaient pas les règles de la société. Ils se battaient entre eux ou avec leurs infirmières, barbouillaient les murs de leurs matières fécales, urinaient où bon leur semblait. Parfois, leur férocité était réellement effrayante, ainsi que leur rejet du monde extérieur.

Les seuls moments où Athena se laissait gagner par le découragement, c'était le soir, dans le petit appartement qu'elle louait à Nice, lorsqu'elle étudiait les archives de l'institut. Il s'agissait des dossiers médicaux relatant les progrès des enfants ; les résultats étaient affligeants. Il n'y avait qu'au cinéma qu'il était possible d'espérer une fin heureuse pour de tels cas.

Lorsque Cross lui annonça au téléphone qu'il s'apprêtait à la rejoindre, elle sentit monter en elle une bouffée de bonheur et d'espoir. Il était toujours en vie et il voulait l'aider. C'est alors qu'une soudaine angoisse l'étreignit. Elle alla s'en confier au Pr Ocell.

— Qu'est-ce qui est le mieux, selon vous ? demanda-t-elle.

— Il pourrait être d'un grand secours pour Bethany, répondit le Pr Ocell. Je suis curieux de voir comment leur relation évoluera avec le temps. Et cela peut être très salutaire pour vous aussi. Les mères n'ont nul besoin d'être des martyres pour le bien de leurs enfants.

Les paroles du médecin résonnaient encore dans sa tête lorsque Athena roulait en direction de l'aéroport de Nice pour accueillir Cross.

Au sortir de l'avion, Cross dut marcher sur la piste pour rejoindre le terminal. L'air était doux et parfumé, rien à voir avec la touffeur acide de Las Vegas. Les parterres de l'esplanade débordaient de fleurs rouges et pourpres.

Il aperçut Athena dans la foule. Une fois de plus il fut émerveillé par ses talents pour le déguisement. Elle ne pouvait totalement effacer sa beauté mais elle parvenait à l'atténuer. Des lunettes teintées faisaient virer le vert émeraude de ses prunelles au gris. Ses vêtements la grossissaient, masquaient ses courbes graciles. Ses cheveux blonds étaient cachés sous un chapeau de coton dont les pans retombaient sur ses joues. Une bouffée de fierté l'envahit à l'idée qu'il était le seul à connaître sa réelle beauté.

A l'arrivée de Cross, Athena retira ses lunettes et les glissa dans la poche de son chemisier. Il sourit devant cette petite pointe de coquetterie féminine.

L'heure suivante, ils se trouvaient dans la suite du Negresco où Napoléon et Joséphine avaient couché — c'est du moins ce que prétendait la brochure de l'hôtel. Un garçon d'étage toqua à la porte et leur apporta une bouteille de vin et un assortiment de canapés. Il déposa le tout sur la table du balcon qui surplombait la mer Méditerranée.

Au début, ils étaient presque intimidés l'un par l'autre. Elle lui tenait la main avec confiance, mais avec une certaine fermeté, comme si elle voulait rester maîtresse de la situation; le contact de sa peau fit naître en Cross une bouffée de désir, mais il n'en laissa rien paraître; il était évident qu'elle n'était pas prête.

La suite était somptueuse, un luxe plus opulent encore que dans les villas du Xanadu. Le lit à baldaquin était tendu de soie pourpre, les draps en harmonie étaient brodés de lys d'or. Les tables et les chaises étaient d'une élégance inconnue dans l'univers de Las Vegas.

Pendant qu'Athena l'entraînait sur le balcon, Cross l'embrassa sur la joue. N'y tenant plus, Athena saisit la serviette humide qui entourait la bouteille de vin dans son seau et se frotta le visage pour retirer tous les fards qui la dissimulaient. Son visage apparut, luisant de gouttelettes d'eau, la peau lumineuse et rose. Elle posa la main sur son épaule et lui embrassa doucement les lèvres.

Du haut du balcon, ils avaient une vue du vieux Nice, avec ses maisons de pierre aux tons pastels, délavées par les années. Plus bas, les Niçois déambulaient sur la promenade des Anglais, sur la plage, des jeunes gens, pratiquement nus, s'ébattaient dans l'eau turquoise tandis que des bambins, armés de pelles et de seaux, s'amusaient à s'enterrer sous les galets. Plus loin, des yachts blancs aux formes effilées fendaient l'horizon dans une farandole de lumières.

Cross et Athena venaient juste de goûter le vin lorsqu'ils entendirent un grondement sourd. Dans le mur de la jetée s'ouvrait une sorte d'énorme gueule de canon qui n'était autre que le boyau d'éjections des égouts des quartiers est. Une grande coulée brune se répandit dans les eaux bleues de la mer.

Athena détourna la tête et releva les yeux vers Cross.

— Combien de temps restes-tu ici ? demanda-t-elle.

— Cinq ans, si tu veux bien de moi, répondit-il.

— C'est idiot ! rétorqua Athena en se renfrognant. Qu'est-ce que tu vas faire ici ?

— Je suis riche ; je vais peut-être acheter un petit hôtel dans le coin.

— Et le Xanadu ?

— J'ai été obligé de vendre mes parts. — Il marqua un moment de silence — Nous n'aurons pas à redouter de problèmes d'argent.

— J'ai de l'argent aussi, précisa Athena. Je veux que les choses soient claires. Je vais rester ici pendant cinq ans et puis je ramènerai Bethany à la maison. Je me fiche de ce qu'ils pourront dire, mais il est hors de question que je la laisse dans un centre. Je m'occuperai d'elle jusqu'à la fin de ses jours. Et si quelque chose lui arrive, ma vie restera centrée autour d'enfants comme elle. Tu vois donc que nous ne pourrons jamais avoir de vie normale ensemble.

C'était on ne pouvait plus clair. Cross réfléchit un long moment avant de répondre.

Sa voix était ferme et posée :

— Athena, la seule chose dont je sois sûr, c'est que je vous aime toutes les deux, toi et Bethany. Tu n'as pas le droit d'en douter. Cela ne va pas être facile, je le sais, mais nous ferons de notre mieux. Tu as besoin d'aider Bethany, pas de faire une croix sur ta vie. Pour cela, il nous faut franchir le pas. Le dernier pas. Je ferai tout ce que je peux pour que l'on réussisse. Nous sommes comme deux joueurs dans mon casino. Les probabilités sont contre nous, mais la chance peut être de notre côté.

Cross vit les défenses d'Athena chanceler, alors il assena le coup de grâce :

— Marions-nous, annonça-t-il. Ayons d'autres enfants et menons une vie normale. Essayons de créer avec nos enfants un monde, le meilleur possible. Toutes les familles ont leur infortune, faisons de notre mieux pour surmonter notre handicap. Je sais que nous pouvons y arriver. Il faut me croire.

Athena le regarda droit dans les yeux.

— A condition que toi, tu croies à mon amour pour toi.

Dans la chambre lorsqu'ils firent l'amour, ils se laissèrent emporter par cette foi mutuelle. Cross voulait vraiment l'aider à sauver Bethany et Athena aimait vraiment Cross.

— Je t'aime, murmura-t-elle en se tournant vers lui.

Cross l'embrassa.

— De tout mon être, ajouta-t-elle.

Quel homme sur terre aurait pu la mettre en doute ?

Seul dans sa chambre à coucher, Don Clericuzio remonta les draps sur sa poitrine. La mort approchait, elle était tout près. Par bonheur, songea le vieil homme, tout s'était déroulé selon ses plans. Comme il était facile de tromper la jeunesse !

Au cours des cinq dernières années, il avait compris que Dante risquait de mettre en péril le grand œuvre qu'il poursuivait. Dante empêcherait les Clericuzio de se fondre totalement dans la société. Mais que pouvait-il y faire, lui, Don Clericuzio ? Ordonner la mort du fils de sa fille, de son propre petit-fils ? Giorgio, Vincent ou Petie auraient-ils obéi à un tel ordre ? A supposer que tel fût le cas, il serait passé pour un monstre sanguinaire à leurs yeux. La crainte n'allait-elle pas prendre le pas sur l'amour ? Et Rose Marie, qu'allait-il lui rester de santé d'esprit après ça ? — parce qu'elle aurait su la vérité, l'aurait sentie dans sa chair.

Mais lorsque Pippi De Lena avait été tué, le sort en était jeté. Don Clericuzio avait su immédiatement le fond de l'affaire. Une enquête avait mis en évidence la relation entre Dante et Losey, et Don Domenico s'était aussitôt forgé une opinion.

Il avait envoyé Vincent et Petie protéger Cross, voiture

blindée et tout le reste. Pour l'avertir du danger, il lui avait narré l'histoire de la guerre contre les Santadio. Qu'il était difficile et douloureux de faire marcher droit le monde ! Lorsqu'il ne serait plus, qui prendrait toutes ces terribles décisions ? Il était temps pour les Clericuzio, avait décidé le vieux Don Domenico, de se retirer des affaires.

Vinnie et Petie s'occuperaient exclusivement de leurs restaurants et de leurs entreprises de construction. Giorgio continuerait à acheter des sociétés à la bourse de Wall Street. Le repli de la famille serait parachevé. Même l'enclave du Bronx ne serait plus réapprovisionnée en troupes. Les Clericuzio seraient à l'abri et lutteraient contre la nouvelle pègre qui émergeait un peu partout dans le pays. Le patriarche ne regrettait pas ses erreurs passées, la vie brisée de sa fille, la mort de son petit-fils. Il avait même rendu sa liberté à Cross.

Avant de s'endormir, le vieux Clericuzio eut une vision. Il vivrait pour l'éternité, le sang des Clericuzio coulerait à jamais dans les veines de l'humanité. Et c'est lui, lui tout seul, qui avait créé cette lignée — son grand œuvre. Mais fallait-il que le monde soit mauvais pour contraindre l'homme à commettre tant de péchés !

TABLE DES MATIÈRES